O LIVRO DA ECONOMIA

O LIVRO DA ECONOMIA

WWW.DK.COM

GLOBOLIVROS

DK LONDRES

EDITORES DE ARTE
Anna Hall, Duncan Turner

EDITOR SÊNIOR
Janet Mohun

EDITOR
Lizzie Munsey

GERENTE DE ARTE
Michelle Baxter

GERENTE EDITORIAL
Camilla Hallinan

EDITOR-CHEFE
Sarah Larter

DIRETOR DE ARTE
Philip Ormerod

DIRETOR ADJUNTO EDITORIAL
Liz Wheeler

DIRETOR EDITORIAL
Jonathan Metcalf

ILUSTRAÇÕES
James Graham

PESQUISA ICONOGRÁFICA
Louise Thomas

EDITOR DE PRODUÇÃO
Ben Marcus

SUPERVISOR DE PRODUÇÃO
Sophie Argyris

projeto original
STUDIO8 DESIGN

EDITORA GLOBO

EDITOR RESPONSÁVEL
Carla Fortino

EDITOR ASSISTENTE
Sarah Czapski Simoni

TRADUÇÃO
Carlos S. Mendes Rosa

REVISÃO TÉCNICA
Rafael Longo

REVISÃO DE TEXTO
Laila Guilherme e
Márcia Duarte

EDITORAÇÃO ELETRÔNICA
Duligraf Produção Gráfica Ltda.

Editora Globo S.A.
Av. Jaguaré, 1485 – 05346-902 – São Paulo, SP
www.globolivros.com.br

Texto fixado conforme as regras do novo
Acordo Ortográfico da Língua Portuguesa
(Decreto Legislativo nº 54, de 1995)

Título original: *The Economics Book*

2ª edição, 2018 - 3ª reimpressão, 2020
Impressão e acabamento: COAN

Dados Internacionais de Catalogação na Publicação (CIP)
(Câmara Brasileira do Livro, SP, Brasil)

O Livro da economia / [tradução Carlos S. Mendes Rosa]. -- São Paulo : Globo, 2013.

Título original: The economics book
Vários autores.
ISBN 978-85-250-5240-7

1. Economia 2. Economistas 3. História econômica.

12-14092 CDD-330

Índices para catálogo sistemático:

1. Economia 330

COLABORADORES

NIALL KISHTAINY, EDITOR CONSULTOR

Niall Kishtainy leciona na London School of Economics e é especialista em desenvolvimento e história da economia. Trabalhou no Banco Mundial e na Comissão Econômica para a África da ONU.

GEORGE ABBOT

George Abbot, economista britânico, atuou em 2012 na campanha de reeleição do presidente dos EUA, Barack Obama. Trabalhou antes na Compass, influente grupo de especialistas do Reino Unido, em documentos estratégicos como *Plan B: A new economy for a new society.*

JOHN FARNDON

John Farndon, radicado em Londres, é autor de muitos livros sobre questões contemporâneas e história das ideias, entre eles sinopses sobre as economias da China e da Índia.

MARCUS WEEKS

Marcus Weeks formou-se em filosofia e lecionou antes de fazer carreira como autor. Foi colaborador de muitos livros sobre artes e ciências populares.

JAMES MEADWAY

O economista britânico James Meadway trabalha na New Economics Foundation, grupo especializado britânico autônomo. Também atuou como assessor de políticas do Tesouro do Reino Unido.

FRANK KENNEDY

Frank Kennedy trabalhou mais de 25 anos em bancos de investimento na City de Londres, como analista de investimentos e gerente de mercados de capitais, onde chefiou uma equipe europeia de consultoria para instituições financeiras. Estudou história da economia na London School of Economics.

CHRISTOPHER WALLACE

Christopher Wallace é diretor de Economia na prestigiosa Colchester Royal Grammar School, no Reino Unido. Leciona economia há mais de 25 anos.

SUMÁRIO

INICIEM O COMÉRCIO
400 A.C.-1770 D.C.

A ERA DA RAZÃO
1770-1820

REVOLUÇÕES INDUSTRIAL E ECONÔMICA
1820-1929

GUERRA E DEPRESSÕES
1929-1945

ECONOMIA NO PÓS-GUERRA
1945-1970

ECONOMIA CONTEMPORÂNEA
1970-PRESENTE

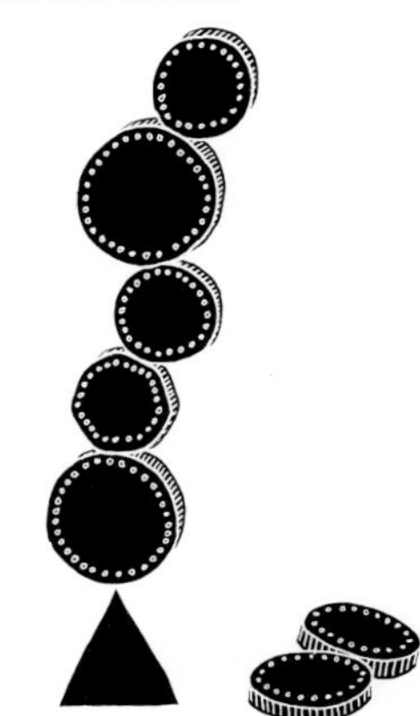

INTRODU

ÇÃO

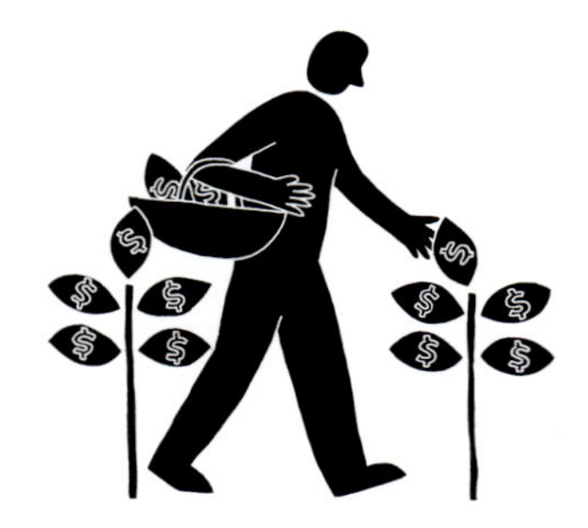

Pouca gente diz que sabe muito de economia, talvez por ser considerada um assunto complexo e hermético, de pouca relevância na vida diária. Em geral ela parece restrita a profissionais de negócios, finanças e do governo. Mas a maioria das pessoas começa a se conscientizar da influência dela sobre a riqueza e o bem-estar, e pode até ter opiniões, às vezes bem fortes, sobre o aumento do custo de vida, impostos, gastos públicos etc. Muitas vezes essas opiniões se baseiam em uma reação imediata a uma notícia, mas também costumam ser objeto de discussões no trabalho ou à mesa de jantar. Então, até certo ponto, todos nós temos interesse em economia. Os argumentos que usamos para justificar nossas opiniões são em geral os mesmos dos economistas, de modo que um conhecimento mais abrangente das teorias pode nos dar uma compreensão melhor dos princípios econômicos que participam da nossa vida.

Na economia, esperança e fé coexistem com grande pretensão científica e também um desejo profundo de respeitabilidade.

John Kenneth Galbraith
Economista canadense-americano (1908-2006)

Economia no noticiário

Hoje, quando o mundo está em crise, parece mais importante que nunca aprender um pouco de economia. As notícias econômicas agora são o assunto principal em jornais e programas de TV. Em 1997, o estrategista político republicano Robert Teeter, dos EUA, já observou esse predomínio: "Veja a baixa cobertura [política] da TV. Veja a queda no índice de eleitores. Economia e notícias econômicas é que mexem com o país agora, não política".

No entanto, será que realmente conseguimos entender quando ouvimos falar de aumento do desemprego, inflação, crise do mercado de ações e déficits comerciais? Quando dizem que devemos apertar o cinto ou pagar mais impostos, sabemos por quê? E quando parece que estamos nas mãos de bancos audaciosos e grandes corporações, sabemos como ficaram tão poderosos ou entendemos por que existem? A disciplina da economia está no centro de questões como essas.

O estudo da administração

Apesar da sua importância e do seu caráter fundamental em questões que nos atingem, a economia como disciplina é vista em geral com desconfiança. A ideia popular é que ela é árida e acadêmica, por sua dependência de estatísticas, gráficos e fórmulas. No século XIX, o historiador escocês Thomas Carlyle definiu a economia como "ciência lúgubre", que é "sombria, triste e, aliás, bastante desprezível e aflitiva". Outro equívoco comum é que ela "só trata de dinheiro", e, mesmo que exista aí um pouco de verdade, de modo algum representa o todo.

Então, o que é economia? A palavra vem do grego *oikonomia*, que significa "administração da casa", e passou a significar o estudo das maneiras de gerir os recursos e, mais especificamente, a produção e a permuta de bens e serviços. Claro, produzir bens e prestar serviços é tão velho quanto a civilização, mas o estudo do funcionamento do processo na prática é relativamente novo.

Evoluiu bem devagar. Filósofos e políticos manifestaram suas opiniões sobre temas econômicos desde o tempo dos gregos antigos, mas os primeiros economistas de fato que estudaram o assunto só surgiram no final do século XVIII.

Nessa época, o estudo se chamava "economia política" e apareceu como ramo da filosofia política. Porém, os que estudavam suas teorias acharam cada vez mais que ela deveria constituir um campo próprio e passaram a denominá-la "ciência econômica". Depois, ela se popularizou na forma mais curta, "economia".

Uma ciência mais leve

A economia é uma ciência? Os economistas do século XIX sem dúvida gostavam de pensar assim, e até Carlyle, que a achava deprimente, honrou-a com o título de ciência. Boa parte da teoria econômica foi calcada na matemática e mesmo na física (o que talvez tenha ajudado a lhe dar respeitabilidade científica) e procurou determinar as leis que governam o comportamento da economia, da mesma maneira que os cientistas tinham descoberto leis físicas por trás dos fenômenos naturais. As economias, no entanto, são feitas pelo homem e dependem do comportamento racional ou irracional das pessoas que nelas atuam, portanto a economia como ciência tem mais em comum com as "ciências leves" da psicologia, sociologia e política.

Talvez a melhor definição de economia seja a do economista britânico Lionel Robbins. Em 1932, em seu *Um ensaio sobre a natureza e a importância da ciência econômica*, ele a descreveu como "ciência que estuda o comportamento humano como inter-relação entre fins e meios escassos que têm usos alternativos". Essa definição ampla continua sendo a mais aceita atualmente.

A primeira lição da economia é a escassez: nunca há algo em quantidade suficiente para satisfazer os que o querem. A primeira lição da política é desconsiderar a primeira lição da economia.

Thomas Sowell
Economista americano (1930-)

A diferença mais importante entre a economia e as outras ciências, no entanto, é que os sistemas que ela examina são instáveis. Além de descrever e explicar as economias e seu funcionamento, os economistas também podem sugerir como elas devem ser formadas ou podem ser melhoradas.

Os primeiros economistas

A economia moderna surgiu como disciplina específica no século XVIII, sobretudo com a publicação em 1776 de *A riqueza das nações*, livro escrito pelo grande pensador escocês Adam Smith. Contudo, o que motivou o interesse no assunto não foram os textos de economistas, mas as enormes mudanças na própria economia com o advento da Revolução Industrial. Os pensadores mais antigos haviam falado da gestão de bens e serviços nas sociedades, tratando de questões que surgiram como problemas da filosofia moral ou política. Mas, com o surgimento das fábricas e da produção de bens em massa, veio uma nova era de organização econômica que dava atenção ao todo. Aí começou a chamada economia de mercado.

A análise de Smith do novo sistema definiu o padrão, com uma

explicação abrangente do mercado competitivo. Smith afirmou que o mercado é guiado por uma "mão invisível", de modo que as ações racionais de indivíduos interesseiros acabam dando à sociedade exatamente o que ela necessita. Smith era filósofo, e o tema de seu livro era a "economia política" – ia além da economia e incluía política, história, filosofia e antropologia. Depois de Smith, surgiu uma nova geração de pensadores econômicos, que preferiu se concentrar totalmente na economia. Cada um deles colaborou para o que sabemos de economia – como funciona e como deve ser gerida – e lançou as bases de diversos ramos da disciplina.

Com sua evolução, os economistas identificaram áreas específicas para exame. Uma abordagem era ver a economia como um todo, no âmbito nacional ou internacional, a que se chamou de "macroeconomia". Essa área da economia estuda temas como crescimento e desenvolvimento, mensuração da riqueza de um país quanto à produção e à renda e suas políticas de comércio internacional, tributação e controle da inflação e do desemprego. Por outro lado, a chamada "microeconomia" analisa as interações de pessoas e empresas dentro da economia: os princípios da oferta e da demanda, compradores e vendedores, mercados e concorrência.

Novas escolas de pensamento

Naturalmente, houve diferenças de opinião entre os economistas, e surgiram várias escolas de pensamento. Muitos saudaram a prosperidade que a moderna economia industrial trouxe e defenderam um enfoque de não intervenção, ou *laissez-faire*, para permitir que a concorrência no mercado criasse riqueza e estimulasse a inovação tecnológica.

No fundo, a economia é o estudo dos incentivos: como as pessoas obtêm o que querem ou necessitam, ainda mais quando outras pessoas querem ou necessitam a mesma coisa.

Steven D. Levitt
Stephen J. Dubner
Economistas americanos (1967- e 1963-)

Outros foram mais prudentes ao estimar a capacidade do mercado de beneficiar a sociedade e notaram falhas no sistema. Acharam que estas poderiam ser vencidas com a intervenção estatal e defenderam uma função para os governos no fornecimento de certos bens e serviços e na contenção do poder dos produtores. Pela análise de alguns, sobretudo o filósofo alemão Karl Marx, a economia capitalista tinha um defeito fatal e não sobreviveria.

As ideias dos primeiros economistas "clássicos", como Smith, eram cada vez mais submetidas a exame rigoroso. No final do século XIX, os economistas com formação em ciência abordavam o tema por meio das disciplinas da matemática, da engenharia e da física. Esses economistas "neoclássicos" descreviam a economia com gráficos e fórmulas e propunham leis que regiam o funcionamento dos mercados e justificavam seu ponto de vista.

No final do século XIX, a economia começava a adquirir características nacionais: centros de pensamento econômico se transformaram em departamentos universitários, e surgiram diferenças perceptíveis entre as principais

escolas da Áustria, da Grã-Bretanha e da Suíça, em particular sobre a conveniência de algum grau de intervenção estatal na economia.

Essas diferenças ficaram ainda mais evidentes no século XX, quando as revoluções na Rússia e na China puseram quase um terço do mundo sob o domínio comunista, com economias planificadas em lugar de mercados competitivos. O resto do mundo, porém, estava em dúvida se os mercados por si sós seriam capazes de proporcionar prosperidade. Enquanto a Europa continental e o Reino Unido discutiam os graus de intervenção do governo, a verdadeira batalha das ideias foi travada nos EUA durante a Grande Depressão, após a quebra da Bolsa de Nova York, em 1929.

Na segunda metade do século XX, o centro do pensamento econômico mudou da Europa para os EUA, que haviam se tornado a superpotência econômica dominante e adotavam políticas cada vez mais liberais. Após o desmantelamento da União Soviética em 1991, parecia que a economia de livre mercado era de fato o caminho para o sucesso econômico, como Smith previra. Nem todos concordaram. Embora a maioria dos economistas tivesse fé na estabilidade, eficiência e racionalidade dos mercados, alguns estavam em dúvida, e surgiram outras abordagens.

Abordagens alternativas

No fim do século XX, novas áreas da economia incorporaram às suas teorias ideias de disciplinas como a psicologia e a sociologia, além de descobertas da matemática e da física, como a teoria dos jogos e a teoria do caos. Os teóricos alertaram ainda para as fraquezas do sistema capitalista. As crises financeiras, cada vez mais graves e frequentes no início do século XXI, reforçaram a sensação de que havia algo intrinsecamente errado no sistema. Ao mesmo tempo, os cientistas concluíram que a crescente riqueza econômica ocorria à custa do ambiente, na forma de alterações climáticas potencialmente desastrosas.

Enquanto a Europa e os EUA lidavam talvez com os mais graves problemas econômicos que já haviam enfrentado, novas economias surgiam, em especial no Sudeste Asiático e nos países do BRIC (Brasil, Rússia, Índia e China). O poder econômico volta a mudar, e sem dúvida um novo pensamento econômico surgirá para ajudar a gerir nossos recursos escassos.

Uma vítima notória das recentes crises econômicas é a Grécia, onde começou a história da economia e onde nasceu o termo "economia". Em 2012, manifestantes em Atenas ressaltaram que a democracia também partiu dos gregos, mas corre o risco de ser sacrificada na busca de uma solução para uma crise de dívida.

Ainda é preciso ver como a economia mundial resolverá seus problemas, mas, de posse dos princípios da economia descritos neste livro, você saberá como chegamos à situação atual e talvez comece a enxergar uma saída. ■

O objetivo de estudar a economia é [...] aprender a não ser enganado pelos economistas.

Joan Robinson
Economista britânica (1903-83)

INICIEM COMÉRC 400 A.C.-1770 D.C.

0
10

c.380 a.C. Platão descreve o **Estado ideal**, em que a propriedade pertence a todos, e o trabalho é qualificado.

c.350 a.C. Aristóteles argumenta em favor da **propriedade privada**, mas contra o acúmulo de dinheiro como um fim em si.

1225-74 Tomás de Aquino diz que o **preço de um produto é "justo"** só se o lucro não for excessivo e não existir má-fé na venda.

1397 É fundado o Banco Medici em Florença, Itália – uma das primeiras **instituições financeiras** baseadas no comércio internacional.

c.1400 **Letras de câmbio** tornam-se o padrão de pagamento no comércio europeu, resgatáveis pelos bancos mercantis.

1492 Cristóvão Colombo chega às Américas. Logo o ouro corre para a Europa, aumentando a **oferta de moeda**.

1599 A Companhia Britânica das Índias Orientais, empresa de **comércio internacional** e primeira marca mundial do planeta, é constituída.

c.1630 Thomas Mun advoga a política **mercantilista**, usando as exportações para aumentar a riqueza da nação.

Com a evolução das civilizações no mundo antigo, também evoluiu o fornecimento de bens e serviços às populações. Os primeiros sistemas econômicos surgiram naturalmente, à medida que várias profissões e ofícios produziam bens passíveis de troca. As pessoas começaram a negociar, primeiro pelo escambo e depois com moedas de metais preciosos, e o comércio se tornou essencial na vida. A compra e a venda de bens existiram por séculos antes que alguém pensasse em ver como o sistema funcionava.

Os antigos filósofos gregos foram os primeiros a escrever sobre os tópicos que seriam chamados coletivamente de "economia". Em *A república*, Platão descreveu a constituição política e social de um Estado ideal, que, segundo ele, funcionaria de modo econômico, com produtores especializados fornecendo produtos para o bem comum. No entanto, seu aluno Aristóteles defendia o conceito do bem privado, suscetível de negociação no mercado. Essas discussões prosseguem até hoje. Sendo filósofos, Platão e Aristóteles viam a economia como uma questão de filosofia moral: em vez de analisar como funcionava um sistema econômico, eles tiveram ideias de como ele devia funcionar. Esse tipo de enfoque chama-se "normativo" – é subjetivo e atenta para "como deve ser".

O enfoque normativo da economia persistiu na era cristã, quando filósofos medievais como Tomás de Aquino (p. 23) tentaram definir a ética da propriedade privada e do comércio no mercado. Aquino avaliou a moralidade dos preços, defendendo a importância de preços "justos", sem lucro excessivo para o comerciante.

Os antigos viviam em sociedades nas quais o trabalho era executado em grande parte por escravos, e na Europa medieval imperava o sistema feudal, em que os camponeses recebiam proteção de senhores em troca de trabalho ou serviço militar. Assim, os argumentos morais desses filósofos eram um tanto acadêmicos.

Ascensão da cidade-estado

Ocorreu uma grande alteração no século XV quando as cidades-estado surgiram na Europa e se enriqueceram com o comércio internacional. Uma classe nova e próspera de comerciantes tomou o lugar dos latifundiários feudais como agentes importantes da economia.

Estoura uma **bolha especulativa** no mercado holandês de tulipas, deixando milhares de investidores na ruína.

1637

1668

Josiah Child descreve o **livre comércio** – ele defende importações e exportações crescentes.

William Petty mostra como **medir a economia** em *Quantulumcunque sobre o dinheiro*.

1682

1689

John Locke diz que a **riqueza provém** não do comércio, mas **do trabalho**.

Gregory King compila um **sumário estatístico** do comércio na Inglaterra no século XVII.

1697

1752

David Hume afirma que os bens públicos devem ser **pagos pelos governos**.

François Quesnay e seus seguidores, os fisiocratas, afirmam que **terra e agricultura** são as únicas fontes de prosperidade econômica.

1756

1758

Quesnay produz seu *Quadro econômico*, primeira análise do funcionamento de uma economia inteira – a **"macroeconomia"**.

Eles trabalharam lado a lado com dinastias de banqueiros, que lhes financiaram o comércio e as viagens de descobrimento.

Novas nações comerciais substituíram as economias feudais de pequena escala, e o pensamento econômico começou a se concentrar na melhor forma de controlar a troca de bens e dinheiro de um país ao outro. O enfoque dominante na época, chamado mercantilismo, preocupava-se com a balança de pagamentos – a diferença entre o que um país gasta em importações e o que ele ganha com exportações. Era bem-visto vender mercadorias no exterior, porque dava dinheiro ao país. Já a importação de mercadorias era considerada prejudicial, porque o dinheiro ia embora. Para evitar o déficit comercial e proteger os produtores nacionais da concorrência estrangeira, os mercantilistas propuseram tributar as importações.

Com o aumento do comércio, ele saiu das mãos dos comerciantes e seus patrocinadores. Foram criadas sociedades e empresas, muitas vezes com apoio dos governos, para supervisionar as grandes operações comerciais. Essas empresas passaram a ser divididas em "ações", para ser financiadas por muitos investidores. O interesse na compra de ações cresceu rápido no final do século XVII, levando à criação de sociedades anônimas e bolsas de valores, nas quais as ações poderiam ser compradas e vendidas.

Uma nova ciência

O enorme aumento no comércio também motivou novo interesse no funcionamento da economia e originou os primórdios da disciplina da economia. Surgido no início do século XVIII, o denominado Iluminismo, que prezava a racionalidade acima de tudo, adotou um enfoque diante da "economia política". Os economistas tentaram medir a atividade econômica e descrever o funcionamento do sistema, em vez de avaliar apenas as implicações morais.

Na França, um grupo de pensadores chamados fisiocratas analisou o fluxo de dinheiro na economia e criou o primeiro modelo macroeconômico (a economia como um todo). No coração dele, puseram a agricultura, não o comércio nem as finanças. Enquanto isso, os filósofos políticos na Grã-Bretanha tiraram a ênfase das ideias mercantilistas de comércio e a colocaram nos produtores, nos consumidores e no valor e na utilidade dos bens. Começava a se formar a estrutura para o estudo moderno da economia. ■

A PROPRIEDADE DEVE SER PRIVADA

DIREITOS DE PROPRIEDADE

EM CONTEXTO

FOCO
Sociedade e economia

PRINCIPAL PENSADOR
Aristóteles (384-322 A.C.)

ANTES
423-347 A.C. Platão afirma em *A república* que, pelo bem comum, os governantes devem manter a propriedade coletiva.

DEPOIS
1-250 Na lei romana clássica a soma dos direitos e poderes de uma pessoa sobre uma coisa chama-se *dominium*.

1265-74 Tomás de Aquino diz que ter posses é natural e bom, mas a propriedade privada é menos importante que o bem público.

1689 John Locke diz que o que você cria com o próprio trabalho é seu de direito.

1848 Karl Marx escreve o *Manifesto comunista*, defendendo a total abolição da propriedade privada.

Começamos a aprender sobre propriedade e pertences pessoais ainda nas disputas por brinquedos na tenra infância. Muitas vezes nem se dá atenção a esse conceito, mas não há nada inevitável nele. A propriedade privada é fundamental para o capitalismo. Karl Marx (p. 105) observou que a riqueza gerada pelo capitalismo dá às sociedades "uma imensa coleção de mercadorias" que são privadas e podem ser comercializadas para dar lucro. As empresas também são propriedade privada e têm fins lucrativos em um mercado livre. Sem a ideia de propriedade privada, não há possibilidade de ganho pessoal – não há nem razão para entrar no mercado. Na verdade, não existe mercado.

A proteção da propriedade privada é importante nos países capitalistas. Esta casa em Varsóvia, Polônia, é a mais segura já construída: vira um cubo de aço ao toque de um botão.

Tipos de propriedade

"Propriedade" abrange uma ampla gama de coisas, de bens materiais a propriedade intelectual (como patentes ou texto escrito). Ela faz parte de áreas que nem os economistas do livre mercado defendem, como a escravidão, em que as pessoas são mercadoria.

Do ponto de vista histórico, a propriedade material se organizou de três modos diferentes. Primeiro, tudo pode ser coletivo e usado por quem desejar, com base na confiança mútua e no costume. Foi assim nas economias tribais e ainda é para os huaoranis da Amazônia. Segundo, a propriedade pode ser mantida e utilizada coletivamente – a essência do sistema comunista. Terceiro, a propriedade pode ser particular, e cada pessoa é livre para fazer com ela o que quiser. Este é o conceito central do capitalismo.

Os economistas modernos tendem a justificar a propriedade privada pragmaticamente, com o argumento de que o mercado não pode funcionar sem alguma divisão de recursos. Os primeiros pensadores encaravam a propriedade de uma perspectiva

Veja também: Mercados e moralidade 22-23 ▪ Fornecimento de bens e serviços públicos 46-47 ▪ Economia marxista 100-05 ▪ Definições de economia 171

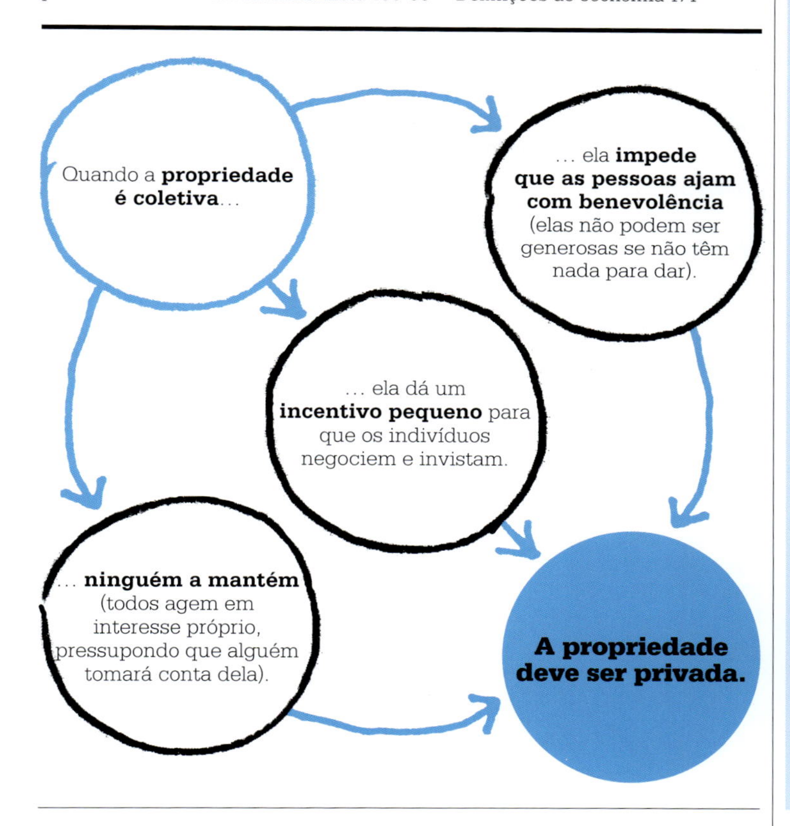

Privado até onde?

Em toda sociedade moderna, algumas coisas são compartilhadas como propriedade coletiva, como ruas e parques. Outras, como carros, são propriedade privada. Os direitos de propriedade, ou posse legítima, em geral conferem ao dono direitos exclusivos sobre dado recurso, mas nem sempre é assim. O dono de uma casa em um bairro histórico, por exemplo, não pode demoli-la para construir uma fábrica ou um arranha-céu, nem mesmo alterar o uso do prédio atual. Os governos de todos os países do mundo reservam-se o direito de ignorar a propriedade privada quando achar necessário, por motivos que vão de necessidade de infraestrutura a questões de segurança nacional. Mesmo nos EUA, ferrenhos capitalistas, o governo pode obrigar um proprietário a abrir mão de seus direitos. Porém, a 14ª emenda à Constituição suaviza o golpe ao afirmar que o proprietário deve ser recompensado com o preço de mercado.

moral. O filósofo grego Aristóteles afirmou que "a propriedade deve ser privada". Ressaltou que, quando a propriedade é coletiva, ninguém assume a responsabilidade de mantê-la e melhorá-la. Além disso, as pessoas só podem ser generosas se tiverem algo para dar.

O direito à propriedade

No século XVII, toda a terra e as moradias na Europa pertenciam de fato aos monarcas. O filósofo inglês John Locke (1632-1704), porém, defendeu os direitos individuais, dizendo que, como Deus nos deu o domínio sobre o próprio corpo, também temos domínio sobre as coisas que fazemos. O filósofo alemão Immanuel Kant (1724-1804) declarou depois que a propriedade privada é uma expressão legítima do indivíduo.

Outro filósofo alemão, no entanto, rejeitou inteiramente a propriedade privada. Karl Marx insistiu que o conceito de propriedade privada nada mais é que um meio pelo qual o capitalista expropria o trabalho do proletário, deixa-o na escravidão e o exclui. O proletariado é, na verdade, apartado do grupo seleto que controla toda a riqueza e poder. ▪

Sem dúvida é melhor a propriedade ser privada, mas o seu uso, comum; e a função especial do legislador é criar nos homens um temperamento benevolente.

Aristóteles

QUE É PREÇO JUSTO?

MERCADOS E MORALIDADE

EM CONTEXTO

FOCO
Sociedade e economia

PRINCIPAL PENSADOR
Tomás de Aquino (1225–74)

ANTES
c.350 a.C. Em *Política*, Aristóteles diz que o valor de todos os bens deve ser medido por uma coisa: "necessidade".

529-534 Os tribunais romanos impedem que os donos de terras sejam forçados a vendê-las abaixo do preço justo, com "grande perda".

DEPOIS
1544 O economista espanhol Luis Saravia de la Calle diz que o preço deve ser fixado por "estimativa comum" fundada na qualidade e na abundância.

1890 Alfred Marshall propõe a fixação automática de preços conforme a oferta e a procura.

1920 Ludwig von Mises declara que o socialismo não pode dar certo porque só os preços determinam a necessidade.

Muita gente sabe o que é ser explorado ou "roubado" por um vendedor, como ao comprar um sorvete caríssimo num lugar turístico. Porém, segundo a teoria econômica predominante, não existe roubo. O preço de qualquer coisa é apenas o preço de mercado – o preço que as pessoas estão dispostas a pagar. Para os economistas de mercado, não há aspecto moral algum no preço – a precificação é resultado direto da oferta e da demanda. Os comerciantes que parecem estar cobrando a mais estão só levando o preço ao limite. Se puserem o preço além do que as pessoas estão preparadas para pagar, elas não comprarão mais, e então os comerciantes serão forçados

Veja também: Direitos de propriedade 20-21 ▪ Economia de livre mercado 54–61 ▪ Oferta e procura 108-13 ▪ Economia e tradição 166-67

As comunidades medievais eram exigentes com os preços cobrados pelos comerciantes. Em 1321, William le Bole de Londres foi arrastado pelas ruas por vender pão abaixo do peso.

a baixar os preços. Os economistas consideram que o mercado é a única maneira de determinar preços, já que nada – nem mesmo o ouro – tem um valor intrínseco.

Preço aceito livremente

A ideia de que o mercado deve fixar os preços contrasta nitidamente com o ponto de vista do erudito siciliano Tomás de Aquino em sua *Suma teológica*, um dos primeiros estudos do mercado. Para Aquino, monge erudito, o preço era uma questão profundamente moral. Ele admitia que a ganância fosse um pecado mortal, mas ao mesmo tempo entendia que, se um comerciante não tivesse o incentivo do lucro, ele deixaria o comércio, e a comunidade seria privada das mercadorias que necessita.

Aquino concluiu que o comerciante pode cobrar um "preço justo", o que inclui um lucro decente, mas exclui o lucro excessivo, que é pecaminoso. Esse preço justo é apenas aquele que o comprador concorda livremente em pagar, dispondo de informação honesta. O vendedor não é obrigado a contar ao comprador os fatos que podem baixar o preço no futuro, como um navio que logo vai atracar com especiarias baratas.

A questão de preço e moralidade continua viva hoje, quando tanto os economistas como o público discutem "o preço justo" do bônus de um banqueiro ou o salário mínimo. Os economistas de livre mercado, que rejeitam a interferência no mercado, e aqueles que defendem a intervenção do governo – por mínimas razões econômicas ou morais – continuam debatendo sobre a correção e o erro de impor restrições aos preços. ■

Homem algum deve vender uma coisa a outro homem por mais do que ela vale.
Tomás de Aquino

Tomás de Aquino

São Tomás de Aquino foi um dos grandes eruditos da Idade Média. Nascido em Aquino, na Sicília, em 1225, de família aristocrática, começou sua instrução aos cinco anos. Aos 17 decidiu deixar para trás a riqueza mundana e juntar-se a uma ordem de monges dominicanos pobres. Sua família ficou tão chocada que o raptou quando ele se dirigia para a ordem e o manteve trancado por dois anos. Sua determinação, porém, continuou inabalada, e enfim a família desistiu e o deixou ir para Paris, onde ficou sob a tutela do monge erudito Alberto, o Grande (1206-80). Aquino estudou e lecionou na França e na Itália, e em 1272 fundou um *studium generale* – espécie de universidade – em Nápoles (na atual Itália). Suas várias obras filosóficas tiveram grande influência na formação do mundo moderno.

Obras-chave

1256-59 *Verdade e Conhecimento*
1261-63 *Suma contra os gentios*
1265-73 *Suma teológica*

NÃO É PRECISO ESCAMBO QUANDO SE TEM DINHEIRO

A FUNÇÃO DA MOEDA

EM CONTEXTO

FOCO
Bancos e finanças

EVENTO PRINCIPAL
Kublai Khan adota moeda fiduciária no Império Mongol no século XIII.

ANTES
3000 A.C. Na Mesopotâmia, o shekel é usado como unidade de moeda: uma unidade de cevada de certo peso equivalia a certo valor de ouro ou prata.

700 A.C. As mais antigas moedas conhecidas são feitas na ilha grega de Egina.

DEPOIS
Século XIII Marco Polo leva notas promissórias da China à Europa, onde são usadas por banqueiros italianos.

1696 O Banco da Escócia é a primeira atividade comercial a emitir cédulas de dinheiro.

1971 O presidente americano Nixon cancela conversibilidade do dólar em ouro.

Em vários lugares do mundo, caminha-se cada vez mais para uma sociedade sem dinheiro vivo, em que os bens são comprados com cartões de crédito, transferências eletrônicas e por celulares. Mas dispensar o dinheiro não significa que ele não seja usado. O dinheiro continua no centro de todas as operações.

Os efeitos desagradáveis do dinheiro são bem conhecidos, pois ele incita desde a avareza até o crime e a guerra. O dinheiro é usado como homenagem, em rituais religiosos e como enfeite. O "dinheiro sujo" paga assassinatos; noivas são compradas ou dadas com dotes para enriquecer o marido. Dinheiro dá status e poder a indivíduos, famílias e nações.

A economia do escambo

Sem dinheiro só era possível o escambo. Em certa medida nós fazemos escambo ao retribuir favores. Pode-se consertar a porta quebrada do vizinho em troca de algumas horas de babá, por exemplo. Porém, é difícil imaginar essas trocas pessoais em escala maior. O que aconteceria se você quisesse um pão e só tivesse o seu carro novo para trocar? O escambo depende da coincidência de desejos, quando não só o outro tem o que eu quero, mas também eu tenho o que ele quer.

O povo tribal tiwa, de Assam, Índia, troca produtos por meio de escambo na Jonbeel Mela, antiquíssima festa para preservar a harmonia e a irmandade entre tribos.

O dinheiro resolve todos esses problemas. Não é preciso achar alguém que queira o que você tem para trocar – você apenas paga seus bens com dinheiro. O vendedor pode então embolsar o dinheiro e comprar de outra pessoa. O dinheiro é transferível e adiável – o vendedor pode guardá-lo e comprar na hora

Veja também Serviços financeiros 26-29 ▪ Teoria quantitativa da moeda 30-33 ▪ O paradoxo do valor 63

certa. Muitos afirmam que as civilizações complexas nunca teriam surgido sem a facilidade de troca que o dinheiro permite. O dinheiro dá também um padrão para decidir o valor das coisas. Se todos os bens têm valor monetário, podemos conhecer e comparar todos os custos.

Tipos de moeda

Existem dois tipos de moeda: mercadoria e fiduciária. A moeda-mercadoria tem um valor intrínseco, além do especificado – por exemplo, quando se usam moedas de ouro como dinheiro corrente. A moeda fiduciária, usada primeiro na China, no século X, é um símbolo da permuta, sem valor que não o que o governo lhe atribui. Uma cédula é moeda fiduciária.

Muitos papéis-moeda eram de início "promessa de pagamento" com lastro em reserva de ouro. Em tese, os dólares emitidos pelo Federal Reserve dos EUA podiam ser trocados por seu valor em ouro. Desde 1971, o valor do dólar deixou de ser conversível em ouro e é fixado inteiramente segundo o desejo do Tesouro do país, sem relação com suas reservas de ouro. Essas moedas fiduciárias dependem da confiança das pessoas na estabilidade econômica do país, nem sempre garantida. ■

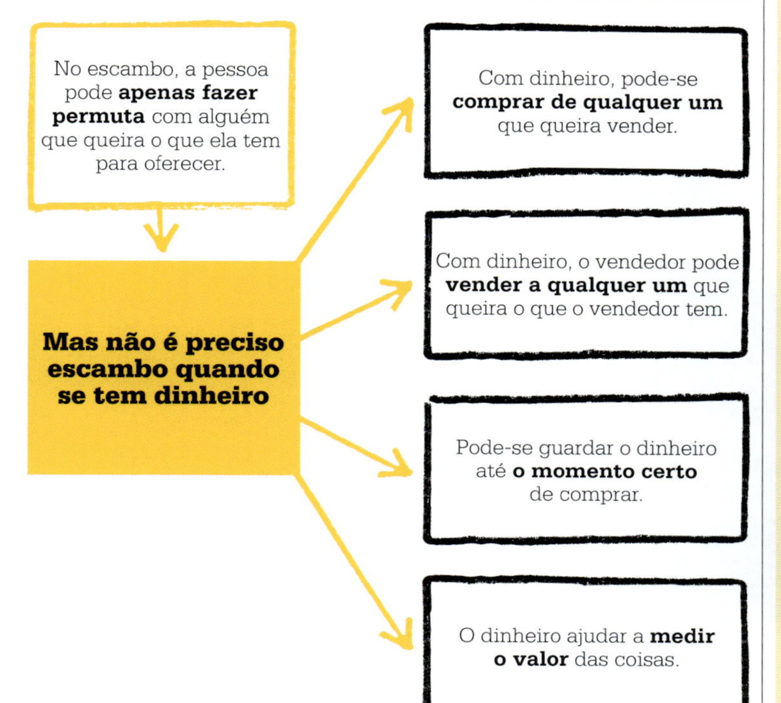

Contas com conchas

Wampum eram contas de conchas brancas e pretas preciosas para as tribos norte-americanas das Florestas do Leste. Antes da chegada dos colonos europeus no século XV, os *wampum* eram mais usados com fins cerimoniais. Eram trocados para registrar um acordo ou prestar homenagem. Seu valor vinha da habilidade imensa necessária para fazê-los e de sua relação com as cerimônias.

Quando os europeus vieram, suas ferramentas revolucionaram a feitura dos *wampum*, e os colonizadores holandeses os produziram aos milhões e passaram a usá-los para negociar e comprar coisas dos povos nativos, que não se interessavam por moedas, mas valorizavam os *wampum*. Estes logo se tornaram moeda corrente com uma taxa de câmbio aceita. Em Nova York, oito *wampum* brancos ou quatro pretos equivaliam a um *stuiver* (moeda holandesa da época). O uso e o valor dos *wampum* caíram a partir dos anos 1670.

Esta bolsa a tiracolo *shawnee* é decorada com contas *wampum*, que se tornou moeda para algumas tribos da América do Norte.

DINHEIRO FAZ DINHEIRO

SERVIÇOS FINANCEIROS

EM CONTEXTO

FOCO
Bancos e finanças

PRINCIPAIS PENSADORES
Família Medici
(1397-1494).

ANTES
Século XIII Escritores escolásticos condenam usura.

DEPOIS
1873 O jornalista britânico Walter Bagehot insta o Banco da Inglaterra a atuar como "emprestador de última instância" do sistema bancário.

1930 É fundado o Banco de Compensações Internacionais em Basel, Suíça, motivando normas internacionais de regulação dos bancos.

1992 O economista americano Hyman Minsky publica *A hipótese de instabilidade financeira*, que explicaria a crise financeira de 2007-08.

Há muito tempo as pessoas fazem e dão empréstimo. Existem provas de que essas atividades ocorriam há 5 mil anos na Mesopotâmia (atual Iraque), na aurora da civilização. Mas os sistemas bancários modernos só surgiram no século XIV, no norte da Itália.

A palavra "banco" vem do italiano com o mesmo sentido do lugar onde os banqueiros se sentavam para fazer negócios. No século XIV, a península italiana era uma terra de cidades-estado que usufruíam a influência e os ganhos do papado em Roma. A península tinha localização ideal para o comércio, entre a Ásia, a África e os países emergentes da

Veja também Empresas de capital aberto 38 ▪ Engenharia financeira 262-65 ▪ Incerteza no mercado 274-75 ▪ Crises financeiras 296-301 ▪ Corrida aos bancos 316-21

Europa. A riqueza começou a se acumular, sobretudo em Veneza e Florença. Veneza tinha poder marítimo. Aí se criaram instituições para financiar e garantir as viagens. Florença centrava-se na atividade fabril e no comércio com o norte da Europa, e lá comerciantes e financistas se reuniram no Banco Medici.

Florença já era lar de famílias de banqueiros, como Peruzzi e Bardi, e de diferentes agentes financeiros – de agiotas, que emprestavam dinheiro garantido por pertences pessoais, a bancos locais, que lidavam com moedas estrangeiras, aceitavam depósitos e davam empréstimos a empresas locais. O banco fundado por Giovanni di Bicci de Medici em 1397 era diferente.

O Banco Medici financiava o comércio internacional de artigos como lã. Diferia dos bancos existentes em três aspectos. Primeiro, cresceu bastante. No apogeu, sob o comando do filho do fundador, Cosme, tinha filiais em onze cidades, como Londres, Bruges e Genebra. Segundo, a sua rede foi descentralizada. As filiais eram geridas não por um empregado, mas por um sócio menor, que dividia os lucros. A família Medici, em Florença, consistia nos sócios principais, supervisionando a rede, ganhando a maior parte do lucro e mantendo a marca da família, que simbolizava a sólida reputação do banco. Terceiro, as filiais recebiam grandes depósitos de poupadores ricos, multiplicando o crédito que se poderia dar por uma quantia modesta de capital inicial, multiplicando os lucros do banco.

Economia bancária

Esses elementos da história de sucesso dos Medici correspondem a três conceitos econômicos bem relevantes para os bancos atuais. O primeiro é "economias de escala". É caro um indivíduo elaborar um só contrato de empréstimo jurídico, mas um banco pode redigir mil contratos por uma fração do custo "por contrato". Negociações em dinheiro (aplicações monetárias) são boas para economias de escala. O segundo é "diversificação do risco". Os Medici reduziram o risco de crédito ruim espalhando seus empréstimos geograficamente. Além disso, como os sócios menores dividiam lucros e perdas, eles deviam emprestar com sensatez – na verdade, assumiam alguns riscos dos Medici. O terceiro conceito é a "transformação de ativos". Um comerciante quer depositar ganhos ou pedir dinheiro emprestado. Outro »

Banqueiros mercantis no fim do século XIV faziam depósitos e empréstimos, convertiam moedas estrangeiras e vigiavam a circulação em busca de moedas falsificadas ou proibidas.

quer um lugar seguro para guardar seu ouro, de onde ele possa retirá-lo rápido, se necessário. Outro ainda quer um empréstimo, o que é mais arriscado para o banco e pode imobilizar o dinheiro por longo tempo. Então o banco se pôs entre as duas necessidades: "tomar empréstimos no curto prazo, fazer empréstimos no longo". Isso atendia a todos – o depositante, o devedor e, claro, o banco, que usava os depósitos de clientes como dinheiro emprestado ("alavancagem") para multiplicar lucros e ter um alto retorno sobre o capital investido dos proprietários.

No entanto, essa prática também tornava o banco vulnerável – se um grande número de depositantes exige o dinheiro de volta ao mesmo tempo (em uma "corrida ao banco"), o banco talvez não seja capaz de fornecê-lo, porque terá usado o dinheiro dos depositantes para fazer empréstimos de longo prazo e mantém apenas uma fração da quantia dos depositantes em dinheiro vivo. Esse risco é calculado, e a vantagem do sistema é fazer a ligação entre poupadores e tomadores de empréstimo.

O financiamento do comércio internacional era um negócio de alto risco na Europa do século XIV. Envolvia tempo e distância e, por isso, sofria do que se chama de "problema fundamental da troca" – o perigo de que alguém fuja com a mercadoria ou o dinheiro depois de feito o acordo. Para resolvê-lo, criou-se a "letra de câmbio", papel que comprovava a promessa do comprador de pagar pelos bens em determinada moeda, quando chegassem. O vendedor das mercadorias também podia vender a letra imediatamente para arrecadar dinheiro. Os bancos mercantis italianos tornaram-se hábeis com as letras de câmbio, criando um mercado monetário internacional.

Ao comprar a letra de câmbio, o banco assumia o risco de o comprador das mercadorias não pagar. Portanto, era essencial para o banco saber quem tinha propensão para pagar e quem não a tinha. Os empréstimos – e as finanças em geral – requerem um conhecimento especial qualificado, pois a falta de informação (chamada "assimetria de informação") pode causar sérios problemas. Aqueles com menor probabilidade de pagar são os que têm maior probabilidade de pedir empréstimo – e, depois de o terem recebido, ficam tentados a não pagar. A função mais importante do banco é a sua capacidade de emprestar com sensatez e depois monitorar os tomadores para evitar o "risco moral" – sucumbir à tentação de não pagar o empréstimo.

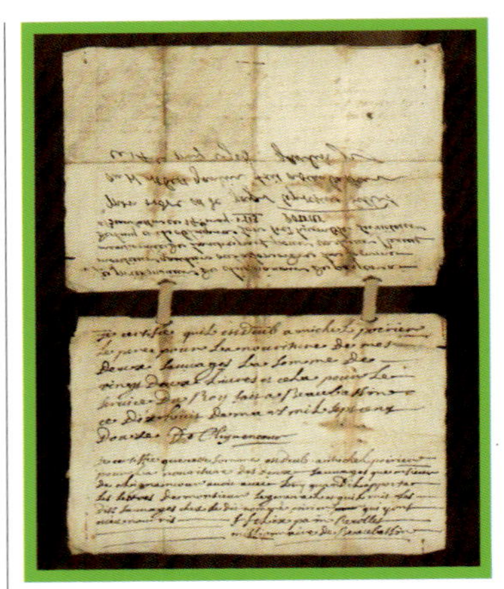

As letras de câmbio, como esta de 1713, passaram a ser os cheques bancários comuns. Todos os tipos são promessa de pagar ao portador tal quantia de dinheiro em certa data.

Agrupamentos geográficos

Os bancos costumam ficar perto um do outro para maximizar a informação e a habilidade. Isso explica a criação de distritos financeiros nas grandes cidades. Os economistas chamam

A concessão de hipotecas a mutuários "de alto risco" (incapazes de pagar) levou a uma onda de retomada de imóveis e à crise financeira de 2007-08.

Uma crise bancária no século XXI

A crise financeira mundial, iniciada em 2007, provocou o reexame da natureza da atividade bancária. A alavancagem, ou dinheiro emprestado, estava no coração da crise. Em 1900, cerca de três quartos dos ativos bancários podiam ser financiados por dinheiro emprestado. Em 2007, a proporção oscilou entre 95% e 99%. O entusiasmo dos bancos em fazer apostas financeiras em movimentos futuros do mercado, chamadas derivativos, ampliou essa alavancagem e os riscos inerentes.

A crise veio após um período de desregulamentação bancária. Várias inovações financeiras pareceram lucrativas num mercado em alta, mas levaram a modelos ruins de empréstimos realizados por dois grupos: os que concediam crédito a famílias pobres dos EUA e os investidores em títulos superconfiantes no conselho das agências de avaliação de risco de crédito. Estas são as questões que todos os bancos enfrentam desde os Medici: informação ruim, incentivos financeiros e risco.

Banqueiro é o sujeito que lhe empresta o guarda-chuva quando faz sol, mas o pede de volta quando começa a chover.
Mark Twain
Escritor americano (1835-1910)

esse fenômeno de "externalidades de rede", que remete ao fato de que, quando um agrupamento começa a se formar, todos os bancos se beneficiam da rede de habilidade e informação aprofundadas. Florença formava um conglomerado. A City de Londres, com seus ourives e especialistas em transporte, tornou-se outro. No início dos anos 1800, a província nortista de Xanxim tornou-se importante centro financeiro da China. Hoje, a internet cria novas formas de agrupamento on-line.

A vantagem da especialização explica a existência de tantos tipos diferentes de bancos – poupança, imobiliários, de empréstimos para carros etc. A forma que o banco assume também pode enfrentar problemas de informação. As sociedades de fundos mútuos e os bancos cooperativos, por exemplo, que são propriedade efetiva de seus clientes, surgiram no século XIX para aumentar a confiança entre o banco e seus clientes, numa época de mudança social. Como os membros dessas instituições investigavam um ao outro e os administradores tinham bom conhecimento do público, elas podiam fornecer os empréstimos de longo prazo de que os clientes precisavam. Em alguns países, como a Alemanha, elas prosperaram. O banco holandês Rabobank é um exemplo do modelo cooperativo, bem como o Grameen Bank, na Índia, que faz muitos empréstimos de pequenas quantias, o "microcrédito".

Porém, o agrupamento também pode ocasionar uma concorrência arriscada e um comportamento de manada. É muito importante para os bancos a reputação, pois sua função é transformar ativos – eles convertem depósitos em empréstimos –, e os seus ativos de empréstimo são mais arriscados, mais demorados e mais difíceis de ser transformados em dinheiro (menor "liquidez") do que seu passivo de depósitos.

Má notícia pode causar pânico. As falências de bancos talvez causem consequências indiretas para outros bancos e para o governo e a sociedade, como comprovou o Creditanstalt Bank da Áustria em 1931, que provocou uma corrida ao marco alemão, à libra britânica e depois ao dólar americano, provocando mais corrida aos bancos nos EUA e contribuindo para a Grande Depressão. Por isso os bancos precisam ser regulados. A maioria dos países dispõe de regras rígidas sobre quem pode abrir um banco, a informação que ele deve divulgar e o âmbito de suas atividades comerciais.

Financiar bastante

Todas as finanças implicam interligar pessoas que têm mais dinheiro do que precisam a pessoas que precisam de mais dinheiro do que têm – e o usarão produtivamente. As bolsas de valores aliam essas necessidades através de ações (papéis que conferem a propriedade de uma empresa), obrigações (empréstimos que podem ser negociados) ou outros instrumentos. Elas são ou lugares concretos, tais como a Bolsa de Valores de Nova York, ou mercados regulamentados em que a negociação ocorre por meio de telefonemas e computadores, como o mercado internacional de títulos. O agrupamento criado pelas bolsas faz que esses investimentos de longo prazo tenham maior liquidez. A poupança também pode ser agrupada para reduzir os custos da transação e diversificar os riscos. Os fundos mútuos, os fundos de pensão e as companhias de seguros desempenham esse papel. ■

A City de Londres abriga um denso aglomerado de bancos construídos em ruas medievais. Hoje ela é o maior centro do mundo de câmbio e empréstimos bancários internacionais.

DINHEIRO CAUSA INFLAÇÃO

TEORIA QUANTITATIVA DA MOEDA

EM CONTEXTO

FOCO
Macroeconomia

PRINCIPAL PENSADOR
Jean Bodin (1530-96)

ANTES
1492 Cristóvão Colombo chega às Américas. Prata e ouro fluem para a Espanha.

DEPOIS
1752 David Hume afirma que a oferta de moeda tem relação direta com o nível de preços.

1911 Irving Fisher elabora fórmula matemática para explicar a teoria quantitativa da moeda.

1936 John Maynard Keynes diz que a velocidade da moeda em circulação é instável.

1956 Milton Friedman diz que uma mudança na quantidade de moeda na economia pode ter efeito previsível na renda dos indivíduos.

Na Europa do século XVI, os preços subiam sem explicação. Alguns diziam que os governantes estavam usando a velha prática de "desvalorizar" o dinheiro, cunhando moedas com teor cada vez menor de ouro ou prata. Era verdade. Porém, Jean Bodin, advogado francês, argumentou que algo mais importante acontecia.

Em 1568, ele publicou sua *Réponse au paradoxe de monsieur de Malestroit*. O economista francês Jean de Malestroit (?-1578) atribuíra a inflação de preços tão somente à desvalorização da moeda, mas Bodin demonstrou que os preços subiam acentuadamente se

Veja também A função da moeda 24-25 ▪ O multiplicador keynesiano 164-65 ▪ Política monetarista 196-201 ▪ Inflação e desemprego 202-03

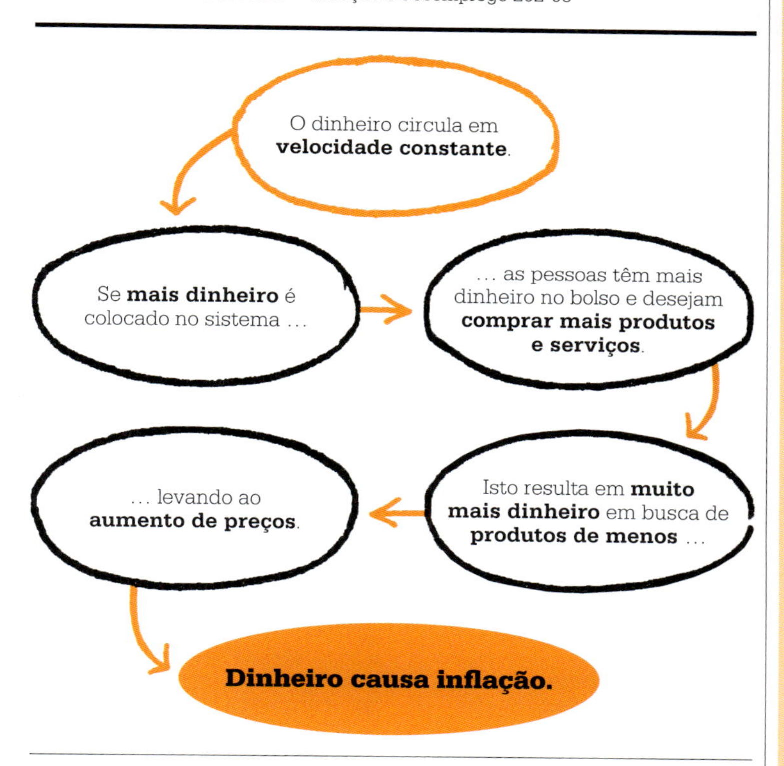

mensurados em prata pura. Ele afirmou que a abundância de prata e ouro era a culpada. Esses metais preciosos chegavam à Espanha de suas novas colônias nas Américas e depois se espalhavam pela Europa.

Os cálculos de Bodin sobre o aumento da cunhagem eram bastante precisos. Bem depois os economistas concluíram que os preços na Europa haviam quadruplicado no século XVI, ao mesmo tempo que triplicara a quantidade de prata e ouro em circulação no sistema – Bodin estimara o aumento de metais preciosos em mais de duas vezes e meia. Ele também destacou outros fatores da inflação: a procura de bens de luxos; a escassez de bens à venda devido a exportações e desperdício; a ganância de comerciantes ávidos por conter a oferta de bens usando monopólios; e, claro, os governantes adulterando as moedas.

A oferta de moeda

Bodin não foi o primeiro que ressaltou a nova influência do tesouro das Américas e o efeito da abundância ou escassez de moeda no nível dos preços. Em 1556, um teólogo espanhol, Martín de Azpilcueta (mais conhecido por Navarrus), chegara à mesma conclusão. Todavia, o ensaio de Bodin discorria também sobre a »

Jean Bodin

Filho de um mestre alfaiate, Jean Bodin nasceu em 1530 em Angers, França. Estudou em Paris e depois cursou a Universidade de Toulouse. Em 1560, tornou-se advogado do rei em Paris. Sua formação acadêmica (estudou direito, história, política, filosofia, economia e religião) atraiu a preferência real, e de 1571 a 1584 ele foi assessor do poderoso duque de Alençon.

Em 1576, Bodin casou-se com Françoise Trouilliart e sucedeu ao seu cunhado como procurador do rei em Laon, no norte da França. Em 1589, o rei Henrique III foi assassinado, e estourou uma guerra civil religiosa. Bodin acreditava em tolerância, mas em Laon ele foi obrigado a defender a causa católica, até que o rei protestante vitorioso, Henrique IV, tomou posse da cidade. Bodin morreu de peste, aos 66 anos, em 1596.

Obra-chave

1566 *Methodus ad facilem historiarum cognitionem*
1568 *Réponse au paradoxe de monsieur de Malestroit*
1576 *Seis livros da República*

demanda e a oferta de moeda, o funcionamento desses dois lados da economia e como as perturbações na oferta de moeda originavam inflação. Esse estudo amplo é tido como a primeira tese importante sobre a teoria quantitativa da moeda.

O raciocínio por trás dessa teoria baseou-se em parte no senso comum. Por que o preço de um cafezinho numa parte rica da cidade é muito mais alto que numa parte pobre? A resposta é que os clientes na parte rica têm mais dinheiro para gastar. Se consideramos a população de um país inteiro e duplicamos o dinheiro que as pessoas têm, é natural que elas queiram usar seu poder aquisitivo maior para comprar mais produtos e serviços. Contudo, como bens e serviços sempre têm oferta limitada, haverá muito dinheiro para comprar produtos de menos, e os preços subirão.

Essa sequência de eventos mostra uma relação importante entre a quantidade de moeda na economia e o nível geral de preços. A teoria quantitativa da moeda diz que dobrar a oferta de moeda dobra o valor das transações (ou renda e gasto). Na forma mais extrema da teoria, a duplicação da moeda provoca a duplicação dos preços, mas não do valor real. A moeda tem um efeito neutro sobre o valor real, relativo, de bens e serviços – por exemplo, sobre o número de casacos que podem ser comprados pelo preço de um computador.

Preço real, preço nominal

Após Bodin, vários economistas desenvolveram a ideia dele. Reconheceram que existe uma diferença entre o lado real da economia e o nominal, monetário. Os preços nominais são apenas preços monetários, passíveis de mudar com a inflação. Por isso os economistas concentram-se nos preços reais – na quantidade de uma coisa (casaco, computador ou tempo gasto no trabalho) que se deve abandonar em troca de outro tipo de coisa, seja qual for o preço nominal. No lado extremo da teoria quantitativa, as mudanças na oferta de moeda podem influenciar os preços, mas não têm efeito algum nas variáveis econômicas reais, como produção e desemprego. Além do mais, os economistas notaram que a moeda é um "bem" que as pessoas desejam por causa do poder aquisitivo dela. Contudo, o dinheiro que elas querem não é o nominal, mas o "dinheiro real" – o dinheiro que compra dinheiro.

A abundância de ouro e prata [...] neste reino é maior hoje do que foi nos últimos 400 anos.
Jean Bodin

Equação de Fisher

O postulado completo da teoria quantitativa da moeda foi feito pelo economista americano Irving Fisher (1867-1947), que usou a fórmula matemática MV = PT, em que "P" é o nível geral de preços e "T" são as

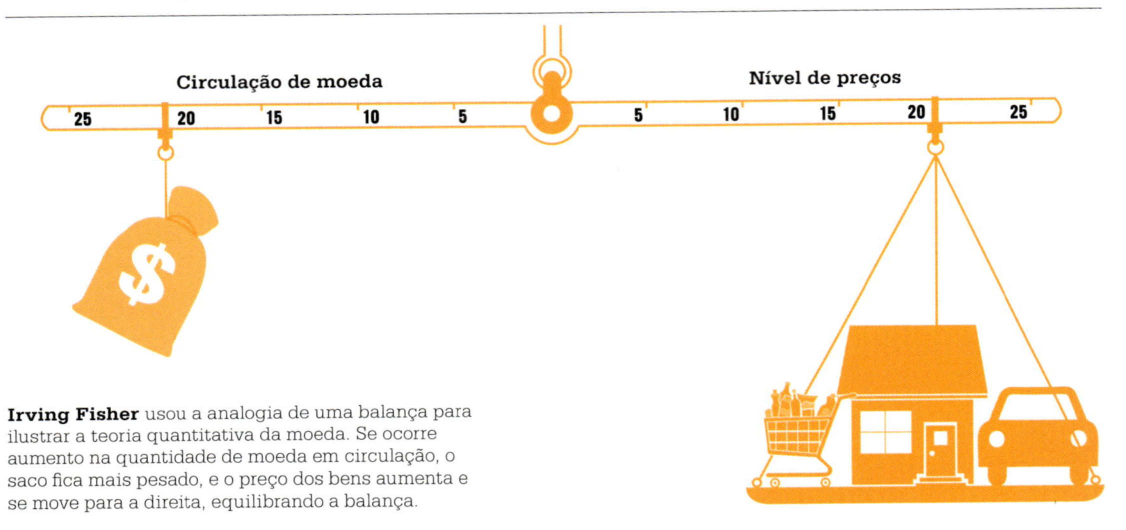

Irving Fisher usou a analogia de uma balança para ilustrar a teoria quantitativa da moeda. Se ocorre aumento na quantidade de moeda em circulação, o saco fica mais pesado, e o preço dos bens aumenta e se move para a direita, equilibrando a balança.

Esta pintura do mestre holandês Pieter Bruegel (1559) mostra vagabundos lado a lado com ricos na Quaresma. Grandes aumentos de preço no século XV causaram apuro entre os pobres, aumento da vadiagem e revoltas de camponeses.

transações realizadas em um ano, de modo que PT (preços × transações) é o valor total das transações anuais. "M" é a oferta de moeda. Mas, como PT é o fluxo total de bens, e M representa uma provisão de moeda que pode ser usada vezes seguidas, a equação precisa de algo que represente a circulação da moeda. Esse fluxo circular, que faz o dinheiro girar pela economia – como o cesto giratório de uma máquina de lavar roupas – é "V", a velocidade da moeda.

Essa equação torna-se uma teoria quando fazemos suposições acerca das relações entre as letras, com o que os economistas procedem de três modos. Um, presume-se que V (a velocidade da moeda) seja constante, já que a maneira como usamos o dinheiro faz parte dos hábitos e não muda muito de um ano para o outro (nosso cesto da máquina de lavar gira em velocidade constante). Essa é a suposição crucial da teoria quantitativa da moeda. Dois, presume-se que T (a quantidade de transações na economia) seja motivado somente pela demanda dos consumidores e pela tecnologia dos produtores, que, juntas, determinam os preços. Três, deixamos que ocorra uma mudança excepcional em M (a oferta de moeda), como o fluxo do tesouro do Novo Mundo para a Europa. Com V (velocidade) e T (transações) fixos, a duplicação da moeda ocasiona uma duplicação dos preços.

Associada à diferença entre nominal e real, a teoria quantitativa da moeda implicou a ideia de que o efeito do dinheiro é neutro sobre a economia.

Contestação e reformulação

Mas o dinheiro é mesmo neutro? Poucos acreditam que seja em curto prazo. O efeito imediato de mais dinheiro no bolso é gastá-lo em bens e serviços reais. John Maynard Keynes (p. 161) disse que o dinheiro talvez fosse neutro em longo prazo, mas em curto prazo ele afetaria variáveis reais como produção e desemprego. Evidências também indicam que a velocidade da moeda (V) não é constante. Parece aumentar nas expansões, quando a inflação está alta, e cair nas recessões, quando a inflação está baixa.

Keynes teve outras ideias que contestaram a teoria quantitativa da moeda. Sugeriu que o dinheiro é usado não só como meio de troca, mas também como "reserva de valor" – algo que se pode guardar, seja para comprar bens, por segurança em tempos difíceis ou para investimentos futuros.

Os economistas keynesianos afirmam que esses motivos são menos afetados pela renda ou por transações (PT, na fórmula) do que pelas taxas de juro. Uma alta na taxa de juro provoca aumento na velocidade da moeda.

Em 1956, o economista americano Milton Friedman (p. 199) defendeu a teoria quantitativa da moeda, argumentando que a demanda de um indivíduo por equilíbrios monetários reais (quando o dinheiro compra mais) depende da riqueza. Ele afirmou que a renda das pessoas é que estimula essa demanda.

Hoje, os bancos centrais imprimem dinheiro eletronicamente e o usam para comprar a dívida do governo, num processo chamado flexibilização quantitativa. Seu objetivo é impedir a temida queda da oferta de moeda. Até agora, o efeito mais visível foi reduzir as taxas de juro na dívida do governo. ■

A inflação é sempre e em todo lugar um fenômeno monetário.
Milton Friedman

LIVRAI-NOS DOS PRODUTOS ESTRANGEIROS

PROTECIONISMO E COMÉRCIO

EM CONTEXTO

FOCO
Economia mundial

PRINCIPAL PENSADOR
Thomas Mun (1571-1641)

ANTES
c.1620 Gerard de Malynes afirma que a Inglaterra deve regular o comércio exterior para conter a saída de ouro e prata do país.

DEPOIS
1691 O comerciante inglês Dudley North diz que consumo é o maior incentivo à riqueza nacional ampliada.

1791 O secretário do Tesouro dos EUA, Alexander Hamilton, defende a proteção de setores econômicos recentes.

1817 O economista britânico David Ricardo diz que o comércio exterior pode beneficiar todas as nações.

Anos 1970 O economista americano Milton Friedman insiste que livre comércio ajuda países em desenvolvimento.

A riqueza de um país é o **seu ouro**.

↓

Exportações trazem o ouro.

↓

Importações de produtos estrangeiros causam a **perda do ouro**.

↓

Um país deve preservar sua reserva de ouro **restringindo importações**.

↓

Livrai-nos dos produtos estrangeiros.

Nos últimos 50 anos, muitos economistas defenderam o livre comércio. Dizem que só sem restrições ao comércio (como as tarifas) os produtos e a moeda podem girar livremente pelo mundo e os mercados globais, crescer sem inibição. Alguns discordam, argumentando que, se há um desequilíbrio enorme no comércio entre dois países, isso pode prejudicar os empregos e a riqueza.

Visão mercantilista

O debate sobre o livre comércio remonta à era mercantilista, que se iniciou na Europa no século XVI e prosseguiu até o fim do século XVIII. Com a ascensão do comércio marítimo holandês e inglês, a riqueza passou a migrar do sul da Europa para o norte.

Ainda nessa época começaram a surgir os Estados, junto com a ideia da riqueza de uma nação, que se media pelo volume do "tesouro" (ouro e prata) que ela possuía. Os mercantilistas acreditavam que o mundo bebia de um "pote limitado", de modo que a riqueza de cada nação dependia de se garantir uma "balança comercial" favorável, na qual mais ouro entra no país do que sai. Se sai ouro em excesso, a prosperidade da nação diminui,

Veja também Vantagem comparativa 80-85 ▪ Comércio internacional e Bretton Woods 186-87 ▪ Integração de mercados 226-31 ▪ Teoria da dependência 242-43 ▪ Desequilíbrios na poupança mundial 322-25

caem os salários, perdem-se empregos. A Inglaterra tentou conter a saída de ouro com a imposição de leis suntuárias – de contenção do consumo de produtos estrangeiros. Por exemplo, foram aprovadas leis que restringiam os tecidos que podiam ser usados em roupas, reduzindo a demanda de algodão e seda importados.

Malynes e Mun

Gerard de Malynes (1586-1641), perito inglês em comércio exterior, pensava que a saída de ouro deveria ser restringida. Se muito ouro saísse, dizia ele, o valor da moeda inglesa cairia.

Contudo, o maior teórico mercantilista do século, o inglês Thomas Mun, insistiu que o importante não era os pagamentos serem feitos no exterior, mas como o comércio e os pagamentos equilibravam-se no final. Mun queria incentivar as exportações e cortar as importações por meio de um consumo mais frugal de produtos nacionais. Todavia, ele não via problema em gastar ouro no exterior se este fosse usado para adquirir bens que seriam exportados por preço mais alto, obtendo afinal um retorno maior de ouro do que aquele que o país gastara. Isso promoveria o comércio, propiciaria trabalho para o setor de transportes e aumentaria o tesouro da Inglaterra.

Acordos de livre comércio

No século XVIII, Adam Smith (p. 61) discordaria desse ponto de vista. O que importa, frisou ele em *A riqueza das nações*, não é a riqueza de cada nação, mas de todas as nações. E o pote também não é fixo; pode crescer com o tempo – mas apenas se o comércio entre as nações for irrestrito. Liberado, disse Smith, o mercado sempre crescerá para enriquecer todas as nações.

Durante os últimos 50 anos, a visão de Smith predominou, pois a maioria dos economistas ocidentais afirmou que as restrições ao comércio entre as nações entravam a economia de cada um. Hoje, zonas de livre comércio como a União Europeia (UE), a Associação das Nações dos Sudeste Asiático (Asean) e o Acordo Norte-Americano de Livre Comércio (Nafta) são a norma, enquanto órgãos mundiais como a Organização Mundial do Comércio (OMC) e o Fundo Monetário Internacional (FMI) instam os países a reduzir tarifas e outras barreiras comerciais para permitir que empresas estrangeiras entrem nos mercados nacionais. Hoje, a criação de barreiras ao comércio é considerada protecionismo.

No entanto, certos economistas preocupam-se com a possibilidade de essa abertura a poderosas empresas multinacionais prejudicar os países em desenvolvimento, incapazes de nutrir setores novos com barreiras protecionistas, como fizeram a Grã-Bretanha, os EUA, o Japão e a Coreia do Sul antes de se tornarem economicamente poderosos. A China, nesse ínterim, segue uma política que reflete de várias maneiras o pensamento de Mun, realizando grandes superávits comerciais e acumulando uma enorme reserva de moeda estrangeira. ▪

Agricultores franceses protestam com tratores em Paris, em 2010, contra a queda nos preços dos cereais após a liberalização das cotas de importação.

Thomas Mun

Nascido em 1571, Thomas Mun cresceu numa família de ricos comerciantes de Londres. O pai morreu quando ele tinha três anos, e sua mãe se casou com Thomas Cordell, que seria diretor da Companhia das Índias Orientais, maior empresa de comércio britânica. Mun entrou para o comércio como mercador no Mediterrâneo. Em 1615, tornou-se diretor da Companhia das Índias Orientais. De início ele defendeu a exportação pela companhia de grande volume de prata, com o argumento de que geraria um comércio de reexportação. Em 1628, a companhia pediu ao governo britânico que a protegesse da concorrência holandesa. Mun defendeu a causa no Parlamento. Ele havia feito enorme fortuna na época de sua morte, em 1641.

Obras-chave

1621 *A discourse of trade*
c.1630 *England's treasure by foreign trade*

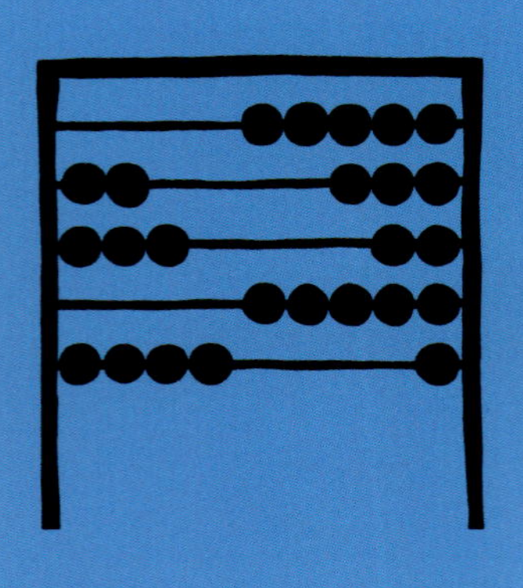

A ECONOMIA PODE SER MEDIDA

O CÁLCULO DA RIQUEZA

EM CONTEXTO

FOCO
Métodos econômicos

PRINCIPAL PENSADOR
William Petty (1623-87)

ANTES
1620 O cientista inglês Francis Bacon defende novo enfoque da ciência, baseado na coleta de fatos.

DEPOIS
1696 O estatístico inglês Gregory King escreve sua grande pesquisa estatística da população da Inglaterra.

Anos 1930 O economista australiano Colin Clark propõe o conceito do produto nacional bruto (PNB).

1934 O economista russo-americano Simon Kuznets elabora métodos contábeis de receita pública.

Anos 1950 O economista britânico Richard Stone introduz contabilidade nacional de partidas duplas.

Hoje nem ligamos para o fato de que a economia pode ser mensurada e suas expansões e contrações, quantificadas com precisão. Mas nem sempre foi assim. A ideia de medir a economia remonta aos anos 1670 e à obra pioneira do cientista inglês William Petty. Sua descoberta foi aplicar os novos métodos empíricos das ciências às questões financeiras e políticas – usar dados reais, sem depender do raciocínio lógico. Ele resolveu se expressar somente "em números, peso ou medida". Esse enfoque

Veja também O fluxo circular da economia 40-45 ▪ Testando teorias econômicas 170 ▪ A economia da felicidade 216-19 ▪ Gênero e economia 310-11

ajudou a formar a base da disciplina que se chamaria economia.

Em seu livro *Political Arithmetick*, de 1690, Petty usou dados reais para mostrar que, ao contrário da crença popular, a Inglaterra estava mais rica do que nunca. Uma de suas decisões inovadoras foi incluir o valor do trabalho, bem como da terra e do capital. Embora os números de Petty sejam polêmicos, não há dúvida quanto à eficácia de sua ideia básica. Seus cálculos incluíram o tamanho da população, despesas pessoais, salários individuais, valor dos aluguéis e outros. Ele então multiplicou esses números para obter o total da riqueza da nação, criando contas para qualquer país.

Métodos semelhantes foram criados na França por Pierre de Boisguilbert (p. 334) e Sébastien le Prestre (1633-1707). Na Inglaterra, Gregory King (1648-1712) analisou a economia e a população da Inglaterra, da Holanda e da França. Calculou que esses países não tinham recursos para continuar a guerra em que estavam envolvidos – a Guerra dos Nove Anos – além de 1698. Seus cálculos pareciam corretos, uma vez que a guerra acabou em 1697.

Medidas do progresso

A estatística passou a fazer parte do coração da economia. Hoje os economistas costumam medir o produto interno bruto (PIB) – valor total dos bens e serviços trocados por dinheiro num país em determinado período (em geral um ano). Contudo, ainda não existe um cálculo definitivo das contas nacionais, embora se tenha tentado padronizar os métodos.

Os economistas já começaram a ampliar a mensuração da prosperidade. Formularam novas unidades de medida, como o indicador genuíno de progresso (IGP), que conta com ajustes da distribuição de renda, criminalidade, poluição, e o índice do planeta feliz (IPF), que mede o bem-estar humano e o impacto ambiental. ▪

A Batalha de La Hogue foi travada em 1692, durante a Guerra dos Nove Anos. O estatístico inglês Gregory King calculou por quanto tempo cada país poderia arcar com a guerra.

William Petty

Nascido em 1623 em família humilde de Hampshire, Inglaterra, William Petty sobreviveu à Guerra Civil Inglesa e subiu a altos cargos no governo da Commonwealth e na monarquia restaurada. Quando jovem, trabalhou para o economista político inglês Thomas Hobbes, na Holanda. Ao retornar à Inglaterra, lecionou anatomia na Universidade de Oxford. Grande partidário da nova ciência, achou as universidades desanimadoras e mudou para a Irlanda, onde fez um levantamento monumental de todo o país.

Nos anos 1660, ele voltou à Inglaterra e começou a trabalhar em economia, o que o tornou conhecido. No resto de sua vida, ele ficou entre a Irlanda e a Inglaterra, tanto em pessoa quanto no enfoque de seu trabalho. Petty é tido como um dos primeiros dos grandes economistas políticos. Morreu em 1687, aos 64 anos.

Obras-chave

1662 *Tratado dos impostos e contribuições*
1690 *Political arithmetick*
1695 *Quantulumcunque concerning money*

NEGOCIEM AS EMPRESAS

EMPRESAS DE CAPITAL ABERTO

EM CONTEXTO

FOCO
Mercados e empresas

PRINCIPAL PENSADOR
Josiah Child (1630-99)

ANTES
Anos 1500 Governos dão a comerciantes monopólio comercial em certas regiões.

1552–71 A Bolsa da Antuérpia e a Bolsa de Londres são constituídas para acionistas comprar e vender ações de empresas de capital aberto.

DEPOIS
1680 “Corretores” de Londres reúnem-se na Jonathan's Coffee House e negociam ações.

1844 A Lei de Empresas de Capital Aberto do Reino Unido permite incorporação mais rápida e fácil de empresas.

1855 A responsabilidade limitada protege investidores em empresas de capital aberto de golpes como a Bolha dos Mares do Sul de 1720 (p. 98).

Os navios mercantes sempre levantaram fundos para viagens prometendo uma parte do lucro. Nos anos 1500, as recompensas podiam ser enormes, mas esses negócios de alto risco imobilizavam o dinheiro por anos antes de se obter lucro. A solução foi dividir o risco, e surgiram as empresas de capital aberto, em que os investidores injetavam dinheiro numa empresa para ser cotitulares de seu estoque comercial e ter direito a uma porção proporcional dos lucros.

Companhia das Índias Orientais

Uma das primeiras empresas de capital aberto foi a Companhia das Índias Orientais (CIO), formada em 1599, para executar o comércio entre a Grã-Bretanha e as Índias Orientais. Seus direitos de livre comércio foram tão defendidos pelo “pai dos mercantilistas”, o comerciante londrino Josiah Child, que isso se tornou um fenômeno mundial. Na época da morte dele, a companhia tinha cerca de 3 mil acionistas, que subscreviam ações de mais de £3 milhões, e tomava £6 milhões de empréstimo em títulos. Suas vendas anuais atingiram £2 milhões.

A ideia de uma empresa aberta limitada em que os acionistas são responsabilizados apenas por seus investimentos, veio das empresas de capital aberto. A venda de ações é importante para levantar dinheiro. Diz-se que o poder de vendê-las provoca afobação, mas a empresa de capital aberto continua no coração do capitalismo. ■

O transporte comercial de alto risco e alto prêmio foi dividido entre empresas de capital aberto. Navios como o *John Wood*, visto aqui em Bombaim nos anos 1850, levavam mercadorias para casa.

Veja também Equilíbrio econômico 118-23 ▪ Governança corporativa 168-69 ▪ Instituições na economia 206-07

A RIQUEZA VEM DA TERRA

AGRICULTURA NA ECONOMIA

EM CONTEXTO

FOCO
Crescimento e desenvolvimento

PRINCIPAL PENSADOR
François Quesnay
(1694-1774)

ANTES
1654-56 O economista inglês William Petty faz levantamento na Irlanda para avaliar potencial produtivo para o Exército inglês.

DEPOIS
1766 Adam Smith afirma que o trabalho, não a terra, é a grande fonte de valor.

1879 O economista americano Henry George diz que a terra deveria ser comum a todos e só ela deveria ser tributada, não o trabalho produtivo.

Anos 1950 A hipótese do "agricultor eficiente", do economista americano Theodore Schultz, põe a agricultura no centro do desenvolvimento econômico.

Nos últimos anos, os banqueiros têm sido às vezes classificados de parasitas, ao negociar com a riqueza criada pelo trabalho dos outros. François Quesnay (p. 45), filho de agricultor francês e uma das grandes mentes do século XVIII, devia reconhecer essa definição.

Quesnay afirmava que a riqueza está não no ouro e na prata, mas na produção – aquilo que o agricultor ou o fabricante fazem. Argumentava que a agricultura é tão valiosa por atuar com a natureza – que multiplica o esforço e os recursos do agricultor – para produzir um excedente líquido. A manufatura, por outro lado, é "estéril", porque o valor do seu produto é igual ao valor do seu insumo. Todavia, teóricos mostraram depois que a fabricação também pode gerar um excedente.

A ordem natural

A defesa de Quesnay do valor da agricultura influenciou a criação da escola francesa de pensadores fisiocratas, que acreditavam na primazia da "ordem natural" na economia. Muitos economistas, como Theodore Schultz, disseram que o desenvolvimento agrícola é o alicerce do progresso nos países pobres. Em 2008, o Banco Mundial anunciou que o crescimento do setor agrícola contribuía para a redução da pobreza mais que qualquer outro setor. Hoje os economistas também admitem que a diversificação na indústria e nos serviços, finanças inclusive, é vital para um crescimento de longo prazo. ■

Se conhecêssemos a economia da agricultura, conheceríamos muito da economia de ser pobre.
Theodore Schultz
Economista americano (1902-98)

Veja também Demografia e economia 68-69 ▪ A teoria do valor-trabalho 106-07 ▪ O surgimento das economias modernas 178-79 ▪ Economia desenvolvimentista 188-93

DINHEIRO E BENS CIRCULAM ENTRE PRODUTORES E CONSUMIDORES

O FLUXO CIRCULAR DA ECONOMIA

EM CONTEXTO

FOCO
Macroeconomia

PRINCIPAL PENSADOR
François Quesnay
(1694-1774)

ANTES
1664-76 O economista inglês William Petty apresenta os conceitos de receita e gastos públicos.

1755 *Ensaio*, do banqueiro mercantil irlandês Richard Cantillon, publicado na França, debate a circulação da moeda da cidade para a zona rural.

DEPOIS
1885 *O capital*, de Karl Marx, descreve a circulação do capital com um modelo inspirado por Quesnay.

Anos 1930 O economista russo-americano Simon Kuznets elabora a contabilidade da moderna renda nacional.

Em economia, pode-se pensar pequeno – microeconomia – ou pensar grande, no sistema inteiro: este é o estudo da macroeconomia. Na França do século XVIII, um grupo chamado de fisiocratas tentou pensar grande – queriam entender e explicar toda a economia como um sistema. Suas ideias são os fundamentos da macroeconomia moderna.

Os fisiocratas

Fisiocracia é uma antiga palavra grega que significa "poder sobre a natureza". Para os fisiocratas, as nações tiravam riqueza da natureza, por meio do setor agrícola. O líder,

A madame de Pompadour (amante de Luís XV) instalou Quesnay em Versalhes como seu médico. Seu estilo de vida deve ter resumido para ele o luxo excessivo dos ricos latifundiários.

François Quesnay, era cirurgião e médico da amante do rei Luís XV, madame de Pompadour. Seu modelo complexo da economia espelhava, segundo alguns, a circulação do sangue no corpo humano.

O enfoque mercantilista (pp. 34-35) dominava o pensamento econômico na época. Os mercantilistas achavam que o Estado deveria se comportar como um comerciante, ampliando os negócios, comprando ouro e interferindo na economia com impostos, subsídios e privilégios monopolistas. Os fisiocratas adotaram a visão contrária: afirmavam que a economia regulava-se naturalmente e precisava apenas de proteção contra más influências. Eles defendiam o livre comércio, impostos baixos, direitos de propriedade garantidos e dívida pública baixa. Se os mercantilistas diziam que a riqueza vinha do entesouramento, Quesnay e seus seguidores achavam que provinha do que os economistas modernos chamam de economia "real" – os setores que criam bens e serviços reais. Para eles, a agricultura era o mais produtivo dos setores.

Os fisiocratas foram influenciados pelo pensamento de um antigo proprietário rural francês, Pierre de Boisguilbert. Ele dissera que a agricultura é superior à manufatura, e os bens de consumo valem mais do que ouro. Quanto mais bens consumidos, mais dinheiro circula no sistema, tornando o consumo a força motriz da economia. Ele afirmou também que pouco dinheiro nas mãos dos pobres (que o gastam) vale muito mais para a economia do que nas mãos dos ricos (que o acumulam). O movimento, a circulação do dinheiro é que importa.

O Quadro econômico

O sistema fisiocrático de circulação foi apresentado no *Quadro econômico* de Quesnay, publicado e revisado várias vezes de 1758 a 1767. Trata-se de um diagrama que ilustra, com uma série de linhas cruzadas e ligadas, o fluxo de dinheiro e bens entre três grupos sociais: proprietários de terras, agricultores e artesãos. Os bens são produtos agrícolas e manufaturados (produzidos por agricultores e artesãos). Embora tenha usado o milho como exemplo de produto agrícola, Quesnay disse que essa categoria poderia incluir qualquer coisa produzida na terra, inclusive minérios.

Entende-se melhor o modelo de Quesnay com um exemplo. Imagine que cada um dos três grupos comece com $2 milhões. Os proprietários de terra não produzem

Veja também O cálculo da riqueza 36-37 ▪ Agricultura na economia 39 ▪ Economia de livre mercado 54-61 ▪ Economia marxista 100-05 ▪ Equilíbrio econômico 118-23 ▪ O multiplicador keynesiano 164-65

nada. Gastam seus $2 milhões igualmente com produtos agrícolas e artesanais e os consomem todos. Recebem $2 milhões de aluguel dos agricultores – que estes podem pagar, visto que são o único grupo que produz um excedente –, de modo que os proprietários voltam para onde começaram. Os agricultores são o grupo produtivo. De um ponto inicial de $2 milhões, eles produzem produtos agrícolas no valor de $5 milhões, acima do que eles próprios consomem. Desses, $1 milhão é vendido aos proprietários para seu consumo. Eles vendem $2 milhões aos artesãos, metade para consumo e metade como matéria-prima para os bens que os artesãos produzem. Isso lhes deixa $2 milhões para ser usados no cultivo no ano seguinte. Quanto à produção, eles voltaram ao ponto inicial. Todavia, eles também têm $3 milhões das vendas, dos quais gastam $2 milhões em aluguel e $1 milhão nos produtos artesanais (ferramentas, implementos agrícolas etc.).

Quesnay chamava de "estéril" qualquer grupo, exceto o dos agricultores e o dos proprietários de terras, por crer que não podiam produzir um excedente líquido. Os artesãos, nesse caso, usam sua quantia inicial de $2 milhões para produzir bens manufaturados no valor de $2 milhões, além do que eles consomem. Esses produtos são vendidos igualmente a proprietários e agricultores. Mas eles gastam toda a sua renda em produtos agrícolas: $1 milhão para o seu consumo e $1 milhão em matérias-primas. Consumiram tudo que têm.

O modelo de Quesnay faz mais que apresentar resultados anuais: mostra também como o dinheiro e os bens circulam ao longo do ano e comprova por que isso é importante. A venda de produtos entre os vários grupos continua para gerar receita, que é então usada para comprar mais produtos, que geram ainda mais receita. Ocorre um "efeito multiplicador" (no esquema de Quesnay ele aparece como uma série de linhas em zigue-zague), parecido com o apresentado por John Maynard Keynes (p. 161) »

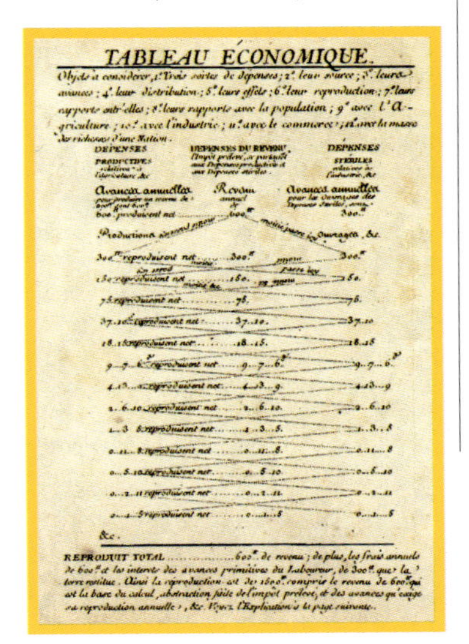
TABLEAU ÉCONOMIQUE.

O "Quadro econômico" de Quesnay mostra a circulação da riqueza entre agricultores, proprietários e artesãos. Foi a primeira tentativa de explicar como funciona uma economia nacional.

Que a soma total das receitas volte anualmente a toda a trajetória da circulação.
François Quesnay

nos anos 1930, quando ele ressaltou os benéficos efeitos secundários dos gastos públicos numa economia em depressão.

Análise da economia

Os tipos de pergunta que Quesnay fez e o modo como ele se dispôs a respondê-las anteciparam a ciência econômica moderna. Ele foi um dos primeiros que tentaram descobrir as leis abstratas gerais que governam as economias, o que ele fez decompondo-as em suas partes constituintes e depois analisando rigorosamente as relações entre elas. Seu modelo contava com entradas, saídas e as interdependências de diferentes setores. Quesnay sugeriu que estes deveriam coexistir em estado de equilíbrio, ideia desenvolvida mais tarde por Léon Walras (p. 120), tornando-se um dos alicerces da teorização econômica.

A abordagem de Quesnay para quantificar as leis econômicas fez de seu *Quadro econômico* talvez o primeiro modelo macroeconômico empírico. Os números de seu quadro resultaram de um estudo cuidadoso do sistema econômico francês, dando-lhe uma sólida base empírica. Esse estudo indicou que a tecnologia agrícola era suficiente para que os agricultores gerassem um excedente líquido de pelo menos 100%. Em nosso exemplo, foi isso que eles obtiveram – partindo de $2 milhões em milho, eles os recebem de volta com um excedente líquido de $2 milhões, que é então pago em aluguéis. Os economistas modernos usam resultados empíricos desse tipo para refletir sobre o impacto das mudanças de orientação, e Quesnay usou o seu quadro com propósito parecido. Ele argumentou que, se os agricultores tivessem de pagar altos impostos, diretos ou indiretos, eles reduziriam seu investimento de capital na tecnologia agrícola e a produção cairia abaixo do nível necessário para a economia prosperar. Isso levou os fisiocratas a afirmar que deveria haver apenas um imposto: sobre o valor do aluguel da terra.

Com base em descobertas empíricas, Quesnay fez uma série de outras recomendações políticas, como investir na agricultura, gastar toda a receita, não entesourar, manter impostos baixos e adotar o livre comércio. Ele achava que o capital tivesse uma importância especial, porque seus agricultores-empreendedores precisavam tomar empréstimos baratos a fim de pagar os melhoramentos agrícolas.

Ideias clássicas

As ideias de Quesnay sobre a produtividade e a improdutividade dos setores reapareceram ao longo da história do pensamento econômico, conforme os economistas consideram indústria *versus* serviços e setor privado *versus* governo. Seu enfoque exclusivo na agricultura pode parecer tacanho aos olhos atuais, já que hoje se entende que a geração de riqueza pela indústria e pelos serviços é vital para o crescimento da economia. Todavia, sua ênfase no lado "real" da economia foi um passo importante na direção do moderno pensamento econômico. Ele sem dúvida previu a moderna contabilidade da renda nacional, usada para avaliar o desempenho macroeconômico das nações. Essa contabilidade de renda baseia-se no fluxo circular de renda e

Para os fisiocratas, o investimento na agricultura era crucial para garantir a riqueza nacional da França. A livre exportação era um modo de manter a demanda e restringir o poder mercantil.

A interdependência de produtores e consumidores foi ilustrada primeiro por Quesnay. Os consumidores dependem dos bens e serviços dos produtores, que por sua vez dependem das compras e do trabalho dos consumidores.

gasto na economia. O valor do produto total de uma economia é igual à renda total auferida – noção que foi uma parte importante da teoria de Quesnay. No século XX, boa parte da análise das macroeconomias girou em torno do multiplicador keynesiano (pp. 164-65). Keynes mostrou como os gastos públicos podiam estimular novas despesas, num "efeito multiplicador". Essa ideia tem uma ligação óbvia com o ciclo de Quesnay, com sua suscetibilidade à expansão e estagnação.

Esse sistema [...] talvez seja a melhor aproximação da verdade jamais publicada sobre o tema da economia política.
Adam Smith

Talvez mais importante, os conceitos de excedente e capital de Quesnay tornaram-se a chave do modo como os economistas clássicos analisavam o crescimento econômico. Um modelo clássico típico centra-se em três fatores de produção: terra, trabalho e capital. Os proprietários recebem aluguéis e esbanjam em luxos; os trabalhadores aceitam salários baixos e, se estes sobem, eles fazem mais filhos. Contudo, os empreendedores têm lucro e o reinvestem na indústria produtivamente. Assim, o lucro incentiva o crescimento, e o desempenho econômico depende de setores da economia que geram excedentes. Portanto, Quesnay antecipou as ideias sobre o crescimento das economias e inspirou Karl Marx (p. 105), que apresentou sua versão do *Quadro econômico* em 1885. Marx disse de Quesnay que "nunca antes o raciocínio da economia política atingiu tal auge de genialidade". ■

François Quesnay

Nascido perto de Paris, França, em 1694, François Quesnay era filho de lavrador e o oitavo de 13 irmãos. Aos 17 anos, iniciou o aprendizado de gravador, mas depois foi para a universidade, onde se formou na faculdade de cirurgiões em 1717.

Fez nome como cirurgião e se especializou no tratamento da nobreza. Em 1749, mudou-se para o palácio real de Versalhes, perto de Paris, como médico de madame de Pompadour. Em 1752, salvou o filho do rei de varíola e recebeu um título e dinheiro suficiente para comprar uma propriedade para o seu filho.

Seu interesse por economia começou no início dos anos 1750, e em 1757 ele conheceu o marquês de Mirabeau, com quem constituiu *les economistes* – os fisiocratas. Morreu em 1774.

Obras-chave

1758 *Quadro econômico*
1763 *Philosophie rurale* (com o marquês de Mirabeau)
1766 *Analyse de la formule Arithmétique du tableau économique*

AS PESSOAS NUNCA PAGAM PELA ILUMINAÇÃO PÚBLICA

FORNECIMENTO DE BENS E SERVIÇOS PÚBLICOS

EM CONTEXTO

FOCO
Tomada de decisão

PRINCIPAL PENSADOR
David Hume (1711-76)

ANTES
c.500 AC Em Atenas, impostos indiretos financiam festejos, templos e muros da cidade. Impostos diretos ocasionais são cobrados em tempo de guerra.

1421 Concedida a primeira patente ao engenheiro italiano Filippo Brunelleschi, para proteger sua invenção de guindaste para barcaças.

DEPOIS
1848 *O manifesto comunista* defende a propriedade coletiva dos meios de produção pelos trabalhadores.

Século XIX A iluminação pública é instalada na Europa e nos EUA.

1954 O economista americano Paul Samuelson cria a teoria moderna de bens públicos.

Até numa economia de mercado que funcione bem, há áreas em que os mercados falham. Um exemplo importante de falha de mercado é o fornecimento de bens públicos – bens que são gratuitos para todos ou podem ser usados mesmo por quem não paga por eles. É difícil uma empresa privada ou uma pessoa ter lucro ao fornecer esses bens, entre os quais está a defesa

Veja também Economia de livre mercado 54-61 ▪ Custos externos 137 ▪ Mercados e resultados sociais 210-13

Os faróis são bens públicos que não podem ser tirados de quem não paga por eles e são usados por muita gente ao mesmo tempo. São invariavelmente fornecidos a todos.

nacional. Esse problema, chamado "carona" (em que os consumidores aproveitam os produtos sem pagar por eles), implica a inexistência do incentivo do lucro. Todavia, existe uma demanda por esses bens, e, já que os mercados privados não conseguem satisfazê-la, os bens públicos são em geral fornecidos pelo governo e pagos com impostos.

A falha do mercado no fornecimento desses bens foi reconhecida pelo filósofo David Hume no século XVIII. Influenciado por Hume, Adam Smith (p. 61), ardente defensor do livre mercado, admitiu que cabia ao governo fornecer os bens públicos, cuja produção não seria lucrativa para indivíduos ou empresas.

Os bens públicos têm dois traços característicos que os fazem não ser fornecidos pelo mercado: a não exclusividade, pois é difícil impedir as pessoas que não pagam por eles de usá-los; e a não rivalidade, pois o seu consumo por uma pessoa não reduz a capacidade das outras de consumi-lo. Um exemplo clássico é a iluminação pública: seria quase impossível impedir os não pagadores de aproveitá-la, e o uso que um indivíduo faça dela não impede que os outros se beneficiem dela.

Com o desenvolvimento das economias industriais no século XIX, os países tiveram de superar o problema da carona em áreas como a propriedade intelectual. Os bens intangíveis, como o conhecimento e as descobertas, têm as características da não exclusividade e da não rivalidade e, portanto, correm o risco de não ser fornecidos pelo mercado. Isso poderia desestimular a criação de novas tecnologias, se não fossem protegidas de algum modo. Assim, os países fizeram leis para conceder patentes, direitos reservados e marcas registradas, protegendo os ganhos obtidos com conhecimento e invenções. A maioria dos economistas reconhece que o governo tem a responsabilidade de fornecer os bens públicos, mas prossegue o debate sobre o alcance dessa responsabilidade. ▪

Onde as riquezas são absorvidas por poucos, estes devem contribuir mais para o provimento das necessidades públicas.
David Hume

David Hume

Personificação do "Iluminismo Escocês", David Hume foi um dos mais influentes filósofos britânicos do século XVIII. Nascido em Edimburgo em 1711, desde cedo ele mostrou sinais de brilho intelectual: entrou para a Universidade de Edimburgo aos 12 anos; primeiro estudou direito, depois, filosofia.

Em 1734, Hume mudou-se para a França, onde publicou suas principais ideias de filosofia no *Tratado da natureza humana*. Então se dedicou à escrita de ensaios sobre temas literários e políticos e travou amizade com o jovem Adam Smith, que se inspirara em seus textos. Em 1763, Hume ganhou uma função diplomática em Paris, onde ficou amigo do revolucionário filósofo francês Jean-Jacques Rousseau. Em 1768, fixou-se de novo em Edimburgo, onde morou até morrer, em 1776, aos 65 anos.

Obras-chave

1739 *Tratado da natureza humana*
1748 *Investigação sobre o entendimento humano*
1752 *Ensaios políticos*

A ERA DA RAZÃO

1770-1820

Anne-Robert-Jacques Turgot defende a isenção de **impostos** para o comércio e a indústria.

1766

ANOS 1770

David Hume denuncia o protecionismo comercial, dizendo que os países não deveriam se desdobrar para exportar mais do que importam.

Richard Arkwright abre uma **tecelagem de algodão mecanizada** na Inglaterra e depois instala maquinário que impõe o ritmo da industrialização.

1771

1774

Turgot é nomeado ministro das Finanças da França e tenta **reformar os impostos**, tributando os ricos proprietários de terra.

É publicada *Investigação sobre a natureza e as causas da riqueza das nações*, obra clássica de **Adam Smith**.

1776

1776

As primeiras máquinas a vapor de James Watt entram em operação nas fábricas britânicas, marcando o verdadeiro início da **Revolução Industrial**.

A **Declaração da Independência Americana** é aprovada pelo Congresso dos EUA.

1776

ANOS 1780

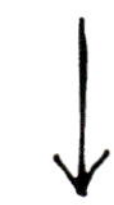

O primeiro-ministro inglês William Pitt, o Jovem, adota propostas de Smith para **liberalizar o comércio**.

Perto do fim do século XVIII, boa parte do mundo passava por enorme mudança política. A chamada Era da Razão produzia cientistas cujas descobertas levavam a novas tecnologias, que transformariam o modo de produção dos bens. Ao mesmo tempo, filósofos políticos inspiravam revoluções na França e na América do Norte, que teriam efeito profundo na estrutura social do Velho e do Novo Mundo. No campo da economia, um novo enfoque científico subvertia a velha visão mercantilista de uma economia, movido por um comércio protegido e confiante nas exportações como meio de preservar sua riqueza. No fim das Guerras Napoleônicas, em 1815, a Europa – Grã-Bretanha em particular – começara a se industrializar em escala sem precedentes. Era necessária uma nova abordagem para entender e atender às exigências desse novo mundo econômico em rápido crescimento.

Homem econômico racional

O economista que teve mais sucesso nesse desafio foi um escocês, Adam Smith (p. 61). Sua formação na filosofia dos pensadores iluministas britânicos, como John Locke e David Hume (p. 47), levou-o a enfocar o tema de início como pertencente à filosofia moral. Contudo, em seu famoso livro de 1776, *A riqueza das nações*, ele apresentou uma análise ampla da economia de mercado e de sua contribuição para o bem-estar do povo. Foi crucial para sua tese o conceito de "homem econômico racional". Smith argumentou que os indivíduos tomavam decisões econômicas com base na razão e em interesse próprio, não pelo bem da sociedade. Quando lhes permitiam agir desse modo em uma sociedade livre com mercados competitivos, uma "mão invisível" guiava a economia pelo bem de todos. Essa foi a primeira descrição detalhada de uma economia de livre mercado, que Smith defendia a fim de garantir a prosperidade e a liberdade. Ela costuma ser considerada um marco no desenvolvimento da economia como disciplina. O enfoque da economia que Smith ajudou a firmar é chamado com frequência de economia "clássica". Sua análise de uma economia de mercado competitiva era essencialmente uma descrição do que hoje

1789

Tomada da prisão da **Bastilha**, em Paris, desencadeia a Revolução Francesa.

1791

Jeremy Bentham formula sua teoria do **utilitarismo**, cuja meta é "a maior felicidade do maior número de pessoas".

1795

Edmund Burke critica envolvimento do Estado na regulamentação dos salários e preços.

1798

Thomas Malthus adverte para o perigo de a população esgotar os recursos e para o sofrimento que isso traria.

1803

Jean-Baptiste Say propõe a **lei dos mercados**: nunca pode existir deficiência da demanda ou superabundância de bens na economia.

1817

David Ricardo lança as fundações da **economia clássica** do século XIX, defendendo o livre comércio e a especialização do trabalho.

1819

Jean-Charles Léonard de Sismondi descreve os **ciclos econômicos** e a diferença entre crescimento de longo prazo e oscilações de curto prazo.

1819

EUA sofrem sua **primeira grande crise financeira**, após período de crescimento sustentado.

conhecemos como capitalismo. Todavia, *A riqueza das nações* era muito mais que uma descrição da economia como um todo, ou "macroeconomia". A obra também examinava questões como a divisão do trabalho e sua contribuição para o crescimento e quais fatores contribuíam para dar valor aos bens. A publicação do livro de Smith coincidiu com a Revolução Industrial na Grã-Bretanha, um período de crescimento econômico acelerado, assistido pela nova tecnologia e inovação dinâmicas. As ideias de Smith encontraram um público disposto, ávido para entender como a economia funcionava e como melhor se aproveitar disso. Sua obra teve enorme influência, abordando muitas das questões que precisavam ser respondidas para gerir a economia de uma sociedade industrializada. Smith tratou em particular do lugar do governo numa sociedade capitalista, defendendo uma função limitada do Estado.

Fim do protecionismo

O economista político britânico David Ricardo (p. 84) foi um dos mais influentes seguidores de Smith. Ferrenho defensor do livre comércio, Ricardo pôs o último prego no caixão do protecionismo ao mostrar que todos os países, mesmo os menos produtivos, poderiam beneficiar-se do livre comércio. Ele também lançou um olhar crítico sobre como os gastos e o financiamento público afetavam a economia. Outro dos seguidores de Smith foi Thomas Malthus (p. 69), clérigo e erudito britânico, famoso atualmente por suas previsões sombrias do sofrimento advindo de um crescimento da população mais rápido que o dos recursos de alimentação. Muitas das ideias de Smith vieram da escola fisiocrata francesa, notadamente as de Anne-Robert-Jacques Turgot (p. 65) e François Quesnay (p. 45), que postulavam um sistema justo de tributação, e Jean-Baptiste Say (p. 75), que descreveu primeiro a relação entre a oferta e a procura na economia de mercado.

Nem todos concordaram com a análise de Smith, e no século XIX logo ocorreu uma forte reação à ideia de uma economia capitalista inteiramente de livre mercado, mas os economistas clássicos do período industrial inicial lançaram questões que hoje continuam no centro da economia. ■

O HOMEM É UM CALCULISTA FRIO E RACIONAL

O HOMEM ECONÔMICO

EM CONTEXTO

FOCO
Tomada de decisão

PRINCIPAL PENSADOR
Adam Smith (1723-90)

ANTES
c.350 AC O filósofo grego Aristóteles afirma que o interesse pessoal é o motivador econômico primário.

Anos 1750 O economista francês François Quesnay diz que o interesse pessoal motiva toda atividade econômica.

DEPOIS
1957 O economista americano Herbert Simon argumenta que as pessoas não conseguem receber e digerir informações sobre todas as questões, e sua racionalidade fica "amarrada" (limitada).

1992 O economista americano Gary Becker recebe Prêmio Nobel por sua obra sobre escolha racional nos campos de discriminação, crime e capital humano.

Como indivíduos, somos **egoístas**.

↓

Procuramos melhorar nosso **bem-estar pessoal** consumindo bens e serviços e atingindo metas.

↓

Tomamos decisões **coletando informação e calculando** que ações nos ajudarão a atingir as metas sem custar tanto.

↓

O homem é um calculista frio e racional.

A maioria dos modelos econômicos sustenta-se na presunção de que as pessoas são em essência seres racionais e egoístas. Esse é o *Homo economicus*, o "homem econômico". A ideia, igualmente aplicável a homens e mulheres, supõe que todo indivíduo tome decisões para maximizar seu bem-estar, baseado numa avaliação ponderada de todos os fatos. Opta por aquilo que lhe oferece maior utilidade (satisfação) com o menor esforço. Essa ideia foi exposta primeiro por Adam Smith (p. 61) em sua obra *A riqueza das nações* (1776).

A crença central de Smith era que a interação econômica humana é ditada sobretudo pelo interesse pessoal. Ele afirmou que "não é da benevolência do açougueiro, do cervejeiro ou do padeiro que devemos esperar nosso jantar, mas da consideração que eles têm pelo seu próprio interesse". Ao tomar decisões racionais, os fornecedores procuram maximizar seu lucro, e o fato de que isso nos proporciona nosso jantar pouco importa para eles.

As ideias de Smith foram desenvolvidas no século XIX pelo filósofo britânico John Stuart Mill (p. 95). Mill acreditava que as pessoas desejassem ter riqueza,

Veja também: Economia de livre mercado 54-61 ▪ Bolhas econômicas 98-99 ▪ Economia e tradição 166-67 ▪ Mercados e resultados sociais 210-13 ▪ Expectativas racionais 244-47 ▪ Economia comportamental 266-69

com o que ele não queria dizer apenas dinheiro, mas uma riqueza de tudo que é bom. Para ele, os indivíduos se motivavam com o desejo de conquistar o melhor bem-estar possível, gastando ao mesmo tempo o mínimo esforço possível para atingir essas metas.

Custo e benefício

Hoje, a ideia do *Homo economicus* é chamada de teoria da escolha racional. Diz que as pessoas tomam todo tipo de decisão econômica e social com base no custo e no benefício. Por exemplo, o pensamento criminoso de roubar um banco compara os benefícios (riqueza maior, respeito maior de outros criminosos) com os custos (as chances de ser preso e o esforço para planejar o ataque), antes de decidir cometer o crime ou não.

Os economistas consideram racionais as ações realizadas em razão de um cálculo ponderado do custo e do benefício da realização do objetivo. Talvez os economistas tenham pouco para dizer a respeito do objetivo em si, e para muita gente algumas metas até parecem bastante irracionais. Por exemplo, se para a maioria das pessoas é aparentemente perigosa a decisão de injetar no próprio corpo drogas para aumentar o desempenho que não foram testadas, para diversos atletas que desejam ser os melhores a decisão pode ser racional.

Já se questionou se a ideia do *Homo economicus* é realista. Argumenta-se que ela não leva em conta o fato de que não se consegue avaliar todos os fatores relevantes numa decisão – o mundo é complexo demais para cotejar e avaliar todos os fatos relevantes necessários para calcular os custos e os benefícios de cada ação. Na realidade, quase sempre decidimos rápido, com base na experiência, no hábito, em regras práticas.

A teoria também fraqueja quando as metas de longo e curto prazo são conflitantes. Por exemplo, alguém pode comprar um hambúrguer nada saudável para matar a fome, apesar de saber que a escolha não é acertada. Os economistas comportamentais começaram a estudar os momentos em que as pessoas agem diferente do *Homo economicus* ao fazer escolhas. A ideia do "homem econômico" pode não ser precisa, mas muitos economistas dizem que ela continua sendo útil para analisar os atos das empresas mais lucrativas. ■

Os monges que vivem jejuando e rezando, negando os bens mundanos à espera de vida após a morte, agem racionalmente segundo suas crenças, pensem os outros o que quiserem.

O investimento dos pais nos filhos, sobretudo em educação, é fonte importante do estoque de capital da economia, afirma Becker.

Economia familiar

O economista americano Gary Becker (1930-) foi um dos pioneiros que aplicaram a economia a áreas em geral atribuídas à sociologia. Ele diz que se tomam decisões quanto à vida familiar comparando custos e benefícios. Por exemplo, por ver o casamento como um mercado, ele analisou a influência das características econômicas na harmonia de parceiros. Becker concluiu ainda que os familiares ajudam-se não por amor, mas por interesse próprio, esperando retribuição financeira. Ele acredita que o investimento numa criança seja motivado pelo fato de que costuma propiciar um rendimento melhor do que os fundos de aposentadoria comuns. Mas, como os filhos não podem ser forçados a sustentar os pais, eles são criados com sentimento de culpa, obrigação, dever e amor, que acaba levando-os a ajudar os pais. Por isso pode-se dizer que o estado de bem-estar estraga as famílias por reduzir a necessidade de interdependência.

A MÃO INVISÍVEL DO MERCADO IMPÕE ORDEM

ECONOMIA DE LIVRE MERCADO

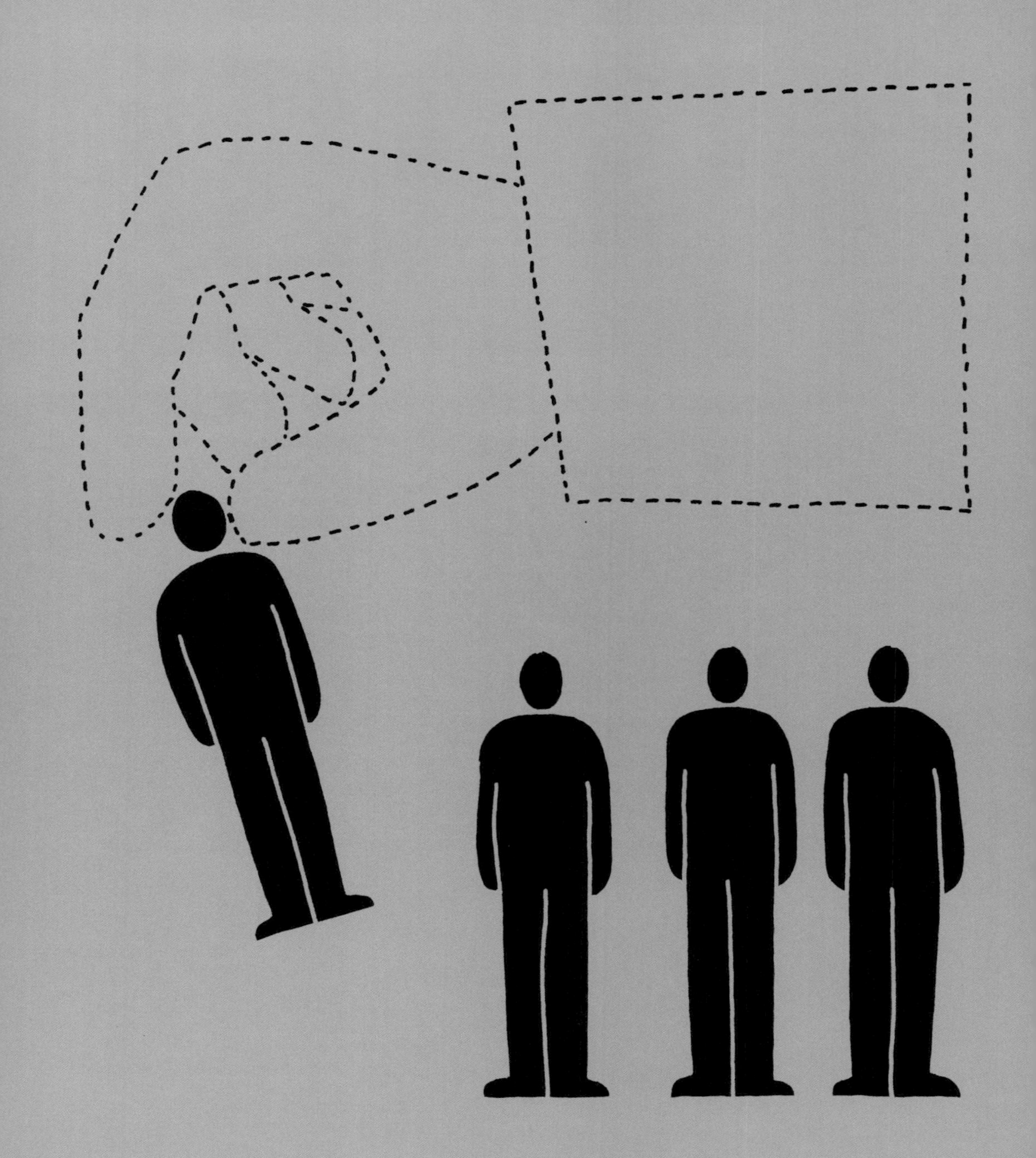

EM CONTEXTO

FOCO
Mercados e empresas

PRINCIPAL PENSADOR
Adam Smith (1723-90)

ANTES
1714 O escritor holandês Bernard Mandeville explica os efeitos involuntários que podem decorrer do interesse pessoal.

1755-56 O banqueiro irlandês Richard Cantillon descreve versão de "ordem espontânea".

DEPOIS
1874 Léon Walras mostra como a oferta e a demanda levam ao equilíbrio geral.

1945 O economista austríaco Friedrich Hayek afirma que as economias de mercado geram ordem eficaz.

Anos 1950 Kenneth Arrow e Gérard Debreu identificam situações em que os mercados livres provocam resultados sociais ótimos.

Para o pensador escocês Adam Smith, o Ocidente embarcara numa grande revolução antes do século XVIII, quando as sociedades agrárias ou agrícolas tornaram-se comerciais. Durante a Idade Média, as cidades se desenvolveram e aos poucos foram ligadas por estradas. As pessoas levavam mercadorias e produtos agrícolas frescos para as cidades, e os mercados – com sua compra e venda – tornaram-se parte da vida. A inovação científica criou padrões de medida confiáveis, junto com novos jeitos de fazer as coisas, e da mistura de principados que pontilhavam a Europa formaram-se Estados centralizados. O povo usufruía uma nova liberdade e passava a trocar bens para ganho pessoal, não só para o do seu senhor.

Smith quis saber como as ações de indivíduos livres resultavam em um mercado ordenado e estável, em que se pudesse fazer, comprar e vender o que se quisesse, sem enorme desperdício nem carência. Como era possível sem alguma mão condutora? Ele deu a resposta em sua grande obra de 1776, *A riqueza das nações*. O homem, com sua liberdade, rivalidade e desejo de ganhar, é "guiado por uma mão invisível a promover um fim que não fazia parte de sua intenção" – ele age de modo involuntário em nome do interesse maior da sociedade.

A fábula das abelhas de Mandeville explorava a ideia de que, quando as pessoas agem em interesse próprio, beneficiam toda a sociedade, como as abelhas egoístas beneficiam a colmeia.

Economia *laissez-faire*

A ideia de "ordem espontânea" não era nova. Foi proposta em 1714 pelo escritor holandês Bernard de Mandeville, em seu poema *A fábula das abelhas*. Contava a história de uma colmeia que prosperava com os "vícios" (o comportamento egoísta) das abelhas. Quando estas se tornaram virtuosas (não agiam mais em interesse próprio, mas pelo bem de todas), a colmeia desandou. A noção de Smith de interesse pessoal não era maldosa. Ele viu nos homens uma tendência para a "barganha e o escambo" e de se superar. A seu ver, as pessoas eram criaturas sociais

Mercado de Covent Garden, em Londres, em 1774. Smith achava os mercados cruciais para uma sociedade justa. Com liberdade de compra e venda, usufruía-se de "liberdade natural".

Veja também: O homem econômico 52-53 ▪ A divisão do trabalho 66-67 ▪ Equilíbrio econômico 118-23 ▪ O mercado competitivo 126-29 ▪ Destruição criativa 148-49 ▪ Liberalismo econômico 172-77 ▪ Mercados e resultados sociais 210-13

que agiam com controle moral e usavam de lisura ao concorrer.

Smith achava que os governos não deviam interferir no comércio, visão compartilhada com outros pensadores escoceses à sua volta, como o filósofo David Hume (p. 47). Um escritor francês mais antigo, Pierre de Boisguilbert, usou a frase *laisse faire la nature* ("deixe a natureza em paz"), com o que ele quis dizer "deixe os negócios em paz". O termo "laissez-faire" é usado em economia em defesa do governo mínimo. Na opinião de Smith, o governo tinha um papel importante, dando a defesa, a justiça e certos "bens públicos" (pp. 46-47) que os mercados privados dificilmente forneceriam, como estradas.

A visão de Smith era otimista em essência. O filósofo inglês Thomas Hobbes já dissera que, sem autoridade forte, a vida humana seria "detestável, brutal e curta". O economista britânico Thomas Malthus (p. 69) analisara o mercado e previra a fome em massa em razão do aumento da riqueza. Depois de Smith, Karl Marx (p. 105) preveria que o mercado leva à revolução. Smith, porém, considerava a sociedade perfeitamente funcional, e toda a economia como um sistema de sucesso, uma máquina imaginária que funcionava. Ele mencionou a "mão invisível" apenas uma vez em sua obra de cinco volumes, mas a presença dela é sentida quase sempre. Smith descreveu como seu sistema de "liberdade perfeita" teria resultados positivos. Primeiro, fornece os bens que o povo quer. Se a demanda de um produto superar a oferta, os consumidores vão competir entre si para oferecer preço mais alto. Isso cria uma oportunidade de lucro para os produtores, que competem entre si para fornecer mais do produto.

Esse argumento tem resistido ao tempo. Em um ensaio de 1945 intitulado *O uso do conhecimento na sociedade*, o economista austríaco Friedrich Hayek (p. 177) mostrou que os preços respondem ao conhecimento e aos desejos específicos dos indivíduos, causando mudanças na quantidade demandada e fornecida ao mercado. Um planejador estatal, disse Hayek, não teria como reunir tanta informação dispersa. Existe o consenso de que o comunismo desmoronou na Europa Oriental porque o planejamento central não conseguiu entregar os bens que o povo queria. Foram feitas algumas críticas ao primeiro ponto de Smith, como o fato de que o mercado »

poderia apenas fornecer os bens desejados pelos ricos; ele ignora os desejos dos pobres. E também atende a desejos nocivos – o mercado pode alimentar o vício de drogas e promover a obesidade.

Preços justos

Segundo, Smith disse que o sistema de mercado gera preços "justos". Ele acreditava que todos os bens têm um preço natural, que reflete apenas o esforço para fazê-los. A terra usada para produzir um produto deveria ganhar sua renda natural. O capital utilizado na sua fabricação deveria auferir seu lucro natural. A mão de obra usada deveria ganhar seu salário natural. Os preços e margens de lucro do mercado podem diferir de seus níveis naturais em certos períodos, como na escassez. Nesse caso, as oportunidades de ganho surgirão e os preços aumentarão, mas só até a concorrência trazer novas empresas ao mercado e os preços caírem ao seu nível natural. Se a demanda numa indústria começa a sofrer queda, preços e salários cairão, mas, com o aparecimento de outra indústria, esta oferecerá salários mais altos para atrair trabalhadores. No longo prazo, diz Smith, os preços de "mercado" e os "naturais" serão os mesmos – os economistas modernos chamam a isso equilíbrio.

A concorrência é essencial para que os preços sejam justos. Smith atacou os monopólios que ocorrem no âmbito do sistema mercantilista, que exigiu dos governos o controle do comércio exterior. Quando há apenas um fornecedor de um bem, a empresa que o fornece pode segurar o preço permanentemente acima do nível natural. Smith disse que, se 20 mercearias vendem um produto, o mercado está mais competitivo do que se há só duas. Com uma concorrência real e poucas barreiras à entrada em um mercado – o que Smith também disse ser essencial –, os preços tendem a ser menores. Muito disso é a base dos pontos de vista dos economistas da linha majoritária sobre concorrência, ainda que os discordantes, como o economista austro-americano Joseph Schumpeter (p. 149), dissessem depois que a inovação também baixa os preços, mesmo onde haja pouca concorrência. Quando os inventores surgem com produtos de maior qualidade por preços mais baixos, eles destroem as empresas existentes numa tempestade de destruição criativa.

O consumo é o único fim e propósito de toda produção.
Adam Smith

Rendimentos justos

Smith também afirmou que as economias de mercado geram rendimentos justos que podem ser gastos em bens, num "fluxo circular" sustentável, em que o dinheiro pago em salários volta para a economia quando o trabalhador paga pelos bens e será devolvido em salários, repetindo o processo.

Smith descreveu como mão de obra, proprietários e capital (aqui investido em cavalos e arado) trabalham juntos para que o sistema econômico continue funcionando e crescendo.

O capital investido em instalações de produção ajuda a aumentar a produtividade da mão de obra, o que implica os empregadores poderem arcar com salários mais altos. E, se puderem pagar mais, eles pagarão, porque têm de competir entre si pelos trabalhadores.

Quanto ao capital, Smith disse que o volume de lucro com que o capital pode esperar ganhar com investimentos é quase igual à taxa de juro. Isso porque os empregadores concorrem para pedir recursos emprestados e investi-los em oportunidades lucrativas. Com o tempo, a taxa de lucro em qualquer área cai, pois o capital se acumula, e as oportunidades de lucro se esgotam. Os aluguéis aumentam aos poucos à medida que as rendas sobem e mais terra é usada.

A concepção de Smith da interdependência entre terra, mão de obra e capital foi um avanço real. Ele observou que os trabalhadores e os proprietários tendiam a consumir sua renda, e os empregadores eram mais econômicos, investindo sua poupança no estoque de capital. Ele percebeu que os salários variavam conforme os graus de "habilidade, destreza e discernimento" e que havia duas formas de mão de obra: produtiva (engajada na agricultura ou na manufatura) e o que ele chamou de "improdutiva" (prestando serviços necessários para apoiar a mão de obra principal). Os resultados muito desiguais do sistema de mercado atual ficam a dever ao que Smith previu.

Crescimento econômico

Smith afirmou que a própria mão invisível estimula o crescimento econômico. A fonte de crescimento tem dois lados. Um é a eficiência obtida pela divisão do trabalho (pp. 66-67), a que os economistas chamam "crescimento smithiano". Como se produzem e consomem

No mercado, a demanda pode mudar por várias razões. Quando a mudança ocorre, o mercado reage alterando a oferta. Isso ocorre espontaneamente – não há necessidade de uma mão condutora ou de um plano num mercado que estimula a concorrência entre pessoas interesseiras.

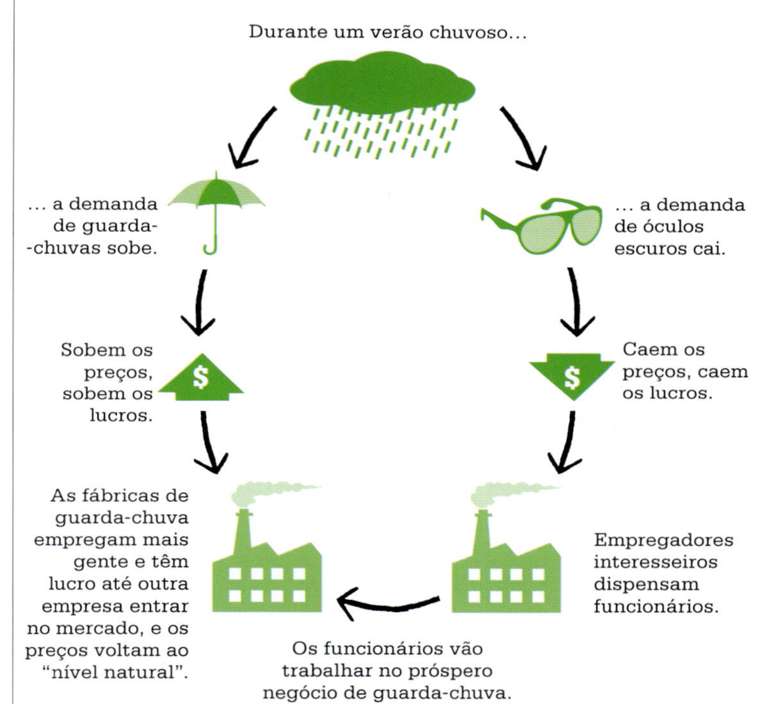

mais bens, a economia e os mercados crescem. Com a expansão dos mercados vêm oportunidades para a especialização do trabalho.

A segunda força de crescimento é a acumulação de capital, movida pela poupança e pela oportunidade de lucro. Smith disse que o crescimento pode ser reduzido por fracassos comerciais, falta de recursos necessários para estabilizar o estoque de capital, um sistema monetário inadequado (há mais crescimento com papel-moeda do que com ouro) e uma proporção alta de trabalhadores improdutivos. Ele alegou que o capital é mais produtivo na agricultura do que na »

Não é da benevolência do açougueiro, do cervejeiro ou do padeiro que devemos esperar nosso jantar, mas da consideração que eles têm pelo seu próprio interesse.
Adam Smith

indústria, que é mais alto que no comércio ou no transporte. Em última análise, a economia vai crescer até atingir um estado rico, estacionário. Smith subestimou aí o papel da tecnologia e da inovação – o crescimento schumpeteriano citado antes (p. 58).

Legado clássico

O sistema de Smith era abrangente. Considerou fatores pequenos (microeconômicos) e grandes (macroeconômicos). Examinou situações de curto e de longo prazo, e sua análise foi estática (o estado do comércio) e dinâmica (a economia em movimento). Olhou detidamente para a classe de trabalhadores, distinguindo empreendedores, como agricultores e donos de fábrica, dos fornecedores de mão de obra. Em essência, ele criou os parâmetros da economia "clássica", que enfoca os fatores de produção – capital, mão de obra e terra – e seus rendimentos. Depois, a teoria do livre mercado assumiu outra forma, "neoclássica", com a teoria geral do equilíbrio, que procurou mostrar como os preços de uma economia inteira atingiriam um estado de equilíbrio estável. Usando a matemática, economistas como Léon Walras (p. 120) e Vilfredo Pareto (p. 131) reviram a frase de Smith de que a mão invisível seria socialmente benéfica. Kenneth Arrow e Gérard Debreu (pp. 209-11) mostraram como os mercados livres fazem isso, mas que as condições exigidas eram rigorosas e não condiziam com a realidade.

> Não existe arte que um governo aprenda de outro com maior rapidez do que a de extrair dinheiro do bolso da população.
> **Adam Smith**

A história não acaba aí. Depois da Segunda Guerra Mundial, a ideia de *laissez-faire* entrou em hibernação. Todavia, a partir dos anos 1970, as políticas keynesianas, que propunham a intervenção estatal nas economias, pareciam perder a eficácia, e o *laissez-faire* gozou de um grande ressurgimento. As sementes desse florescimento encontram-se em obras sobre a economia de mercado de Milton Friedman (p. 199) e da Escola Austríaca, sobretudo de Friedrich Hayek (p. 177), que eram céticos a respeito do bem que os governos intervencionistas podiam fazer e afirmaram que o progresso social seria alcançado com mercados sem restrições. Também os keynesianos reconheceram o poder dos mercados – mas, para eles, os mercados precisavam de um empurrão para funcionar melhor.

O enfoque do livre mercado teve impulso significativo com as teorias da década de 1960 e 70 fundadas no papel da racionalidade e das expectativas racionais (pp. 244-47). A teoria da escolha pública, por exemplo, retrata o governo como um grupo de indivíduos egoístas, que maximizam os próprios interesses e pegam dinheiro sem levar em conta o bem social ("receita de favorecimento político"). A nova macroeconomia clássica usa a hipótese de Smith de que os mercados sempre se ajeitam e adiciona o ponto de que, como as pessoas notam os efeitos futuros das ações do governo e entendem o mecanismo do sistema econômico, a intervenção do Estado não funciona. Mesmo assim, a maioria dos economistas acredita hoje que o

Mercados localizados, como este em Kerala, Índia, exibem todos os traços do mercado livre de Smith e mostram que a oferta e o preço ajustam-se à demanda de modo natural.

Smith não previu os tipos de desigualdade que podem surgiu dos mercados livres na forma atual. Nos mercados de ações e moeda, a ideia de "justiça" torna-se quase irrelevante.

mercado pode falhar. Eles se concentram nas disparidades de informação dos vários participantes de um mercado. George Akerlof referiu-se a isso em seu *The market for lemons* (pp. 274-75). Economistas comportamentais têm questionado a ideia de racionalidade (pp. 266-69) e consideram a irracionalidade do ser humano uma razão para que os mercados falhem.

A questão da economia do *laissez-faire* divide os economistas em linhas políticas. Os que estão à direita abraçam o *laissez-faire*; os da esquerda alinham-se com a intervenção keynesiana. Esse debate permanece central na economia de hoje.

A crise financeira de 2007-08 reacendeu essa controvérsia. Os defensores do mercado livre sentiram-se vingados por suas teorias sobre o ciclo econômico, enquanto os keynesianos apontaram para a falha do mercado. O economista americano Nouriel Roubini (1959-), que previu a crise, falava daqueles que haviam distorcido as ideias de Smith quando disse que "décadas do fundamentalismo do mercado livre lançaram as bases da derrocada". ■

A sociedade humana, quando a contemplamos sob uma luz filosófica e abstrata, mostra-se como uma grande, uma imensa máquina.
Adam Smith

Adam Smith

Fundador da economia moderna, Adam Smith nasceu em Kirkcaldy, Escócia, em 1723, seis meses após a morte de seu pai. Aluno distraído e recluso, ele entrou na Universidade de Glasgow aos 14 anos e depois estudou na Universidade de Oxford por seis anos, até retornar à Escócia para assumir a cadeira de lógica na Universidade de Glasgow. Em 1750, conheceu e se tornou amigo do filósofo David Hume.

Em 1764, Smith demitiu-se em Glasgow para viajar à França como tutor do duque de Buccleuch, aristocrata escocês. Na França, ele conheceu o grupo fisiocrata de economistas (pp. 40-45) e o filósofo Voltaire, e começou a escrever *A riqueza das nações*. Dedicou dez anos ao livro antes de aceitar o cargo de comissário da alfândega. Morreu em 1790.

Obras-chave

1759 *A teoria dos sentimentos morais*
1762 *Lições de jurisprudência*
1776 *Investigação sobre a natureza e as causas da riqueza das nações*

O ÚLTIMO TRABALHADOR ADICIONA MENOS À PRODUÇÃO DO QUE O PRIMEIRO

RENDIMENTOS DECRESCENTES

EM CONTEXTO

FOCO
Mercados e empresas

PRINCIPAL PENSADOR
Anne-Robert-Jacques Turgot (1727-81)

ANTES
1759 O economista francês François Quesnay publica *Quadro econômico*, modelo que demonstra as teorias econômicas dos fisiocratas.

Anos 1760 Ensaio do fisiocrata francês Guerneau de Saint-Péravy sobre os princípios da tributação afirma que a razão entre produto e insumo é fixa.

DEPOIS
1871 O austríaco Carl Menger argumenta em *Princípios de economia política* que o preço é determinado na margem.

1956 Em *A contribution to the theory of economic growth, o* economista americano Robert Solow aplica a ideia de rendimentos marginais à perspectiva de crescimento dos países.

O francês Anne-Robert--Jacques Turgot (p. 65) era um dentre um pequeno grupo de pensadores conhecidos por fisiocratas, que acreditavam que a riqueza nacional vinha da agricultura. O duplo interesse de Turgot na tributação e na produção da terra levou-o a elaborar a teoria que explica como a produção de cada trabalhador extra muda conforme mais trabalhadores são adicionados ao processo produtivo.

A fertilidade da terra lembra uma mola pressionada para baixo [...] o efeito dos pesos adicionais diminuirá gradativamente.
A.-R.-J. Turgot

Um colega fisiocrata, Guerneau de Saint-Péravy, sugeriu que para cada trabalhador a mais o montante de produção adicional é constante; em outras palavras, cada trabalhador a mais acrescenta a mesma produção que o anterior. Porém, em 1767, Turgot ressaltou que um solo sem preparo produz muito pouco quando semeado. Se o solo é arado uma vez, a produção aumenta; duas vezes, ela pode quadruplicar. No final, o trabalho a mais passa a acrescer cada vez menos à produção, porque se exaure a fertilidade do solo.

A função da tecnologia

A ideia de Turgot é que adicionar um fator variável (trabalhadores) a um fator fixo (terra) faz o último trabalhador adicionar menos à produção do que o primeiro. Conhecido como "rendimentos marginais decrescentes", este é um dos mais importantes pilares da teoria econômica moderna. Explica não só por que custa mais produzir mais, mas também por que os países lutam para ficar ricos se a população cresce sem melhorias tecnológicas. ■

Veja também: O fluxo circular da economia 40-45 ▪ Demografia e economia 68-69 ▪ Teorias do crescimento econômico 224-25

POR QUE DIAMANTES CUSTAM MAIS QUE A ÁGUA?

O PARADOXO DO VALOR

EM CONTEXTO

FOCO
Teorias do valor

PRINCIPAL PENSADOR
Adam Smith (1723-90)

ANTES
1691 O filósofo inglês John Locke liga o valor de um produto básico a sua utilidade (a satisfação que ele dá).

1737 O matemático suíço Daniel Bernoulli propõe o "paradoxo de São Petersburgo", que examina como os agentes podem avaliar opções com base na probabilidade. O paradoxo é solucionado com o conceito de utilidade marginal.

DEPOIS
1889 O economista austríaco Eugen von Böhm-Bawerk elabora a teoria subjetiva do valor (o valor de um objeto depende das necessidades de alguém mais que do objeto em si), usando a ideia de utilidade marginal.

Em 1769, Anne-Robert-Jacques Turgot (p. 65) observou que, apesar de necessária, a água não é tida como algo precioso num país com muita água. Sete anos depois, Adam Smith (p. 61) levou adiante essa ideia, notando que, embora nada seja mais útil que a água, quase nada pode ser trocado por ela. Ainda que um diamante tenha um valor bem pequeno quanto ao uso, "uma quantidade muito grande de outros bens costuma ser trocada por ele". Em outras palavras, existe uma contradição aparente entre os preços de certos produtos e sua importância para as pessoas.

Utilidade marginal

Pode-se explicar esse paradoxo com um conceito chamado de utilidade marginal: a quantidade de prazer ganho com a última unidade do produto consumida. Em 1889, o economista austríaco Eugen von Böhm-Bawerk explicou-o com o exemplo de um agricultor com cinco sacos de trigo. O uso que o lavrador faz do trigo vai de importante – alimentar-se – a trivial – alimentar os pássaros. Se ele perde um saco de trigo, deixará de alimentar os pássaros. Mesmo que o agricultor precise do trigo para se alimentar, ele se disporá a pagar pouco pelo saco de trigo, porque este gera só um pouco de satisfação (alimentar os pássaros).

A água é abundante, mas os diamantes são raros. Um diamante a mais tem grande utilidade marginal e impõe um preço mais alto que um copo a mais de água. ■

Os diamantes valem mais que a água porque cada um vale muito, independentemente de quantos se tenha, enquanto a água se torna menos valiosa com o aumento da quantidade.

Veja também: A teoria do valor-trabalho 106-07 ▪ Utilidade e satisfação 114-15 ▪ Custo de oportunidade 133

CRIAR IMPOSTOS JUSTOS E EFICIENTES

A CARGA TRIBUTÁRIA

EM CONTEXTO

FOCO
Política econômica

PRINCIPAL PENSADOR
Anne-Robert-Jacques Turgot (1727-81)

ANTES
1689-1763 Guerras caras e um sistema tributário ineficaz que isenta proprietários e corporações criam campo para a crise financeira francesa e a Revolução.

DEPOIS
1817 Em *Princípios de economia política e tributação*, o economista britânico David Ricardo diz que luxos devem ser tributados.

1927 O matemático britânico Frank Ramsay enfatiza o valor da elasticidade-preço.

1976 Os economistas Anthony Atkinson e Joseph Stiglitz dizem que impostos uniformes sobre produtos são ótimos em *The design of tax structure*.

Quem suporta a carga tributária? A questão crucial da "incidência do imposto" intrigou o talentoso economista Anne-Robert-Jacques Turgot, ministro das Finanças da França de 1774 a 1776. A questão não é tão simples quanto "quem deve pagar imposto", porque os impostos afetam muita coisa, de preços e lucros à quantidade de produtos consumidos e às rendas recebidas. Mudanças nesse sentido podem repercutir na economia de modo surpreendente. A "carga" de um imposto – assumida como aquilo que diminui a felicidade, o bem-estar ou o dinheiro – pode ser passada de um indivíduo ou grupo a outro. Se você

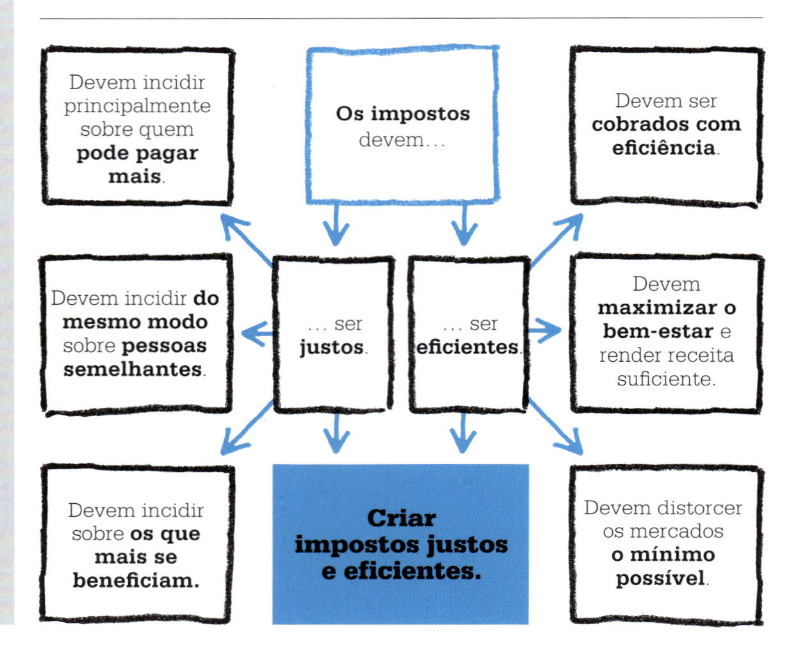

Veja também: O fluxo circular da economia 40-45 ▪ Eficiência e justiça 130-31 ▪ Custos externos 137 ▪ A teoria segundo ótimo 220-21 ▪ Tributação e incentivos econômicos 270-71

planeja tirar férias e um novo imposto sobre combustíveis eleva a passagem aérea acima do que você pode pagar, o imposto causa descontentamento. O novo imposto sobre combustíveis reduz seu bem-estar, mas não necessamente o lucro da companhia aérea.

Quem deve pagar imposto?

Turgot disse que os impostos influem no mercado livre e devem ser simplificados. Grupos poderosos não deveriam ter isenção tributária, e os detalhes de sua aplicação são importantes. Sua recomendação era de um imposto único sobre o produto nacional líquido – o total de bens e serviços menos a depreciação.

Seu pensamento foi influenciado pela fisiocracia, doutrina econômica anterior, que postulava que só a agricultura (terra) produz excedente. Outros setores não dão superávit e não podem arcar com impostos – sempre tentam passá-los adiante, aumentando preços e taxas até que enfim atinjam os proprietários de terra. Como os agricultores pagam muito do seu excedente em aluguel aos proprietários, que nada produzem, Turgot argumentou que os proprietários deveriam ser tributados sobre o aluguel recebido.

Depois os economistas refinaram os princípios de justiça e eficiência de um sistema tributário ideal. Justiça abarca a ideia de que os mais capazes de pagar devem pagar mais; que pessoas semelhantes devem pagar impostos semelhantes; e que quem se beneficia dos gastos públicos – como ao usar uma ponte nova – deve contribuir. Eficiência significa tanto a eficácia na coleta quanto a maximização do bem-estar social, aumentando ao mesmo tempo a receita necessária. Os economistas dizem que eficiência significa perturbar o mercado o menos possível, quanto mais para não reduzir os incentivos à mão de obra e ao investimento.

Modelo de imposto perfeito

Nas últimas décadas houve avanços enormes na sofisticação do modelo tributário, integrando justiça e eficiência. A teoria dos "mercados perfeitos", por exemplo, diz que os impostos sobre produtos essenciais devem ser uniformes e aplicados apenas aos bens "finais" (à venda aos consumidores finais); os impostos sobre a renda, ligados mais à capacidade que à renda; e os impostos sobre lucros empresariais e rendimentos do capital devem ser mínimos. A análise da "falha de mercado", por outro lado, diz que os impostos sobre coisas indesejáveis, como poluição, aumentam o bem-estar coletivo.

Em geral, as políticas tributárias seguiram a direção apontada por essas teorias, atentando ao mesmo tempo para a receita e a aceitação política. ■

Os aristocratas de Versalhes foram alvo das reformas tributárias de 1776 de Turgot, que disse que eles não deviam mais ser isentos. Por isso o ministro foi destituído do cargo.

Anne-Robert-Jacques Turgot

Nascido em Paris, na França, em 1727, Turgot estava destinado ao sacerdócio, mas recebeu uma herança familiar em 1751 que lhe permitiu seguir a carreira de administração. No fim dos anos 1760, tornou-se amigo dos fisiocratas e depois conheceu Adam Smith. De 1761 a 1774, ele foi intendente (prefeito) de Limoges. Com a ascensão de Luís XVI em 1774, Turgot tornou-se ministro das Finanças e iniciou reformas que estimularam o livre comércio. Em 1776, aboliu as corporações e extinguiu a política governamental de usar mão de obra forçada e não paga para construir estradas, instituindo um imposto sobre a construção de estradas. Luís XVI não aprovou e destituiu Turgot. Suas reformas – que, segundo alguns, teriam evitado a Revolução Francesa de 1789 – foram suspensas. Ele morreu aos 54 anos, em 1781.

Obras-chave

1762-1770 *Avis sur l'assiette et la répartition de la taille*
1766 *Réflexions sur la formation et la distribution des richesses*
1776 *Os seis éditos*

DIVIDIR A PRODUÇÃO DE ALFINETES PARA TER MAIS ALFINETES

A DIVISÃO DO TRABALHO

EM CONTEXTO

FOCO
Mercados e empresas

PRINCIPAL PENSADOR
Adam Smith (1723-90)

ANTES
380 AC Em *A república*, Platão explica como uma cidade surge e cresce pela exploração dos ganhos da divisão do trabalho.

1705 O filósofo holandês Bernard Mandeville cunha o termo "divisão do trabalho" em seu poema *A fábula das abelhas*.

DEPOIS
1867 Karl Marx diz que a divisão do trabalho aliena os trabalhadores e é um mal necessário que será superado.

1922 O economista austríaco Ludwig von Mises declara que a divisão do trabalho não é alienante, mas traz enormes benefícios, como um tempo de lazer maior.

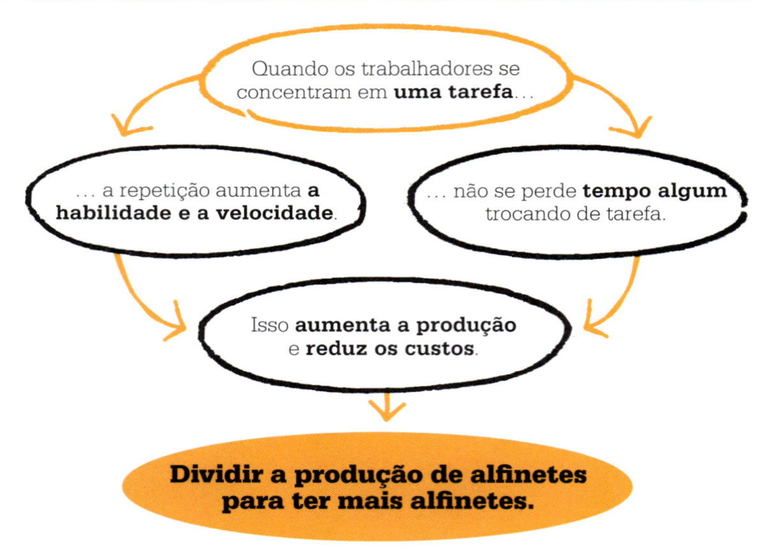

Sempre que trabalham em grupo, as pessoas decidem invariavelmente quem vai fazer o quê. Foi o grande Adam Smith (p. 61) quem tornou essa divisão do trabalho uma ideia central da economia. No início do seu influente livro *A riqueza das nações*, Smith explica as diferenças entre a produção de uma coisa realizada por uma pessoa em todas as etapas e aquela realizada por diversas pessoas com uma tarefa para cada uma. Em 1776, Smith notou que, se um homem faz um alfinete passando por todas as etapas necessárias, ele "talvez não faça um alfinete em um dia". Mas, ao dividir o processo entre diversos homens, cada qual se dedicando a uma só etapa, muitos alfinetes seriam feitos em um dia. Smith

Veja também: Vantagem comparativa 80-85 ▪ Economias de escala 132 ▪ O surgimento das economias modernas 178-79

Em um depósito movimentado, o trabalho pode ser dividido entre carregadores, estoquistas, um gerente, contadores, especialistas em distribuição, técnicos de informática e motoristas.

concluiu que a divisão do trabalho provoca "em todo ofício um aumento proporcional da capacidade produtiva do trabalho".

O motor do crescimento

Smith não foi o primeiro a avaliar o valor da divisão do trabalho. Cerca de 2.200 anos antes, Platão afirmara que o Estado precisava de especialistas, como agricultores e construtores, para suprir suas necessidades. O filósofo islâmico Al-Ghazali (1058-1111) observou que, se levarmos em conta cada etapa da produção do pão, desde a retirada das ervas daninhas dos campos à colheita do trigo, veríamos que o pão só existe com a ajuda de mais de mil trabalhadores.

Muitos pensadores relacionaram a divisão do trabalho ao crescimento das cidades e dos mercados. Alguns achavam que a divisão do trabalho gerava o crescimento; outros disseram que o crescimento das cidades permitia a divisão do trabalho. Na ideia de Smith, a inovação foi ele pôr a divisão do trabalho no coração do sistema econômico, insistindo ser a força motriz do crescimento. Quanto mais especializados os trabalhadores e as empresas, maior o crescimento do mercado e maior o retorno dos investimentos.

Um mal necessário

Karl Marx (p. 105) percebeu a força dessa ideia, mas acreditava que a divisão do trabalho fosse um mal necessário. A especialização aliena, condenando os operários à condição deprimente de uma máquina que faz tarefas repetitivas. Ele diferenciava a divisão técnica do trabalho, como cada serviço específico na construção civil, e a divisão social, que é imposta por hierarquias de poder e status.

A divisão do trabalho é a norma na maioria das empresas atuais. Muitas das grandes empresas hoje terceirizam os serviços que antigamente eram realizados por funcionários próprios com trabalhadores estrangeiros mais baratos, dando à divisão do trabalho um dimensão nova, internacional. ▪

Qualquer ampliação da divisão do trabalho propicia vantagens a todos os que participam dela.
Ludwig von Mises

Empregos americanos?

Quando os trabalhadores da indústria se preocupam com a força da economia nacional e os índices de emprego, eles às vezes insistem que os consumidores comprem produtos nacionais. Todavia, pode ser difícil saber o que é nacional, tal o alcance da divisão do trabalho. Por exemplo, a Apple é uma empresa americana, e os consumidores podem supor que, ao comprar um iPhone, estão contribuindo para os empregos nos EUA. Na verdade, de todas as etapas da produção do iPhone, só o projeto do produto e do aplicativo e a comercialização ocorrem primeiramente nos EUA. Todo iPhone é montado por operários na China com peças (nesse caso, a tela e o processador) feitas por operários da Coreia do Sul, do Japão, da Alemanha e de seis outros países. Fora isso, cada parte foi montada por especialistas mundo afora. O iPhone é um produto realmente mundial, feito por dezenas de milhares de pessoas.

Operários de produção na China constroem processadores de computador com peças feitas em até nove países.

O CRESCIMENTO DA POPULAÇÃO MANTÉM A POBREZA

DEMOGRAFIA E ECONOMIA

EM CONTEXTO

FOCO
Crescimento e desenvolvimento

PRINCIPAL PENSADOR
Thomas Malthus (1766-1834)

ANTES
Século XVII Para a doutrina mercantilista, população grande beneficia a economia.

1785 O filósofo francês marquês de Condorcet pede reforma social para elevar padrão de vida.

1793 O filósofo inglês William Godwin propõe redistribuição dos recursos nacionais para ajudar os pobres.

DEPOIS
Anos 1870 Karl Marx critica ideia de Malthus, chamando-o de defensor reacionário da situação reinante.

1968 O ecologista americano Garrett Hardin adverte para o perigo da superpopulação em seu ensaio *A tragédia dos comuns*.

No século XVIII, os iluministas passaram a pensar na possibilidade de aumentar a parte da sociedade por meio de reforma socioeconômica sensata. O economista britânico Thomas Malthus era uma voz pessimista nessa época otimista, afirmando que o crescimento da população condena a sociedade à pobreza. Malthus dizia que o impulso sexual humano causava o aumento cada vez mais rápido do povo. A produção de alimentos não o acompanharia, por causa da lei dos rendimentos decrescentes: quanto mais gente trabalha em certa área, menor a produção extra. O resultado é um desequilíbrio crescente entre o número de pessoas e a oferta de alimento.

Contudo, há uma força contrária. Malthus achava que a má nutrição e as doenças causadas por uma oferta alimentar mais limitada ocasionariam uma mortalidade crescente e evitariam o descontrole do desequilíbrio. Menos alimento para o mundo também implicaria sustento menor para as crianças, e o índice de natalidade cairia. Isso reduziria a pressão sobre a terra, restituindo os padrões de vida.

Sobreviventes de terremoto no Paquistão recebem alimentos. Malthus condenava essas doações: a assistência aos destituídos só os estimula a ter mais filhos.

A armadilha malthusiana

Além de evitar a fome total, a mudança nos índices de natalidade e mortalidade faz a população não mais se beneficiar de altos padrões de vida por longo tempo. Suponha que a economia tenha um golpe de sorte com a descoberta de terra. Mais terra dá um incentivo único à produção de mais alimento para cada pessoa. Cada uma fica mais saudável, e o índice de mortalidade cai. Um padrão de vida mais alto permite mais filhos. Juntos, esses fatores fazem a população crescer. A produção de alimentos não segue o ritmo, e a economia retoma o padrão

Veja também: Agricultura na economia 39 ▪ Rendimentos decrescentes 62 ▪ O surgimento das economias modernas 178-79 ▪ Teorias do crescimento econômico 224-25

de vida anterior, mais baixo. A isso se chama armadilha malthusiana: padrões de vida mais altos são sempre sufocados pelo aumento da população. Assim, aconteça o que for, a economia sempre volta a uma produção de alimentos que sustente uma população estável.

Malthus previa uma estagnação econômica, com o povo lutando para sobreviver e seu crescimento sendo refreado por fome e doenças. Porém, esse modelo – uma economia de agricultores que labutam com ferramentas simples num lote imutável de terra – já estava defasado na virada do século XVIII. Novas técnicas já permitiam maior produção de alimentos com a mesma quantidade de terra e de mão de obra. Novas máquinas e fábricas proporcionavam uma produção maior de bens por trabalhador. O progresso tecnológico implicou padrões de vida cada vez mais altos para o povo. Em 2000, a população da Grã-Bretanha mais que triplicara em relação à época de Malthus, com renda dez vezes maior.

Com o tempo, a tecnologia superou as restrições agrícolas e demográficas. Malthus não previu isso. Hoje, suas ideias se refletem no receio de que o nível populacional pressione a capacidade da Terra de um modo que a nova tecnologia não consiga superar. ■

Thomas Malthus

Thomas Robert Malthus nasceu em Surrey, Inglaterra, em 1766, e recebeu formação progressista de seu pai, um proprietário rural. Seus padrinhos foram os filósofos David Hume e Jean-Jacques Rousseau. Ele nasceu com lábio leporino e palato fendido, os quais lhe dificultavam a fala.

Na Universidade de Cambridge, Malthus teve por tutor um dissidente religioso, William Frend, antes de se ordenar na Igreja Anglicana em 1788. Como seu mentor, ele nunca fugiu à polêmica. Em 1798, publicou *Ensaio sobre o princípio da população*, obra que lhe daria fama. Em 1805, a nova Faculdade das Índias Orientais nomeou-o professor de política econômica, tema inédito em universidades, o que faz dele talvez o primeiro economista acadêmico. Malthus morreu de doença cardíaca em 1834, aos 68 anos.

Obras-chave

1798 *Ensaio sobre o princípio da população*
1815 *The nature of rent*
1820 *Princípios de economia política*

COMERCIANTES UNIDOS CONSPIRAM PARA ELEVAR OS PREÇOS

CARTÉIS E CONLUIO

EM CONTEXTO

FOCO
Mercados e empresas

PRINCIPAL PENSADOR
Adam Smith (1723-90)

ANTES
Anos 1290 Venceslau II, duque da Boêmia, adota leis para evitar conluio de comerciantes de minério para elevar preços.

Anos 1590 Comerciantes da Holanda reúnem-se em cartel com monopólio de especiarias das Índias Orientais.

DEPOIS
1838 O economista francês Augustin Cournot descreve a concorrência em oligopólios.

1890 A primeira lei antitruste é aprovada nos EUA.

1964 O economista americano George Stigler publica *A theory of oligopoly*, analisando os problemas da manutenção de cartéis bem-sucedidos.

Concorrência é a chave do funcionamento eficiente dos mercados livres. A presença de vários produtores num mercado incentiva a produção e mantém os preços baixos, pois cada um compete para atrair clientes. Se há só um fornecedor – um monopólio –, ele pode optar por restringir sua produção e cobrar preços altos.

Entre esses dois extremos está o oligopólio, em que poucos fornecedores – às vezes apenas dois ou três – dominam o mercado de certo produto. A concorrência entre os produtores num oligopólio seria obviamente interessante para o consumidor, mas existe uma

Veja também: Efeitos da concorrência limitada 90-91 ▪ Monopólios 92-97 ▪ O mercado competitivo 126-29 ▪ Mercados e resultados sociais 210-13 ▪ Teoria dos jogos 234-41

A British Airways foi multada em mais de £300 milhões por conluio em 2007, quando a Virgin Atlantic admitiu que as duas empresas tinham tido seis reuniões para debater aumento de preços.

alternativa para os produtores que pode ser mais vantajosa para seu nível de lucro: cooperação. Se optam por isso e combinam não solapar um ao outro, eles podem agir em grupo e ditar os termos do mercado em benefício próprio.

Formação de cartéis

Esse tipo de cooperação entre empresas é chamado pelos economistas de "conluio". A precificação resultante torna os mercados menos eficientes. O economista escocês Adam Smith (p. 61) reconheceu a importância do interesse individual nos mercados livres, mas desconfiava das intenções dos fornecedores a ponto de advertir: "As pessoas de um mesmo ramo raramente se reúnem, nem por alegria e diversão, mas a conversa termina em conspiração contra o público ou em alguma trama para elevar os preços".

A cooperação entre produtores existe desde que o mercado existe, e as empresas de muitos ramos do comércio formaram associações em benefício mútuo. No século XIX nos EUA, essas práticas restritivas ou monopolistas eram chamadas "trustes", termo hoje substituído por cartel, que atua no âmbito nacional e internacional. O truste ganhou conotação negativa, embora fosse notório nas economias alemã e americana dos anos 1920 e 1930.

No século XX, os EUA e a União Europeia (UE) usaram leis para coibir o conluio. Contudo, os cartéis de produtores ainda são um traço das economias de mercado. A cooperação pode ser um simples acordo entre duas empresas, como quando a Unilever e a Procter & Gamble uniram-se para fixar o preço de um sabão em pó na Europa em 2011, ou pode tomar a forma de uma associação comercial internacional, como a International Air Transport Association (Iata). A função original da Iata era fixar o preço das passagens, o que motivou acusações de conluio, mas ela ainda representa o setor aéreo. Os cartéis também se formam pela cooperação entre governos de países produtores de certo produto, como a Organização dos Países Exportadores de Petróleo (Opep), fundada em 1960 para determinar o preço do petróleo dos países-membros.

Desafios para os cartéis

Contudo, há dificuldades para formar e manter um cartel, o qual se » fundamenta nos preços e na confiança entre os membros. Os integrantes de um cartel não podem apenas determinar preços; precisam acordar cotas de produção para manter esses preços e, claro, sua parte nos lucros. Quanto menos membros num cartel, mais fáceis as negociações. Os cartéis são mais fortes quando existe um número pequeno de empresas responsáveis pela maior parte da oferta.

A segunda dificuldade é garantir que os membros do cartel acatem as regras. Os produtores são atraídos ao conluio pela perspectiva de preços mais altos, mas esse egoísmo é também o ponto fraco do acordo. Um membro do cartel pode sentir-se tentado a "trapacear", produzindo mais e cobrando menos que os colaboradores. Na verdade, essa é uma versão do dilema do prisioneiro (p. 238), em que dois detentos podem optar entre guardar segredo e confessar. Se os dois ficam em silêncio, terão penas leves, mas, se apenas um confessa, este terá imunidade, e o seu parceiro no crime receberá uma pena pesada. A melhor estratégia para ambos é não dizer nada (o que implica detenção menor), mas a tentação é optar pela imunidade e confessar, na esperança de que o outro não o faça. As táticas aplicadas aí são idênticas para os cartéis, nos quais as vantagens para todos os atores serão maiores se eles cooperarem, mas serão maiores ainda para aquele que romper o acordo, enquanto os outros sofrerão a consequência.

Na prática, é isso que tende a ocorrer num cartel, sobretudo quando as cotas não são divididas por igual. Os 12 membros da Opep, por exemplo, reúnem-se com regularidade para acertar a produção e os preços, mas é raro estes serem seguidos. Os membros menores e menos ricos percebem a chance de ter mais lucro e excedem sua cota de produção, reintroduzindo a concorrência e enfraquecendo o poder do cartel como um todo. Basta uma trapaça para solapar a operação, e, quanto mais membros no cartel, maior o perigo de desobediência às regras.

Cumprimento de acordos

É muito frequente um membro de um cartel – o maior produtor – aparecer como "cumpridor". Quando a eficiência da Opep, por exemplo, é ameaçada por um país como Angola, que produz a mais para aumentar seu lucro, a Arábia Saudita, o mais forte membro do cartel, pode tomar uma atitude para impedi-lo. Por ser o maior produtor e ter os menores custos de produção, ela pode se dar ao luxo de aumentar a produção e baixar os preços a um patamar que sirva de punição aos países menores ou até os leve à falência, reduzindo simultaneamente seus lucros por pouco tempo. No entanto, em muitos casos a tentação de trapacear e a relutância do cumpridor de reduzir seus lucros acabam levando à dissolução do cartel. A dificuldade de formar e manter cartéis implica que essas "conspirações" sejam menos comuns do que Adam Smith imaginaria. Nos anos 1960, o economista americano George Stigler provou que a suspeição

Os cartéis combinam preços e atuam como um monopólio virtual. Se ninguém consegue oferecer preço mais baixo ao consumidor, o preço imposto pode ser muito mais elevado que os custos de produção, dando lucros altos ao cartel.

Não devemos tolerar um governo opressivo nem uma oligarquia setorial na forma de monopólios e cartéis.

Henry A. Wallace
Político americano (1888-1965)

natural dos concorrentes atua contra o conluio de um cartel e que a existência dos cartéis torna-se menos provável à medida que mais empresas entram no mercado. Como resultado, mesmo nos setores em que existam poucos produtores de porte, como o de consoles de *videogame* e o de celulares, a preferência recai sobre a concorrência, e não a cooperação.

Entretanto, os poucos cartéis existentes são ameaça suficiente ao mercado para que os governos sintam necessidade de intervir. A pressão dos consumidores contra a combinação de preços motivou a legislação "antitruste" (veja à direita) no século XX, tornando ilegais os cartéis na maioria dos países. Devido à dificuldade de comprovar o conluio, muitas dessas leis oferecem imunidade ao primeiro integrante de um cartel que confesse – como no dilema do prisioneiro –, criando mais uma oportunidade para dissolver o cartel. Essa tática teve um sucesso notável em 2007, quando a Virgin Atlantic Airlines, preocupada com uma investigação sobre conluio de preços nos voos atlânticos, confessou o acordo com a British Airways, punida com pesada multa.

Operadoras de celulares foram investigadas na Holanda sob suspeita de práticas de cartel em 2011, como fixação de preços de pacotes de dados de telefones pré-pagos.

Os economistas têm seus louros, mas não acredito que as leis antitruste sejam um deles.
George Stigler

Aprovação do governo

Alguns economistas libertários, como Stigler, são céticos quanto à necessidade dessas leis, dada a instabilidade dos cartéis. Os governos costumam ser ambíguos sobre os cartéis e consideram certas formas de cooperação, em tese, desejáveis. Por exemplo, ao mesmo tempo que a política de fixação de preços da Iata foi considerada conluio, a Opep é às vezes vista com um olhar mais benevolente como bloco comercial cujas políticas geram estabilidade. O mesmo argumento foi usado em defesa dos cartéis públicos existentes em certos setores em tempos de depressão nacional, como o do petróleo e o do aço. Se regulamentada pelos governos, a cooperação entre produtores pode estabilizar a produção e os preços, proteger os consumidores e os pequenos produtores e tornar o setor como um todo internacionalmente competitivo. Cartéis públicos como esses foram comuns na Europa e nos EUA nos anos 1920 e 1930, mas a maioria desapareceu após a Segunda Guerra Mundial.
Os cartéis nacionais continuam sendo uma característica da economia japonesa. ■

Leis antitruste

Os cartéis, como os monopólios, são em geral considerados nocivos para a eficiência dos mercados livres e uma ameaça ao bem-estar econômico geral. A maioria dos governos tenta evitar esse tipo de conluio com legislação antitruste ou sobre concorrência. A primeira intervenção desse tipo ocorreu nos EUA em 1890, quando a Lei Sherman tornou ilegal todo contrato ou trama que restringisse o comércio entre os estados ou com o exterior. Depois vieram mais leis antitruste, como a Clayton, de 1914, que proibiu a baixa de preços para "descongelar" a concorrência. Os economistas costumam ser céticos com leis antitruste, as quais são, afinal, difíceis de aplicar. Assinalam que a cooperação nem sempre implica práticas de conluio, como fixação de preços e concorrência combinada, e muitos acham que as leis antitruste foram motivadas mais por pressão política que por análise econômica.

Esta capa de jornal de 1906 satiriza o político Nelson Aldrich por sua "teia" de tarifas que protegia produtos dos EUA contra os estrangeiros e aumentava os preços no país.

A OFERTA CRIA SUA PRÓPRIA DEMANDA

ABUNDÂNCIA NO MERCADO

EM CONTEXTO

FOCO
Macroeconomia

PRINCIPAL PENSADOR
Jean-Baptiste Say
(1767-1832)

ANTES
1820 O economista britânico Thomas Malthus afirma que subemprego e superprodução podem ocorrer.

DEPOIS
1936 John Maynard Keynes diz que a oferta não cria sua demanda – a falta de demanda pode retrair a produção, causando desemprego.

1950 O economista austríaco Ludwig von Mises declara que o desmentido de Keynes está no cerne das falácias keynesianas sobre economia.

2010 O economista australiano Steven Kates defende a lei de Say e classifica a economia keynesiana de "doença conceitual".

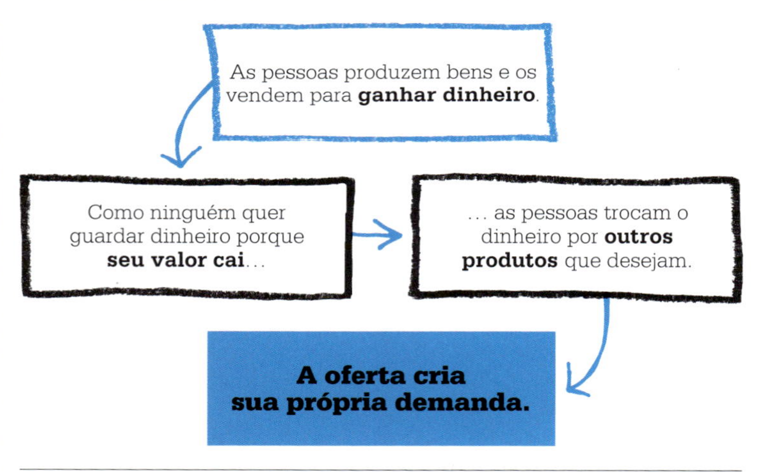

Em 1776, quando publicou *A riqueza das nações* (pp. 54-61), Adam Smith observou que os comerciantes à sua volta achavam que havia dois motivos para uma empresa falir: falta de dinheiro e superprodução. Ele derrubou o primeiro desses mitos explicando a função do dinheiro na economia, mas coube a um economista posterior, o francês Jean-Baptiste Say, despachar o segundo. Sua obra de 1803, *Tratado de economia política*, explica a improbabilidade da superprodução. Say disse que, assim que se faz um produto, ele cria um mercado para outros produtos "em toda a grandeza do seu valor". Isso significa, por exemplo, que o dinheiro ganho por um alfaiate para fazer e vender uma camisa é então usado para comprar pão do padeiro e cerveja do cervejeiro. Say acreditava que as pessoas não queriam guardar o dinheiro, e portanto o valor total dos produtos ofertados se igualaria ao valor total dos produtos procurados. A expressão comum do

Veja também: Economia de livre mercado 54-61 ▪ Equilíbrio econômico 118-23 ▪ Depressões e desemprego 154-61

que se conhece por lei de Say é "a oferta cria sua própria demanda" – frase que Say nunca usou e talvez tenha sido cunhada em 1921 pelo economista americano Fred Taylor em seu *Principles of economics*.

Essa ideia era importante para Say porque, se a oferta cria uma demanda de valor igual, nunca existiria superprodução, ou "abundância", na economia como um todo. Claro que as empresas podem confundir o nível da procura de um bem e produzi-lo a mais, mas o economista austro-americano Ludwig von Mises (p. 147) diria depois que o "empreendedor atrapalhado" logo sairia do mercado por causa das perdas, e os recursos não utilizados seriam realocados para áreas mais lucrativas da economia. De fato, é impossível superproduzir em tudo, porque as necessidades humanas são muito maiores que a nossa capacidade de fazer produtos.

A lei de Say tornou-se arena de conflito entre economistas clássicos e keynesianos. Aqueles, como Say, achavam que a produção – ou o lado da oferta na economia – fosse o fator mais importante. Os keynesianos afirmam que só há crescimento com demanda maior.

Por que guardar dinheiro?

Em sua obra-prima de 1936, *Teoria geral*, John Maynard Keynes (p. 161) criticou a lei de Say, centrando-se na função do dinheiro na economia. Say afirmara que todo o dinheiro ganho é gasto na compra de outros produtos. Dito de outra forma, a economia funciona como que baseada num sistema de escambo. Keynes, contudo, disse que as pessoas podem às vezes guardar dinheiro por outros motivos que não comprar mercadorias. Podem, por exemplo, querer poupar parte de sua renda. Se essa poupança não fosse emprestada a outros (como por meio de um banco) e investida na economia (como capital para tocar uma empresa, talvez), o dinheiro não mais circularia. Como as pessoas guardam dinheiro, a procura de bens acabaria sendo menor do que o valor dos bens produzidos. Esse estado de "demanda negativa" é chamado de "insuficiência de demanda", e Keynes disse que ela causaria um desemprego generalizado.

Dada a penúria da economia internacional durante a Grande Depressão no início dos anos 1930, o argumento de Keynes parecia ter muita força, ainda mais comparado com um mundo fundamentado na lei de Say, que dizia que o desemprego só ocorreria em certos setores e por curto tempo. ■

Say achava que a oferta e a demanda funcionam como um escambo. Trocamos o dinheiro ganho por bens que queremos. Nesta imagem, carne é permutada por batatas em feira inca.

Jean-Baptiste Say

Filho de comerciante têxtil protestante, Jean-Baptiste Say nasceu em Lyon, França, em 1767. Aos 18 anos mudou-se para a Inglaterra, onde foi por dois anos aprendiz de comércio antes de voltar a Paris para trabalhar em uma seguradora. Aprovou a Revolução Francesa, em 1789, tanto por pôr fim à perseguição aos protestantes huguenotes quanto por extinguir uma economia essencialmente feudal, abrindo perspectivas para o comércio. Em 1794, Say tornou-se editor de revista política que promovia as ideias de Adam Smith. Em 1799, foi convidado para o governo francês, mas Napoleão Bonaparte rejeitava alguns de seus pontos de vista, e sua obra continuou sob censura até 1814. Say ficou rico com uma fiação de algodão. No fim da vida, lecionou economia em Paris. Morreu após vários derrames em 1832, aos 66 anos.

Obras-chave

1803 *Tratado de economia política*
1815 *De l'Angleterre et des anglais*
1828 *Cours complete d'économie politique pratique*

FINANCIAR JÁ E TRIBUTAR DEPOIS

EMPRÉSTIMO E DÍVIDA

EM CONTEXTO

FOCO
Política econômica

PRINCIPAL PENSADOR
David Ricardo (1772-1823)

ANTES
1799 A Grã-Bretanha adota imposto de renda na guerra com a França revolucionária. Dívida pública chega a 250% da receita pública.

DEPOIS
1945 A dívida pública europeia cresce de forma dramática após a Segunda Guerra Mundial, já que os governos aumentam seus gastos ao tentar estimular a economia.

1974 O economista americano Robert Barro retoma a ideia da equivalência ricardiana, de que gastos pessoais são iguais se o governo tributar ou tomar emprestado.

2011 A crise da dívida europeia se intensifica, gerando debate sobre limites da tributação e do financiamento público.

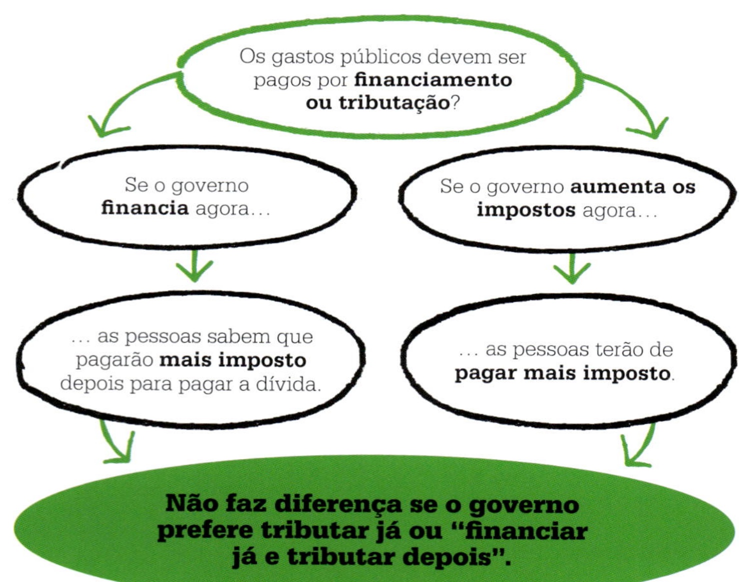

Os gastos públicos devem ser financiados por empréstimos ou impostos? Essa questão foi abordada em detalhe primeiro pelo economista britânico David Ricardo durante as custosas Guerras Napoleônicas com a França (1803-15). Em seu livro de 1817, *Princípios de economia política e tributação*, Ricardo disse que o método de financiamento não fazia diferença. Os contribuintes devem perceber que o empréstimo tomado hoje pelo governo levará a mais tributação no futuro. Em todo caso eles serão tributados, de modo

Veja também: O homem econômico 52-53 ▪ A carga tributária 64-65 ▪ O multiplicador keynesiano 164-65 ▪ Política monetarista 196-201 ▪ Poupar para gastar 204-05 ▪ Expectativas racionais 244-47

que devem poupar a quantia que seria cobrada hoje a fim de cumprir essa eventualidade. Ricardo afirmou que as pessoas compreendem as restrições do orçamento público e continuam a gastar como sempre, seja a decisão do governo tributar ou tomar emprestado, porque sabem que afinal lhes custará o mesmo. Essa ideia ficou conhecida como equivalência ricardiana.

Imagine uma família com um pai viciado em jogos de azar que tira dinheiro dos filhos. O pai diz aos filhos que os deixará ficar com o dinheiro neste mês, porque ele o pegou emprestado do amigo Alex. O despreocupado caçula, Tom, gasta seu dinheiro extra. O esperto filho mais velho, Tiago, percebe que no mês seguinte o empréstimo terá de ser pago com juro, e é provável que seu pai lhe peça o dinheiro. Guarda o dinheiro extra de hoje, sabendo que terá de dá-lo ao pai em um mês. Tiago nota que sua riqueza não muda e não tem por que alterar seus gastos hoje.

Ricardo estava teorizando e nunca disse que a equivalência ricardiana seria óbvia no mundo real. Ele achava que os cidadãos comuns sofrem da mesma ilusão fiscal que o Tom do nosso exemplo e gastam o dinheiro que têm. No entanto, alguns economistas modernos afirmam que os cidadãos não têm essa ilusão.

O debate moderno

A ideia ressurgiu em um artigo do economista americano Robert Barro (1944-) em 1974, que examina as situações em que as pessoas gastam apesar de impostos e empréstimos. Uma suposição é que elas tomam decisões racionais e fazem previsões perfeitas; sabem que os gastos de hoje significam impostos depois. No entanto, é improvável que isso aconteça dessa maneira. Tomar emprestado e emprestar também devem ocorrer com taxas de juro idênticas, sem custos de transação.

Outro problema é que a vida humana é finita. Se as pessoas são egoístas, tendem a não se importar com os impostos que serão cobrados depois que morrerem. Barro afirmou, contudo, que os pais se importam com os filhos e costumam deixar alguma herança, em parte para que os filhos consigam pagar quaisquer impostos que surjam após a morte dos pais. Assim, os indivíduos, ao tomar uma decisão, consideram o impacto dos impostos esperados após sua morte.

Gastos públicos

A equivalência ricardiana, às vezes chamada neutralidade da dívida, é um tema polêmico hoje por causa dos altos gastos, empréstimos e tributação dos governos modernos. A descoberta de Ricardo foi usada pelos economistas neoclássicos como argumento contra as políticas keynesianas – gastos públicos para aumentar a demanda e incentivar o crescimento. Esses economistas dizem que, se o governo gasta para tirar a economia da depressão, suas expectativas racionais são motivo suficiente para que ele preveja impostos mais altos no futuro, a fim de não responder cegamente hoje pela maior quantidade de moeda no sistema. Todavia, as evidências práticas – a favor e contra – não levam a uma conclusão firme. ■

A Grécia foi forçada a tomar altos empréstimos em 2011 para evitar a falência. Os distúrbios públicos a seguir deixaram claro que há limites ao empréstimo e à tributação do governo.

A macroeconomia neoclássica

Os economistas americanos Robert Barro, Robert Lucas e Thomas Sargent formaram a escola da macroeconomia clássica no início dos anos 1970. Seus preceitos são a suposição das expectativas racionais (pp. 244-47) e o equilíbrio do mercado – ajuste espontâneo dos preços a nova posição de equilíbrio. Os neoclássicos afirmam que isso se aplica ao mercado de trabalho: o nível dos salários é definido pelo ajuste mútuo da oferta (número de pessoas em busca de emprego) e da procura (número de pessoas necessárias). Por essa visão, quem quiser pode trabalhar, se aceitar o "salário existente". Assim, o desemprego é voluntário. As expectativas racionais dizem que, como as pessoas olham para o futuro e o passado ao tomar decisões, elas não podem ser enganadas pelo governo quando este escolhe tomar empréstimo ou tributar.

A ECONOMIA É UM IOIÔ

CRESCIMENTO E RETRAÇÃO

EM CONTEXTO

FOCO
Macroeconomia

PRINCIPAL PENSADOR
Jean-Charles Sismondi
(1773-1842)

ANTES
1776 Adam Smith diz que o mercado natural força a criação do equilíbrio econômico.

1803 Jean-Baptiste Say diz que o mercado equilibra oferta e procura naturalmente.

1817 O reformista social galês Robert Owen identifica na superprodução e no subconsumo a causa das quedas econômicas.

DEPOIS
Anos 1820 O economista francês Charles Dunoyer identifica natureza cíclica da economia.

1936 John Maynard Keynes insta os governos a gastar, a fim de evitar flutuações econômicas.

Ciclos econômicos são a alternância entre um forte crescimento econômico, um período de expansão, e um período de retração ou estagnação econômica. Costumam ser chamados de ciclos de crescimento e retração. O historiador suíço Jean-Charles Sismondi foi quem identificou primeiro a ocorrência de crises econômicas periódicas, mas foi outro economista, o francês Charles Dunoyer (1786-1862), que revelou depois sua forma cíclica. Sismondi contestou a ortodoxia do "o mercado sabe mais" de Adam Smith (p. 61), Jean-Baptiste Say (p. 75) e David Ricardo (p. 84).

Veja também: Economia de livre mercado 54-61 ▪ O multiplicador keynesiano 164-65 ▪ Crises financeiras 296-301 ▪ Habitação e ciclo econômico 330-31

Arranha-céus são construídos em época de otimismo excessivo, sinal indubitável de que a economia está superaquecida. Quando são concluídos, em geral a economia já quebrou.

Eles achavam que, se o mercado ficasse à própria sorte, rápida e facilmente se atingiria o equilíbrio econômico, gerando pleno emprego. Sismondi dizia que se chegaria a uma espécie de equilíbrio, mas só após uma "quantidade terrível de sofrimento".

Antes de Sismondi publicar *Novos princípios de economia política*, em 1819, os economistas menosprezavam as altas e as baixas econômicas no curto prazo ou as atribuíam a fenômenos externos, como a guerra. Sismondi mostrou que os movimentos econômicos de curto prazo devem-se a resultados naturais das forças de mercado – superprodução e subconsumo –, causadas por desigualdades durante os tempos de alta.

Alimentando o crescimento

Se a economia cresce e as empresas vão bem, os trabalhadores podem pedir aumento de salário e comprar mais dos produtos que produzem. Isso alimenta o crescimento econômico. À medida que mais produtos são vendidos, a economia se expande, contratando mais trabalhadores para produzir mais bens. Os novos trabalhadores então têm dinheiro para comprá-los, e a alta continua.

A concorrência leva todas as empresas a aumentar a produção, até que a oferta enfim ultrapasse a procura, declarou Sismondi. Isso faz as empresas baixar os preços para atrair clientela, originando lucros menores, salários menores e demissões na força de trabalho – em outras palavras, uma queda econômica seguida de recessão. As empresas começam a se recuperar quando os preços estão baixos a ponto de estimular a procura, e a concessão de crédito aumenta, iniciando o ciclo mais uma vez.

Uma das primeiras crises que confirmaram esse ciclo foi a do Pânico de 1825. Tratou-se de uma bem documentada quebra no mercado de ações, provocada apenas por fatores econômicos internos: investimentos especulativos em Poyais, país fictício criado por um criminoso para atrair investimentos – e a repercussão foi sentida em mercados de todo o mundo.

Sismondi criticou o enfoque de *laissez-faire* de Adam Smith e disse que era necessário o governo intervir para regulamentar o avanço da riqueza e evitar as crises periódicas.

A descoberta desses ciclos permitiu aos economistas analisar a economia sob outro olhar e criar estratégias, a fim de evitar quebras e recessões. Keynes usou a obra de Sismondi e Dunoyer para elaborar teorias próprias, que viriam a constituir uma das abordagens econômicas dominantes no mundo no século XX. ▪

Mercados altistas e baixistas

Quando a economia cresce e se retrai, os mercados dentro dela sobem e descem. Aqueles com aumentos constantes de preços chamam-se altistas; aqueles em que os preços caem são baixistas. Esses rótulos se aplicam em geral a ativos como ações, títulos e imóveis.
O mercado altista – por exemplo, um de ações em expansão – costuma ocorrer em época de crescimento econômico. O otimismo dos investidores com as perspectivas econômicas os leva a comprar ações, o que por sua vez aumenta o valor dos ativos. Quando a economia falha, o processo dá-se ao contrário. Os investidores se tornam baixistas e começam a vender os ativos à queda do mercado. As ações nos EUA estavam na fase altista nos anos 1990 com a expansão das empresas de internet. Um intenso mercado de baixista ocorreu na Grande Depressão dos anos 1930.

A concorrência universal, ou o esforço para produzir sempre mais, e sempre a preço mais baixo [...] é um sistema perigoso.
Jean-Charles Sismondi

O COMÉRCIO BENEFICIA A TODOS

VANTAGEM COMPARATIVA

EM CONTEXTO

FOCO
Economia mundial

PRINCIPAL PENSADOR
David Ricardo (1772-1823)

ANTES
433 AC Os atenienses impõem sanções aos mégaros, numa das primeiras guerras comerciais documentadas.

1549 John Hales, político inglês, expressa a opinião disseminada de que o livre comércio é ruim para o país.

DEPOIS
1965 O economista americano Mancur Olson mostra que os governos respondem mais ao apelo de um grupo concentrado de países que ao de um mais disperso.

1967 Os economistas suecos Bertil Ohlin e Eli Heckscher desenvolvem teoria comercial de Ricardo para examinar como a vantagem comparativa muda com o tempo.

Fazer um produto **implica custos**. Um desses custos é o tempo.

Mesmo que o País A faça tudo melhor que o País B, ele lucrará mais **concentrando-se no que faz melhor**. É muito custoso sacrificar tempo no que ele não faz tão bem.

Isso deixa ao País B, que faz bem (mas não é o melhor do mundo) o que o País A não faz, uma chance de fazê-lo **sem concorrência acirrada**.

Ambos os países se beneficiam da vantagem comparativa, que faz o uso mais eficiente de seu tempo e de seus recursos.

No geral, **mais bens são produzidos**, dando aos consumidores uma gama maior de produtos por preços mais baixos.

O comércio é benéfico a todos.

As ideias do célebre David Ricardo, economista britânico do século XVIII, claramente ganharam a forma do mundo em que ele vivia e de sua vida pessoal. Ele vivia em Londres, Inglaterra, num tempo em que o mercantilismo (pp. 34-35) era a doutrina econômica dominante, defendendo pesadas restrições ao comércio internacional. Por isso os governos adotaram diretrizes que visavam aumentar as exportações e reduzir as importações, numa tentativa de enriquecer a nação pela entrada de ouro. Na Inglaterra, essa política vinha dos tempos da rainha Elizabeth I. Ricardo achou que, nolongo prazo, fosse provável que tais diretrizes protecionistas refreassem a capacidade do país de aumentar a sua riqueza.

Proteção comercial inicial

Ricardo preocupava-se sobretudo com as Leis dos Cereais. Durante as Guerras Napoleônicas (1799-1815), uma vez que não era possível importar trigo da Europa, o preço do grão subiu na Grã-Bretanha. Consequentemente, muitos latifundiários aumentaram a área dedicada à lavoura em suas terras. Porém, quando a guerra começou a perder força, em 1812, o preço do trigo caiu. Sendo assim, os latifundiários, que também controlavam o Parlamento, aprovaram as Leis dos Cereais no final da guerra, em 1815, a fim de restringir a importação de trigo e estabelecer um preço mínimo para o grão. Essas leis protegeram os agricultores, mas também elevaram o preço do pão para além do que os mais pobres podiam pagar, numa época em que soldados e marinheiros que retornavam ao país

Veja também: Protecionismo e comércio 34-35 ▪ Integração de mercados 226-31 ▪ Teoria da dependência 242-43 ▪ Taxas de câmbio e moedas 250-55 ▪ Os Tigres Asiáticos 282-87 ▪ Comércio e geografia 312

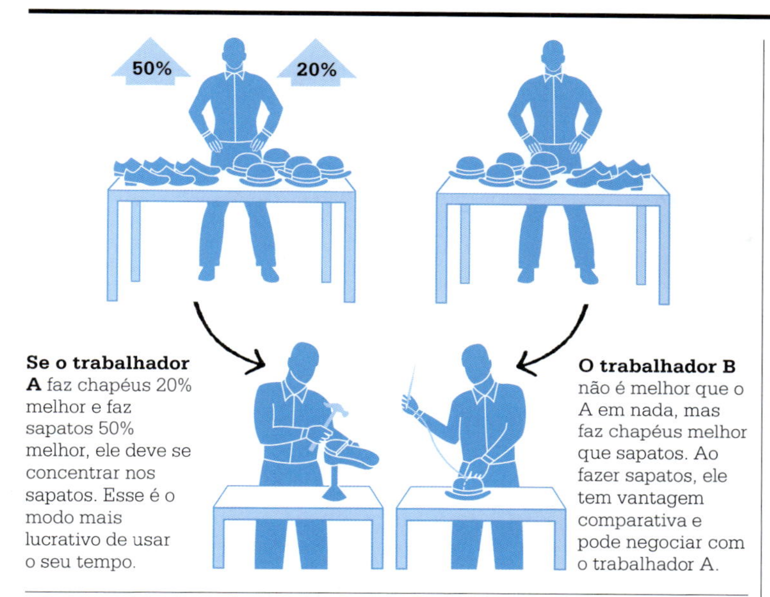

Se o trabalhador A faz chapéus 20% melhor e faz sapatos 50% melhor, ele deve se concentrar nos sapatos. Esse é o modo mais lucrativo de usar o seu tempo.

O trabalhador B não é melhor que o A em nada, mas faz chapéus melhor que sapatos. Ao fazer sapatos, ele tem vantagem comparativa e pode negociar com o trabalhador A.

não conseguiam emprego. Ricardo, apesar de ser um proprietário rico, opôs-se com vigoràs Leis dos Cereais. Afirmou que as leis empobreceriam a Grã-Bretanha e elaborou uma teoria que seria o esteio de quem quisesse justificar o livre comércio entre os países.

Vantagem comparativa

Adam Smith (p. 61) assinalou que a diferença climática entre Portugal e Grã-Bretanha permitia que ambos se beneficiassem do comércio. Um trabalhador português podia produzir mais vinho que um britânico, que por sua vez podia produzir mais lã que um português. Qualquer pessoa ou Estado capaz de produzir mais por recurso unitário do que um concorrente tem uma "vantagem absoluta". Smith disse que tanto a Grã-Bretanha quanto Portugal lucrariam mais especializando-se naquilo que faziam melhor e negociando o excedente. A contribuição de Ricardo foi ampliar o argumento de Smith, para examinar se os países se beneficiariam da especialização e do comércio quando um tinha vantagem absoluta em ambos os bens. Valeria a pena negociar se um país produzia mais vinho e mais lã por trabalhador do que outro país?

Outro enfoque é analisar se uma pessoa que faz chapéus e sapatos melhor do que outra deveria dividir seu tempo entre os dois serviços ou escolher um deles e negociar com o trabalhador menos capacitado que faz o outro produto (veja a ilustração à esquerda). Suponha que o trabalhador superior faça chapéus 20% melhor, mas faça sapatos 50% melhor – ambos terão interesse em que ele faça exclusivamente sapatos (o produto em que ele realmente é melhor), e o homem menos dotado faria chapéus (o produto que ele faz menos mal).

A lógica desse argumento é aproveitar os custos relativos da produção de um bem, quanto à quantidade de tempo de produção usada ou perdida. Como o trabalhador melhor faz sapatos tão bem, o custo de ele produzir chapéus é alto – ele teria de abrir mão de boa parte da »

Em 1819, 80 mil pessoas juntaram-se em Manchester, Inglaterra, para protestar contra as Leis dos Cereais, que mantiveram alto o preço do trigo ao limitar as importações.

O aumento da importação de pneus da China (esquerda) fez os EUA impor restrições em 2009, o que por sua vez levou a uma briga comercial ampla e à deterioração das relações diplomáticas.

valiosa produção de sapatos. Embora em termos absolutos o trabalhador menos capacitado faça sapatos e calçados pior que o superior, seu custo relativo ao fazer chapéus é menor que o do trabalhador superior. Isso porque ele perde uma produção menor por chapéu do que o superior. Diz-se, assim, que o trabalhador menos capacitado tem uma "vantagem comparativa" em chapéus, enquanto o superior tem uma vantagem comparativa em sapatos. Quando os países se especializam em bens nos quais têm vantagem comparativa, mais bens são produzidos no total, e o comércio rende mais produtos mais baratos para os dois países.

A vantagem comparativa resolve um paradoxo destacado por Adam Smith – o de que os países que fazem produtos piores (que teriam "desvantagem absoluta" neles) ainda assim podem exportá-los com lucro.

Vantagem no século XX

O que determina a vantagem comparativa? Os economistas suecos Eli Heckscher e Bertil Ohlin afirmaram que ela vem de países com abundância de capital e mão de obra. Países ricos em capital têm vantagem comparativa em produtos intensivos em capital, como máquinas. Os países ricos em mão de obra têm vantagem comparativa em produtos intensivos em trabalho, como bens agrícolas. O resultado é que os países tendem a exportar bens que usam seu fator de produção abundante; as nações com capital abundante, como os EUA, têm mais probabilidade, portanto, de exportar bens industrializados. A análise de Heckscher e Ohlin levou a outra previsão. O comércio não só tenderia a reduzir as diferenças nos preços de bens em países diferentes como também reduziria a diferença entre salários: a especialização em setores intensivos em mão de obra nas economias com mão de obra abundante tenderia a impulsionar o preço dos salários, enquanto um efeito na outra direção seria notado num país com capital abundante. Assim, apesar do aumento geral em curto

David Ricardo

Considerado um dos maiores teóricos da economia, David Ricardo nasceu em 1772. Seus pais mudaram-se da Holanda para a Inglaterra, e aos 14 anos Ricardo começou a trabalhar com o pai, corretor de ações. Aos 21, Ricardo fugiu com uma quacre, Priscilla Wilkinson. Diferenças religiosas entre as famílias fizeram-nas abandonar o casal, e Ricardo abriu uma firma de corretagem. Fez fortuna apostando na derrota francesa em Waterloo (1815) com a compra de títulos do governo inglês. Ricardo juntou-se a economistas notáveis na época, como Thomas Malthus (p. 69) e John Stuart Mill (p. 95). Deixou a bolsa de valores em 1819 e tornou-se membro do Parlamento britânico. Morreu de repente de infecção no ouvido em 1823, deixando um patrimônio de mais de $120 milhões em valores de hoje.

Obras-chave

1810 *O alto preço do ouro*
1814 *Ensaio acerca da influência do baixo preço do sal*
1817 *Princípios da política econômica e da tributação*

A diminuição de dinheiro num país e o aumento em outro não influi no preço de apenas um produto, mas no preço de todos.
David Ricardo

prazo, no fim existirão perdedores e ganhadores e a consequente oposição à abertura do comércio.

Os clamores por protecionismo são tão audíveis hoje quanto no tempo de Ricardo. Em 2009, a China acusou os EUA de "protecionismo desenfreado", por causa dos pesados impostos sobre pneus chineses importados. A decisão de aumentar as tarifas veio após pressão dos trabalhadores americanos, que viram a importação de pneus crescer de 14 para 46 milhões de 2004 a 2008, reduzindo a produção nos EUA e provocando o fechamento de fábricas. Contudo, como os EUA haviam antes acusado a China de subsidiar deslealmente sua indústria, as tensões cresceram. A China ameaçou com aumentos retaliativos nos impostos de importação sobre carros e carnes de ave americanos.

As tarifas criam efeitos que se espalham pelas economias. A proteção obtida para os produtores de pneus nos EUA com tarifas sobre pneus, por exemplo, teve impactos negativos. Os preços mais altos dos pneus aumentaram o custo dos carros americanos, tornando-os menos competitivos e reduzindo a procura. A retaliação da China também prejudicou os setores exportadores americanos. O emprego de alguns trabalhadores em pneus nos EUA pode ter sido salvo, mas na economia como um todo mais empregos se perderam.

Protecionismo hoje

O economista americano Mancur Olson ajudou a explicar por que os políticos ainda impõem diretrizes que têm tudo para prejudicar a economia como um todo, embora os custos sejam bem conhecidos. Ele destaca que os poucos que estão contra os impostos – grandes produtores nacionais e seus funcionários – sofrem um impacto visível das importações baratas. Todavia, o número potencialmente maior de consumidores que têm de pagar mais por causa das tarifas e os trabalhadores de setores correlatos que perderão o emprego por causa de impactos indiretos estão espalhados por toda a economia.

Comércio contemporâneo

A maioria dos economistas concorda com a visão ricardiana básica sobre o comércio e acredita que ela ajudou, em particular, os países industrializados de hoje. Os economistas americanos David Dollar e Aart Kraay disseram que nas últimas décadas o comércio ajudou os países em desenvolvimento a crescer e reduzir a pobreza.

Outros economistas duvidam que o comércio sempre ajude os países em desenvolvimento. O economista americano Joseph Stiglitz (p. 338) diz que esses países costumam sofrer de falhas de mercado e fraqueza institucional que podem tornar custosa demais uma liberalização comercial muito rápida.

Existem também contradições entre a teoria e a prática. Quando o governo da Índia retirou as tarifas sobre importações do óleo de palmeira da Indonésia, por exemplo, isso elevou o padrão de vida de milhões de indianos, confirmando a teoria de Ricardo, mas destruiu o sustento de um milhão de agricultores que cultivavam amendoim para extrair óleo, substituído pelo óleo de palmeira. Em um mundo ricardiano perfeito, os agricultores de amendoim simplesmente passariam a produzir outros bens, mas na prática não podem, porque seu capital está imobilizado – uma máquina que processa amendoins não tem outra utilidade.

Os críticos de Ricardo afirmam que no longo prazo impactos assim podem impedir a industrialização e a diversificação de países pobres. Além do mais, embora os ricos países industrializados tenham se tornado negociantes de sucesso, eles não praticaram o livre comércio quando começaram a se desenvolver. A maneira de os países criarem vantagem comparativa de longo prazo pode ser mais complexa do que indica o modelo de Ricardo. Chega-se a afirmar que a Europa e depois os Tigres Asiáticos (pp. 282-87) a conquistaram por meio da proteção ao comércio, e suas qualificações foram adquiridas antes que o comércio se abrisse. ■

Produtos asiáticos são transportados para países ocidentais em enormes navios de contêiner. Estima-se que 75% dos produtos num carrinho de mercado sejam exportados para os EUA da Ásia.

REVOLUÇÕ INDUSTRIA E ECONÔMI 1820-1929

ES
L
CA

Antoine Cournot introduz os papéis de **função e probabilidade** na economia e é o primeiro a representar a oferta e a procura em gráfico.

1838

1841

Charles Mackay descreve o fenômeno das **bolhas econômicas** em seu *Ilusões populares e a loucura das massas*.

John Stuart Mill defende comércio e justiça social, criando a base da **economia liberal**.

1848

1848

Karl Marx e Friedrich Engels publicam o *Manifesto comunista*.

Karl Marx publica o primeiro volume de *O capital*; os volumes seguintes são publicados postumamente por Friedrich Engels.

1867

Carl Menger funda a **Escola Austríaca**, que defende a economia de livre mercado contra as ideias do socialismo.

1871

1871

William Jevons postula a teoria da **utilidade marginal**, que entende que o valor provém do valor de um produto para o seu comprador.

1874

Léon Walras propõe a base da **teoria do equilíbrio geral**, afirmando que os mercados livres são estáveis.

No início do século XIX, os efeitos da Revolução Industrial espraiaram-se da Grã-Bretanha para a Europa e a América do Norte, transformando nações agrícolas em economias industriais. O processo foi rápido e drástico, alterando de modo fundamental a estrutura das economias. O foco passara dos comerciantes que negociavam bens aos produtores, os donos do capital. Além da nova maneira de pensar sobre a economia, o capitalismo trouxe consigo novas questões sociais e políticas.

A distorção do mercado

As mais visíveis das mudanças sociais foram o surgimento de uma nova "classe dominante" de produtores industriais e um crescimento constante no número de empresas produtoras de bens, muitas das quais vendiam ações de seu negócio em bolsas. Estes proviam o mercado competitivo que era o cerne da visão "clássica" da economia, em que as operações no mercado são centrais. Todavia, à medida que as economias de mercado desenvolviam-se e cresciam, começaram a surgir novos problemas. Por exemplo, como Adam Smith (p. 61) advertira em 1776, havia o perigo de que grandes produtores dominassem o mercado e atuassem como monopólios ou cartéis, fixando preços em nível elevado e mantendo baixa a produção. Embora a regulamentação pudesse evitar tais práticas, nos casos em que poucos produtores atuavam, eles poderiam facilmente criar estratégias para distorcer a competitividade do mercado.

Smith presumira que os homens se comportavam racionalmente na economia, o que também passou a ser questionado quando os investidores correram para comprar ações de empresas cujo valor subiu exageradamente. Isso causou bolhas, contradizendo a ideia de uma economia estável fundada em comportamento sensato. Contudo, alguns economistas, como Léon Walras (p. 120) e Vilfredo Pareto (p. 131), afirmaram que a economia de mercado sempre tendia ao equilíbrio, que por sua vez ditava os níveis de produção e preços. Seu contemporâneo Alfred Marshall (p. 110) explicou a oferta e a procura e sua interação com os preços num sistema de concorrência perfeita.

A questão do preço foi uma das que preocuparam vários economistas na época, pois afetava produtores e

Robert Giffen cria o conceito de **bens de Giffen**, segundo o qual o consumo aumenta com o preço.

ANOS 1870

Os ativistas sociais **Beatrice e Sidney Webb** publicam a marcante *History of trade unionism*.

1894

Vilfredo Pareto formula o **ótimo de Pareto**, estado em que nenhum indivíduo pode ficar em melhor situação sem outro ficar em situação ruim.

1906

Arthur Pigou afirma que as empresas devem ser **tributadas pela poluição** que provocam.

1920

Joseph Schumpeter descreve o papel vital do empreendedor como o inovador que leva um setor econômico adiante.

1927

1890

Alfred Marshall publica *Princípios de economia*, dando **novas abordagens matemáticas** à economia.

1899

Em *A teoria da classe ociosa*, Thorstein Veblen descreve o **consumo conspícuo** dos ricos.

1914

Friedrich von Wieser descreve o **custo de oportunidade**, que mede o valor das escolhas que foram rejeitadas.

1922

Ludwig von Mises critica as economias planificadas comunistas em *Socialism: an economic and sociological analysis*.

consumidores na nova sociedade capitalista. Tomando seu argumento dos filósofos morais da geração anterior, eles passaram a ver o valor dos bens quanto à utilidade (a satisfação que dariam), em vez do trabalho que agregara valor às matérias-primas. A ideia da utilidade marginal – o ganho dado pelo consumo de certo produto – foi explicada matematicamente por William Jevons (p. 115).

Teoria do valor de Marx

A teoria de que o valor de um produto é determinado pelo trabalho envolvido em sua produção ainda tinha alguns adeptos, particularmente por dizer respeito não tanto aos produtores ou aos consumidores quanto à força de trabalho que produzia os bens para os empregadores capitalistas. Encarando o valor sob esse prisma, Karl Marx disse que as desigualdades da economia de mercado eram uma exploração da classe trabalhadora pelos donos do capital. No *Manifesto comunista* e em sua análise do capitalismo *O capital*, Marx defendia a revolução proletária para substituir o capitalismo pelo que ele via como etapa seguinte no desenvolvimento econômico: um Estado socialista em que os meios de produção pertenceriam aos trabalhadores e, ao final, a abolição da propriedade privada.

Embora as ideias de Marx viessem a ser adotadas depois em muitas partes do mundo, as economias de mercado continuaram funcionando em outros lugares. Em geral, os economistas mantiveram a defesa do capitalismo como o melhor meio de garantir a prosperidade, ainda que temperado em certo grau com medidas para compensar suas injustiças. Seguindo um enfoque matemático da economia que se concentrava na oferta e na demanda e em reação às ideias do socialismo, surgiu a Escola Austríaca de pensamento econômico, realçando o poder criativo do sistema capitalista.

A economia de livre mercado estava prestes a receber golpes duros após a quebra de Wall Street em 1929. Contudo, as teorias dos economistas neoclássicos e a Escola Austríaca em particular ressurgiram mais tarde como modelo para as economias do mundo ocidental no final do século XX e até chegaram a substituir a maioria das economias planificadas comunistas do mundo. ■

QUANTO DEVO PRODUZIR DADA A CONCORRÊNCIA?

EFEITOS DA CONCORRÊNCIA LIMITADA

EM CONTEXTO

FOCO
Mercados e empresas

PRINCIPAIS PENSADORES
Antoine Augustin Cournot (1801-77)
Joseph Bertrand (1822-1900)

ANTES
1668 O cientista alemão Johann Becher debate o impacto da concorrência e do monopólio em seu *Political discourse*.

1778 Adam Smith descreve como a concorrência perfeita maximiza o bem-estar social.

DEPOIS
1883 O matemático francês Joseph Bertrand muda as escolhas estratégicas do modelo de Cournot de quantidade para preço.

1951 O economista americano John Nash publica a definição geral de equilíbrio para a teoria dos jogos, usando o duopólio de Cournot como primeiro exemplo.

Na segunda metade do século XVII, os economistas começaram a observar o que ocorria nos mercados monopolistas e de concorrência acirrada. Descobriram que os monopólios tendem a conter a produção para manter elevados os preços e os lucros. Onde havia plena concorrência, os preços caíam ao nível dos custos, os lucros eram baixos e a produção, alta. O economista francês Antoine Cournot queria descobrir o que acontecia quando havia apenas poucas empresas vendendo produtos similares.

Duopólios em duelo

Cournot criou seu modelo baseado num duopólio de empresas que vendiam aos consumidores águas minerais idênticas. As duas empresas não podem formar um cartel

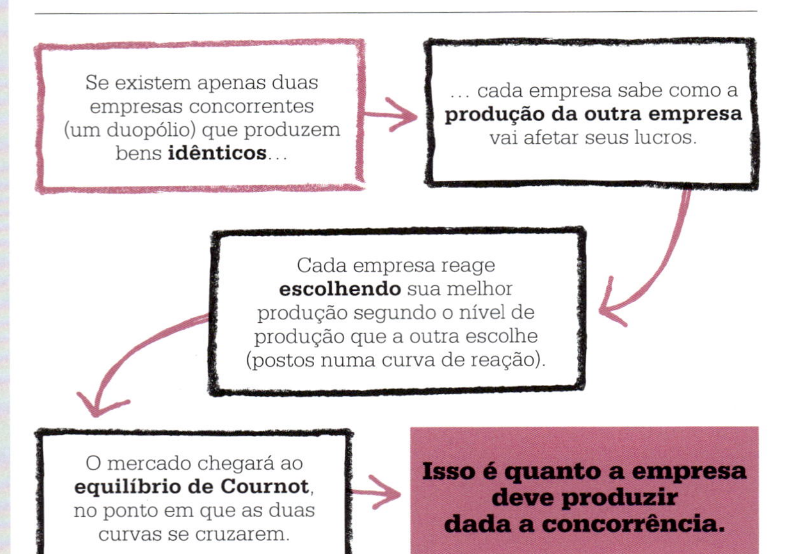

Veja também: Cartéis e conluio 70-73 ▪ Monopólios 92-97 ▪ O mercado competitivo 126-29 ▪ Teoria dos jogos 234-41

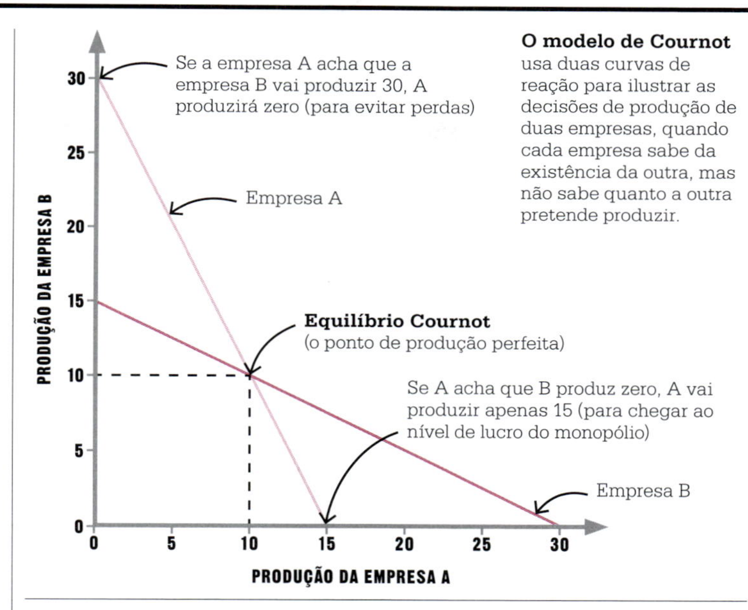

O modelo de Cournot usa duas curvas de reação para ilustrar as decisões de produção de duas empresas, quando cada empresa sabe da existência da outra, mas não sabe quanto a outra pretende produzir.

trabalhando juntas, nenhuma outra empresa pode entrar no setor (porque não há outras nascentes), e cada empresa tem de decidir, ao mesmo tempo, quantas garrafas de água fornecer.

A produção total da indústria é a soma das decisões de produção das duas empresas. Cada empresa deve escolher a produção que maximize seu lucro com base no que ela acha que será a produção da outra empresa. Se a empresa A pensa que a empresa B não produzirá nada, A vai escolher a produção baixa de um monopolista para maximizar seus lucros. Por outro lado, se A acha que B produzirá muito, ela pode optar por não produzir nada, porque os preços cairiam tanto que a produção não seria rentável. Cournot representou as decisões das duas empresas numa "curva de reação". O equilíbrio do mercado é o ponto em que as duas curvas de reação se cruzam. Nele, cada empresa está vendendo a quantidade mais rentável ante o que a outra empresa está fazendo. Essa ideia de equilíbrio ficou conhecida como equilíbrio de Nash, e é um elemento central da teoria dos jogos, ramo da economia moderna que analisa a interação estratégica entre empresas e indivíduos.

Cournot usou a matemática para encontrar esse equilíbrio e provar que os duopolistas escolheriam uma produção maior do que a de um monopólio, mas menor do que na concorrência perfeita. Em outras palavras, seria melhor para a sociedade haver mais empresas do que uma monopolista, mas pior do que a concorrência perfeita.

Desse ponto de partida, Cournot ampliou o modelo para mostrar que, se o número de empresas aumenta, a produção da indústria aproxima-se de modo tranquilizador do nível esperado para a concorrência perfeita. O modelo de Cournot foi aprimorado pelo economista francês Joseph Bertrand, que demonstrou que, se as empresas optam por seu nível de preço almejado em vez de pela produção, o equilíbrio de duopólio iguala-se ao da concorrência perfeita. Isso porque qualquer empresa que fixe um preço alto será superada pela outra, que roubará todos os seus compradores. Dessa maneira, o preço será levado ao nível mais competitivo. ■

Antoine Cournot

Leitor insaciável, Antoine Augustin Cournot nasceu na França em 1801. Apesar de relativamente pobre, estudou matemática numa das melhores escolas do país e fez doutorado em engenharia. Depois de ser professor particular e secretário de um dos generais de Napoleão, ele se tornou professor universitário visitante e depois titular. Cournot sofria de problemas oculares, mas conseguiu publicar várias obras pioneiras no uso da matemática em economia antes de ficar cego. Sua obra não foi bem acolhida em sua época, porque ele usava a nova notação matemática. Hoje é considerado um pensador profundo que teve ideias proféticas.

Obras-chave

1838 *Recherches sur les principes mathématiques de la théorie des richesses*
1863 *Principes de la théorie des richesses*

TELEFONEMAS CUSTAM MAIS SE NÃO EXISTE CONCORRÊNCIA

MONOPÓLIOS

EM CONTEXTO

FOCO
Mercados e empresas

PRINCIPAL PENSADOR
John Stuart Mill (1806-73)

ANTES
c. 330 AC *A política* de Aristóteles descreve o impacto de um monopólio.

1778 Adam Smith adverte para o perigo dos monopólios em *A riqueza das nações*.

1838 O economista francês Antoine Cournot analisa o impacto da redução do número de empresas no preço.

DEPOIS
1890 Alfred Marshall elabora um modelo de monopólio.

1982 O economista americano William Baumol publica *Contestable markets and the theory of industry structure*, redefinindo a natureza da concorrência.

Monopólio é uma situação em que uma empresa controla um mercado, como o de telefonia móvel. Ela pode ser o único fornecedor de um produto ou serviço ou pode ter uma fatia dominante do mercado. Em muitos países se diz que uma empresa é monopólio se detém mais de 25% de um mercado.

Há milênios se sugere que o preço dos bens é maior nos monopólios do que se muitas empresas os fornecessem. Já Aristóteles (384-322 AC) alertara para o problema em uma história sobre o filósofo grego Tales de Mileto. As pessoas provocavam Tales por praticar a filosofia, que para elas era uma profissão inútil que não dava dinheiro. Para provar que estavam erradas, Tales comprou todas as prensas de azeite no inverno, quando estavam baratas, e então, usando seu poder monopolista, vendeu-as por preços muito altos no verão, quando eram necessárias. Ficou rico. Para Tales, a moral era que os filósofos podiam ser ricos se quisessem. Para os economistas, a história adverte para o poder potencial do monopólio.

O poder do mercado

Em 1848, o cientista político inglês John Stuart Mill publicou seus *Princípios de economia política*, reunindo boa parte das ideias de que a falta de concorrência elevava os preços. A opinião geral era que alguns setores tendiam para a falta de concorrência, o que se criava ou por meios artificiais, como a adoção pelo governo de um imposto sobre as mercadorias importadas, ou por meios naturais, como o crescimento constante de empresas. Grandes empresas começaram a dominar o mercado, porque a indústria do final do século XIX precisava de um volume de capital cada vez maior. As empresas que podiam crescer conquistando uma porção do mercado suficiente para financiar o investimento necessário tinham a capacidade de usar seu poder de mercado para tirar dos negócios as concorrentes de menor porte e cobrar preços mais altos.

Durante a Revolução Industrial, o fornecimento de carvão, ferrovias e água mostrou uma tendência para a concentração da propriedade. Na mineração, a

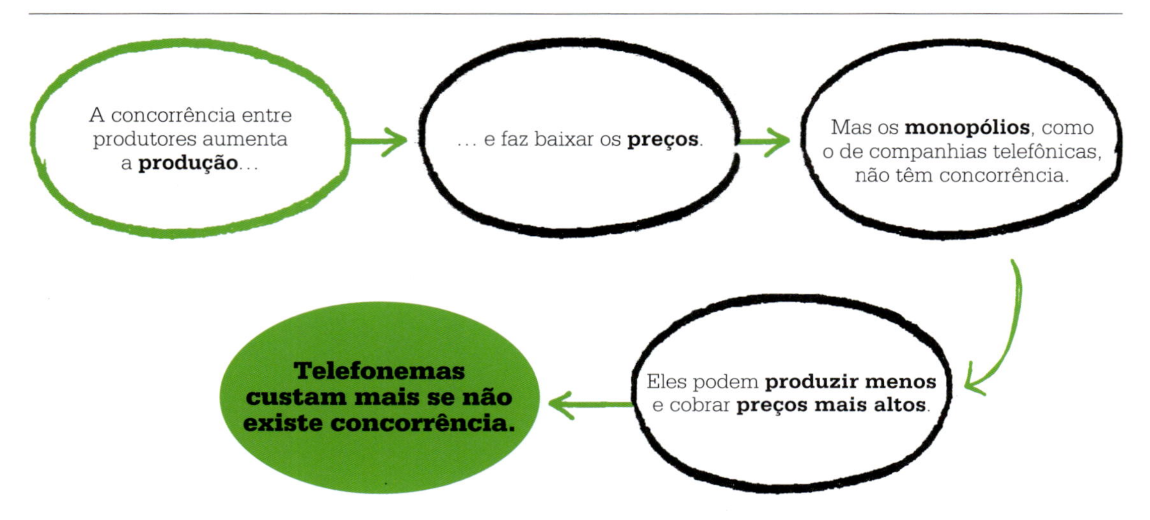

Veja também: Cartéis e conluio 70-73 ▪ O mercado competitivo 126-29 ▪ Economias de escala 132 ▪ Destruição criativa 148-49

propriedade da terra ficou em poucas mãos. No caso das ferrovias e do abastecimento de água, não havia alternativa a um número restrito de empresas que ofereciam os serviços, porque a escala da infraestrutura necessária era tão grande que, se houvesse mais que poucas empresas, ninguém seria capaz de cobrir seus custos. Mill, como Adam Smith (p. 61) antes dele, achava que essas características dos mercados não levariam inevitavelmente ao monopólio. O mais provável era o conluio entre as empresas, que lhes permitia fixar preços altos. Esses acordos levariam a custos elevados para os consumidores, da mesma maneira que com os monopólios.

Trabalho no monopólio

Mill percebeu que não só no mercado de bens a ausência de concorrência forçava a alta dos preços. Os efeitos monopolistas podem surgir também no mercado de trabalho. Ele apontou para o caso dos ourives, que ganhavam salários muito mais altos que as pessoas com qualificação similar, pois eram considerados confiáveis – traço raro e dificilmente comprovável. Isso criava uma barreira significativa à entrada no mercado, de modo que quem lidava com ouro podia exigir um preço monopolista para seus serviços. Mill notou que a situação dos ourives não era um caso isolado. Observou que grande parte das classes trabalhadoras era impedida de entrar em profissões qualificadas porque implicavam muitos anos de formação e treinamento. A maioria das famílias não podia arcar com esse custo, e aqueles que podiam desfrutavam salários muito acima do que era de esperar. Do mesmo modo, alguns historiadores viam nas guildas da era medieval um »

As ferrovias eram exemplo de um setor monopolista na época de Mill. Novos ramais eram caros e inexequíveis em rotas já atendidas pelas empresas existentes.

John Stuart Mill

Nascido em Londres em 1806, John Stuart Mill foi criado em família rica que viria a ser uma grande dinastia intelectual. Superexigente, seu pai o instruiu com um currículo difícil e acelerado que incluía o grego, desde os três anos de idade. A intenção era que Mill avançasse e desenvolvesse a obra de filosofia do pai. A pressão dessa criação foi ao menos em parte responsável pelos problemas mentais que Mill sofreu em seus 20 anos.

Uma das grandes mentes da época, ele gostava de defender causas difíceis e impopulares, como a Revolução Francesa e os direitos femininos. Era também crítico eloquente da escravidão. Um caso de 20 anos com Harriet Taylor, a quem ele atribuía boa parte da inspiração de sua obra escrita, provocou escândalo em sua vida privada. Mill morreu em 1873, aos 66 anos.

Obras-chave

1848 *Princípios de economia política*
1861 *Utilitarismo*
1869 *A sujeição das mulheres*

Quanto mais baixo o preço de um produto, maior a procura por ele. Numa concorrência perfeita teórica entre empresas, um bem é vendido pelo preço que custa para produzi-lo. Essa é a mais alta demanda e o mais baixo preço possível. Num monopólio, o preço é fixado acima, e a procura cai.

Monopólio
Oferta no monopólio
Oferta na concorrência perfeita
A procura é sempre maior com preços mais baixos
PREÇO
Concorrência perfeita
0
0
Monopólio
QUANTIDADE
Concorrência perfeita

exemplo de artesãos privilegiados que tentavam dar fim à concorrência de outros trabalhadores.

O economista britânico Alfred Marshall (p. 110) analisou em detalhe, a partir do final dos anos 1890, os efeitos dos monopólios nos preços e no bem-estar dos consumidores. Ele queria descobrir se o preço mais alto e a produção menor resultantes dos monopólios causavam a redução do bem-estar geral da sociedade. Em seus *Princípios de economia*, Marshall formulou o conceito de excedente do consumidor – a diferença entre o montante que um consumidor se dispõe a pagar por um bem e a quantia realmente paga. Suponha que o consumidor comprasse uma maçã por 20 pence e estivesse disposto a pagar 50 por ela. Seu excedente na compra da maçã é de 30 pence. Num mercado com muitas empresas, elas competem no preço e fornecem juntas uma quantidade de maçãs que gera certa quantidade de excedente do consumidor em geral. Por uma maçã vendida ao último consumidor, sua vontade de pagar será igual ao preço, e nenhuma outra maçã pode ser vendida. A perda de bem-estar no monopólio vem do fato de que menos maçãs são vendidas em comparação com o montante que teria sido vendido em mercados de concorrência perfeita. Em suma, isso significa que existem maçãs que poderiam ser fornecidas ao mercado e gerariam um excedente do consumidor, mas elas nunca chegam ao mercado.

Os monopolistas, ao manter o mercado constantemente desabastecido [...], vendem suas mercadorias muito acima do preço natural.

Adam Smith

Vantagens do monopólio

Monopólios também criam efeitos mais complexos nos preços e no bem-estar. Marshall afirmou que um monopolista poderia na realidade reduzir seus preços para atrair clientes para sua rede de telefonia, por exemplo, por ser provável que as pessoas continuassem usando o serviço, desde que instalado, apesar de tecnologias rivais, como os celulares, oferecerem alternativas no mínimo tão boas.

Certos economistas assinalaram que o monopólio pode ter efeitos benéficos. Em muitos mercados, ele pode ter custos menores do que o total de custos de um grupo de empresas menores, porque o monopolista gasta menos em publicidade e usa inteiramente as economias de escala. Por isso, ele pode usufruir lucros maiores, mesmo que seu preço seja menor do que se muitas empresas – com custos maiores – estivessem competindo. Nesse caso, os preços mais baixos ajudariam os consumidores e o crescimento da economia.

Do mesmo modo, empresas maiores podem tentar obter lucros de monopólio, expulsando as rivais pelo corte drástico dos preços no curto prazo. Os economistas chamam isso de preço predatório. No longo prazo, os consumidores podem sofrer com a monopolização do mercado. Porém, nos anos 1950 e 60, o economista americano William Baumol afirmou que não importa se existe monopólio, desde que não

Telefonistas trabalham numa central da AT&T em Nova York nos anos 1940. Por seu tamanho e domínio, a companhia era considerada um monopólio natural.

haja barreiras à entrada e à saída no mercado – a simples ameaça de concorrência faria o monopólio fixar o preço em um patamar competitivo. Isso porque um preço mais alto atrairia novos participantes, que pegariam uma fatia do mercado do monopólio. Por esse motivo, os preços num monopólio podem não ser mais altos que num mercado com várias empresas concorrentes.

Monopólios naturais

Um argumento que começou a tomar forma na época de Marshall foi o de que alguns monopólios são "naturais", por causa das enormes vantagens de custo de haver apenas uma empresa. Muitos serviços públicos são monopólios naturais, como a telefonia, o gás e a água. O custo fixo de criar uma rede de distribuição de gás é enorme, comparado com o custo de bombear uma quantidade a mais de gás. Essa ideia levou muitos países a aceitar a existência de monopólios nacionais nos serviços de utilidade pública. Ainda assim, os governos passaram a intervir nesses mercados, para conter os possíveis efeitos monopolistas. O problema é que, nos monopólios naturais, os custos fixos são tão altos que a obrigação de cobrar um preço competitivo pode fazer a empresa não ser lucrativa. Entre as soluções desse problema estão a nacionalização indiscriminada de setores ou a criação de agências reguladoras que imponham limites ao aumento de preços, ajudando os consumidores, mas garantindo a viabilidade econômica do setor.

Os economistas do pensamento dominante afirmam que os mercados monopolizados ficam pouco aquém do ideal de concorrência perfeita. Essa opinião gerou políticas antitruste dos governos, que procuram levar os mercados à concorrência. Isso implicou a adoção de medidas para evitar que os monopólios abusem do poder de mercado, como a quebra de monopólios e a proibição de fusões de empresas que criem monopólios.

A moderna Escola Austríaca e também o economista americano Thomas DiLorenzo (1954-) criticam esse enfoque. Ambos dizem que a verdadeira concorrência de mercado não é o comportamento passivo de empresas em concorrência perfeita que atuam em estado de equilíbrio. É, sim, uma rivalidade mortal entre um número quase sempre pequeno de grandes empresas. A concorrência ocorre pela concorrência via preços ou não,

O que quer que torne necessário um grande capital em qualquer comércio ou negócio limita a concorrência nesse negócio.

John Stuart Mill

através de publicidade e marketing, e por meio da criação de produtos e de inovação pelas grandes empresas.

Um pouco afastado dessa escola de economistas, o austríaco Joseph Schumpeter (p. 149) também frisou a probabilidade de monopólio quando empresas que concorrem na criação de produtos dominam mercados inteiros em razão do lucro potencial. Os economistas concordam que a concorrência real é boa para os consumidores. Não têm tanta certeza, porém, de que o monopólio seja ou não compatível com isso. No início do século XX, o economista alemão Robert Liefman afirmou que "só uma combinação peculiar de concorrência e monopólio origina a maior satisfação possível de desejos". ■

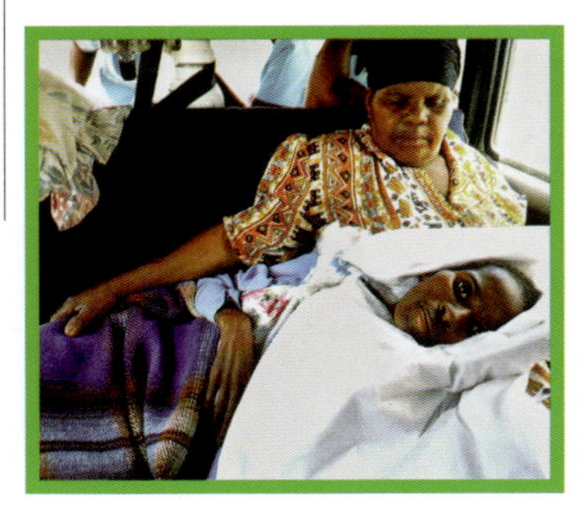

Em 1998, a indústria farmacêutica dos EUA impôs seu monopólio de uma droga antiaids entrando com ação contra o governo sul-africano, que vinha comprando versões genéricas mais baratas dessa droga.

AS MULTIDÕES GERAM LOUCURA COLETIVA

BOLHAS ECONÔMICAS

EM CONTEXTO

FOCO
Macroeconomia

PRINCIPAL PENSADOR
Charles Mackay (1814-89)

ANTES
1637 O horticultor holandês P. Cos publica *The tulip book*, que fornece dados brutos para os preços futuros das tulipas.

DEPOIS
1947 O economista americano Herbert Simon escreve *Comportamento administrativo* e lança a ideia de "racionalidade limitada" – decisões ruins vêm de limitação de capacidade, informação e tempo.

1990 Peter Garber critica obra de Mackay em seu ensaio *Primeiras bolhas famosas.*

2000 O economista americano Robert Shiller lança *Exuberância irracional*, análise de causas e intervenções políticas que evitem a ocorrência de bolhas econômicas no futuro.

Em 1841, o jornalista escocês Charles Mackay publicou *Ilusões populares e a loucura das massas*, clássico estudo psicológico dos mercados e do comportamento irracional das pessoas em "manada". O livro aborda alguns dos exemplos mais famosos de especulação frenética na história, como o da tulipomania (anos 1630), o Plano do Mississippi de John Law (1719-20) e a Bolha dos Mares do Sul (1720).

A hipótese de Mackay era que as multidões, ao agir num delírio coletivo de especulação, podem fazer os preços subir bem além de qualquer valor intrínseco que os produtos tenham. Quando os ativos sobem sem controle, ocorre a bolha econômica, na qual os preços sobem, mas se tornam cada vez mais instáveis – e a bolha estoura, como as de verdade.

A pintura da tulipomania de Hendrik Pot (1640) mostra as deusas das flores passeando com bêbados que pesam dinheiro. Outros seguem a carroça, loucos para ficar com o grupo.

Tulipomania

A tulipomania holandesa dos anos 1630 é um dos exemplos mais antigos e notórios de uma bolha econômica. No início do século XVIII, as tulipas de Constantinopla ficaram muito populares entre os ricos da Holanda e da Alemanha, e logo todos as queriam. Achava-se que elas dessem riqueza e sofisticação a quem as tivesse, e a classe média holandesa ficou obcecada pelas variedades raras. Em 1636, a procura de espécies raras de tulipa cresceu tanto que elas eram negociadas na Bolsa de Amsterdã.

Muitos ficaram ricos de repente. Uma isca dourada atraía as pessoas tentadoramente, e todos – de nobres a criados – correram para os mercados de tulipas, imaginando que a paixão por essas flores seria eterna. Mas, quando os ricos pararam de plantar tulipas no jardim, diminuiu o encanto delas, e as pessoas perceberam que a

Veja também: Oferta e procura 108-13 ▪ Economia comportamental 266-69 ▪ Corrida aos bancos 316-21 ▪ Desequilíbrios na poupança mundial 322-25

loucura não podia continuar. A venda passou a ser frenética, a confiança naufragou e o preço das tulipas despencou. Para quem tomara dinheiro emprestado para investir, foi um desastre.

A formação das bolhas

O economista americano Peter Garber disse que os especuladores nessas situações compram um ativo com pleno conhecimento de que o preço está bem acima de qualquer "valor fundamental", mas o fazem por esperar que os preços subam mais antes de desabar. Como os preços não podem subir para sempre, o caso envolve a crença irracional de que "o cara para quem eu vou vender é mais burro [do que eu] e não vai ver o baque chegar". Todavia, Garber acha que às vezes há motivos reais por trás das altas de preços – como a moda na França de as mulheres usarem tulipas raras no vestido. Mas, em qualquer bolha, o conselho se repete: "O comprador que se cuide". ▪

Bolha do século XXI

A bolha da internet, que estourou em março de 2000, foi a primeira do século XXI. Foi típica: os preços eram fixados por especulação e não por mudanças no valor real (baseado em produção ou ativos). Como os investidores acharam que a internet mudaria o mundo para sempre, investir no comércio eletrônico pareceu ser uma oportunidade única na vida.

Sem histórico comercial, as novas empresas tinham vendas bem baixas e quase nenhum lucro, mas atraíram investimentos de centenas de bilhões de dólares. A multidão acreditou que toda empresa tinha potencial para ser uma AOL, cujos clientes saltaram de 200 mil para 1 milhão em dois anos e cresciam outro milhão por mês. A ganância venceu o medo, e as pessoas correram para investir. De março de 2000 a outubro de 2002, mais de US$7 trilhões sumiram do valor de mercado das ações das pontocom.

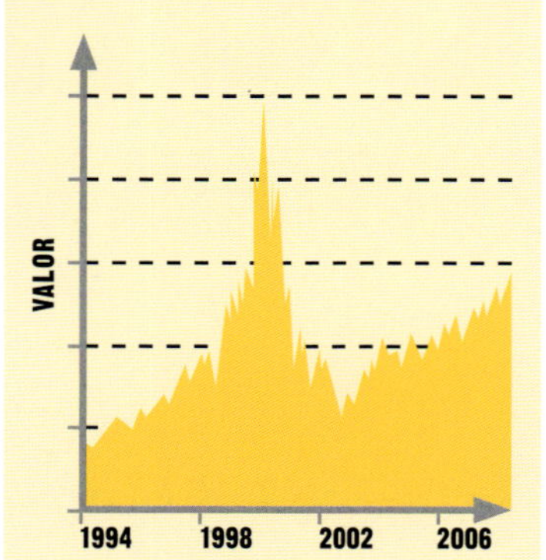

A bolha da internet chegou ao auge em 2000. Os aumentos de preço eram tão altos que viravam assunto às refeições – claro sinal de que a bolha estava para estourar.

QUE A CLASSE DOMINANTE TREMA DIANTE DA REVOLUÇÃO COMUNISTA

ECONOMIA MARXISTA

EM CONTEXTO

FOCO
Sistemas econômicos

PRINCIPAL PENSADOR
Karl Marx (1818-83)

ANTES
1789 A revolução extingue o velho regime feudal e a aristocracia na França.

1816 O pensador alemão Georg Hegel explica sua dialética em *A ciência da lógica*.

1848 Revoluções eclodem pela Europa, lideradas por desafetos das classes média e operária.

DEPOIS
1922 A União Soviética é instituída com princípios marxistas, sob o comando de Vladimir Lênin.

1949 Mao Tsé-tung torna-se o fundador da República Popular da China.

1989 A queda do Muro de Berlim simboliza o colapso do comunismo do bloco oriental.

Em junho de 1848, trabalhadores de Paris se insurgiram contra o governo e montaram barricadas. O levante fazia parte de uma onda de revoluções fracassadas na Europa. Logo foi contido.

Embora a maior parte da economia diga respeito às economias de livre mercado, não se deve esquecer que por longo período do século XX até um terço do mundo esteve sob alguma forma de regime comunista ou socialista. Esses Estados tinham uma economia centralizada, ou planificada. Os filósofos políticos procuravam uma alternativa ao capitalismo ainda quando surgiram as economias de livre mercado. Porém, um argumento realmente econômico para o comunismo não foi formulado até meados do século XIX, quando Karl Marx (p. 105) escreveu sua crítica ao capitalismo.

Se a influência de Marx é tida como política, ele era, talvez mais que qualquer outro, um economista. Acreditava que a organização econômica da sociedade forma a base de sua organização social e política; a economia, portanto, conduz a mudança. Marx via a história não da perspectiva da guerra ou do colonialismo, mas como uma progressão de sistemas econômicos diferentes, que geravam novas maneiras de organização social.

Com a ascensão do mercado vieram os comerciantes, e, com as fábricas, o proletariado industrial. O feudalismo fora substituído pelo capitalismo, que por sua vez seria suplantado pelo comunismo. Em seu *Manifesto comunista*, de 1848, Marx disse que isso ocorreria com revolução. Para explicar o que considerava ser uma mudança inevitável, Marx analisou o sistema capitalista e sua fraqueza inerente em *Das Kapital* (O capital), em três volumes.

Contudo, Marx não foi totalmente crítico do capitalismo. Ele o via como etapa historicamente necessária no progresso econômico, substituindo sistemas que ele considerava ultrapassados: o feudalismo (em que os camponeses eram legalmente ligados ao senhor proprietário de terras) e o mercantilismo (em que os governos controlam o comércio exterior). Com quase admiração, descreveu como o capitalismo havia impulsionado a inovação tecnológica e a eficiência industrial. Mas acreditava que afinal o capitalismo era apenas uma etapa de transição e um sistema imperfeito cujas falhas levariam inevitavelmente à sua queda e substituição.

No centro de sua análise estava a divisão da sociedade em uma "burguesia" – uma minoria que possuía os meios de produção – e um "proletariado" – a maioria, que constituía a força de trabalho. Para Marx, essa divisão caracterizava o capitalismo.

Trabalhadores explorados

Com o advento da indústria moderna, a burguesia realmente se

Veja também: Direitos de propriedade 20-21 ▪ A teoria do valor-trabalho 106-07 ▪ Negociação coletiva 134-35 ▪ Planejamento central 142-47 ▪ Economia social de mercado 222-23 ▪ Escassez nas economias planificadas 232-33

tornou a classe dominante, pois a propriedade dos meios de produção deu-lhe o controle da maioria da população, o proletariado. Enquanto os trabalhadores produziam bens e serviços em troca de salário, os donos do capital – os industriais e donos de fábricas – vendiam esses bens e serviços para ter lucro. Se, como acreditava Marx, o valor de um produto se baseava no trabalho necessário para produzi-lo, os capitalistas deveriam dar o preço dos bens finais, primeiro somando o preço do trabalho ao custo inicial do produto e depois adicionando o lucro. Num sistema capitalista, o trabalhador deve produzir um valor maior que o que ele recebe em salários. Assim, os capitalistas extraem dos trabalhadores uma mais-valia – o lucro.

Para elevar o lucro, claro que é do interesse do capitalista manter os salários baixos, mas também introduzir tecnologia para aumentar a eficiência, em geral condenando o pessoal a um trabalho degradante ou monótono ou ao desemprego. Essa exploração da mão de obra, vista por Marx como um traço imprescindível do capitalismo, »

Em meados do século XIX, a nova tecnologia e a especialização do trabalho davam mais eficiência à indústria. O resultado, disse Marx, era um trabalhador alienado e explorado.

Sem nada para perder a não ser os grilhões, um trabalhador liberta-se simbolicamente de seus opressores, em cartaz festejando a Revolução Russa de 1917, inspirada pelas ideias de Marx.

recusa aos trabalhadores tanto uma recompensa financeira adequada quanto a satisfação no trabalho, alienando-os do processo de produção. Marx argumentou que essa alienação inevitavelmente ocasionaria agitação social.

Concorrência e monopólio

Outro elemento essencial do capitalismo é a concorrência entre os produtores. Para tanto, a empresa deve tentar não só reduzir os custos de produção como ter preço mais baixo que o dos concorrentes. Nesse processo, produtores fracassam e vão à falência, enquanto outros assumem uma parte maior do mercado. A tendência, disse Marx, era cada vez menos produtores controlarem os meios de produção e uma burguesia sempre menor concentrar a riqueza. No longo prazo, isso criaria monopólios que poderiam explorar não só os trabalhadores, mas também os consumidores. Ao mesmo tempo, as fileiras do proletariado se inchariam com a ex-burguesia e os desempregados.

Marx considera a concorrência a causa de outra falha do sistema capitalista: o desejo de se lançar em mercados onde os lucros crescem estimula uma produção maior, às vezes independente da demanda. Essa superprodução leva não só ao desperdício, mas à estagnação e até ao declínio de toda a economia. Por natureza, o capitalismo não é planejado e é governado apenas pelas complexidades do mercado – crises econômicas são resultado inevitável da defasagem da oferta e da procura. Portanto, o crescimento em uma economia capitalista não é uma progressão suave, mas cortada por crises periódicas, que, achava Marx, teriam frequência cada vez maior. A dificuldade criada por essas crises seria sentida sobretudo pelo proletariado.

Para Marx, tais fraquezas aparentemente insuperáveis da economia capitalista levariam ao seu colapso final. Para explicar como isso ocorreria, ele usou a concepção do filósofo alemão Georg Hegel que mostrava como ideias contraditórias se resolviam num processo dialético: qualquer ideia ou situação (a "tese" inicial) contém em si uma contradição (a "antítese"), e desse conflito surge uma noção nova, mais rica (a "síntese").

Marx considerava que as contradições inerentes às economias – personificadas nos conflitos entre grupos ou classes diferentes – conduziam à mudança histórica. Ele analisou a exploração e a alienação do proletariado pela burguesia sob o capitalismo como um exemplo de contradição social, em que a tese (capitalismo) contém a própria antítese (os trabalhadores explorados). A opressão e a alienação destes, associadas à instabilidade inerente de uma economia capitalista, tropeçando de crise em crise, resultaria em enorme descontentamento social. Uma revolução proletária era tanto inevitável quanto necessária para trazer o sucessor do capitalismo na progressão histórica (a síntese): o comunismo. Marx encorajou a revolução nas palavras finais do *Manifesto comunista*: "Os proletários não têm nada a perder, senão seus grilhões. Têm um mundo para ganhar. Trabalhadores de todos os países, uni-vos!".

Revolução

Marx previu que, deposta a burguesia, os meios de produção seriam tomados pelo proletariado. De início, isso levaria ao que Marx chamou de "ditadura do proletariado" – uma forma de socialismo em que o poder econômico estaria nas mãos da maioria. Contudo, esse seria apenas um primeiro passo no rumo da abolição da propriedade privada em favor da propriedade coletiva num Estado comunista. Em contrapartida a essa análise exaustiva do

A burguesia [...] força todas as nações, sob pena de extinção, a adotar o modo burguês de produção.
Karl Marx
Friedrich Engels

capitalismo, Marx escreveu relativamente pouco sobre os detalhes da economia comunista que substituiria o capitalismo, a não ser que se basearia na propriedade coletiva e seria uma economia planificada, a fim de garantir a coerência de oferta e procura. Uma vez que essa fase afastasse todas as desigualdades e instabilidades do capitalismo, o comunismo, em seu entender, viria como o auge do avanço histórico. Não surpreende que sua crítica da economia capitalista tenha causado hostilidade. A maioria dos economistas da época considerava o livre mercado a forma de garantir o crescimento econômico e a prosperidade, ao menos para certa classe de gente. Mas Marx não ficou desamparado, ainda mais entre os pensadores políticos, e sua previsão da revolução comunista mostrou-se correta – ainda que não onde ele esperara, na Europa e nos EUA industrializados, mas em países rurais como Rússia e China.

Marx não viveu para ver surgir Estados comunistas como a União Soviética e a República Popular da China, e ele não poderia ter previsto a real ineficiência dessas economias planificadas. Hoje, sobrevive só um punhado de economias comunistas planificadas (Cuba, China, Laos, Vietnã e Coreia do Norte). Corre um debate sobre que grau de comunismo "marxista" tiveram esses Estados sob a liderança de Stálin e Mao, mas a derrocada do comunismo no bloco oriental e a liberalização da economia chinesa foram vistas por muitos economistas como prova de que a teoria de Marx estava errada.

Em 1959, os revolucionários de Fidel Castro tomaram o poder em Cuba. De início uma revolução nacionalista, logo se tornou comunista quando Castro se aliou à União Soviética.

Economias mistas

Nas décadas após a Segunda Guerra Mundial, a Europa Ocidental aprimorou uma "terceira via" entre o comunismo e o capitalismo. Muitos Estados europeus ainda funcionam com economia mista, com grau variado de intervenção estatal e propriedade, embora alguns, mais claramente a Grã-Bretanha, tenham trocado a economia mista por uma política econômica mais de *laissez-faire*, em que o Estado tem papel menor. Todavia, com o comunismo bastante desacreditado e o colapso do capitalismo aparentemente não tão perto quanto no tempo de Marx, parece estar errada a teoria de que o dinamismo do capitalismo deságua numa crise e numa revolução. Entretanto, a teoria econômica marxista tem seus seguidores, e as recentes crises financeiras provocaram uma reavaliação de suas ideias. Desigualdade crescente, concentração da riqueza em poucas grandes empresas, crises econômicas frequentes e o "aperto do crédito" de 2008 foram atribuídos à economia de livre mercado. Mesmo sem chegar a defender a revolução ou mesmo o socialismo, um grupo crescente de pensadores – nem todos da esquerda política – tem levado a sério elementos da crítica de Marx ao capitalismo. ■

Karl Marx

Nascido em Trier, Prússia, em 1818, Karl Marx era filho de um advogado judeu convertido ao cristianismo. Marx estudou direito e se interessou por filosofia, em que se doutorou pela Universidade de Jena. Em 1842, mudou-se para Colônia e passou a trabalhar como jornalista, mas suas opiniões socialistas logo foram censuradas, e ele fugiu para Paris com a mulher, Jenny.

Foi em Paris que ele conheceu o industrial alemão Friedrich Engels, com quem escreveu o *Manifesto comunista* em 1848. Voltou para a Alemanha por um tempo no ano seguinte, mas, quando as revoluções foram sufocadas, mudou-se para Londres, onde passou o resto da vida. Dedicou seu tempo à escrita, sobretudo de *O capital*, e morreu na pobreza em 1883, apesar da contínua assistência financeira de Engels.

Obras-chave

1848 *Manifesto comunista* (com Friedrich Engels)
1858 *Contribuição à crítica da economia política*
1867, 1885, 1894 *O capital – Crítica da economia política*

O VALOR DE UM PRODUTO VEM DO ESFORÇO NECESSÁRIO PARA FAZÊ-LO

A TEORIA DO VALOR-TRABALHO

EM CONTEXTO

FOCO
Teorias de valor

PRINCIPAL PENSADOR
Karl Marx (1818-83)

ANTES
1662 O economista inglês William Petty diz que a terra é uma dádiva da natureza e portanto todo capital é "trabalho passado".

1690 O filósofo inglês John Locke afirma que trabalhadores merecem o fruto do seu trabalho.

DEPOIS
1896 O economista austríaco Eugen von Böhm-Bawerk publica *Karl Marx and the close of his system*, resumindo suas críticas à teoria do valor-trabalho de Marx.

1942 O economista americano radical Paul Sweezy publica *Teoria do desenvolvimento capitalista*, defendendo a teoria do valor-trabalho de Marx.

A história da importância do trabalho na apuração do valor dos bens remonta aos antigos filósofos gregos. Por cerca de 200 anos a partir de meados do século XVII, o trabalho dominou as ideias econômicas. Nas sociedades primitivas e pré-industriais, o papel do trabalho na determinação do ritmo com que um bem podia ser trocado por outro era bem simples. Se uma pessoa levasse uma semana para terminar uma rede de pesca, era improvável que ela conseguisse trocá-la por uma colher de madeira feita em uma manhã. Porém, a questão se tornou muito mais complicada com o aparecimento das sociedades industriais modernas no século XVIII. Os economistas clássicos Adam Smith (p. 61) e David Ricardo (p. 84) desenvolveram cada um a sua teoria de valor relacionada ao trabalho, mas foi o filósofo alemão Karl Marx (p. 105) quem realizou a mais famosa descrição da teoria do valor-trabalho em sua obra magna *O capital*.

Veja também: Agricultura na economia 39 ▪ O paradoxo do valor 63 ▪ Economia marxista 100-05 ▪ Utilidade e satisfação 114-15 ▪ Oferta e procura 108-13 ▪ Custo de oportunidade 133 ▪ Planejamento central 142-47

Todas as mercadorias, enquanto valores, são trabalho humano objetivado.
Karl Marx

Trabalho e custo

A ideia de Marx foi a de que a quantidade de trabalho usada para produzir um bem é proporcional ao seu valor. A teoria costuma ser justificada pelo seguinte raciocínio: se um corte de cabelo exige meia hora de trabalho, com $40 por hora o corte de cabelo vale $20. Se ele também precisar do uso de tesoura e escovas que custam $60 e perdem $1 do valor (por uso) em cada corte de cabelo, o valor total do corte é $21. Dos instrumentos, a própria tesoura custa $20 porque tomou 45 minutos de trabalho para ser forjada de um pedaço de aço, que custou $12,50. O mesmo raciocínio pode ser aplicado para entender por que o pedaço de aço custa $12,50, apurando o tempo e o custo da produção do aço a partir de minério de ferro. Pode-se apurar o gasto de todos os insumos intermediários até chegar aos recursos naturais, que são gratuitos – de modo que todo o valor foi criado pelo trabalho.

Marx assinalou que, por ser muito difícil calcular o valor de qualquer bem dessa maneira, o valor deve ser determinado pelo tanto de trabalho "congelado" que certo bem contém. Disse também que o valor é determinado pela quantidade "normal" de trabalho esperado na produção do bem. Um cabeleireiro ineficiente pode levar uma hora para cortar o cabelo de alguém, mas o custo do corte não pode ser majorado em $20. Marx não negou que a oferta e a procura no mercado influenciem o valor ou o preço dos bens no curto prazo, mas disse que no longo prazo a estrutura básica e a dinâmica do sistema de valor devem provir do trabalho. ■

Felicidade no trabalho

Karl Marx disse que as pessoas são movidas pelo desejo de se ligar a outras e que isso as faz felizes. Mostramos tal desejo por meio do trabalho. Quando uma pessoa faz um produto, este representa a sua personalidade. Quando outra o compra, o produtor fica feliz não só porque satisfez a necessidade de outra pessoa, mas também porque o comprador confirma a "bondade" da personalidade do produtor. O capitalismo destrói a essência da humanidade, declarou Marx, pois afasta o trabalhador daquilo que ele produz. As pessoas não mais controlam sua produção; são apenas contratadas para fazer algo a que elas deram pouca contribuição criativa e que muito provavelmente não consumirão nem negociarão. A natureza cooperativa da sociedade se perde, porque as pessoas são isoladas na concorrência por emprego. Marx afirmou que é esse distanciamento do nosso trabalho que nos deixa infelizes.

Quando a teoria do valor-trabalho dominava o pensamento econômico, enfrentou uma série de críticas baseadas em questões paradoxais:

Se os castelos de areia resultam de trabalho, por que não têm valor?
A resposta de Marx foi que nem tudo feito pelo trabalho tem valor – o trabalho pode ser despendido em bens que ninguém quer.

Como uma obra-prima artística pode ser avaliada pela quantidade de horas de trabalho para fazê-la?
A defesa dessa crítica é que uma grande obra de arte é exceção à regra, porque é única. Portanto, não existe quantidade média de trabalho para determinar o preço.

Como os vinhos de safra guardados por dez anos ganham valor sem nenhum trabalho adicional?
A defesa aqui é que um custo adicional realmente provém do trabalho – o de esperar o vinho maturar.

OS PREÇOS RESULTAM DA OFERTA E DA PROCURA

OFERTA E PROCURA

EM CONTEXTO

FOCO
Teorias de valor

PRINCIPAL PENSADOR
Alfred Marshall (1842-1924)

ANTES
c.1300 O erudito islâmico Ibn Taymiyyah publica estudo dos efeitos da oferta e da procura nos preços.

1691 O filósofo inglês John Locke afirma que preços de produtos são influenciados diretamente pela razão entre compradores e vendedores.

1817 O economista britânico David Ricardo diz que preços são influenciados sobretudo pelo custo da produção.

1874 O economista francês Léon Walras estuda o equilíbrio nos mercados.

DEPOIS
1936 O economista britânico John Maynard Keynes identifica o total da oferta e da procura em toda a economia.

Oferta e procura estão entre as pedras fundamentais da teoria econômica. A interação entre a quantidade de um produto disponível no mercado e a ânsia dos consumidores de comprá-lo constitui o alicerce dos mercados.

A importância da oferta e da procura nas relações econômicas já era estudada na Idade Média. O erudito escocês Duns Scotus reconheceu que o preço devia ser justo para o comprador, mas devia também levar em conta os custos da produção e, portanto, ser justo para o produtor. Os economistas estudaram depois os efeitos dos custos da oferta nos preços finais, e Adam Smith (p. 61) e David Ricardo (p. 84) relacionaram o preço de um produto ao trabalho necessário à sua produção. Essa é a clássica teoria do valor-trabalho.

Nos anos 1860, novas teorias econômicas, sob a bandeira da escola neoclássica, contestaram essas ideias. Essa escola criou a teoria da utilidade marginal (pp. 114-15), segundo a qual a satisfação que um consumidor ganha ou perde por ter mais ou menos de um produto interfere tanto na procura quanto na oferta.

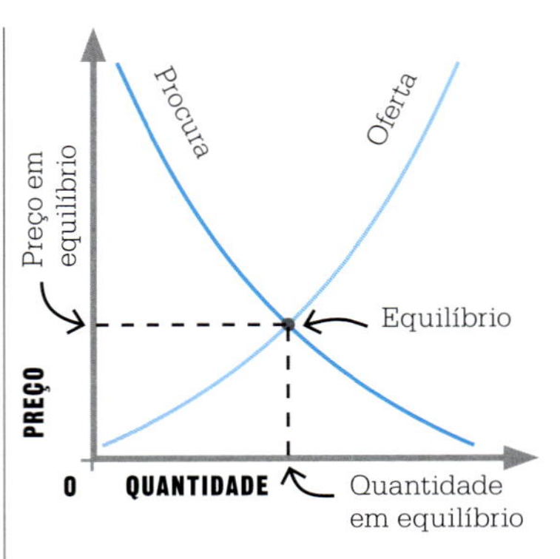

Este gráfico, chamado cruz de Marshall, mostra a relação entre oferta e procura. O ponto em que as curvas da oferta e da procura se interceptam determina o preço.

O economista britânico Alfred Marshall aliou a análise da oferta ao novo enfoque neoclássico da procura. Marshall viu que a oferta e a procura funcionam juntas para gerar o preço de mercado. Sua obra foi importante na medida em que ilustrou a dinâmica variável da oferta e da procura nos mercados de curto prazo (como o de bens perecíveis), em oposição aos de longo prazo (como o de ouro). Ele

Alfred Marshall

Nascido em Londres, Inglaterra, em 1842, Alfred Marshall viveu no município de Clapham até entrar na Universidade de Cambridge com bolsa de estudo. Depois, estudou matemática e metafísica, centrando-se em ética. Com os estudos, viu na economia um meio para aplicar suas crenças éticas.

Em 1868, Marshall assumiu um curso de ciência moral, criado especialmente para ele. Seu interesse se manteve até que, numa visita aos EUA em 1875, ele se voltou mais para a economia política. Marshall casou em 1877 com Mary Paley, ex-aluna dele, e tornou-se diretor da University College de Bristol. Em 1885, voltou a Cambridge como professor titular de economia política, função em que permaneceu até se aposentar, em 1908. De cerca de 1890 até sua morte, em 1924, Marshall foi considerado a figura dominante da economia britânica.

Obras-chave

1879 *The economics of industry* (com Mary Paley Marshall)
1890 *Princípios de economia*
1919 *Industry and trade*

Veja também: O paradoxo do valor 63 ▪ A teoria do valor-trabalho 106-07 ▪ Equilíbrio econômico 118-23 ▪ Utilidade e satisfação 114-15 ▪ Paradoxos dos gastos 116-17 ▪ Elasticidade da demanda 124-25 ▪ O mercado competitivo 126-29

Em qualquer caso, quanto mais de uma coisa se ponha à venda no mercado, menor é o preço com o qual ela terá compradores.
Alfred Marshall

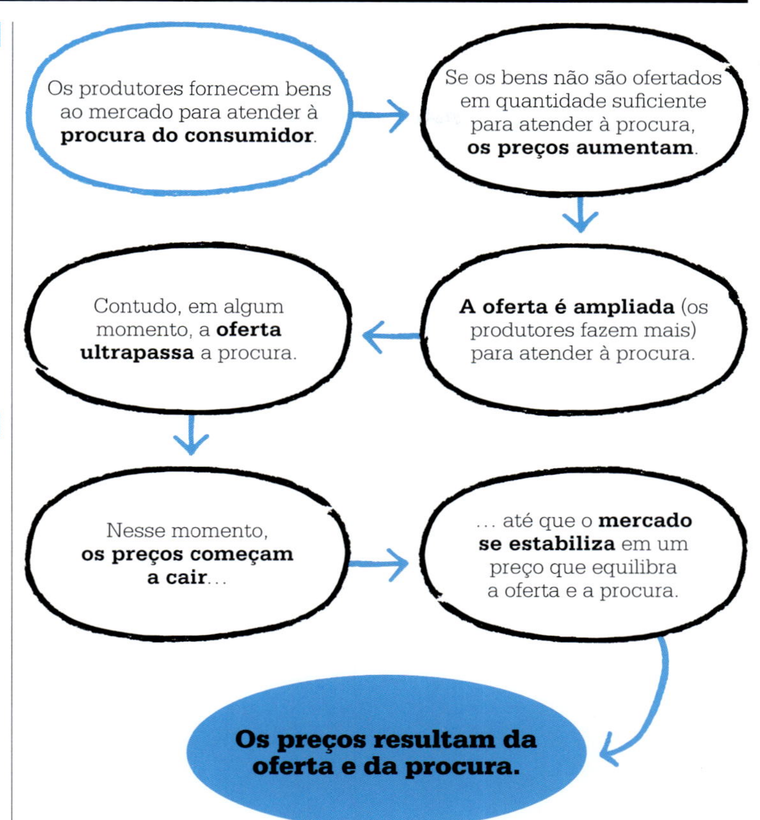

aplicou a matemática às teorias econômicas e criou a "cruz de Marshall", gráfico que representa a oferta e a procura como linhas cruzadas. O ponto em que elas se cruzam é o preço de "equilíbrio", que contrabalança à perfeição as necessidades de oferta (o produtor) e de procura (o consumidor).

A lei da oferta

A quantidade de um produto que certa empresa decide produzir é determinada pelo preço a que ela consegue vendê-lo. Se os diversos custos de produção (trabalho, material, máquinas e instalações) equivalem a mais do que o mercado se dispõe a pagar pelo produto, a produção não será considerada lucrativa e será reduzida ou suspensa. Se, por outro lado, o preço de mercado de um artigo for substancialmente maior que os custos de produção, a empresa procurará aumentar a produção para ter o máximo de lucro possível. A teoria pressupõe que a empresa não tem influência sobre o preço de mercado e deve aceitar o que o mercado oferece.

Por exemplo, se o custo de produção de um computador é de $200, a produção não será lucrativa caso o preço de mercado do computador fique abaixo de $200. Por outro lado, se o preço de mercado do computador for $1 mil, a empresa tentará produzir o máximo possível para maximizar os lucros. Observa-se a lei da oferta na curva da oferta (página ao lado): cada um dos pontos da curva diz quantas unidades a empresa se dispõe a produzir por certo preço.

Além disso, deve-se distinguir entre custos fixos e variáveis. O exemplo acima supõe que a produção pode ser aumentada com o custo unitário de produção constante. Porém, na prática não ocorre assim. Se a fábrica de computadores só consegue produzir 100 máquinas por dia e existe demanda para 110, ela deve julgar se é mais sensato abrir uma nova fábrica, com os imensos custos adicionais decorrentes, ou vender os computadores por um preço » levemente mais alto, a fim de reduzir a procura a só 100 por dia.

A natureza da procura
A lei da procura vê as coisas da perspectiva do consumidor, não do produtor. Quando o preço de um bem aumenta, a procura cai inevitavelmente (exceto a de bens como remédios). Isso porque alguns consumidores não poderão mais pagar por ele ou porque decidem que podem ter mais satisfação gastando em outra coisa.

Usando o mesmo exemplo, se o computador custar apenas $50, o volume de vendas será alto, pois mais pessoas poderão comprá-lo. Por outro lado, se custar $10 mil, a procura será bem baixa, pois só os muito ricos poderão arcar com ele. À medida que aumentam os preços, cai a procura.

Não há um nível para que os preços baixem e estimulem a procura. Se o preço do computador cair abaixo de $5, todos poderão comprar um, mas ninguém precisa de mais que dois ou três computadores. Os consumidores percebem que é melhor gastar em outra coisa, e a procura se nivela.

Quando o preço de procura é igual ao preço de oferta, a quantidade produzida não tende nem a aumentar nem a diminuir; está em equilíbrio.
Alfred Marshall

O preço não é o único fator que influi na procura. Os gostos e as atitudes do consumidor também são um fator importante. Se um produto entra na moda, toda a curva da procura se desloca para a direita; os consumidores procuram mais produtos de cada preço. Dada a posição estática da curva da oferta, isso faz o preço aumentar. Como os gostos do consumidor podem ser manipulados por meio de técnicas como publicidade, os produtores podem influenciar a forma e a posição da curva da procura.

Em busca do equilíbrio
Enquanto os consumidores sempre tentarão pagar o menor preço possível, os produtores procurarão vender pelo maior possível. Quando os preços estão muito altos, os consumidores perdem o interesse e se afastam do produto. Porém, se os preços estão muito baixos, não faz mais sentido financeiramente para a empresa continuar a produzir o produto. Deve-se atingir uma média satisfatória – um preço de equilíbrio aceitável tanto para o consumidor quanto para o produtor. Esse preço se encontra onde a curva da oferta intercepta a curva da procura, resultando num valor que os consumidores desejam pagar e pelo qual os produtores se dispõem a vender.

Muitos fatores complicam essas leis relativamente simples. A localização e o tamanho do mercado são cruciais na determinação dos preços, bem como o tempo. O preço pelo qual os produtores se dispõem a vender não é influenciado apenas pelos custos de produção.

Por exemplo, imagine uma banca no mercado que venda produtos agrícolas. O agricultor chega tendo já pago os custos de produção, as sementes, o trabalho de plantio, a colheita e o transporte para a feira. Ele sabe que, para ter lucro, deve vender cada maçã por $1,20. Assim, no começo do dia ele decide comercializar suas maçãs por esse preço. Se suas vendas estão indo bem, ele talvez ache que pode ganhar mais e aumente o preço para $1,25. Isso pode causar uma redução nas

Os vendedores terão de jogar fora as maçãs não vendidas no fim do dia. A urgência de vender a tempo é um fator primordial na fixação do preço pelo qual os bens perecíveis serão vendidos.

Os produtores de bens como Coca--Cola podem influir na procura com publicidade que promove o produto e a marca. Se a procura aumenta, o preço do produto também pode aumentar.

vendas, mas ele ficará feliz se conseguir vender todo o seu estoque. Contudo, se o fim do dia se aproxima e o vendedor percebe que ainda tem maçãs de sobra, ele pode decidir baixar o preço para $1,15, a fim de não ficar com um excedente de maçãs, que apodrecerão antes da próxima oportunidade de vendê-las.

Neste exemplo, os custos de produção são fixos, e a urgência de vender a colheita é o fator premente. Ele é útil para ilustrar as diferenças entre os mercados de curto prazo e longo prazo. O agricultor decidirá quantas maçãs colherá na próxima safra, com base nas últimas vendas, e assim o mercado atingirá o equilíbrio.

O preço de qualquer produto sobe ou desce à proporção do número de compradores e vendedores [...] [essa regra] aplica-se universalmente a todos as coisas que são compradas ou vendidas.

John Locke

O mercado do agricultor também é limitado pela distância. Existe apenas um raio dentro do qual faz sentido econômico para o agricultor vender os seus produtos. Por exemplo, o custo envolvido na remessa das maçãs ao exterior tiraria a competitividade de seus preços diante dos produtores locais. Isso significa que, em certa medida, o agricultor tem liberdade de fixar seu preço um pouco acima, porque os consumidores não têm condições de viajar para procurar alternativas.

A situação inversa à do fruto/agricultor é a do mercado de um produto mundial, como o do ouro. Nesse mercado de longo prazo, o detentor de ouro não sofre pressão do tempo para vender. Pode ter confiança em que o valor se manterá. Quanto maior o mercado e mais disseminado o conhecimento dele, é mais provável que o produto encontre seu preço de equilíbrio. Isso torna significativa qualquer pequena alteração no preço, a qual gerará uma corrida de compra e venda.

Embora esses exemplos criem maior complexidade no mercado, eles condizem com a regra básica de que os fornecedores só venderão por um preço que eles considerem aceitável, enquanto os compradores só comprarão pelo preço que eles achem razoável.

Todos os exemplos dizem respeito a um mercado em que bens materiais são negociados, mas a oferta e a procura são relevantes em todo o raciocínio econômico. O modelo é aplicável, por exemplo, ao mercado de trabalho. Aqui, o indivíduo é o fornecedor – ele vende o seu trabalho –, e os empregadores são os consumidores – procuram comprar o trabalho o mais barato possível. Muitos mercados são analisados como um sistema de oferta e procura, com a taxa de juro atuando como preço.

Os economistas denominam a obra de Marshall de análise de "equilíbrio parcial", por demonstrar como um mercado isolado atinge o equilíbrio por meio das forças da oferta e da procura. Entretanto, a economia é feita de muitos mercados diferentes em interação constante. A questão de como todos eles podem conviver num estado de "equilíbrio geral" é um problema complexo que foi analisado por Léon Walras (p. 120) no século XIX. ■

VOCÊ APRECIA MENOS O ÚLTIMO BOMBOM DO QUE O PRIMEIRO

UTILIDADE E SATISFAÇÃO

EM CONTEXTO

FOCO
Teorias de valor

PRINCIPAL PENSADOR
William Jevons (1835-82)

ANTES
1871 O economista austríaco Carl Menger recebe crédito da teoria da utilidade marginal decrescente em seu livro *Princípios de economia.*

DEPOIS
1890 O economista britânico Alfred Marshall cria curva da procura usando utilidades marginais em seu *Princípios de economia.*

1944 Os economistas americanos John von Neumann e Oskar Morgenstern estendem teoria da utilidade a situações com resultados incertos.

1953 Em *Le comportement de l'homme rationnel devant le risque*, o economista francês Maurice Allais mostra que as pessoas se comportam diferentemente do que diz a teoria da utilidade.

A procura é **inversamente relacionada** ao preço: ela aumenta quando o preço cai.

Isso significa que o consumidor só vai comprar mais de um bem **se o preço cair**, porque...

... cada unidade a mais consumida dá **menos prazer** que a anterior; por exemplo...

... você aprecia menos o último bombom do que o primeiro.

Aristóteles foi a primeira pessoa a observar que uma coisa útil em grande quantidade perderia a utilidade. A ideia de que, quanto mais se consome de um produto, menor é o aumento da satisfação que se tem, é cultuada na teoria econômica como a lei da utilidade marginal decrescente (UMD). Marginal refere-se a mudanças no "limite", como comer mais um bombom. Utilidade é "o prazer ou a dor" da decisão de consumir. Em sua *Teoria da economia política* (1871), o economista britânico William Jevons mostrou que a utilidade pode ser medida por correlação com a quantidade disponível do produto.

Curvas da procura

O conceito de UMD tornou-se mais importante à medida que os economistas se empenharam para entender o que determina o preço dos produtos. Se todos costumam concordar que um bombom a mais acrescente menos utilidade, então faz sentido que só queiramos mais um bombom se o preço cair, pois bombons a mais dão menos prazer – então só os compraremos se custarem menos. A procura resultante tem relação negativa com

Veja também: O paradoxo do valor 63 ▪ A teoria do valor-trabalho 106-07 ▪ Oferta e procura 108-13 ▪ Risco e incerteza 162-63

o preço, o que, junto com a oferta, ajuda a definir o preço de equilíbrio ou "natural" de um bombom.

Existem muitas exceções à lei da UMD, como encontrar a última peça de um quebra-cabeça, o que é muito prazeroso. Produtos viciantes, como drogas e álcool, também são exceções – quanto mais consumidos, mais apreciados. O princípio também faz certas suposições, como "o consumo deve ser contínuo". Comer uma caixa de bombons de uma vez só, por exemplo, demonstra melhor o princípio da UMD do que comê-los espaçadamente em um dia.

Contribuições positivas

A UMD tem aplicações importantes, ainda mais para justificar uma distribuição mais igualitária de renda para criar maior bem-estar social. Se o governo tomasse $1 de uma pessoa muito rica e o desse a uma muito pobre, a utilidade total da sociedade aumentaria.

A teoria da utilidade foi ampliada para situações em que as pessoas têm de tomar decisões diante de incerteza e risco. Nesse caso, elas decidem com base em suas preferências de bens e em sua avaliação da probabilidade dos diferentes resultados. Nos anos 1950, o matemático americano Leonard J. Savage demonstrou que as pessoas fazem escolhas diferentes – as decisões são influenciadas não só por graus diferentes de utilidade que as pessoas atribuem aos produtos, mas também por seu conforto com o risco: as pessoas avessas ao risco fazem escolhas que reduzam o grau de risco enfrentado por elas. ■

O conceito de utilidade marginal decrescente fica evidente na relação inversa de oferta e procura. Quanto mais uma pessoa tenha de certo produto, menos ela está disposta a pagar por cada unidade dele.

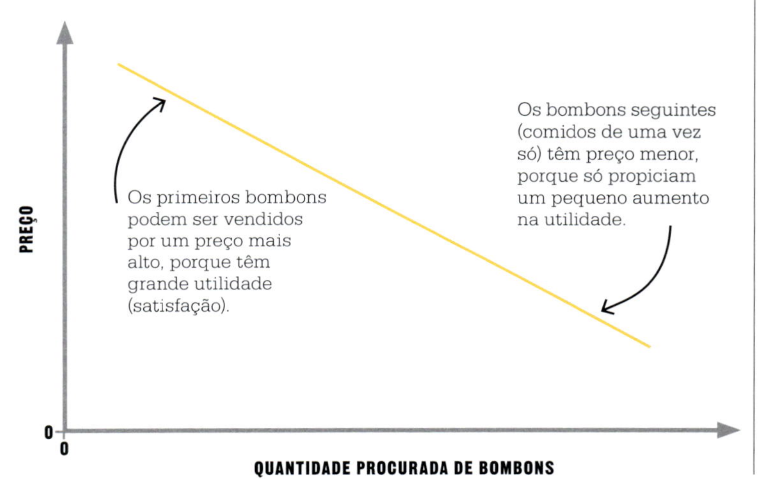

William Jevons

Nascido em 1835 em Liverpool, Inglaterra, William Jevons era filho de um comerciante de ferro. Adquiriu interesse por economia com o pai, que escrevia sobre temas legais e econômicos. Em 1855, a empresa do pai faliu, e as dificuldades financeiras fizeram William parar de estudar ciências naturais na University College de Londres (UCL) e trabalhar na Austrália como provador. Cinco anos depois, terminou os estudos na UCL.

Em 1863, Jevons tornou-se professor particular em Manchester, onde conheceu e se casou com Harriet Taylor. A família mudou-se para Londres em 1876, quando ele assumiu uma cadeira na UCL. Apesar da saúde ruim, ele foi um escritor importante nas áreas de economia e lógica. Tem fama pela invenção do piano lógico, precursor mecânico do computador que analisava a veracidade de um argumento. Afogou-se por acidente em 1882, com apenas 47 anos.

Obras-chave

1865 *The coal question*
1871 *A teoria da economia política*
1874 *Principles of science*

QUANDO O PREÇO SOBE, HÁ QUEM COMPRE MAIS

PARADOXOS DOS GASTOS

EM CONTEXTO

FOCO
Tomada de decisão

PRINCIPAL PENSADOR
Robert Giffen (1837-1910)

ANTES
1871 O matemático austríaco Carl Menger demonstra que a procura de produtos é definida por sua utilidade marginal.

DEPOIS
1909 O economista britânico Francis Edgeworth duvida da existência dos bens de Giffen ao criticar um livro que os cita.

1947 O economista americano George Stigler desconsidera exemplos de bens de Giffen dados por Marshall em *Notes on the history of the Giffen paradox.*

2007 Os acadêmicos americanos Robert Jensen e Nolan Miller reacendem discussão em *Giffen behaviour: theory and evidence*, que fala da existência de um bem de Giffen nas cidades pobres da China.

Em 1895, o economista britânico Alfred Marshall (p. 110) demonstrou como a oferta e a procura criam o preço dos produtos. Depois de explicar as regras gerais, como quanto maior a procura, menor o preço, ele mostrou que pode existir um exceção interessante. Marshall disse que um aumento de preço poderia, em certas circunstâncias, criar um aumento surpreendente na procura. Ele atribuiu a descoberta dessa exceção ao conhecido economista e estatístico escocês da época *Sir* Robert Giffen. Os produtos cuja procura sobe ao aumentarem os preços chamam-se bens de Giffen.

O bem de Giffen original era o pão, o mais importante produto básico da parcela mais pobre da população britânica no século XIX. Os mais pobres da classe trabalhadora gastavam grande parte de sua renda em pão, alimento necessário para a vida, mas tido como inferior ante o luxo atribuído à carne. Marshall disse que, quando o preço do pão subia, os mais pobres tinham de gastar mais com o pão para ter calorias suficientes para sobreviver – eles

Veja também: Oferta e procura 108-13 ▪ Elasticidade da demanda 124-25 ▪ Consumo conspícuo 136

tinham de comprar pão em vez de carne. Como resultado, se o preço do pão subia, a procura também subia.

Inferior e pobre

O bem de Giffen depende de certas suposições. Primeiro, deve se tratar de um bem inferior, ou seja, um bem que as pessoas comprem menos à medida que sua renda aumenta, por haver opções melhores – nesse caso, carne em detrimento do pão. Segundo, o consumidor deve gastar grande parte da renda nesse produto, daí o exemplo referir-se à parcela mais pobre da sociedade. Por último, não devem existir alternativas ao produto. No caso do pão, não existe um produto básico alternativo mais barato.

Dados os pressupostos, um aumento no preço do pão cria dois efeitos. Faz as pessoas comprar menos pão, porque a satisfação que ele dá pelo dinheiro gasto a mais diminui em relação a outros bens. O efeito substitutivo faria o pão seguir a regra geral de o preço mais alto causar procura menor. Contudo, quando o preço do pão aumenta, reduz-se o poder de gastar em outras coisas, e, pelo fato de o pão ser um bem inferior, a renda mais baixa fará crescer a sua procura. O que torna o bem de Giffen tão especial é que, como o pobre gasta tanto da sua renda com pão, o efeito de renda é tão grande que supera o efeito de substituição, de modo que, quando o preço sobe, algumas pessoas compram mais. Outro exemplo de bem de Giffen é o das batatas durante a Fome das Batatas na Irlanda (1842-53), quando os preços crescentes teriam causado aumento na procura de batatas.

Prova imprecisa

Marshall foi criticado por Francis Edgeworth (1845-1926), outro economista britânico, por postular a existência de um bem que contradiz a regra básica da procura, sem nenhuma prova concreta. Em teoria, os bens de Giffen são coerentes com o comportamento dos consumidores – a interação da renda e dos efeitos substitutivos – que está por trás da curva da procura. Mas, mesmo que existam, os bens de Giffen são raros: a prova vem de contextos especiais, e alguns dos casos mais famosos são dúbios. Mas os economistas ainda estão à sua procura. Em estudo de 2007, os economistas de Harvard Robert Jensen e Nolan Miller apresentaram provas do comportamento de Giffen na procura de arroz pelas famílias pobres da China. ■

Menina compra arroz em Bangladesh, onde o governo subsidiou o preço de produtos básicos em 2011, a fim de garantir comida para os pobres.

Uma nova limusine Rolls-Royce é exibida na província de Xianxim, China. Os economistas acham que os carros de luxo atraem pelo alto preço.

Os bens de Veblen

Os bens de Veblen levam o nome de Thorstein Veblen, economista americano que formulou a teoria do "consumo conspícuo" (p. 136). Eles são estranhos porque a procura aumenta quando seu preço aumenta. Ao contrário dos bens de Giffen, porém, que devem ser inferiores, esses bens devem ser sinal de status alto.

O desejo de pagar preços altos serve mais para ostentar a riqueza que para adquirir um bem de melhor qualidade. Um bem de Veblen verdadeiro, portanto, não precisa ter mais qualidade que os equivalentes mais baratos. Se o preço cai a ponto de um menos abastado poder adquiri-lo, o rico vai parar de comprá-lo.

Existem provas desse comportamento nos mercados de carros de luxo, champanhe, relógios e certas grifes de roupa. A redução do preço pode causar um aumento temporário nas vendas, mas depois as vendas começarão a cair.

UM SISTEMA DE LIVRE MERCADO É ESTÁVEL

EQUILÍBRIO ECONÔMICO

EM CONTEXTO

FOCO
Mercados e empresas

PRINCIPAL PENSADOR
Léon Walras (1834-1910)

ANTES
1851 Francis Edgeworth publica uma avaliação matemática da economia em *Mathematical physics*.

DEPOIS
1906 Vilfredo Pareto cria nova teoria de equilíbrio que leva em conta a compatibilidade de incentivos e restrições individuais.

Anos 1930 John Hicks, Oskar Lange, Maurice Allais, Paul A. Samuelson e outros continuam a desenvolver a teoria do equilíbrio geral.

1954 Kenneth Arrow e Gérard Debreu fornecem prova matemática de um equilíbrio geral.

Há muito tempo existe algo que atrai os economistas na ideia de que a economia deve reagir com a mesma previsibilidade matemática de leis científicas, como as leis do movimento de Newton. Essas leis reduzem a três relações matemáticas simples e confiáveis todo o universo físico complexo e abundante. É possível encontrar relações semelhantes no mundo complexo e mutável dos mercados?

Em 1851, um professor britânico chamado Francis Edgeworth publicou *Mathematical physics*, um dos primeiros estudos matemáticos da economia. Ele percebeu que a economia lida com relações entre variáveis, o que significa que pode ser expressa em equações. Edgeworth pensava nos benefícios econômicos de uma perspectiva utilitária – ou seja, crendo que se pudesse mensurar os resultados em unidades de felicidade ou de prazer.

Outros economistas também ficaram intrigados com a ideia de um enfoque matemático. Na Alemanha, Johann von Thünen elaborou equações para um salário de trabalho justo e um uso mais lucrativo da terra. Na França, Léon Walras, acadêmico que seria depois chamado "o maior de todos os economistas", tentava descobrir um arcabouço científico-matemático para toda a disciplina. Walras era fervoroso em sua convicção de ser possível descobrir leis econômicas que fariam da economia uma "ciência moral pura" (descrevendo o comportamento humano) que ficasse lado a lado com a "ciência natural pura" de Newton. Sua teoria do equilíbrio geral foi concebida para explicar a produção, o consumo e os preços em toda a economia.

Léon Walras disse que a soma de toda procura excedente numa economia dá zero. Numa economia só de maçãs e cerejas, a procura excedente de maçãs implica oferta excedente de cerejas.

Léon Walras

Marie Esprit Léon Walras nasceu na Normandia, França, em 1834. Quando jovem, foi atraído pela Paris boêmia, mas seu pai o convenceu de que uma das tarefas românticas futuras era fazer da economia uma ciência. Walras se convenceu, mas manteve a vida boêmia até que, pobre, foi para Lausanne como professor de economia em 1870. Foi lá que ele desenvolveu sua teoria do equilíbrio geral. Walras acreditava que a organização da sociedade fosse uma questão de "arte" fora do campo científico da economia. Ele tinha uma noção forte de justiça social e fez campanha pela nacionalização da terra como prelúdio da distribuição igualitária de terra. Em 1892, foi para a cidade de Clarens, diante do lago Genebra, onde pescou e pensou em economia até morrer, em 1910.

Obras-chave

1874 *Elementos de economia política pura*
1896 *Études d'économie sociale*
1898 *Études d'économie appliquée*

Veja também: O fluxo circular da economia 40-45 ▪ Economia de livre mercado 54-61 ▪ Oferta e procura 108-13 ▪ Eficiência e justiça 130-31 ▪ Mercados e resultados sociais 210-13 ▪ Complexidade e caos 278-79

Oferta e procura

Walras concentrou-se de início no funcionamento das trocas – como interagem os preços dos bens, a quantidade de bens e a procura dos bens. Quer dizer, ele tentava apenas entender como a oferta e a procura se complementavam. Walras achava que o valor de algo à venda dependia essencialmente de sua *rareté* – que significa "raridade", mas foi usado por ele para exprimir a intensidade do desejo por uma coisa. Nisso Walras diferia de muitos de seus contemporâneos, entre eles Edgeworth e William Stanley Jevons (p. 115), para quem a utilidade – na forma de prazer ou praticidade – é que era crucial para o valor.

Walras passou a construir modelos matemáticos para descrever a relação entre oferta e procura. Eles revelaram que, à medida que o preço sobe, a procura cai, e a oferta cresce. Quando a procura e a oferta casam, o mercado está em estado de equilíbrio. Isso refletia o mesmo equilíbrio de forças evidente nas leis do movimento de Newton.

Equilíbrio geral

Para ilustrar esse equilíbrio, imagine que o preço atual de mercado dos celulares seja $20. Em uma feira, os vendedores têm cem celulares e querem $20 por cada um. Se cem compradores forem à feira, cada qual pronto para pagar $20, o mercado de celulares baratos está em equilíbrio, porque a oferta e a procura estão perfeitamente balanceadas, sem escassez nem excedentes.

Walras pôs-se então a aplicar a ideia de equilíbrio a toda a economia, a fim de criar uma teoria de »

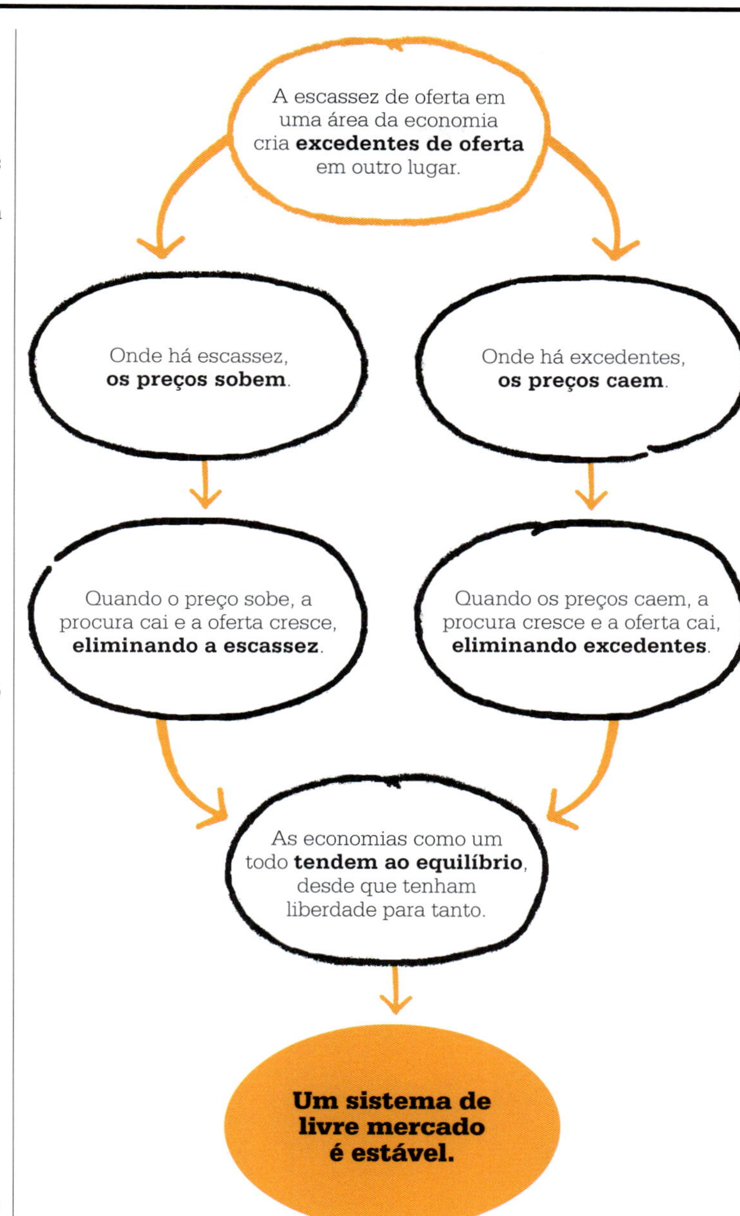

Um leiloeiro recebe lances num leilão de gado. Walras imaginou um leiloeiro que desse informação perfeita ao mercado. Ele anuncia preços, e a venda só é realizada no ponto de equilíbrio.

equilíbrio geral. Esta se baseou no pressuposto de que, quando as mercadorias estão em excesso em determinado local, o preço deve ser alto demais. Como os preços são considerados "altos demais" por comparação, se num mercado eles estão assim, deve haver outro em que eles estejam "baixos demais", provocando excedentes no mercado de preço mais alto.

Walras criou um modelo matemático para toda a economia, inclusive bens, como cadeiras e trigo, e fatores de produção, como capital e trabalho. Tudo se interligava e dependia do resto. Ele insistia que a interdependência era primordial; mudanças de preço não ocorrem no vazio – só ocorrem por mudanças na oferta e na procura. Além disso, quando os preços mudam, tudo o mais também muda. Uma pequena alteração numa parte da economia pode repercutir na economia inteira. Por exemplo, suponha que comece uma guerra num país grande produtor de petróleo. Os preços do produto em todo o mundo subirão, o que terá efeitos de largo alcance em governos, empresas e indivíduos – desde os preços aumentados nos postos de gasolina e o custo aumentado do aquecimento em casa ao cancelamento de uma viagem de lazer ou negócios agora cara.

O equilíbrio [...] se restabelece automaticamente assim que ele é perturbado.
Léon Walras

No rumo do equilíbrio

Walras conseguiu reduzir seu modelo matemático de uma economia a poucas equações contendo preços e quantidades. Ele tirou duas conclusões de seu trabalho. A primeira foi que o estado de equilíbrio geral é possível em tese. A segunda foi que, sempre que uma economia se inicia, um mercado livre consegue levá-la para o equilíbrio geral. Então, um sistema de mercados livres seria inerentemente estável.

Walras mostrou como isso poderia acontecer com uma ideia que ele chamou de *tâtonnement* (tateamento), em que a economia "tateia" seu caminho rumo ao equilíbrio, do mesmo modo que um montanhista tateia seu caminho montanha acima. Ele pensou nisso imaginando um "leiloeiro" hipotético a quem compradores e vendedores apresentassem informações a respeito dos diferentes preços pelos quais eles comprariam ou venderiam mercadorias. O leiloeiro então anunciaria os preços em que a oferta e a procura se igualam no mercado, e só então a compra e a venda começariam.

Falhas no modelo

Walras fez questão de ressaltar que se tratava apenas de um modelo matemático, feito para ajudar os economistas. Não deveria ser interpretado como uma descrição do mundo real. Sua obra foi amplamente ignorada por seus contemporâneos, vários dos quais achavam que as interações no mundo real eram complexas e caóticas demais para que surgisse um verdadeiro estado de equilíbrio.

Num âmbito técnico, as complexas equações de Walras eram difíceis demais para diversos economistas dominarem – outro motivo para ele ser ignorado, embora seu aluno Vilfredo Pareto (p. 131) tenha levado o trabalho do mestre a novas direções. Nos anos

Havia [...] um conjunto de preços, um para cada mercadoria, que igualaria a oferta e a procura de todos os produtos.
Kenneth Arrow

1930, duas décadas após a morte de Walras, suas equações passaram pelo crivo do brilhante matemático húngaro-americano John von Neumann. Ele apontou uma falha nas equações de Walras e demonstrou que algumas soluções resultavam em preço negativo, o que implicava os vendedores pagarem aos compradores.

John Maynard Keynes (p. 161) era um crítico ferrenho da abordagem de Walras, argumentando que a teoria do equilíbrio geral não é um bom quadro da realidade, porque as economias nunca estão em equilíbrio. Keynes também afirmou que de nada serve pensar num esforço de longo prazo pelo equilíbrio, porque, além de bastante angustiante, "no longo prazo estaremos todos mortos".

Todavia, as ideias de Walras foram resgatadas no trabalho dos economistas americanos Kenneth Arrow e Lionel W. McKenzie e do economista francês Gérard Debreu (p. 211) nos anos 1950, que criaram um modelo mais polido (pp. 210-13). Usando matemática rigorosa, Arrow e Debreu obtiveram condições em que o equilíbrio econômico geral de Walras se sustentaria.

Economias calculáveis

A evolução dos computadores nos anos 1980 permitiu que os economistas calculassem os efeitos das interações entre diversos mercados em economias reais. Esses modelos de equilíbrio geral computável (EGC) aplicaram a ideia de Walras de interdependência a situações particulares, para analisar o impacto da mudança de preços e de políticas governamentais.

O atrativo do EGC é que ele pode ser usado por grandes organizações – como governos, o Banco Mundial e o Fundo Monetário Internacional – para fazer cálculos rápidos e certeiros mostrando o estado da economia inteira, além de mostrar os efeitos da mudança de parâmetros.

Hoje, a análise do equilíbrio parcial – considerando as forças que equilibram oferta e procura num só mercado – é a primeira coisa que um estudante de economia aprende. As descobertas de Walras sobre o equilíbrio geral também continuam a gerar trabalhos na vanguarda da teoria econômica. Para diversos economistas, o equilíbrio e a existência de forças que levam a economia a esse estado continuam sendo princípios fundamentais. Essas ideias talvez constituam a essência da análise econômica dominante. ■

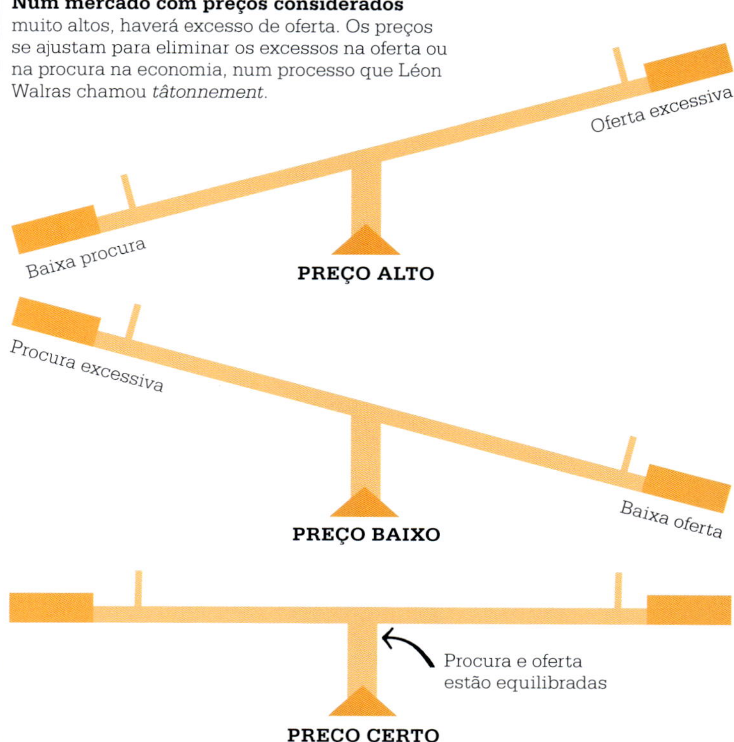

Num mercado com preços considerados muito altos, haverá excesso de oferta. Os preços se ajustam para eliminar os excessos na oferta ou na procura na economia, num processo que Léon Walras chamou *tâtonnement*.

SE RECEBER AUMENTO, COMPRE CAVIAR, NÃO PÃO

ELASTICIDADE DA DEMANDA

EM CONTEXTO

FOCO
Tomada de decisão

PRINCIPAL PENSADOR
Ernst Engel (1821-96)

ANTES
1817 O economista político britânico David Ricardo critica cobrança de aluguel sobre a terra, porque sua oferta é incapaz de reagir ao preço.

1871 O economista austríaco Carl Menger diz que queda da utilidade marginal (o valor de cada unidade extra) influi na procura.

DEPOIS
1934 O economista britânico John Hicks usa conceito de elasticidade para medir a facilidade com que um produto pode ser substituído.

1950 O economista argentino Raúl Prebisch e o economista germano-britânico Hans Singer mostram separadamente que benefícios do comércio favorecem países ricos que fabricam os bens.

A "elasticidade" da demanda é a reação a mudanças em outro fator, como o preço. O britânico Alfred Marshall (p. 110) costuma ser tido como o primeiro economista que definiu esse conceito, em 1890, mas cinco anos antes o estatístico alemão Ernst Engel publicara um ensaio mostrando como as mudanças na renda alteram o nível da demanda. A origem do conceito pode ser controversa, mas sua importância, não. A elasticidade da demanda logo se tornou um dos mais usados recursos de análise econômica.

Marshall foi um dos primeiros que formalizaram a ideia de que a procura cai quando o preço sobe. Bastou depois um pequeno passo para ver que a demanda de produtos diferentes (como pão e caviar) variava em graus diferentes quando seu preço mudava. Marshall viu que, quando o preço de bens essenciais como pão era alterado, a procura mudava muito pouco. O pão tem muito pouca reatividade a alterações no preço por ter poucos substitutos. Por outro lado, a procura de bens de luxo pode reagir muito mais ao preço – diz-se que esse produto é "elástico ao preço". Marshall reconheceu que entre as pessoas com renda média a

Roupas de grife são bens de luxo que tomam grande parte da renda quando os ganhos pessoais aumentam. Bens essenciais, como pão, ficam com proporção descrescente da renda.

procura de luxos como caviar é bem mais sensível à mudança de preço que entre os super-ricos, que podem arcar com tanto quanto quiserem.

Lei de Engel

Ernst Engel disse que as pessoas, à medida que enriquecem, aumentam os gastos com alimentos proporcionalmente menos que o seu aumento de renda. A demanda de alimentos é "inelástica à renda" – ideia que ficou conhecida como lei

Veja também: Utilidade e satisfação 114-15 ▪ Paradoxos dos gastos 116-17 ▪ Oferta e procura 108-13 ▪ O mercado competitivo 126-29

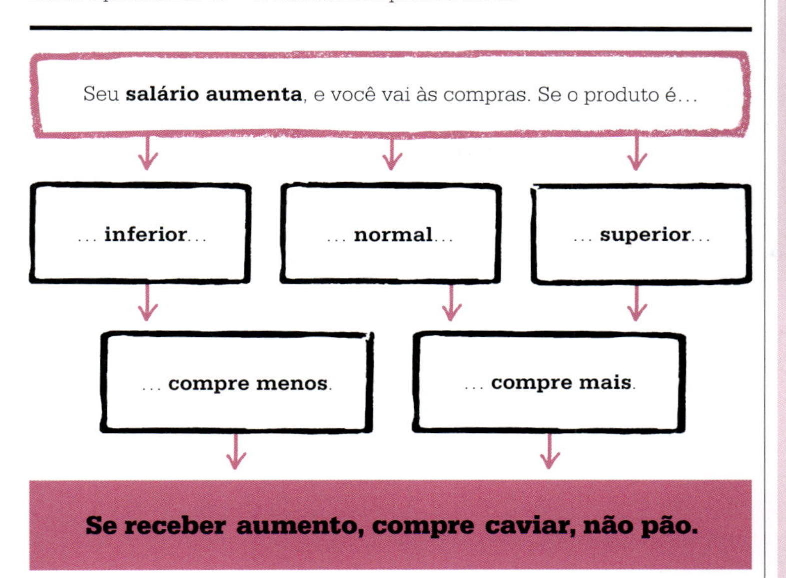

de Engel. Ele estudou o orçamento de 199 famílias na Bélgica e provou que, enquanto a procura de bens básicos como alimento crescia menos rápido quando a renda subia, a demanda de luxos – como férias – crescia no mínimo tão rápido quanto o aumento na renda. Os economistas identificaram dois tipos de produto ou bem. O primeiro – bens normais – são aqueles cuja procura aumenta junto com a renda. Os luxos são uma espécie de bem normal, chamado bem superior, cuja demanda cresce à proporção do aumento da renda. No segundo tipo de bem – bens inferiores –, a demanda cai quando a renda sobe.

Alguns grupos de bens, como alimentos, contêm tanto luxos quanto necessidades (como caviar e pão). Isso significa que pode ser enganoso julgar o impacto da renda crescente no alimento como grupo. Outra complicação é que um produto não é sempre normal ou inferior – isso pode mudar com diferentes níveis de renda. Com renda a mais, os muito pobres podem comprar mais pão, quem tem renda alta pode comprar mais caviar, mas os milionários podem abandonar o caviar por flocos de ouro comestível. ▪

Quanto mais pobre a família, maior é a proporção de seu orçamento dedicado à alimentação.
Ernst Engel

Ernst Engel

Nascido em 1821 em Dresden, Alemanha, Ernst Engel estudou mineração na École des Mines, em Paris, França, onde sofreu influência de Frédéric Le Play, pioneiro no estudo do orçamento familiar. Ao voltar à Alemanha, foi diretor do departamento de estatística da Saxônia e depois da Prússia, onde formulou a lei que teria seu nome. Em 1881, Engel escreveu uma crítica ao protecionismo agrícola do chanceler Otto von Bismarck e foi prontamente "aposentado" por motivos de saúde.

Engel fez parte da escola histórica de economia alemã. Escritor prolífico, acreditava em políticas reformistas para melhorar a vida da classe trabalhadora. Talvez seu maior legado tenha sido a influência que exerceu na criação de institutos de análise estatística em muitos países europeus. Engel morreu perto de Dresden em 1896, aos 76 anos.

Obras-chave

1857 *Die Produktions - und Consumptions verhältnisse des Königreichs sachsen*
1883 *Der Wert des Menschen*
1895 *Die Lebenskosten belgischer Arbeiter-Familien früher und jetzt*

AS EMPRESAS ACATAM OS PREÇOS, E NÃO OS CRIAM

O MERCADO COMPETITIVO

EM CONTEXTO

FOCO
Mercados e empresas

PRINCIPAL PENSADOR
Alfred Marshall (1842-1924)

ANTES
1844 Jules Dupuit, engenheiro francês, cria a ideia de excedente do consumidor – medida de bem-estar que pode ser usada para avaliar o impacto da concorrência.

1861 John Elliott Cairnes esclarece a lógica das teorias da concorrência de J. S. Mill e David Ricardo.

DEPOIS
1921 Frank Knight elabora a ideia da concorrência perfeita.

1948 *Individualism and economic order*, de Friedrich Hayek, critica conceito de Marshall sobre concorrência perfeita.

No final do século XVIII, Adam Smith (p. 61) escreveu sobre o impacto da concorrência na capacidade das empresas de definir os preços e ter lucros acima de um nível "natural". Contudo, não houve análise formal do caso, até que o economista britânico Alfred Marshall (p. 110) publicou *Princípios de economia* em 1890. As ideias no modelo de Marshall continuam essenciais na teoria econômica dominante, embora tenham sido criticadas por não representarem a verdadeira natureza da concorrência.

Concorrência perfeita

O modelo que Marshall criou para explicar a incapacidade das empresas de fixar os próprios preços

Veja também: Monopólios 92-97 ▪ Oferta e procura 108-13 ▪ Liberalismo econômico 172-77 ▪ Discriminação de preços 180-81 ▪ Mercados e resultados sociais 210-13

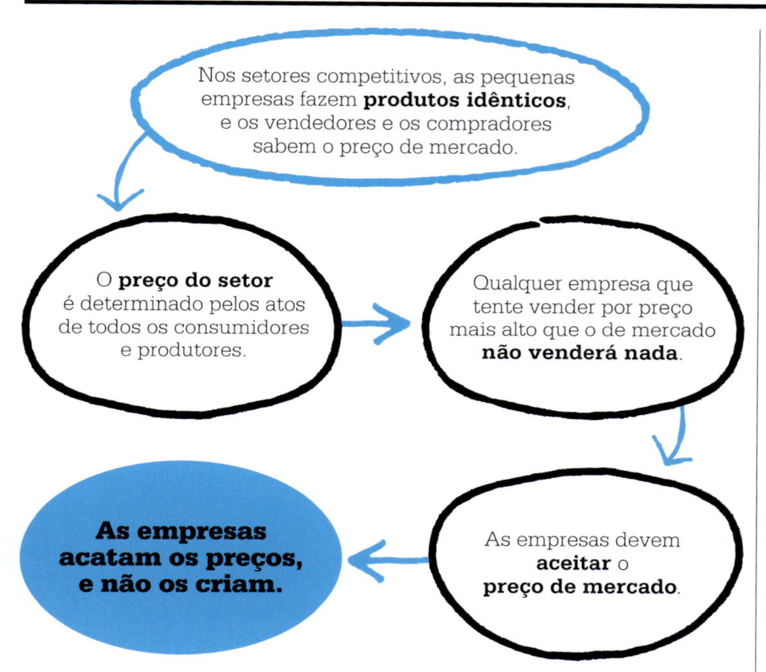

Mercado perfeito é um bairro [...] em que há muitos compradores e muitos vendedores sempre em tal estado de alerta e tão familiarizados com os negócios dos outros que o preço de um produto é sempre praticamente o mesmo em todo o bairro.
Alfred Marshall

foi chamado de "concorrência perfeita". Na verdade, Marshall preferia as expressões "livre concorrência" e "mercados perfeitos".

O modelo baseia-se em um grupo de pressupostos, tirados das ideias dos economistas clássicos, sobre as condições do mercado e o comportamento das empresas.

O primeiro pressuposto é o de que há tantas empresas vendendo o produto a tantos clientes que cada uma das empresas e cada um dos consumidores representam uma parte desprezível do mercado. O segundo pressuposto é o de que toda empresa tenta vender um produto idêntico. Terceiro, o modelo supõe que todas as empresas têm liberdade de entrar no setor ou sair dele à vontade e são capazes de alterar ou adquirir os fatores de produção necessários para produzir os bens com facilidade.

Concorrência em ação

O mercado de câmbio perfaz as condições de concorrência perfeita e é um exemplo útil para explorar seu funcionamento. Há no mundo tantas empresas vendendo moeda estrangeira que cada qual totaliza uma fração ínfima do mercado de dólares, por exemplo. Elas vendem a milhões de compradores que precisam comprar moeda, e cada comprador (um turista, por exemplo) também compõe uma parte insignificante do mercado.

Em segundo lugar, o dólar ou o euro que o turista compra de cada empresa é exatamente o mesmo, de modo que o comprador não se importa de qual empresa ele o compra. Terceiro, qualquer um pode começar a comprar e a vender moeda estrangeira sem nenhuma barreira legal, social ou tecnológica à frente – é fácil entrar no mercado.

No mercado perfeito existe informação perfeita – todos os atores sabem qual o "preço em vigor". Aqueles que fazem câmbio sabem o tempo todo quanto é pago por certa moeda. Além disso, cada empresa sabe tudo sobre os custos de produção das demais. Essa transparência implica que nenhum consumidor pode ser levado a pagar preço mais alto e que as empresas conhecem o modo melhor e mais barato de fornecer o produto. Por fim, as empresas interesseiras tencionam maximizar os lucros. Os trabalhadores buscam o trabalho mais bem pago, e os investidores capitalistas buscam mercados com os maiores lucros. »

Os pressupostos do modelo de Marshall provocam certos efeitos para as empresas dos setores de concorrência perfeita. Um dos mais importantes é que elas não têm poder sobre o preço que cobram. Isso porque há tantas vendendo um produto idêntico que, se qualquer uma tentar vender por preço maior que o dos concorrentes, não venderá nada. Isso é praticamente certo porque o consumidor tem perfeito conhecimento dos preços cobrados por todas as empresas. Desse modo, o preço de mercado é definido pela interação coletiva de todas as empresas e todos os consumidores, e cada empresa deve aceitar o preço de venda do produto. Elas têm de "acatar" o preço, e não criá-lo.

Venda competitiva

A representação-padrão do setor de concorrência perfeita de Marshall (veja abaixo) demonstra essa ideia. Por exemplo, em qualquer momento existe um preço mundial do trigo – como $350 por tonelada –, que é fixado pelo setor. Por esse preço do setor (indicado pela linha pontilhada no diagrama), cada produtor pode vender quanto quiser, mas não venderá nada por qualquer preço acima daquele (porque os compradores podem recorrer a outros). Os produtores podem vender por preço menor que o dos outros, mas não teriam vantagem nisso – um preço mais baixo não atrairia procura maior, pois na concorrência perfeita cada produtor é uma parte ínfima da oferta mundial total (no trigo, isso é em torno de 700 milhões de toneladas). Baixando o preço, o produtor apenas baixaria o próprio lucro. Ele tem apenas de decidir de que produção precisa para aumentar seu lucro. No caso demonstrado no gráfico, são 3 mil toneladas, que o produtor sabe que venderá por $350 a tonelada.

Nesse exemplo, o produtor vende o trigo por muito mais que seu custo de produção. Ao vender 3 mil toneladas por $350 cada tonelada, a renda do produtor é de $1,05 milhão; seus custos, porém, são de $450 mil. O lucro dele é renda menos custos – neste caso, $600 mil. Esse é um exemplo do que os economistas clássicos, como David Ricardo (p. 84), descrevem como "preço de mercado afastando-se do preço natural". Todavia, em um mercado de concorrência perfeita, lucros altos assim não se sustentam no longo prazo.

Os trabalhadores buscarão aqueles empregos, e os capitalistas, aqueles modos de investir seu capital nos quais [...] os salários e os lucros sejam os mais altos.

John Elliott Cairnes

Economista irlandês (1824-75)

Lucro de curto prazo

Os economistas clássicos, como Smith e Ricardo, sabiam dos efeitos de um preço bem acima do exigido para cobrir os custos nos mercados competitivos. O alto nível de lucro atuaria como incentivo para a entrada de novas empresas no setor. A falta de barreiras à entrada num mercado perfeito facilita a entrada de qualquer empresa. Em nosso exemplo, é fácil imaginar os produtores trocando a produção de cevada pela de trigo, se for mais lucrativo produzir este. O impacto dos novos entrantes seria aumentar a oferta total e, por pressão da concorrência, forçar os preços para baixo, de modo que em pouco tempo as empresas poderiam ter um nível "normal" de lucro. Isso ocorreria quando o preço apenas cobrisse os custos de produção – o lucro excedente (mostrado em azul no gráfico) desapareceria.

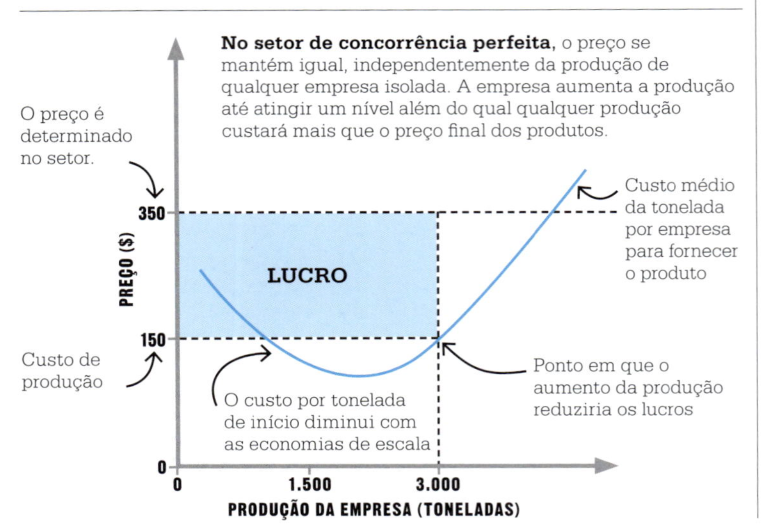

No setor de concorrência perfeita, o preço se mantém igual, independentemente da produção de qualquer empresa isolada. A empresa aumenta a produção até atingir um nível além do qual qualquer produção custará mais que o preço final dos produtos.

Quando os pressupostos que embasam a concorrência perfeita são violados, as empresas podem ter lucros enormes no longo prazo. Por exemplo, se há qualquer barreira à entrada em um setor – como as tecnológicas ou legais –, os lucros excedentes não são afastados por concorrência. A forma mais extrema disso é o monopólio. Para aumentar os lucros, o monopolista cobra um preço mais alto e produz menos do que produziria num mercado de concorrência perfeita. Por isso os economistas acreditam que os mercados de concorrência perfeita sejam mais benéficos à sociedade que os monopolizados. Na situação de baixa produção do monopólio, os consumidores ganhariam com a produção de unidades a mais. Mas, nos mercados de concorrência perfeita, essas unidades adicionais são produzidas quando mais empresas entram no mercado – os preços caem quando os lucros altos são limitados pela competição.

Perfeição impossível

Existem algumas controvérsias quanto ao modelo de concorrência perfeita de Marshall. Numa delas, existem poucos – se é que algum – setores reais que se aproximem dos pressupostos que justificam o modelo. Na verdade, tanto o mercado de câmbio quanto a agricultura não são bons exemplos da teoria da concorrência perfeita por causa da existência de grandes empresas que podem influir no preço e porque os governos podem e manipulam esses mercados. Os defensores da concorrência perfeita dizem que o modelo representa uma forma teórica, ideal, da estrutura do mercado que é útil para entender o comportamento das empresas, mesmo que não existam setores que atendam a esses requisitos.

Uma crítica mais fundamental é que a concorrência perfeita descrita por Marshall perdeu seu sentido real; na verdade, não há "concorrência" no modelo. As empresas fazem produtos idênticos, reagindo passivamente aos preços e aceitando que terão lucro normal. Isso está muito distante da situação sugerida por Smith, em que as empresas tentam loucamente fazer produtos diferentes e melhores do que os concorrentes, os quais elas tentarão vender por preço mais alto, introduzindo sempre, ao mesmo tempo, novas tecnologias para reduzir os custos e aumentar os lucros de modo compatível.

Os negociantes fixam os preços de produtos como o trigo concorrendo entre si. Nos mercados competitivos, um negociante sozinho não tem o poder de influenciar no preço.

As críticas a esse ponto da concorrência perfeita continuaram pelo século XX. O economista austro-britânico Friedrich Hayek (p. 177) disse que a concorrência é um processo dinâmico de descoberta em que os empresários buscam novas oportunidades num mundo em constante mudança – não é só a cópia estéril de preços sugerida no modelo de Marshall. ■

Marshall fala de risco, incerteza e lucro

Em 1921, o economista americano Frank Knight (p. 163) publicou *Risco, incerteza e lucro*, análise dos efeitos da incerteza no modelo de Marshall de concorrência perfeita. Knight definiu risco como incerteza mensurável, como a possibilidade de uma garrafa de champanhe explodir. A proporção de garrafas que explodem é quase constante, e o produtor pode, portanto, adicionar esse fato aos custos ou fazer seguro contra ele. Por essa razão, o risco não desfaz o equilíbrio da concorrência; os empresários não ganham lucro como prêmio por assumir riscos previsíveis. Por outro lado, a incerteza real é imensurável – ela vem principalmente da incapacidade de prever o futuro. Para Knight, os empresários aceitam a responsabilidade de trabalhar com um futuro incerto e tomam decisões desse modo. Não se sabe quanto os empresários ganharão, pois o futuro é incerto.

MELHORAR A VIDA DE UM SEM FAZER MAL AOS OUTROS

EFICIÊNCIA E JUSTIÇA

EM CONTEXTO

FOCO
Economia de bem-estar

PRINCIPAL PENSADOR
Vilfredo Pareto (1848-1923)

ANTES
1776 *A riqueza das nações*, de Adam Smith, liga interesse próprio a bem-estar social.

1871 O economista britânico William Jevons diz que valor depende apenas da utilidade.

1874 O economista francês Léon Walras usa equações para apurar o equilíbrio geral da economia.

DEPOIS
1930-50 John Hicks, Paul Samuelson e outros baseiam a moderna economia de bem-estar no ótimo de Pareto.

1954 O economista americano Kenneth Arrow e economista francês Gérard Debreu usam a matemática para mostrar ligação entre mercados livres e o ótimo de Pareto.

No século XIX, um grupo de filósofos britânicos ditos utilitaristas lançou a ideia de que a felicidade pode ser medida e aumentada, ou agregada. O economista italiano Vilfredo Pareto discordou. Em seu *Manual de economia política*, ele apresentou uma definição mais fraca de bem-estar social que passou a dominar a economia moderna. Seu argumento baseava-se numa classificação de felicidade relativa chamada "utilidade ordinal", em vez da medida absoluta de felicidade ("utilidade cardinal").

Pareto disse que as pessoas conhecem suas preferências e fazem o que é melhor para elas. Se todos seguirem o próprio gosto, limitados como são pelos obstáculos que

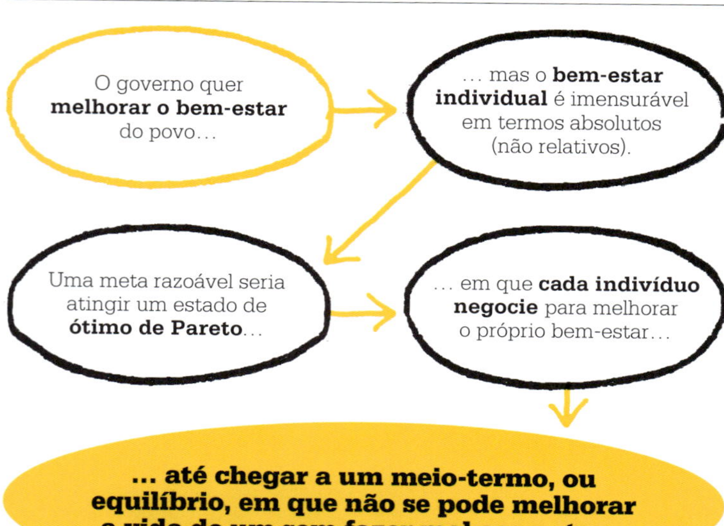

Veja também: Economia de livre mercado 54-61 ▪ Equilíbrio econômico 118-23 ▪ Mercados e resultados sociais 210-13

enfrentam, a sociedade logo chegará a um ponto em que ninguém ficará melhor sem prejudicar alguém. Esse estado é conhecido como ótimo de Pareto, ou eficiência de Pareto.

Ótimo de Pareto

Suponha que o casal Joana e João goste de arroz. Se tivermos um saco de arroz, qualquer divisão entre eles – mesmo que um fique com todo o arroz – seria ótima, porque só *tirando* o arroz da pessoa se faria mal a ela. Assim, o ótimo de Pareto é diferente de justiça.

Na maioria das situações, há muitos bens e gostos. Por exemplo, se João gosta de arroz e não de frango, e Joana gosta de frango e não de arroz, uma alocação em que João ficasse com tudo seria de ineficiência de Pareto: a transferência do frango de João para Joana a ajudaria e não faria mal a João. Em geral, as preferências não são tão claras: os dois talvez gostem de frango e de arroz em graus diferentes. Assim, Joana e João podem trocar pequena quantidade de frango e de arroz até que surja uma alocação ótima.

Todos podemos concordar

O uso do ótimo de Pareto reduz a necessidade de decidir entre interesses conflitantes. Evitar esses julgamentos é a característica da economia positiva (descrição de como são as coisas), ao contrário da economia normativa (a prescrição de como deveriam ser). Pareto afirmou que os mercados livres são eficientes em seu sentido do termo. Isso formalizou a ideia de Adam Smith de que o interesse próprio e a concorrência de livre mercado funcionam pelo bem comum (pp. 54-61). ■

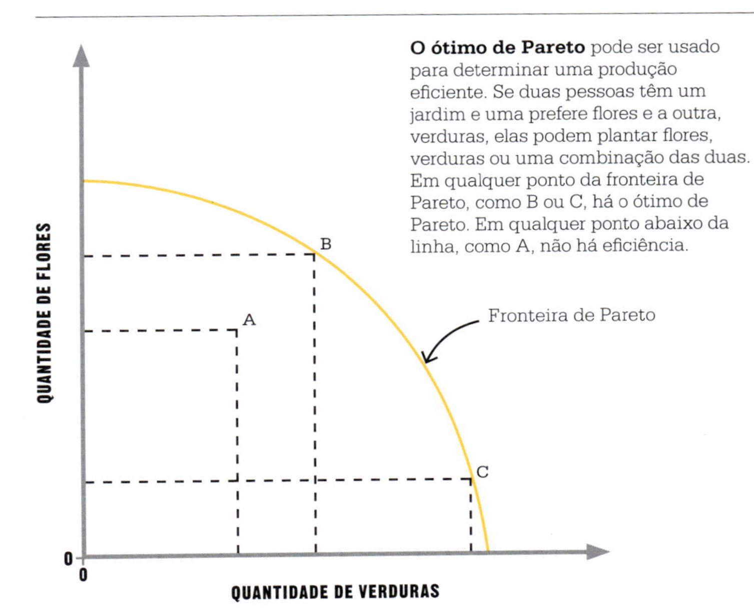

O ótimo de Pareto pode ser usado para determinar uma produção eficiente. Se duas pessoas têm um jardim e uma prefere flores e a outra, verduras, elas podem plantar flores, verduras ou uma combinação das duas. Em qualquer ponto da fronteira de Pareto, como B ou C, há o ótimo de Pareto. Em qualquer ponto abaixo da linha, como A, não há eficiência.

Vilfredo Pareto

Nascido na França em 1848, Vilfredo Pareto era filho de um marquês italiano e mãe francesa. A família mudou-se para a Itália quando ele tinha quatro anos, e Pareto estudou em Florença e depois em Turim, onde fez doutorado em engenharia. Quando trabalhava como engenheiro civil, ele se interessou por economia e livre comércio. Em 1893, ele foi indicado por um amigo, o economista italiano Maffeo Pantaleoni, para substituir Léon Walras (p. 120) na cadeira de economia política na Universidade de Lauzanne, Suíça. Ele a assumiu aos 45 anos, e foi aí que ele deu suas principais contribuições à área, entre elas suas teorias sobre distribuição de renda.

Pareto continuou a lecionar até 1911. Suas obras eram prolíficas, abrangendo as áreas de sociologia, filosofia e matemática, além da própria economia. Ele morreu em Genebra, em 1923.

Obras-chave

1897 *Cours d'économie politique*
1906 *Manual de economia política*
1911 *Économie mathématique*

QUANTO MAIOR A FÁBRICA, MENOR O CUSTO

ECONOMIAS DE ESCALA

EM CONTEXTO

FOCO
Mercados e empresas

PRINCIPAL PENSADOR
Alfred Marshall (1842-1924)

ANTES
1776 Adam Smith explica que empresas grandes podem reduzir custo unitário por meio da divisão do trabalho.

1848 John Stuart Mill diz que só empresas grandes podem adaptar-se com sucesso a certas mudanças comerciais e que isso pode levar à criação de monopólios naturais.

DEPOIS
1949 O economista sul-africano Petrus Johannes Verdoorn mostra que crescimento cria produtividade crescente com economias de escala.

1977 Alfred Chandler publica *The visible hand: the managerial revolution in american business*, sobre a ascensão de empresas gigantes e a produção em massa.

Já no início da Revolução Industrial, quando pequenas instalações deram lugar a grandes fábricas, tornou-se claro que as empresas maiores produziam a um custo menor. Ao crescer e fazer mais, a empresa usa mais trabalho, máquina e matérias-primas; assim, uma fábrica maior tem custos totais mais altos. Mas pode produzir mais por custo unitário menor. Essa queda nos custos médios chama-se economia de escala.

Em 1890, o economista britânico Alfred Marshall (p. 110) explorou esse efeito em *Princípios de economia*. Ele destacou que, quando as empresas aumentam a produção, no curto prazo só podem alterar o número de trabalhadores para aumentar a produção. Como cada trabalhador a mais adiciona menos à produção do que os anteriores a ele, os custos unitários sobem. Porém, no longo prazo, se uma empresa duplica a fábrica, a mão de obra e o maquinário, ela poderá se aproveitar da especialização do trabalho, e os custos cairão.

Nos anos 1960, outro economista britânico, Alfred Chandler (1918--2007), mostrou que o crescimento das grandes companhias causou uma nova Revolução Industrial no início do século XX. Empresas grandes passaram a dominar o setores, produzindo mais bens por custo menor e tirando concorrentes do mercado. Essas grandes empresas em geral usufruíam um "monopólio natural". ■

Alfred Chandler descreveu a transformação das grandes empresas dos EUA, como as de carros, em vastas indústrias de produção em massa.

Veja também: Rendimentos decrescentes 62 ▪ A divisão do trabalho 66-67 ▪ Monopólios 92-97 ▪ O mercado competitivo 126-29

O CUSTO DE IR AO CINEMA É A DIVERSÃO QUE SE TERIA AO PATINAR

CUSTO DE OPORTUNIDADE

EM CONTEXTO

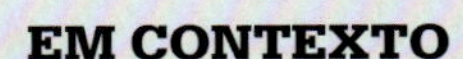

FOCO
Teorias de valor

PRINCIPAL PENSADOR
Friedrich von Wieser
(1851-1926)

ANTES
1817 David Ricardo afirma que o valor de um produto é determinado pelo número de horas e pelo trabalho usados para produzi-lo.

DEPOIS
1890 Alfred Marshall diz em *Princípios de economia* que a oferta e a procura têm por função determinar o preço.

1949 Ludwig von Mises explica em *Ação humana* como os preços transmitem informação importante nos mercados.

1960 O economista italiano Piero Sraffa questiona a medida do valor do custo de oportunidade em *Produção de mercadorias por meio de mercadorias*.

No fim do século XIX, os economistas debatiam ainda o que definia o valor de um produto. Em 1914, o economista austríaco Friedrich von Wieser convenceu-se de que o valor de uma coisa era determinado por aquilo de que era preciso abrir mão para obtê-la. Ele disse que, em um mundo onde as pessoas têm carências infinitas e só dispõem de uma quantidade restrita de recursos para supri-las, a escassez criaria a necessidade de opções. Weiser chamou esse conceito de "custo de oportunidade" em *Theorie der gesellschaftlichen wirtschaft* (1914). Em 1935, o economista americano Lionel Robbins afirmou que a tragédia da vida humana é ter de desistir de uma coisa a fim de escolher outra.

A economia torna claro esse conflito de escolha, que é uma das características permanentes da existência humana.
Lionel Robbins

Custo real

Isso quer dizer que o custo de ir ao cinema, por exemplo, não é bem o custo do ingresso, mas o prazer que se perde ao abrir mão da segunda opção. Então, embora exista uma consequência monetária na escolha de algo, o custo de oportunidade significa mais: você não pode assistir a um filme e patinar ao mesmo tempo. Às vezes existe o chamado custo de oportunidade, mesmo sem custo monetário. Wieser concluiu que, afinal, o preço de um produto era definido pelo desejo em relação a ele, o que se media por aquilo de que as pessoas se dispunham a desistir para obtê-lo, mais do que quanto custara produzi-lo. ■

Veja também: O homem econômico 52-53 ▪ A teoria do valor-trabalho 106-07 ▪ Utilidade e satisfação 114-15

OS TRABALHADORES DEVEM LUTAR JUNTOS PELO QUE É SEU

NEGOCIAÇÃO COLETIVA

EM CONTEXTO

FOCO
Sociedade e economia

PRINCIPAL PENSADOR
Beatrice Webb (1858-1943)

ANTES
1793 As sociedades de amigos, precursoras dos sindicatos, são reconhecidas no Reino Unido.

1834 Trabalhadores nos EUA e na Europa começam a se unir em organizações nacionais.

Anos 1870 Sindicatos alemães e franceses aliam-se a movimentos socialistas.

DEPOIS
Anos 1920 e 30 Sindicatos lutam por direitos trabalhistas na Grande Depressão.

1955 Sindicatos nos EUA unem-se sob uma só organização: a AFL-CIO.

Anos 1980 Filiação sindical e negociação coletiva caem com privatização de serviços públicos e medidas de governos de direita para conter o poder sindical.

Os trabalhadores dependem dos empregadores para **ganhar a vida**.

Como há muitos trabalhadores e poucos empregadores, estes dominam o **equilíbrio de forças**.

Um trabalhador sozinho tem **pouco poder**, porque ele é facilmente substituível.

Então os empregadores **ditam as regras** aos trabalhadores.

Mas, **agindo juntos**, os trabalhadores mudam o equilíbrio de poder.

Os trabalhadores devem lutar juntos pelo que é seu.

A expressão "negociação coletiva" foi cunhada pela reformista socialista britânica Beatrice Webb em 1891 para descrever a organização dos trabalhadores em sindicatos, que negociam salários e condições com os empregadores em nome dos trabalhadores. Webb e seu marido, Sidney, fizeram campanha contra a pobreza, e seus livros provocaram mudanças no âmbito do governo. Em 1894, eles publicaram *History of trade unionism*, documentando a ascensão dos sindicatos durante a Revolução Industrial na Grã-Bretanha, quando grande número de trabalhadores foi despejado nas novas fábricas. As condições eram duras, a segurança no emprego,

Veja também: Economia marxista 100-05 ▪ A teoria do valor-trabalho 106-07 ▪ Depressões e desemprego 154-61 ▪ Economia de mercado social 222-23 ▪ Salários rígidos 303

Se um grupo de trabalhadores chega a um acordo e envia representantes para conduzir a negociação em nome de todo o grupo, a posição muda de imediato.
Beatrice Webb e Sidney Webb

praticamente nenhuma, e os salários, perto da miséria. As Leis de Combinação de 1799 e 1800 proibiram os sindicatos, e qualquer trabalhador que se unisse a outro para ganhar aumento de salário ou diminuição do expediente era condenado a três meses de cadeia. Em 1824, essas leis foram revogadas, e os sindicatos formaram-se rapidamente, sobretudo na indústria têxtil. Uma série de greves levou a uma nova lei, que limitou os direitos sindicais a reuniões para negociação coletiva.

Ao aumentar a filiação a sindicatos na Europa ao longo do século XIX, criou-se um debate entre os que consideravam os sindicatos dentro da tradição das corporações de ofícios, negociando melhores condições de trabalho para seus membros, e aqueles que os viam como a vanguarda da revolução, lutando por um mundo melhor para todos os trabalhadores.

Uma luta constante

A negociação coletiva foi amplamente adotada porque funciona para empregadores e trabalhadores. Simplifica demais a combinação das condições, pois um acordo em geral é aplicável a todo um setor.

Contudo, desde os anos 1980 os sindicatos e o poder de negociação coletiva diminuíram drasticamente. O economista americano Milton Friedman (p. 199) afirmou que a sindicalização proporciona salários mais altos aos filiados em detrimento de empregos e reduz os salários nos setores não sindicalizados. Talvez por essa razão ou outras mais políticas, os governos sempre procuram conter o poder sindical proibindo greves solidárias.

Funcionários públicos protestam em Madri, Espanha, em 2010, contra corte de empregos. Hoje os sindicatos são mais fortes no setor público que no privado na maioria dos países.

A globalização da produção também isolou grupos de trabalhadores nacionais. Os termos sob os quais as pessoas trabalham num produto global costumam ser determinados localmente entre os trabalhadores e a empresa, e não para todo o setor no país inteiro. ▪

Beatrice Webb

Nascida em Gloucestershire, Reino Unido, em 1858, Beatrice Webb era filha de um parlamentar radical. Cresceu com grande interesse por questões sociais e se fascinou com os problemas que causam a pobreza. Em 1891, conheceu seu parceiro por toda a vida, Sidney Webb, e o casal tornou-se crucial para o movimento trabalhista britânico. Juntos formularam a ideia do "mínimo nacional" – um patamar mínimo de salários e qualidade de vida abaixo do qual um trabalhador não poderia estar. Fundaram também a Escola de Economia de Londres e o jornal *The New Statesman*. Os Webb ajudaram a formar o movimento sindical e criaram o modelo do Serviço Nacional de Saúde britânico e de sistemas de bem-estar social mundo afora. Beatrice Webb morreu em 1943.

Obras-chave

1894 *History of trade unionism*
1919 *The wages of men and women*
1923 *The decay of capitalist civilization*

AS PESSOAS CONSOMEM PARA SER NOTADAS

CONSUMO CONSPÍCUO

EM CONTEXTO

FOCO
Sociedade e economia

PRINCIPAL PENSADOR
Thorstein Veblen
(1857-1929)

ANTES
1848 A teoria de economia política do filósofo britânico John Stuart Mill supõe que a utilidade (satisfação) é o coração da economia.

1890 O economista britânico Alfred Marshall desloca o foco da economia de mercados para o estudo do comportamento.

DEPOIS
1940 O economista húngaro Karl Polanyi diz que comportamento econômico está enraizado na sociedade e na cultura.

2010 O economista americano Nathan Pettit afirma que o "consumo conspícuo" e a dívida resultante tiveram papel crucial na incapacitação dos mercados financeiros mundial em 2008.

O economista americano Thorstein Veblen foi o primeiro a notar que o comportamento econômico é ditado por fatores psicológicos, como medo e busca de status, tanto quanto pelo interesse pessoal racional. Tendo crescido numa comunidade agrícola norueguesa em Minnesota, Veblen foi um forasteiro que observou os americanos super-ricos e interesseiros dos anos 1890. Em 1899, ele publicou sua crítica devastadora, *A teoria da classe ociosa*, em que afirmava que as qualidades marcantes da classe alta nova-iorquina eram como as dos chefes tribais – um excesso de diversão e dinheiro. Os ricos não compravam as coisas por precisar delas, mas para exibir riqueza e status. Veblen foi o primeiro a chamar isso de "consumo conspícuo".

O magnata do petróleo John D. Rockefeller (esquerda), retratado com o filho, foi a primeira pessoa a ter mais de US$1 bilhão. Ele integrava a sociedade de Nova York criticada por Veblen.

Armadilha do consumo

Hoje, os "bens de Veblen" (p. 117) são artigos de luxo, como um carro Porsche e um relógio Rolex. A satisfação da pessoa cresce quanto mais deles ela tenha e quanto menos os outros tenham. Veblen acreditava que as sociedades ricas pudessem sofrer da "armadilha do consumo relativo", em que a produção é desperdiçada nesses bens. Desde que mais pessoas os consumam, haverá menos ganhos no bem-estar geral. Certos economistas afirmam que o consumo excessivo, alimentado pelos gastos com cartão de crédito, contribuiu para a crise financeira mundial de 2008. ■

Veja também: O homem econômico 52-53 ▪ Paradoxos dos gastos 116-17 ▪ Economia e tradição 166-67 ▪ Economia comportamental 266-69

QUE O POLUIDOR PAGUE

CUSTOS EXTERNOS

EM CONTEXTO

FOCO
Política econômica

PRINCIPAL PENSADOR
Arthur Pigou (1877-1959)

ANTES
Século XVI Famílias londrinas são forçadas a pagar por fossas sépticas na própria casa, em vez de jogar o esgoto na rua.

DEPOIS
1952 O economista britânico James Meade conta a fábula de criadores de abelhas que nada ganharam com a polinização de pomares vizinhos e pararam de criar tantas abelhas.

1959 O economista britânico Ronald Coase afirma que para lidar com as externalidades deve-se atentar para os direitos de propriedade, de modo que a poluição tem dono e seus custos são negociáveis.

1973 James Cheung mostra que a fábula das abelhas é mentirosa, pois criadores de maçãs e abelhas negociam.

Se um supermercado jogou caixas num jardim próximo para economizar dinheiro com coleta de lixo, ele sem dúvida é responsável pela limpeza. Contudo, quando o dano é menos óbvio mas custa para a sociedade – como uma fábrica poluir o ar –, o sistema de mercado tem uma solução?

Tributação de poluidores

Nos anos 1950, os economistas passaram a se referir a esses custos como externalidades, pois não se refletem nos preços de mercado e afetam terceiros. Isso é uma falha de mercado: já que a fábrica não precisa arcar com os custos sociais reais de suas ações, ela produz poluição a mais em relação ao que é socialmente aceito. O economista britânico Arthur Pigou disse que o jeito era tributar o poluidor. Esse "imposto pigouviano", como foi chamado, tinha a intenção de garantir que os custos totais da poluição fossem computados nas decisões do poluidor, de modo que a empresa só poluiria se os compradores estivessem dispostos a pagar pelos danos. Os governos hoje usam essa ideia em políticas como impostos para reduzir as emissões de carbono. Muitos acham que, além da eficiência econômica, é moralmente correto fazer o poluidor pagar e transferem a responsabilidade pelo problema à empresa. Todavia, não é simples impor um imposto pigouviano. Como o próprio Pigou ressaltou, estimar corretamente o custo real da poluição não é fácil. ■

Os industriais em geral estão interessados não no social, mas somente no produto líquido privado de suas operações.
Arthur Pigou

Veja também: A carga tributária 64-65 ▪ Mercados e resultados sociais 210-13 ▪ A teoria segundo ótimo 220-21 ▪ Economia e meio ambiente 306-9

O PROTESTANTISMO NOS ENRIQUECEU

RELIGIÃO E ECONOMIA

EM CONTEXTO

FOCO
Sociedade e economia

PRINCIPAL PENSADOR
Max Weber (1864-1920)

ANTES
1517 Martinho Lutero publica *As 95 teses*, iniciando o conflito religioso que resultaria na Reforma.

1688 A Revolução Gloriosa acaba com a possibilidade de o catolicismo voltar à Grã-Bretanha e abre caminho para a primeira Revolução Industrial.

DEPOIS
1993 O cientista social sueco Kurt Samuelsson afirma que líderes puritanos não apoiavam de fato o comportamento capitalista.

2009 O economista de Harvard Davide Cantoni publica *The case of protestantism in 16th century Germany*, em que diz não ver "nenhum efeito do protestantismo no crescimento econômico".

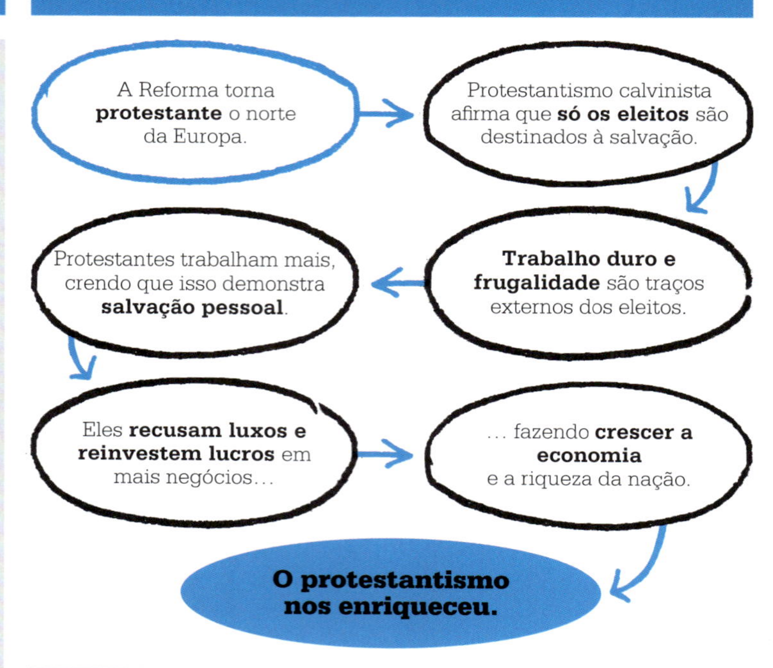

O sociólogo alemão Max Weber interessava-se pelos contrastes no sucesso econômico de vários países no século XVI ao XIX. Em *A ética protestante e o espírito do capitalismo*, ele afirmou que o norte da Europa e os EUA se saíram melhor que os países católicos da América do Sul por causa das crenças protestantes em predestinação, vocação e ética no trabalho.

Para os católicos, o reconhecimento divino é evento futuro: deve-se levar uma vida decente e realizar boas ações para

Veja também: O homem econômico 52-53 ▪ Economia e tradição 166-67 ▪ Instituições na economia 206-07 ▪ Informação e incentivos de mercado 208-09 ▪ Capital social 280

O ferreiro da aldeia tinha papel importante na comunidade, segundo Max Weber, porque lidava com frequência com muita gente em sua vocação dada por Deus.

ser salvo. Porém, os ensinamentos protestantes, sobretudo os dos calvinistas, diziam que havia um "eleito" pré-escolhido destinado a ser salvo, que levaria uma vida virtuosa por fazer parte dos eleitos. Suas ações na vida física não os levariam à salvação, mas apenas mostrariam que eles já estavam destinados ao Paraíso. Como a Bíblia estimula o trabalho duro e a frugalidade, os protestantes visavam incorporar essas qualidades e mostrar que estavam entre os salvos, enquanto os outros enfrentavam a condenação. Sem poder comprar luxos, reinvestiam os lucros em seus negócios.

Vocações divinas

O catolicismo pregava que a única vocação dada por Deus era o sacerdócio, mas os protestantes achavam que as pessoas podiam ser chamadas a qualquer um dos ofícios seculares. A crença de que estavam servindo a Deus os encorajou a trabalhar com fervor religioso, fazendo-os produzir mais bens e ganhar mais dinheiro.

Weber acreditava que a fé protestante levava inevitavelmente a uma sociedade econômica capitalista, porque dava aos crentes a oportunidade de ver a busca de lucro como mostra de devoção, e não motivo de suspeição moral como ganância e ambição. A ideia da predestinação também os fez não se preocuparem com desigualdade social e pobreza, pois a riqueza material indicava riqueza espiritual.

Deus ajuda os que se ajudam.
Max Weber

Todavia, o argumento de Weber pode ser contestado. A principal potência europeia nos séculos XVI e XVII e primeira superpotência mundial foi a Espanha, inteiramente católica. Também se veem outros casos conflitantes na ascensão de países asiáticos que nunca foram protestantes ou cristãos. O Japão é a terceira maior economia do mundo, e a China cresce rapidamente. ▪

Max Weber

Karl Emil Maximilian Weber foi um dos pais da moderna ciência social e também economista. Nasceu em 1864 em Erfurt, Alemanha, e foi criado em família próspera, cosmopolita e intelectual. Seu pai era um servidor público sociável, e sua mãe, uma calvinista rigorosa.

Weber estudou direito nas universidades de Heidelberg e de Berlim e foi professor titular de economia em várias universidades alemãs, até que a morte do pai, em 1897, deixou-o deprimido demais para lecionar. Depois de se alistar na Primeira Guerra Mundial, ele mudou seus pontos de vista políticos e tornou-se um crítico proeminente do imperador alemão. Weber era respeitado por todos do sistema político e após a guerra ajudou a escrever a Constituição da República de Weimar. Voltou a lecionar, mas em 1920 morreu de gripe espanhola.

Obras-chave

1904-05 *A ética protestante e o espírito do capitalismo*
1919 *A política como vocação*
1923 *História geral da economia*

OS POBRES SÃO AZARADOS, NÃO MAUS

O PROBLEMA DA POBREZA

EM CONTEXTO

FOCO
Sociedade e economia

PRINCIPAIS PENSADORES
John Stuart Mill (1806-73)
Amartya Sen (1933-)

ANTES
1879 O economista americano Henry George publica *Progresso e pobreza*, grande sucesso que pedia imposto agrário para aliviar a pobreza.

Anos 1890 Charles Booth e Seebohm Rowntree fazem levantamentos da pobreza no Reino Unido.

DEPOIS
1958 O economista americano John Kenneth Galbraith chama a atenção para a pobreza no livro *A sociedade afluente*.

1973 O economista indiano Amartya Sen propõe novo índice de pobreza.

2012 O Banco Mundial define pobreza extrema como renda de menos de US$ 1 por dia.

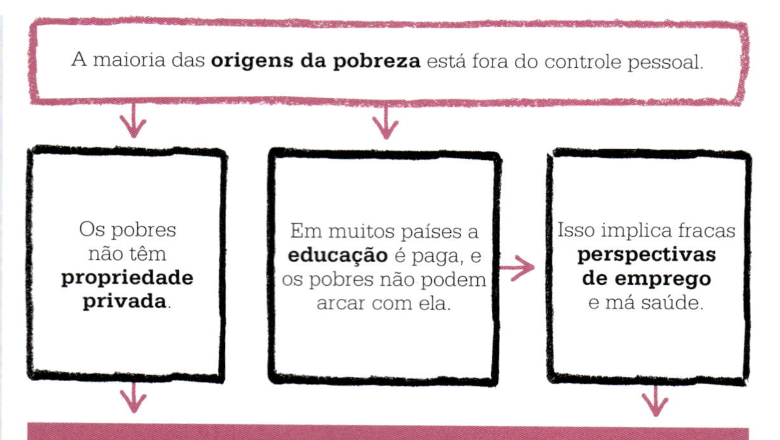

Em países de alta renda, os governos quase sempre respondem por 30%-50% dos gastos na economia. Cerca de metade consiste em "aportes sociais", ou gastos com bem-estar. Na história, gastos sociais tão altos são um acontecimento bem recente, dos anos 1930 e 40.

Os gastos com bem-estar têm história longa. No século XVI, a Lei dos Pobres, na Inglaterra, supunha haver três tipos de pobre: os pobres dignos de ajuda (idosos, jovens e doentes), os desempregados dignos de ajuda (os que queriam trabalhar e não achavam emprego) e os pobres indignos (pedintes). Os primeiros dois grupos recebiam comida e dinheiro doados por moradores, mas o terceiro era tratado como criminoso. Com a industrialização, mudou a opinião sobre os pobres, e no século XVIII muita gente achava que os pobres eram os únicos culpados de

Veja também: Demografia e economia 68-69 ▪ Economia desenvolvimentista 188-93 ▪ Teoria dos direitos fundamentais 256-57

A situação insalubre dos pobres de Londres, retratada por Gustave Doré em 1872, afligia a maioria das cidades europeias. Adultos, crianças e pragas disputavam o espaço precioso.

sua situação. Os economistas britânicos David Ricardo (p. 84) e Thomas Malthus (p. 69) pediram a abolição da Lei dos Pobres, porque as doações desestimulavam o trabalho.

Essa opinião se disseminou, mas havia outra, do filósofo britânico John Stuart Mill (p. 95), em 1848. Mill afirmava que a economia voltava-se apenas para a produção – a distribuição da riqueza é escolha da sociedade. Em sua obra sobre política, Mill geralmente defendia a limitação do papel do governo, mas nesse caso, disse ele, o Estado deveria intervir para ajudar os incapazes de se superar e dar aos cidadãos a educação necessária para que ganhassem a vida.

Quando se ampliou o direito ao voto nos países europeus nos séculos XIX e XX, houve mais exigências de gastos sociais e redistribuição da riqueza. Sistemas elaborados de saúde e ensino público desenvolveram-se com os de benefícios sociais.

Pobreza no século XXI

Depois de 1800, criou-se enorme disparidade de riqueza entre a Europa e a América do Norte e o resto do mundo. A pobreza é um problema persistente no sul da Ásia e na África subsaariana. Os economistas enfatizam o papel da saúde, da educação e do transporte, bem como assistência direta aos pobres, para reduzir a pobreza.

O economista indiano Amartya Sen (p. 257) afirmou que pobreza são limitações nas "capacidades e funcionamentos" – as coisas que a pessoas conseguem fazer ou ser –, não os bens ou serviços a que elas têm acesso. Essa ideia reflete-se nas perguntas constantes sobre a linha da pobreza ser absoluta (atender às exigências básicas) ou relativa (como uma porcentagem da renda média). ■

Metas da ONU

Em setembro de 2000, 189 líderes das Nações Unidas assinaram oito metas de Desenvolvimento do Milênio até 2015. São elas: fim da pobreza e da fome, educação universal, igualdade sexual, saúde infantil, saúde maternal, combate a doenças (HIV/Aids, tuberculose e malária), sustentabilidade ambiental e parceria mundial. Uma das metas era reduzir à metade o número de pessoas na miséria até 2015.

Segundo o Banco Mundial, o índice de pessoas nos países em desenvolvimento que ganham menos de US$ 1 por dia caiu de 30,8%, em 1990, para 14%, em 2008, depois de terem sido ajustados os preços de produtos nos países. Isso se deveu em grande parte ao progresso no leste da Ásia. Porém, US$ 1 é um nível desesperador. A média da "linha da pobreza" usada nos países em desenvolvimento é de US$ 2 por dia. Em 2008, 2,5 bilhões de pessoas nesses países (43%) recebiam menos que isso.

Um pedinte em Fortaleza, Brasil. Os pobres de hoje sofrem "condições desumanizadoras", diz a ONU, que pretende reduzir a pobreza pela metade até 2015.

SOCIALISMO É A EXTINÇÃO DA ECONOMIA RACIONAL

PLANEJAMENTO CENTRAL

EM CONTEXTO

FOCO
Sistemas econômicos

PRINCIPAL PENSADOR
Ludwig von Mises
(1881-1973)

ANTES
1867 Karl Marx compara o socialismo científico organizado a uma fábrica imensa.

1908 O economista italiano Enrico Barone diz que se pode obter eficiência em um Estado socialista.

DEPOIS
1929 O economista americano Fred Taylor afirma que tentativa e erro matemáticos podem atingir o equilíbrio no socialismo.

1934-35 Os economistas Lionel Robbins e Friedrich Hayek enfatizam problemas práticos do socialismo, como a escala de cálculo necessária e a inexistência de risco.

O filósofo alemão Karl Marx descreveu a organização econômica socialista em sua grande obra, *O capital*, de 1867 (pp. 100-05). A economia socialista, diz ele, requer que o Estado possua os meios de produção (como fábricas). Concorrência é desperdício. Marx propôs que a sociedade funcionasse como uma fábrica enorme e acreditava que o capitalismo inevitavelmente causaria a revolução.

Os economistas levaram a sério as ideias de Marx. Quando o italiano Vilfredo Pareto (p. 131) usou a matemática para demonstrar que a concorrência de livre mercado produz resultados eficazes, ele também disse que estes poderiam ser atingidos pelo planejamento central socialista. Seu compatriota economista Enrico Barone elaborou a ideia em *Il ministro della produzione nello stato collettivista* (1908). Poucos anos depois, a Europa foi tomada pela Primeira Guerra Mundial, vista por muitos como o fracasso catastrófico da velha ordem. A Revolução Russa de 1917 deu um exemplo da tomada socialista da economia, e as potências derrotadas na guerra – Alemanha, Áustria e Hungria – viram os partidos socialistas tomar o poder.

Os economistas do livre mercado eram incapazes de apresentar contra-argumentos teóricos ao socialismo. Mas então, em 1920, o austríaco Ludwig von Mises levantou uma objeção fundamental ao dizer que o planejamento no socialismo era impossível.

Cálculo com moeda

O artigo de Von Mises de 1920, *Economic calculation in the socialist commonwealth*, continha uma contestação simples: dizia que a

Veja também: Economia de livre mercado 54-61 ▪ Economia marxista 100-05 ▪ Liberalismo econômico 172-77 ▪ Mercados e resultados sociais 210-13 ▪ Economia social de mercado 222-23 ▪ Escassez nas economias planificadas 232-33

produção na economia moderna é tão complexa que a informação dada pelos preços de mercado – gerados pela rivalidade de muitos produtores voltados para o lucro – é essencial ao planejamento. Preços e lucros são necessários para determinar onde está a procura e orientar o investimento. Suas ideias iniciaram um debate entre capitalismo e socialismo, chamado "cálculo socialista" ou "debate de sistemas".

Imagine o planejamento de uma ferrovia ligando duas cidades. Que percurso ela deve fazer? E será que deve mesmo ser construída? Essas decisões exigem a comparação de benefícios e custos. Os benefícios são economia nas despesas de transporte de muitos passageiros. Os custos incluem horas de trabalho, ferro, carvão, maquinário etc. É essencial usar uma unidade comum para fazer esse cálculo: a moeda, cujo valor se baseia nos preços de mercado. Contudo, no socialismo, deixam de existir os preços genuínos desses itens – o Estado tem de criá-los. Von Mises disse que, com relação aos bens de consumo, não havia grande problema. Não é difícil decidir, com base nas preferências do consumidor, se a terra é destinada à produção de mil litros de vinho ou 500 litros de óleo. Nem se trata de problema para a produção simples, como numa empresa familiar. Pode-se fazer um cálculo mental fácil sobre gastar um dia fazendo um banco, uma panela, um muro ou cortando frutas. Contudo, uma produção complexa exige um cálculo econômico formal. Sem ele, disse Von Mises, a mente "simplesmente ficaria perplexa ante os problemas de gestão e localização".

Na comunidade socialista, toda mudança econômica torna-se um empreendimento cujo sucesso não pode ser previsto nem determinado retrospectivamente. Apenas se tateia às cegas.
Ludwig von Mises

O bolchevique, de Boris Kustodiev, reflete as políticas idealistas da Revolução Russa. Em quatros anos elas fracassaram e foram substituídas pela Nova Política Econômica.

Preços de mercado

Além de usar os preços da moeda como unidade comum para avaliar projetos, no capitalismo o cálculo econômico tem duas outras vantagens. Primeira, os preços de mercado refletem automaticamente as avaliações de todos os envolvidos no comércio. Segunda, os preços de mercado refletem técnicas de produção factíveis tecnológica e economicamente. A rivalidade entre os produtores implica a escolha de técnicas de produção o mais lucrativas possível.

Von Mises afirmou que preços de mercado genuínos dependem da existência de dinheiro, que deve ser usado em todas as etapas – para comprar e vender os artigos presentes na produção e para comprá-los e vendê-los ao consumo. O dinheiro é usado de modo mais restrito no sistema socialista – pagar salários e comprar bens finais. Mas ele deixa de ser necessário no âmbito da produção estatal da economia, assim como não é necessário no funcionamento interno de uma fábrica. Von Mises »

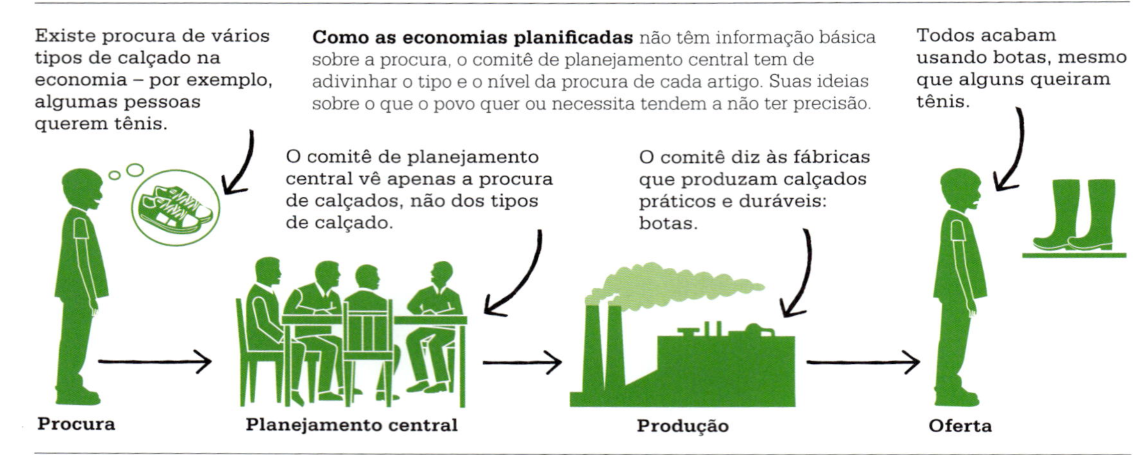

considerou alternativas ao dinheiro, como a ideia de Marx de avaliar os produtos pelo número de horas de trabalho usadas na produção. Essa mensuração, porém, ignora a escassez relativa dos diversos materiais, as diversas qualidades da mão de obra ou o tempo real (em oposição ao trabalho) tomado pelo processo de produção. Só os preços de mercado levam em conta esses fatores.

Mudança de preço

Von Mises e seus seguidores da Escola Austríaca não acreditavam que as sociedades atingissem o equilíbrio, mas oscilavam "naturalmente" em torno de certo nível, ou estado de equilíbrio. Ele afirmou que as economias estão em desequilíbrio constante – sempre mudam, e os participantes são cercados de incerteza. Além do mais, um planejamento central simplesmente não pode adotar os preços que antes prevaleciam em um sistema de mercado. Se o planejamento central depende de preços vindos de um sistema diferente, como o socialismo poderia suplantar a economia de mercado?

A contestação de Von Mises provocou várias reações. Certos economistas disseram que a planificação central podia igualar oferta e procura por tentativa e erro, como no processo que Léon Walras (p. 120) sugerira para criar equilíbrio na economia de mercado. Contudo, esse enfoque matemático não diferia em nada do raciocínio de Barone, e qualquer debate sobre equilíbrio matemático era irrealista para a Escola Austríaca.

Defensores de Von Mises, Lionel Robbins e Friedrich Hayek (p. 177) acrescentaram que tal cômputo não era viável. Fora isso, o sistema socialista não conseguiria replicar o risco que os empresários assumem perante a incerteza no sistema de mercado. Em 1936, os economistas Oskar Lange e Abba Lerner propuseram um sistema de "socialismo de mercado", pelo qual empresas estatais diferentes tentam maximizar os lucros, segundo preços fixados pelo Estado. Hayek, novo paladino da Escola Austríaca, liderou a resposta ao socialismo de mercado (pp. 172-77), argumentando que só o livre mercado poderia dar a informação e os incentivos necessários.

Socialismo em ação

Em parte de sua existência, a União Soviética usou uma forma de socialismo de mercado. De início pareceu ir bem, mas o sistema econômico sofria de problemas persistentes. Houve tentativas periódicas de reforma, mudando as metas de produção para vendas e tentando dar mais discrição às empresas estatais. Mas estas quase sempre escondiam dos planejadores centrais os recursos, atingiam as metas por atalhos que não atendiam às necessidades dos clientes e negligenciavam tarefas externas aos seus planos. Houve desperdício considerável, e a produção ficou bem aquém das metas. Quando o sistema ruiu, a preocupação da Escola Austríaca com incentivos e informação parecia justificada.

Von Mises era igualmente crítico de qualquer tipo de intervenção governamental na economia de mercado. Para ele, a intervenção produz efeitos adversos que levam a nova intervenção, até que, pouco a pouco, a sociedade é levada ao socialismo real. Na economia de mercado, as empresas lucram por servir aos consumidores, e na opinião dele – e da Escola Austríaca – não deveriam existir restrições a tal atividade proveitosa. A Escola

Austríaca não aceita o conceito de falha de mercado, ou ao menos o considera superado pela falha do governo. Ela crê que o monopólio seja causado por governos, e não pela empresa privada. As externalidades (resultados que não se refletem nos preços de mercado), como poluição, são levadas em conta pelos consumidores ou solucionadas por associações voluntárias ou pelas reações daqueles cujos direitos de propriedade são afetados por elas.

Para a Escola Austríaca, uma das piores formas de intervenção governamental é na oferta de moeda. Ela afirma que, quando os governos inflacionam a oferta de moeda (emitindo mais dinheiro, por exemplo), as taxas de juro ficam muito baixas, o que, por sua vez, resulta em investimentos ruins. A única coisa a fazer quando uma bolha estoura é aceitar as falhas comerciais e a consequente depressão. Essa doutrina recomenda o fim dos bancos centrais e o lastreamento da moeda em um padrão real, como o ouro. A Escola Austríaca acredita piamente num governo *laissez-faire*.

Em 1900, havia cinco escolas econômicas principais: o marxismo, a Escola Histórica Alemã (também crítica do sistema de mercado) e três versões do enfoque dominante de livre mercado – a Escola Britânica (liderada por Alfred Marshall), a Escola de Lausanne (centrada no equilíbrio geral através de equações matemáticas) e a Escola Austríaca (liderada por Carl Menger – p. 335). A Britânica e a de Lausanne tornaram-se a linha econômica dominante, mas a Austríaca trilhou um caminho inflexível. Só há pouco tempo, após a crise financeira de 2008 e a derrocada do socialismo, sua popularidade começou a crescer. ■

As economias socialistas viam-se como vastas linhas de produção que forneciam tudo de que a economia precisava. Na Segunda Guerra Mundial, essa produção comandada funcionou com relativa eficiência.

Ludwig von Mises

Líder da Escola Austríaca, Ludwig von Mises era filho de um engenheiro ferroviário. Nascido em 1881 em Lemberg, Áustria-Hungria, estudou na Universidade de Viena, onde sempre assistia aos seminários do economista Eugen von Böhm-Bawerk. De 1909 a 1934, Von Mises trabalhou na Câmara do Comércio de Viena como principal conselheiro econômico do governo austríaco. Ao mesmo tempo, lecionou teoria econômica na universidade, onde atraiu seguidores dedicados, mas não chegou a mestre. Em 1934, preocupado com a influência nazista na Áustria, aceitou uma cátedra na Universidade de Genebra. Em agosto de 1940, pouco depois de a Alemanha invadir a França, ele emigrou para Nova York, EUA, e lecionou teoria econômica na Universidade de Nova York de 1948 a 1967. Morreu em 1973.

Obras-chave

1912 *Theorie des Geldes und der Umlaufsmittel*
1922 *Die Gemeinwirtschaft*
1949 *Ação humana: um tratado de economia*

O CAPITALISMO DESTRÓI O VELHO E CRIA O NOVO

DESTRUIÇÃO CRIATIVA

EM CONTEXTO

FOCO
Sistemas econômicos

PRINCIPAL PENSADOR
Joseph Schumpeter
(1883-1950)

ANTES
1867 Karl Marx afirma que o capitalismo avança com crises, destruindo repetidamente uma série de forças produtivas.

1913 O economista alemão Werner Sombart diz que a destruição abre caminho para a criação, como a escassez de lenha levou ao uso do carvão.

DEPOIS
1995 O economista americano Clayton M. Christensen diferencia inovação de ruptura e inovação de sustentação.

2001 O economistas americanos Richard Foster e Sarah Kaplan afirmam que mesmo as empresas mais sensacionais não conseguem ganhar dos mercados de capital indefinidamente.

Para sobreviver, os capitalistas buscam sempre **novos lucros** procurando **novos mercados**.

A procura de novos mercados origina **inovações**.

Quando o **capital (dinheiro) se desloca** para novos mercados e inovações...

... os setores comerciais existentes são **devastados**.

O capitalismo destrói o velho e cria o novo.

Quando vem a recessão e as empresas e os empregos começam a sumir, costuma surgir o clamor pela intervenção do governo para atacar esses efeitos. O economista austríaco Joseph Schumpeter, que escrevia em meio à Grande Depressão dos anos 1930, discordou. Insistiu que as recessões são o modo de o capitalismo avançar, largando o ineficiente e abrindo caminho ao novo crescimento, num processo chamado por Karl Marx (p. 105) de "destruição criativa".

Schumpeter achava que os empreendedores estão no coração do progresso capitalista. Se Adam Smith (p. 61) via o lucro sair dos rendimentos do capital e Marx da exploração do trabalho, Schumpeter disse que o lucro vem da inovação, que não provém do capital nem do trabalho. Ele via o empreendedor

Veja também: Economia de livre mercado 54-61 ▪ Crescimento e retração 78-79 ▪ Economia marxista 100-05 ▪ Saltos tecnológicos 313

como uma nova classe de gente, um "arrivista" fora da classe capitalista ou trabalhadora, que inova, criando produtos e formas de produção em condições incertas.

A resposta criativa do empreendedor à mudança econômica o faz destacar-se dos donos de empresas existentes, que só dão "respostas adaptativas" a mudanças econômicas menores. Forçados a levar suas inovações ao mercado, os empreendedores correm riscos e inevitavelmente enfrentam resistência. Perturbam a velha ordem e abrem novas oportunidades de lucro. Para Schumpeter, a inovação cria mercados com mais eficiência que a "mão invisível" de Smith ou a concorrência do livre mercado.

Rompendo barreiras

Schumpeter disse que, embora um novo mercado possa crescer depois da inovação, outros logo a imitam e passam a sugar os lucros do inovador original. Com o tempo, o mercado começa a estagnar. As recessões são um meio vital para as coisas voltarem a progredir, tirando o que é morto, ainda que o processo seja doloroso. Nos últimos anos, os estrategistas de negócios, como o

O iPhone, da Apple, foi apresentado pelo empresário visionário americano Steve Jobs. Ele "virou o jogo", forçando os concorrentes a lançar produtos que conseguissem fazer frente a ele.

Novos produtos e novos métodos competem com os velhos [...] não nos mesmos termos, mas com uma vantagem decisiva que pode significar a morte dos últimos.
Joseph Schumpeter

economista americano Clayton M. Christensen, têm diferenciado dois tipos de inovação. As inovações "de sustentação" mantêm um sistema em curso e quase sempre são melhorias tecnológicas. Por outro lado, as inovações "de ruptura" abalam o mercado e realmente provocam movimentação, alterando-o pela inovação de produtos. Por exemplo, embora a Apple não tenha inventado a tecnologia dos toca-músicas digitais, ela aliou um produto de belo projeto (iPod) a um programa de download de músicas (iTunes) para fornecer um novo acesso à música.

Marx achava que a destruição criativa dava ao capitalismo enorme energia, mas também crises explosivas que o destruiriam. Schumpeter concordou, mas afirmou que ele se destruiria devido ao seu sucesso, não ao fracasso. O austríaco considerava os monopólios o motor de inovação, mas disse que estes estavam fadados a crescer e se tornar empresas supergrandes, cuja burocracia enfim sufocaria o espírito empreendedor que lhe dera vida. ▪

Joseph Schumpeter

Nascido em 1883 na Morávia, então situada no Império Austro-Húngaro, Joseph Schumpeter era filho de um alemão proprietário de fábrica. O pai morreu quando ele tinha quatro anos, e Schumpeter mudou-se com a mãe para Viena. Lá ela se casou com um general aristocrata vienense, que ajudou a lançar o brilhante jovem economista numa carreira agitada em que se tornou professor de economia, ministro de Finanças da Áustria e presidente do Biedermann Bank.

Depois que o banco faliu em 1924 e a Áustria e a Alemanha sucumbiram ao nazismo, Schumpeter mudou-se para os EUA. Foi professor visitante na Universidade de Harvard, onde conquistou um pequeno séquito de admiradores. Schumpeter morreu em 1950, aos 66 anos.

Obras-chave

1939 *Ciclos econômicos*
1942 *Capitalismo, socialismo e democracia*
1954 *História da análise econômica*
1961 *A teoria do desenvolvimento econômico*

GUERRA DEPRES

1929-1945

E
SÕES

Josef Stálin anuncia a coletivização compulsória da agricultura na União Soviética.

1929

1929

A quebra de Wall Street (queda drástica no valor de títulos e ações nos EUA) marca o início da **Grande Depressão**.

É fundada nos EUA a Sociedade Econométrica, para pesquisar os **aspectos matemáticos e estatísticos** da economia.

1930

É suspenso o **padrão-ouro** (sistema monetário que ligava ao ouro o valor da moeda de cada país).

1931

1931

Friedrich Hayek afirma que a interferência do Estado nas economias é errada e acabará levando à repressão.

1932

Lionel Robbins formula definição de economia como **"a ciência dos recursos escassos"**.

John Maynard Keynes escreve carta aberta ao presidente Roosevelt, dos EUA, no *New York Times*, recomendando gastos públicos para deslanchar a economia.

1933

1933

Ragnar Frisch faz distinção entre **macroeconomia** e **microeconomia**.

Nos anos após à Primeira Guerra Mundial, a confiança no pensamento econômico tradicional foi posta em xeque pelos acontecimentos na Europa e na América do Norte. A inquietação social e política causara uma revolução comunista na Rússia, enquanto a hiperinflação causou o colapso na economia alemã.

Nos anos 1920, os EUA gozavam de tal prosperidade que o presidente Herbert Hoover disse em 1928: "Na América, estamos mais perto da vitória final sobre a pobreza do que nunca na história de qualquer nação". Um ano depois ocorreu a quebra de Wall Street: as ações despencaram e milhares de empresas faliram. Em 1932, mais de 13 milhões de americanos estavam sem emprego. Os EUA cobraram os enormes empréstimos que haviam feito à Europa, e os bancos europeus faliram. Na maior parte da década, muitos países em todo o mundo entraram em grave depressão. Foi nesse período que o economista britânico Lionel Robbins formulou sua sempre citada definição de economia, "a ciência dos recursos escassos".

Novo enfoque

A confiança na capacidade do livre mercado de dar estabilidade e crescimento ficou abalada, e os economistas buscaram novas estratégias para enfrentar os males econômicos, sobretudo o desemprego. Alguns começaram a examinar problemas institucionais nas economias capitalistas desenvolvidas. Os economistas americanos Adolf Berle e Gardiner Means, por exemplo, mostraram que os gerentes administravam as empresas em benefício próprio, e não delas. A necessidade mais premente era encontrar um modo de estimular a economia, para o que deveria haver um enfoque completamente novo. A resposta veio com o economista britânico John Maynard Keynes (p. 161), que reconheceu as falhas de um mercado totalmente livre, aquele sem intervenção alguma. Diferente das gerações anteriores que haviam confiado no funcionamento do próprio mercado para reparar as deficiências do sistema, Keynes advogou a intervenção estatal e especificamente gastos públicos para estimular a procura e tirar as economias da depressão.

De início suas ideias foram vistas com ceticismo, mas depois ganharam apoio. Seu modelo vislumbrava a economia como uma máquina que os governos regulariam com ajustes em variáveis como oferta de moeda e gastos públicos. Em 1933, os

O presidente americano Franklin D. Roosevelt adota o **New Deal** – pacote de políticas intervencionistas estatais para revigorar a economia.

1933

1936

Keynes publica *A teoria geral*, expondo seu enfoque de macroeconomia e o **papel vital do Estado** na economia.

John Hicks descreve o **modelo ISLM**, modelando matematicamente o multiplicador keynesiano.

1937

1939

Começa a **Segunda Guerra Mundial** na Europa.

Simon Kuznets identifica os **ciclos econômicos** e lança as fundações da economia desenvolvimentista.

ANOS 1940

São assinados os acordos de **Bretton Woods**, que regulamentam as relações financeiras no pós-guerra entre os maiores Estados industrializados.

1944

1944

Karl Polanyi contesta o ideário econômico tradicional, encarando a economia de uma **perspectiva cultural**.

1945

Termina a Segunda Guerra Mundial e começa um período de **reconstrução econômica**.

argumentos de Keynes deram ao presidente americano Franklin D. Roosevelt o fundamento para incentivar a economia dos EUA com políticas de estímulo como o New Deal. O governo financiava enormes projetos de infraestrutura e todos os bancos caíram sob o controle federal. O New Deal formou a base da política econômica nos EUA e na Europa após a Segunda Guerra Mundial.

O economista norueguês Ragnar Frisch (p. 336) chamou a atenção para dois modos diferentes de estudar a economia: parcial (microeconomia) e no sistema como um todo (macroeconomia). Surgiu o novo campo de econometria (análise matemática de dados econômicos) como recurso valioso para planejar e prever a economia. A moderna macroeconomia herdou sua abordagem de Keynes, cujo enfoque era bastante admirado. Contudo, apesar da solução keynesiana para a depressão dos anos 1930, a ideia de intervenção estatal ainda era para muitos economistas uma interferência nociva na economia de mercado. Alguns a consideraram estranha ao "estilo americano", e os economistas europeus a associaram ao socialismo. O próprio Keynes a via como parte da tradição liberal britânica, na qual os duros fatos da economia são temperados por considerações sociais.

Diferenças mundiais

A economia desenvolveu certas características nacionais, com diferentes escolas de pensamento evoluindo segundo linhas culturais amplas. Na Áustria, surgiu uma escola de pensamento radical que defendia um mercado inteiramente livre, com base sobretudo na obra de Friedrich Hayek (p. 177). Sua postura era tão anticomunista quanto pró-capitalista. Ele afirmou que a liberdade e a democracia do Ocidente estavam ligadas à sua economia de livre mercado, enquanto a tirania dos regimes comunistas, com economias planificadas, centralizadas, impedia essa liberdade. Outros desenvolveram a ideia, dizendo que os mercados competitivos são essenciais para o crescimento, como comprovariam os altos padrões de vida nos países capitalistas ocidentais.

A imigração de pensadores alemães e austríacos para os EUA nos anos 1930 disseminou tais ideias. Depois, quando a fé na economia keynesiana começou a definhar, uma nova geração de economistas reviveu a ideia de que os mercados devem ser entregues aos próprios recursos. ■

O DESEMPREGO NÃO É UMA ESCOLHA

DEPRESSÕES E DESEMPREGO

EM CONTEXTO

FOCO
Macroeconomia

PRINCIPAL PENSADOR
John Maynard Keynes
(1883-1946)

ANTES
1776 O economista escocês Adam Smith afirma que a "mão invisível" do mercado leva à prosperidade.

1909 A ativista social britânica Beatrice Webb escreve seu *Minority report*, dizendo que as causas da pobreza são estruturais e não podem ser atribuídas aos pobres.

DEPOIS
1937 O economista britânico John Hicks apresenta análise do sistema keynesiano.

1986 Os economistas americanos George Akerlof e Janet Yellen explicam desemprego involuntário com seus modelos de salário de eficiência.

Em 1936, John Maynard Keynes publicou sua obra inovadora *Teoria geral do emprego, do juro e da moeda*, quase sempre citada como *Teoria geral*. O livro foi importante porque levou as pessoas a considerar o funcionamento da economia de uma perspectiva totalmente diversa. Fez de Keynes um dos economistas mais famosos do mundo.

Desde que o economista escocês Adam Smith (p. 61) publicou *A riqueza das nações*, em 1776, delineando o que se chamaria economia clássica, a economia era considerada um conjunto perfeitamente equilibrado de mercados isolados e de tomadores de decisões. O consenso entre os economistas era de que a economia chegaria espontânea e naturalmente ao equilíbrio, e quem quisesse trabalhar encontraria emprego.

Keynes virou do avesso boa parte do sistema de causa e efeito do modelo clássico. Também afirmou que a macroeconomia (toda a economia) se comportava bem diferente da microeconomia (uma porção da economia). Formado na escola clássica, Keynes declarou que lutou para se libertar de seu raciocínio habitual. Seu sucesso nisso, porém, levou a um enfoque econômico radical que apresentou um conjunto inteiramente diferente de causas do desemprego e soluções também diferentes.

Por um século antes da publicação da *Teoria geral*, a

Este quadro de Edgar Degas de 1875 mostra pessoas bebendo absinto num café. Até a publicação das ideias Keynes em 1936, o álcool e outros vícios eram vistos como causa de desemprego.

A economia clássica afirma que o **desemprego é sempre uma escolha** – há empregos se as pessoas estão dispostas a trabalhar por salários baixos.

→ Mas os salários mudam lentamente, portanto, durante as recessões, quando os preços caem, o valor dos salários aumenta – e as empresas **procuram menos mão de obra**.

→ Quando a procura na economia despenca, os trabalhadores ficam **presos ao desemprego,** e as empresas ficam presas à subprodução.

→ **O desemprego não é uma escolha.**

Veja também: Economia de livre mercado 54-61 ▪ Abundância no mercado 74-75 ▪ O multiplicador keynesiano 164-65 ▪ Inflação e desemprego 202-03 ▪ Expectativas racionais 244-47 ▪ Incentivos e salários 302 ▪ Salários rígidos 303

Multidão ansiosa junta-se diante da Bolsa de Valores de Nova York em 29 de outubro de 1929, dia da quebra. Metade do valor de ações americanas sumiu em um dia, iniciando a Grande Depressão.

pobreza, e não o desemprego, era o problema persistente. Até os anos 1880, países como a Grã-Bretanha e os Estados Unidos, que passavam por rápido crescimento em resultado da Revolução Industrial, gozaram de avanços generalizados nos padrões de vida, mas os bolsões de miséria absoluta permaneceram.

O pobre ocioso

Fazia muito tempo que os economistas viam a pobreza como a maior questão de política social, mas no final do século XIX o desemprego dos trabalhadores passou a causar preocupação crescente. De início, achou-se que o problema fosse causado por doença ou alguma falha de caráter do trabalhador, como indolência, vício, falta de iniciativa ou de ética laboral. Isso significa que se considerava o desemprego um problema dos indivíduos, que por alguma razão eram incapazes de trabalhar, e não um problema da sociedade em geral. Sem dúvida não era tido como questão de que a política pública devesse se ocupar.

Em 1909, a ativista social britânica Beatrice Webb (p. 135) apresentou o *Minority report of the royal commission on the poor laws*. Foi o primeiro documento que traçou o conceito e as políticas de um estado de bem-estar social, afirmando que "o dever de organizar o mercado nacional de trabalho, a fim de evitar ou reduzir o desemprego, deve caber a um ministro". Usou-se pela primeira vez o termo "desemprego involuntário". Com isso surgiu a ideia de que o desemprego é causado não por deficiências dos indivíduos, mas por condições econômicas do meio que estão fora do controle deles.

Desemprego involuntário

Em 1913, o conceito de desemprego involuntário era entendido conforme a definição do economista britânico Arthur Pigou (p. 336): situação em que os trabalhadores de um setor desejavam trabalhar pelo salário corrente mais do que era exigido. Mesmo hoje, essa definição seria considerada uma boa descrição da natureza involuntária do desemprego, na medida em que assinala que não se deu aos trabalhadores a opção de trabalhar ou não. Na época, a visão clássica de desemprego ainda predominava. Segundo ela, o desemprego era principalmente voluntário – existia porque os trabalhadores preferiam não trabalhar pelo salário vigente ou participar de alguma "atividade fora do mercado", como cuidar de crianças. Quem defendia esse ponto de vista insistia que o desemprego involuntário deveria ser enfrentado com mecanismos automáticos e autocorretivos do livre mercado.

De acordo com a visão clássica, o desemprego involuntário não persistiria muito tempo: o jogo dos mercados sempre voltaria rapidamente ao pleno emprego na economia. Existem evidências de que Keynes de início simpatizava com essa opinião. Em *A treatise on money* (1930), ele escreveu que as empresas têm três opções quando os preços caem mais rápido que os »

Segundo Keynes, uma depressão pode causar um círculo vicioso em que o desemprego reduz a demanda de tal modo que não se criam empregos. A intervenção do governo cria um círculo virtuoso ao estimular a demanda.

custos: suportar as perdas, fechar as portas ou se empenhar com os empregados na redução de seus ganhos por unidade produzida. Só esta última, disse Keynes, era capaz de restaurar o verdadeiro equilíbrio do ponto de vista nacional.

Contudo, depois da quebra da Bolsa de Nova York, em 1929, e da Grande Depressão que se espalhou pelo mundo a seguir, Keynes mudou de ideia. O colapso financeiro de Wall Street aprisionou as economias do mundo num ciclo de produção decrescente – nos EUA, ela caiu 40%. Em 1931, a renda nacional americana caíra dos US$ 87 bilhões de antes da quebra para US$ 42 bilhões; em 1933, 14 milhões de americanos estavam sem emprego. As figuras esquálidas assombravam a paisagem – a rápida queda dos padrões de vida fica evidente nas imagens da pobreza e do desespero da época. Ao testemunhar essa devastação, Keynes inspirou-se para escrever a *Teoria geral*.

A Grande Depressão

Keynes tomou o mundo da Grande Depressão como ponto de partida. O funcionamento normal do mercado parecia incapaz de criar a pressão necessária para corrigir o problema de desemprego alto, persistente e involuntário na economia. Em geral, o número de pessoas ativas é determinado pelo nível dos salários reais – o nível dos salários em relação ao preço dos bens e serviços ofertados. Em tempos de recessão, os preços dos bens tendem a cair mais rápido que o nível dos salários, porque a procura de bens se reduz e os preços caem, ao passo que os trabalhadores resistem ao corte nos salários. Isso faz o salário real aumentar. Com tal nível mais alto de salários reais, cresce o número de pessoas dispostas a trabalhar e diminui o número de trabalhadores procurados pelas empresas, pois estão mais caros. O resultado é o desemprego.

A dificuldade não está nas novas ideias, mas em escapar das velhas.
John Maynard Keynes

Salários rígidos

Um modo de eliminar o desemprego seria a mão de obra excedente (as pessoas sem trabalho) criar pressão para os salários caírem, dispondo-se a trabalhar por menos do que o salário corrente. Os economistas clássicos acreditavam que os mercados fossem suficientemente flexíveis para se ajustar e fazer baixar os salários reais. Mas Keynes disse que os salários monetários podiam ser "rígidos" (p. 303) e não

Homens procuram trabalho em agência de empregos de Chicago em 1931. Em 1933, mais de 10 milhões de americanos tinham perdido o emprego. O Estado respondeu com um pacote de estímulo chamado New Deal.

se ajustariam: o desemprego involuntário persistiria. Keynes argumentou que os trabalhadores eram incapazes de voltar ao trabalho aceitando salários menores. Ele assinalou que, depois de um colapso na procura, como ocorrera na Grande Depressão, as empresas poderiam hipoteticamente querer empregar mais trabalhadores por salários reais menores, mas na realidade não podem. Isso porque a procura por produção é restringida pela ausência de procura dos bens que elas fazem na economia como um todo. Os trabalhadores querem se oferecer mais, e as empresas querem fazer mais, pois do contrário as fábricas e o maquinário ficam ociosos. A ausência de demanda aprisiona trabalhadores e empresas num círculo vicioso de desemprego e subprodução.

A taxa de desemprego em vários países, de 1919 a 1939, é mostrada aqui. A maioria das economias se recuperou nos anos 1920, mas sofreu com desemprego crescente com o advento da Grande Depressão, em 1930.

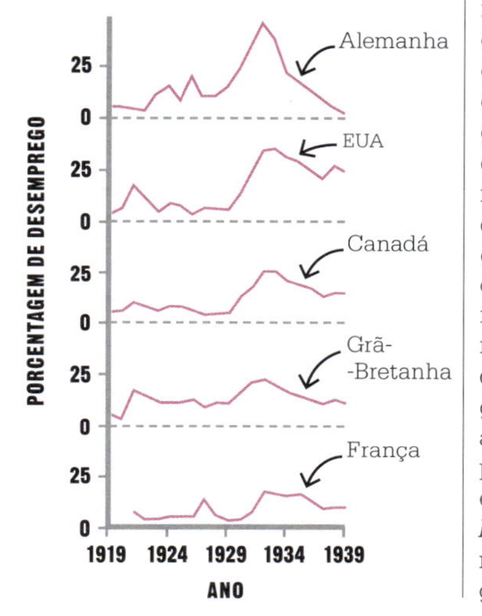

O papel do governo

Keynes concluiu que a solução da questão do desemprego involuntário fugia ao controle dos trabalhadores e das empresas. A solução, disse, era os governos gastarem mais na economia, de modo que a procura global de produtos crescesse. Isso estimularia as empresas a admitir mais trabalhadores e, à medida que os preços subissem, os salários reais cairiam, fazendo a economia retomar o pleno emprego. Para Keynes, não importava como o Estado gastaria mais. Ficou famosa sua afirmação de que "o Tesouro poderia encher garrafas usadas com papel-moeda e as enterrar [...] e deixar à iniciativa privada, de acordo com os bem experimentados princípios do *laissez-faire*, a tarefa de desenterrar novamente as notas". Desde que o governo injetasse demanda na economia, todo o sistema começaria a se recuperar.

Salários gerais

A *Teoria geral* não é fácil de entender – até Keynes disse achá-la "complexa, mal organizada e às vezes obscura" – e ainda hoje ocorre um debate considerável sobre o que precisamente Keynes quis dizer, sobretudo com a diferença entre desemprego involuntário e voluntário. Uma explicação de o alto desemprego ser involuntário baseia-se na ideia de que a procura de mão de obra pelas empresas é determinada pelo salário real que elas devem pagar. Trabalhadores e empresas só podem negociar o montante salarial quanto àquele serviço ou àquele setor – não têm controle algum sobre o nível de preços na economia mais ampla, geral. De fato, salários menores podem reduzir o custo da produção e, por conseguinte, também os preços dos bens, implicando que o salário real não cairá ao nível necessário para acabar com o desemprego. Desse modo, o » desemprego é involuntário, porque os trabalhadores são impotentes para fazer algo a respeito. Existe um ponto de vista disseminado de que os sindicatos podem resistir ao ajuste dos salários ao nível exigido pelo pleno emprego por meio de ação coletiva, e assim os desempregados são impedidos de obter emprego. Keynes inseriu esse tipo de desemprego na categoria voluntária, alegando que os trabalhadores em geral concordam aberta ou tacitamente em não trabalhar por menos do que o salário corrente. O raciocínio de Keynes era diferente do da economia posterior, que acabou dominada pela modelagem matemática. Boa parte da macroeconomia do pós-guerra pôs-se a esclarecer o que Keynes dissera e a configurar seu raciocínio em modelos e equações mais formais. O economista britânico John Hicks (p. 165) formulou ideias keynesianas num modelo financeiro chamado ISLM. Após a guerra, o ISLM tornou-se o modelo-padrão macroeconômico e ainda é uma das primeiras coisas que se ensinam aos estudantes de economia.

Novas interpretações

As considerações atuais sobre a obra de Keynes dizem que o que mais preocupa os trabalhadores é o seu salário em relação ao dos outros trabalhadores. Eles têm uma ideia da sua posição numa hipotética "tabela de salários da categoria" e vão combater com unhas e dentes qualquer redução de ganho que os faça descer nessa tabela. É interessante notar que um aumento geral no nível de preços por causa da inflação, que também causaria a redução dos salários reais, é combatido com menos intensidade, porque atinge a todos os trabalhadores.

As teorias econômicas conhecidas como modelos de salário de eficiência (p. 302) perguntam-se por que as empresas não baixam os salários para aumentar os lucros e respondem que as empresas relutam em fazer isso porque o corte salarial desmotivaria os trabalhadores ativos, que sentiriam ameaçada a sua posição relativa na tabela da categoria. O resultado global do corte de salários implicaria, na verdade, uma perda nos lucros, porque o benefício de salários menores é mais do que superado pela redução na produtividade, resultante do moral baixo ou da saída de trabalhadores qualificados. Assim, os trabalhadores não podem dar a si mesmos um preço para trabalhar. Os correspondentes modelos "neokeynesianos" de

> Se com a regularização da demanda nacional evitarmos [...] o ócio involuntário dos desempregados, faremos um acréscimo real ao produto nacional.
>
> **Sidney Webb**
> **Beatrice Webb**

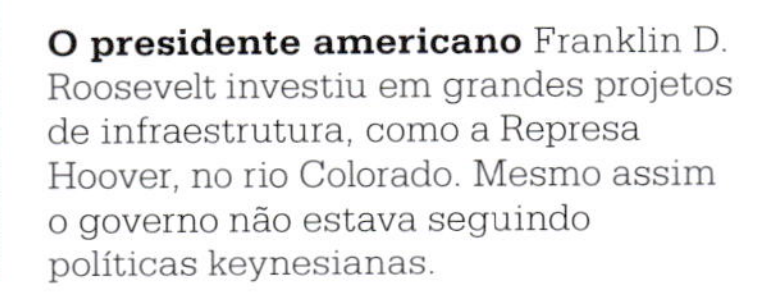

O presidente americano Franklin D. Roosevelt investiu em grandes projetos de infraestrutura, como a Represa Hoover, no rio Colorado. Mesmo assim o governo não estava seguindo políticas keynesianas.

O contador que dirige um táxi é um contador desempregado ou um taxista com emprego? Os keynesianos diriam que é um desempregado involuntário. Os economistas neoclássicos dizem que ele tem emprego.

determinação salarial propõem outras explicações para os salários rígidos (p. 303).

Ressurgimento do clássico

O keynesianismo caiu em desgraça nos anos 1970, quando as economias europeias enfrentaram problemas. As ideias clássicas a respeito do desemprego foram reavivadas pela chamada escola "neoclássica" de economistas, que mais uma vez desmentiram a possibilidade de um desemprego involuntário persistente. O economista americano Robert Lucas (1937-) foi um dos líderes do ataque ao keynesianismo. Quando lhe perguntaram como definiria um contador que dirige um táxi por não encontrar emprego de contador, Lucas respondeu: "Eu o definiria de taxista se o que ele faz é dirigir um táxi". Para os clássicos modernos, o mercado sempre se abre, e os trabalhadores sempre têm a opção de trabalhar ou não.

Os teóricos dos salários de eficiência talvez concordem que todos os trabalhadores que querem emprego numa recessão podem encontrá-lo, mas eles acham que alguns trabalhadores – como o contador – são subutilizados e não maximizam seu valor para a economia. Como taxista, o homem continua sendo um contador involuntariamente desempregado. Quando a demanda na economia retomar o nível normal, ele voltará à sua ocupação mais produtiva e mais eficiente: contabilidade.

Quanto mais rápido se acabar com o desemprego involuntário, melhor.
Robert Lucas

A diferença fundamental nas opiniões sobre a capacidade de ajuste dos mercados está no centro do debate entre economistas keynesianos e clássicos.

Realidade clássica

Keynes talvez concordasse com o economista americano Joseph Stiglitz (p. 338), ganhador do Nobel, segundo o qual se poderia dizer que, na Grande Depressão nos EUA, um quarto da força de trabalho desempregada de Chicago havia optado pelo desemprego, já que poderia ter ido para a Califórnia para apanhar frutas em fazendas, junto com os outros milhões que fizeram o mesmo. Stiglitz disse que ainda assim isso continuava a representar um fracasso enorme do mercado e, se a teoria clássica sustenta que não se pode fazer nada além de sentir pena dos desempregados por terem tido esse azar, seria muito melhor não consultarmos a teoria. ■

John Maynard Keynes

Nascido em 1883, ano em que Karl Marx morreu, John Maynard Keynes era um redentor improvável da classe operária. Criado em Cambridge, Inglaterra, por pais acadêmicos, ele teve vida privilegiada. Ganhou bolsa da Universidade de Cambridge, onde estudou matemática, depois trabalhou para o governo britânico na Índia e publicou seu primeiro livro, *Indian currency and finance*.

Keynes foi conselheiro na Conferência de Paz de Paris após a Primeira Guerra Mundial e também na Conferência de Bretton Woods, após a Segunda Guerra Mundial. Sempre fez várias coisas ao mesmo tempo – enquanto escrevia a *Teoria geral,* ele construiu um teatro e tinha como amigos grandes escritores e artistas. Keynes ficou rico no mercado de ações e usou boa parte para ajudar os amigos artistas. Morreu de problemas cardíacos em 1946.

Obras-chave

1919 *As consequências econômicas da paz*
1930 *A treatise on money*
1936 *Teoria geral do emprego, do juro e da moeda*

ALGUMAS PESSOAS ADORAM O RISCO, OUTRAS O EVITAM

RISCO E INCERTEZA

EM CONTEXTO

FOCO
Tomada de decisão

PRINCIPAL PENSADOR
Frank Knight (1885-1972)

ANTES
1738 O matemático suíço-holandês Daniel Bernoulli formula teoria de aversão ao risco e utilidade.

DEPOIS
1953 O economista francês Maurice Allais descobre um paradoxo na tomada de decisão que contradiz a teoria da utilidade esperada.

1962 O economista americano Daniel Ellsberg mostra que as decisões em situação de incerteza não se baseiam apenas na probabilidade.

1979 Os psicólogos israelenses Daniel Kahneman e Amos Tversky questionam a racionalidade das decisões econômicas em sua teoria das perspectivas, fundada em experimentos da vida real.

Investimentos menos arriscados tendem a ter **rendimentos mais baixos**.

Investimentos mais arriscados tendem a ter **rendimentos mais altos**.

Investidores avessos ao risco estão preparados para aceitar uma compensação menor e ter um rendimento garantido.

Investidores propensos ao risco estão preparados para aceitá-lo melhor e ganhar rendimento maior.

Algumas pessoas adoram o risco, outras o evitam.

Existe um elemento de risco em qualquer operação comercial na economia de mercado. Antes de decidir uma linha de ação, é preciso considerar os resultados possíveis e comparar o retorno potencial com sua probabilidade, ou seja, calcular a "utilidade esperada". Se há uma alternativa segura, em geral ela é preferida à opção mais arriscada, a menos que o retorno esperado na opção mais arriscada seja bem mais sedutor. Quanto maior o risco, maior deve ser o lucro para atrair investidores.

A semelhança com a comparação das chances no jogo é clara. Matemáticos do século XVIII fizeram os primeiros estudos sobre o risco,

Veja também: O homem econômico 52-53 ▪ Decisões irracionais 194-95 ▪ Paradoxos nas decisões 248-49 ▪ Engenharia financeira 262-65 ▪ Economia comportamental 266-69

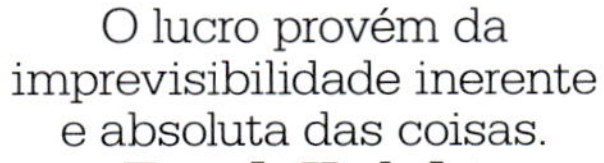

O lucro provém da imprevisibilidade inerente e absoluta das coisas.
Frank Knight

analisando as probabilidades nos jogos de azar. Nos anos 1920, o economista americano Frank Knight foi um dos primeiros que analisaram a relação entre risco e lucro na economia de livre mercado. Ele também diferenciou risco e incerteza. Segundo a sua definição, há risco quando o resultado dos atos não é conhecido, mas pode-se determinar a probabilidade de vários resultados potenciais. Isso permite uma análise matemática do grau de risco, contra o qual se pode estar assegurado. Então, há como comparar realisticamente a utilidade esperada com as alternativas.

Para Knight, "incerteza" diz respeito a uma situação em que não se conhece a probabilidade dos resultados, e assim não se pode aferir a utilidade esperada dos vários resultados possíveis. Isso significa que o risco não pode ser medido matematicamente. Knight diz que há lucro quando as empresas estão dispostas a aceitar uma incerteza inafiançável e a recompensa do risco, mesmo que a economia esteja em equilíbrio por muito tempo.

Investidores e empresários quase sempre atuam sob risco e incerteza, reconhecendo o potencial dos retornos altos. Em certas ocasiões, essa atitude de "quem ousa vence" pode ser extrema, como no caso de negociantes de títulos e banqueiros que já contam com ganhar ou perder uma enorme fortuna. A maioria das pessoas, como os poupadores comuns que põem suas economias numa poupança com juros fixos, prefere jogar com segurança, privando-se de lucros para obter o rendimento de um investimento sem risco. Existe, em suma, um espectro de preferências de risco, que vai do propenso ao risco ao avesso a ele, do mesmo modo que existe uma gama de graus de risco. A atração de um retorno alto pode tentar até o mais conservador a assumir certo grau de risco.

Graus de risco

O risco aplica-se a todos os tipos de atividade econômica, inclusive investir dinheiro em ações, fazer empréstimos sem garantia mais que com garantia e vender produtos em um mercado completamente novo. Nossas decisões econômicas pessoais também são determinadas pelo risco: se trabalhamos para um empregador ou abrimos um negócio próprio e como investimos as economias. Os mercados de seguro só existem porque temos aversão ao risco. Corretores de seguro e atuários, agências de rating de crédito e pesquisa de mercado podem ajudar a estimar o grau de risco e se os retornos o justificam, mas certo grau insondável de risco sempre existirá. ▪

Corretores do mercado de futuros, em São Paulo, Brasil, estão efetivamente apostando na oscilação dos preços de *commodities*. Mudanças ínfimas no preço podem dar lucro ou perda enorme.

Frank Knight

Um dos principais economistas de sua geração, Frank Knight nasceu em Illinois, EUA, em 1885. Estudou filosofia em Cornell e a trocou por economia após um ano. Sua dissertação de doutorado foi a base de sua obra mais conhecida, *Risco, incerteza e lucro*. Knight foi o primeiro professor titular de economia da Universidade de Iowa. Mudou-se para a Universidade de Chicago em 1927, onde ficou pelo resto da vida. Foi um dos pioneiros da Escola de Chicago de economia. Entre seus alunos estavam os futuros prêmios Nobel Milton Friedman, James Buchanan e George Stigler, que disse que Knight era dotado de uma "curiosidade intelectual infinita".

Obras-chave

1921 *Risco, incerteza e lucro*
1935 *The ethics of competition*
1947 *Freedom and reform: essays in economics and social philosophy*

GASTOS PÚBLICOS FAZEM A ECONOMIA CRESCER MAIS DO QUE O VALOR GASTO

O MULTIPLICADOR KEYNESIANO

EM CONTEXTO

FOCO
Macroeconomia

PRINCIPAL PENSADOR
John Maynard Keynes
(1883-1946)

ANTES
1931 O economista britânico Richard Kahn formula uma teoria explícita sobre os efeitos multiplicadores dos gastos públicos sugeridos por John Maynard Keynes.

DEPOIS
1971 O economista polonês Michal Kalecki elabora a noção do multiplicador.

1974 O economista americano Robert Barro reacende a ideia da "equivalência ricardiana" (de que as pessoas mudam de comportamento para se ajustar às mudanças no orçamento do governo). Isso implica que não existem efeitos multiplicadores provenientes dos gastos públicos.

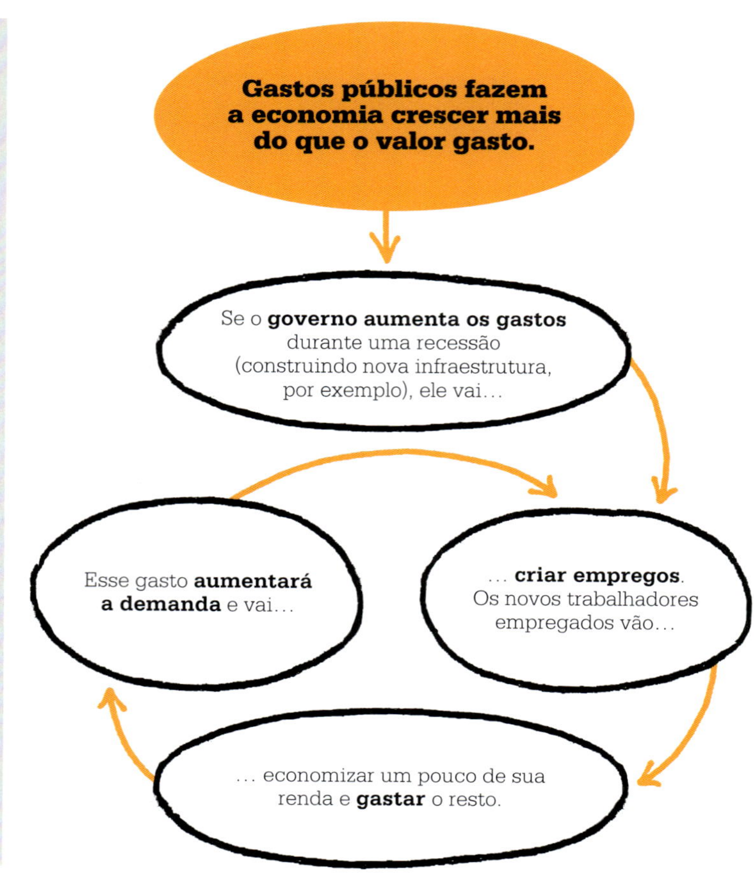

Veja também: O fluxo circular 40-45 ▪ Abundância no mercado 74-75 ▪ Empréstimo e dívida 76-77 ▪ Depressões e desemprego 154-61

A macroeconomia tenta explicar o funcionamento da economia inteira. Em 1758, o economista francês François Quesnay (p. 45) demonstrou que os grandes gastos feitos por quem está no topo da pirâmide econômica – os proprietários de terra – eram multiplicados por quem recebia o dinheiro e o gastava.

No século XX, o economista britânico John Maynard Keynes analisou especificamente por que os preços e a mão de obra não revertem para o equilíbrio, ou níveis naturais, nas depressões. A economia clássica – a escola de pensamento dominante do século XVIII ao XX – diz que isso deveria ocorrer naturalmente com o funcionamento normal do livre mercado. Keynes concluiu que a forma mais rápida de ajudar uma economia a se recuperar seria incentivar a demanda com gastos públicos no curto prazo.

A ideia-chave aqui era a do multiplicador, debatido por Keynes e outros, sobretudo Richard Kahn, e depois elaborada matematicamente por John Hicks. Propõe que, se o governo investe em projetos grandes (como construção de uma ferrovia) durante a recessão, o emprego cresce mais do que o número de trabalhadores empregados diretamente. A renda nacional sobe mais do que a quantia gasta pelo governo.

Isso porque os trabalhadores nos projetos do governo gastam parte de sua renda em coisas feitas por outras pessoas ao seu redor, e esse gasto cria mais empregos. Esses trabalhadores novos gastam parte de sua renda, criando ainda mais empregos. Esse processo continua, mas o efeito se reduzirá em cada rodada de gastos, pois cada vez uma parte da renda extra será poupada ou gasta em produtos estrangeiros. A estimativa-padrão é de que cada $1 de gasto público deve criar um aumento na renda de $1,40 com esses efeitos secundários.

Grandes projetos de infraestrutura, como a barragem das Três Gargantas, na China, criam milhares de empregos. Os salários depois voltam para a economia, criando nova rodada de gastos.

Em 1936, o economista britânico John Hicks criou um modelo matemático baseado no multiplicador keynesiano, chamado modelo ISLM (investimento, poupança, demanda de liquidez e oferta de moeda). Ele seria usado para prever como as mudanças nos gastos públicos ou a tributação impactariam no nível de emprego por meio do multiplicador. No pós-guerra, ele se tornou o instrumento-padrão para explicar o funcionamento da economia.

Alguns economistas criticaram o preceito do multiplicador keynesiano, dizendo que os governos financiariam gastos com tributação ou dívida. Os impostos tirariam dinheiro da economia, criando efeito oposto ao desejado, e a dívida causaria inflação, reduzindo o poder aquisitivo daqueles salários vitais. ▪

John Hicks

Filho de jornalista, John Hicks nasceu em 1904 em Warwick, Inglaterra. Frequentou escolas particulares e se formou em filosofia, política e economia na Universidade de Oxford, todas com bolsas de estudos matemáticas. Em 1923, passou a lecionar na London School of Economics ao lado de Friedrich Hayek e Ursula Webb, eminente economista britânica que se casaria com ele em 1935. Hicks lecionou depois nas universidades de Cambridge, Manchester e Oxford. O humanismo está no centro de sua obra. Ele e a mulher viajaram muito após a Segunda Guerra Mundial, como conselheiros financeiros de muitos países que acabavam de tornar-se independentes. Hicks ganhou o título de cavaleiro em 1964 e o Prêmio Nobel em 1972. Morreu em 1989.

Obras-chave

1937 *O Sr. Keynes e os clássicos*
1939 *Valor e capital*
1965 *Capital e crescimento*

Além do emprego primário criado pelos gastos em obras públicas, deve haver um emprego indireto adicional.

Don Patinkin
Economista americano (1922-95)

A ECONOMIA ESTÁ INSERIDA NA CULTURA

ECONOMIA E TRADIÇÃO

EM CONTEXTO

FOCO
Sociedade e economia

PRINCIPAL PENSADOR
Karl Polanyi (1886-1964)

ANTES
1776 Em *A riqueza das nações*, Adam Smith diz que o homem tem uma tendência natural de negociar e fazer trocas por lucro.

1915 O antropólogo polonês Bronislaw Malinowski descreve o sistema *kula* das ilhas Trobriand.

1923 O sociólogo francês Marcel Mauss publica *Essai sur le don*, estudo da entrega de presentes nas sociedades tradicionais.

DEPOIS
1977 O economista americano Douglass North afirma que a economia pode explicar o comportamento das ilhas Trobriand.

Anos 1990 O economista israelense Avner Offer mostra que comportamento não econômico tem papel importante nas economias modernas.

Os economistas creem que as pessoas são racionais, no sentido de que farão o que der o mais alto retorno econômico, seja ao escolher um carro ou o presidente. O economista austríaco Karl Polanyi subverteu essa ideia: disse que o importante era que as pessoas são seres sociais submersos numa "sopa" de cultura e tradição. Essa sopa é que nutre a economia, afirmou ele, não motivos de lucro de indivíduos calculistas.

Economia das ilhas

Em *A grande transformação* (1944), Polanyi escreveu sobre as ilhas Trobriand, da Papua-Nova Guiné, cuja economia tribal era conduzida pelo comportamento não econômico de maneira surpreendente. Mesmo hoje, o comércio ocorre por meio de

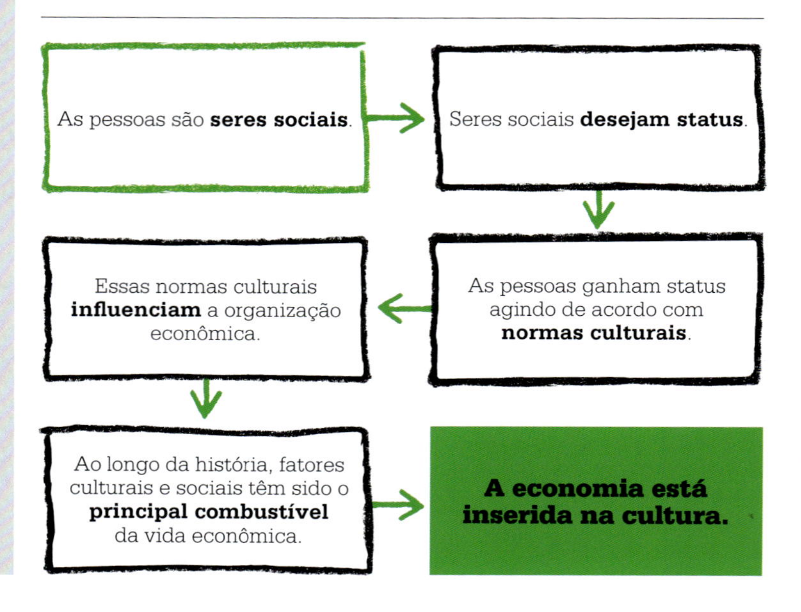

Veja também: O homem econômico 52-53 ▪ Religião e economia 138-39 ▪ Instituições na economia 206-07 ▪ Capital social 280

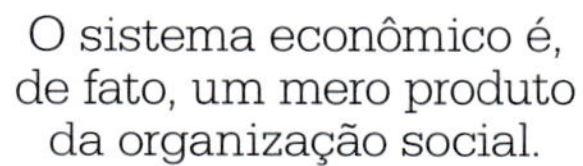

O sistema econômico é, de fato, um mero produto da organização social.
Karl Polanyi

presentes, não pela barganha. Os moradores das ilhas fazem viagens perigosas a tribos vizinhas para dar de presente colares de conchas vermelhas e braçadeiras brancas, e a prática é ditada por costumes e ritos mágicos chamados *kula*. Os presentes não são guardados, mas passados adiante. Ao mostrar generosidade, eles aumentam seu prestígio social. A ânsia por status, não lucro, é o motor do negócio.

As economias tribais são sem dúvida diferentes da dos países industrializados atuais. Polanyi afirmou que, com o desenvolvimento das nações europeias, o anonimato do mercado superou os costumes e a tradição. Mesmo assim, a sopa de cultura e os laços sociais ainda sustentam economias avançadas.

O historiador econômico israelense Avner Offer (1944-) documentou o papel de preceitos não mercadológicos na vida econômica moderna, inclusive os de troca de presentes e favores. Como os habitantes das ilhas, as sociedades modernas praticam a redistribuição da riqueza – de outro modo não seria possível construir estradas ou armar exércitos. Atividades econômicas domésticas como cozinhar, limpar e cuidar dos filhos – tanto nas economias tradicionais como nas modernas – são feitas mais por sua utilidade que por lucro. Offer estima que na Grã-Bretanha do fim do século XX esse tipo de produção não mercadológica tenha chegado a 30% da renda pública.

Economias individualistas

Polanyi achava que as economias proviessem das características "substantivas" das sociedades – suas peculiaridades culturais. Para o purista econômico tudo isso é irrelevante e encobre o que na verdade impulsiona as economias: os sinais que os preços enviam a indivíduos racionais cuja sede de ganhar vence a religião e a cultura, mesmo nas comunidades mais tradicionais. Essas duas posições só podem ser resolvidas se for possível reduzir as normas que conduzem sociedades inteiras aos atos de indivíduos egoístas. Para Polanyi, porém, os mercados modernos e as estruturas sociais estavam em conflito, e, onde os mercados se expandissem, logo haveria uma insurreição social. ■

Em Trobriand há costumes incomuns de troca de presentes. Colares vermelhos são levados em sentido horário ao redor das ilhas, braçadeiras brancas são levadas em sentido anti-horário.

Karl Polanyi

Nascido de pais judeus em Viena em 1886, Karl Polanyi foi criado em Budapeste, Hungria, onde estudou direito. Quando estudante, misturou-se a radicais, como o filósofo marxista Georg Lukács e o sociólogo Karl Mannheim. Na Primeira Guerra Mundial, serviu no Exército austro-húngaro e depois se mudou para Viena, onde trabalhou como jornalista. Casou com uma jovem revolucionária, Ilona Duczynska, e os dois foram para a Grã-Bretanha em 1933, para fugir da ascensão do nazismo.

Polanyi trabalhou em Londres como jornalista e lecionou a operários, cuja pobreza causou-lhe profundo impacto. De 1940 até a aposentadoria ele lecionou nos EUA, mas tinha de morar no Canadá, pois o envolvimento de sua mulher na Revolução Húngara a impedia de entrar nos EUA. Ele morreu em 1964.

Obras-chave

1944 *A grande transformação*
1957 *Trade and markets in the early empires* (com C. Arnsberg e H. Pearson)
1966 *Dahomey and the slave trade* (com A. Rotstein)

EXECUTIVOS QUEREM VANTAGENS, NÃO O LUCRO DA EMPRESA

GOVERNANÇA CORPORATIVA

EM CONTEXTO

FOCO
Mercados e empresas

PRINCIPAIS PENSADORES
Adolf Berle (1895-1971)
Gardiner Means (1896-1988)

ANTES
1602 A Companhia das Índias Orientais é a primeira sociedade anônima a lançar ações e começa a negociar na Bolsa de Valores de Amsterdã.

1929 Dow Jones perde 50% do seu valor em um dia, a Terça-Feira Negra, disparando a Grande Depressão.

DEPOIS
1983 Os economistas americanos Eugene Fama e Michael Jensen publicam *The separation of ownership and control*, vendo a empresa como uma série de contratos.

2002 A Lei Sarbanes-Oxley é aprovada nos EUA, determinando padrões rígidos de responsabilidade empresarial.

A maioria das pessoas acha que o princípio básico de uma economia de livre mercado é que as empresas são gerenciadas no melhor interesse dos acionistas. Segundo os economistas americanos Adolf Berle e Gardiner Means, essa opinião é inteiramente errada. Seu livro de 1932, *A moderna sociedade anônima e a propriedade privada*, lançou uma luz sobre a governança corporativa e mostrou que a balança do poder pendeu dos donos da companhia para seus executivos.

O fracasso da governança virou grande tema em 2008, quando muitas empresas acharam que o salário de altos executivos ficou desproporcional aos resultados e à queda do valor das ações.

Berle e Means afirmaram que o domínio dos executivos começara na Revolução Industrial quando surgiu o sistema fabril. Um número crescente de trabalhadores foi reunido no mesmo lugar, onde davam seu trabalho à gerência em troca de salário. As empresas modernas geram a riqueza de diversos indivíduos (os acionistas). Estes entregam o controle delas a um grupo gerencial, dessa vez em troca de dividendos. Ambos os casos resultam numa direção poderosa que não deve satisfação a ninguém.

Acionistas apáticos

Berle e Means identificaram os acionistas modernos como donos passivos. Esses donos entregam sua riqueza à governança da empresa e não mais tomam decisões sobre "como tomar conta" de seus investimentos – deram essa responsabilidade e esse poder à gerência. A apatia dos pequenos acionistas implica que eles ou mantêm o *status quo* ou deixam de exercer sua opção de voto. Isso pode estar fora de seu alcance – se realmente quisessem mudar as coisas, comprariam mais ações ou convenceriam um número suficiente de acionistas a forçar a mudança.

Veja também: Empresas de capital aberto 38 ▪ Economia de livre mercado 54-61 ▪ O mercado competitivo 126-29 ▪ Instituições na economia 206-07

Consequentemente, os donos de companhias têm influência cada vez menor na condução delas. Esse fato não chega a ser um problema quando os interesses da direção coincidem com os dos acionistas. No entanto, se presumirmos que a direção está agindo em nome próprio e buscando lucro pessoal, seus interesses serão bem diferentes daqueles dos proprietários.

Berle e Means defenderam uma mudança na legislação de empresas que devolvesse aos acionistas o poder sobre a companhia. Eles insistiram que os acionistas deveriam receber o direito de contratar e demitir diretores e realizar reuniões gerais periódicas. Quando o livro deles foi lançado, a lei das sociedades anônimas americanas não contava com medidas desse tipo, e Berle e Means foram decisivos na fundamentação do sistema legal empresarial da atualidade.

Fracassos empresariais

Hoje, o fracasso da governança de empresas é o cerne de boa parte do descontentamento popular com o capitalismo. Como os contribuintes tornaram-se donos majoritários de algumas grandes empresas, a liderança empresarial passou a ficar sob os holofotes, revelando o caráter interesseiro de alguns altos executivos, que são compensados com salários e bônus sempre crescentes. Muitos acham que os acionistas continuam importantes diante da máquina empresarial. ▪

Salário de executivo

Berle e Means alertaram em 1932 para os perigos dos executivos interesseiros, mas argumentou-se que a questão estivera pior na Europa que nos EUA nos últimos 20 anos. Os acionistas votam para escolher a diretoria, mas o salário dos executivos é fixado por uma comissão de remuneração composta por outros funcionários bem pagos. Eles mantêm altos os salários para instituir uma "taxa de mercado" e esperam receber um grande aumento salarial devido às "forças de mercado". Os acionistas têm o poder de demitir a direção, o que não seria bem-visto no mercado, que, por sua vez, faria o preço das ações cair.

O problema piora porque muitas ações estão em fundos de hedge (de investimento especulativo), sem interesse duradouro na companhia. Os gerentes dos fundos visam receber grandes aumentos de salário como os diretores executivos, e assim não lhes interessa votar contra os pacotes de alta remuneração.

Hoje, comissões de remuneração definem os salários nas grandes empresas. Parece improvável uma legislação que dê voz aos acionistas nos comitês.

A ECONOMIA É UMA MÁQUINA PREVISÍVEL

TESTANDO TEORIAS ECONÔMICAS

EM CONTEXTO

FOCO
Métodos econômicos

PRINCIPAL PENSADOR
Ragnar Frisch (1895-1973)

ANTES
1696 O economista inglês Gregory King publica *Natural and political observations*, contendo a primeira análise quantitativa (mensurável) da economia.

1914 O economista americano Henry Moore publica *Economic cycles: their law and cause*, lançando o alicerce da economia estatística, precursora da econometria.

DEPOIS
1940 O economista austríaco Ludwig von Mises diz que métodos empíricos não podem ser aplicados a ciências sociais.

2003 O economista britânico Clive Granger ganha o Prêmio Nobel pela análise da relação entre as variáveis econômicas ao longo do tempo.

Nos anos 1930, o economista norueguês Ragnar Frisch elaborou uma nova disciplina chamada "econometria". Seu objeto era desenvolver métodos para explicar e prever os movimentos da economia. A econometria é a aplicação de métodos de prova matemática às teorias econômicas, dando uma base estatística para comprovar ou contestar uma teoria. As crenças econômicas, como "melhor educação implica salário mais alto", podem estar corretas, mas só há como prová-las com uma equação que pegue dados do grau de aprendizagem e os compare com os níveis salariais. A econometria também permite analisar tendências passadas do mercado e prever o desempenho extraindo padrões de dados econômicos.

Entremeada com a matemática, a estatística e a economia, descobrimos uma nova disciplina que [...] pode ser chamada de econometria.
Ragnar Frisch

Ciladas estatísticas

Embora a econometria seja um recurso de explicação empírica importante, há ciladas. Por exemplo, velhas tendências do mercado não garantem o desempenho futuro do mercado. Também é difícil levar em conta todas as variáveis. Na educação, por exemplo, a aprendizagem não é o único fator que afeta o salário – qualificações imensuráveis também podem atuar. Esses problemas talvez reduzam a validade dos resultados de modelos econômicos. Também vale notar que não se deve confundir importância estatística com importância econômica. ■

Veja também: O cálculo da riqueza 36-37 ▪ Inflação e desemprego 202-03 ▪ Engenharia financeira 262-65 ▪ Complexidade e caos 278-79

ECONOMIA É A CIÊNCIA DOS RECURSOS ESCASSOS

DEFINIÇÕES DE ECONOMIA

EM CONTEXTO

FOCO
Métodos econômicos

PRINCIPAL PENSADOR
Lionel Robbins (1898-1984)

ANTES
1890 O economista britânico Alfred Marshall publica *Princípios de economia*, que define economia como a "parte da ação individual e social que está mais intimamente ligada aos resultados e ao uso dos requisitos materiais do bem-estar".

DEPOIS
1962 O economista americano Milton Friedman endossa a definição de Robbins, mas amplia os limites do que este definiu como economia.

1971 O economista americano Gary Becker publica *Economic theory*, em que ele define a economia como "o estudo da distribuição de recursos escassos para satisfazer fins conflitantes".

Em 1932, o economista britânico Lionel Robbins provocou polêmica ao publicar *Um ensaio sobre a natureza e a importância da ciência econômica*, que continha uma nova definição de economia. Robbins definiu-a como ciência das ações humanas diante de recursos limitados com vários usos. Baseou sua definição no fato de que as necessidades humanas são infinitas, mas há apenas uma quantidade finita de recursos.

Quando uma carência é atendida, outra lhe toma o lugar. Contudo, existem apenas recursos limitados (terra, mão de obra, empreendedorismo e capital) para satisfazer esses desejos. Escassez significa que nem todos os desejos podem ser atendidos.

Necessidades × recursos

A tensão entre necessidades ilimitadas e recursos limitados é a base da economia. Todo recurso tem um uso alternativo – por exemplo, se um campo é usado como pasto, ele não pode dar uma safra ao mesmo tempo. Isso significa ter de decidir a melhor maneira de usar os recursos. Robbins acreditava que esse fosse o problema de qualquer sociedade – decidir quais e quantos bens produzir, a fim de satisfazer os consumidores. É a própria escassez de recursos que lhes dá o valor que têm.

Hoje a definição de Robbins é bastante aceita, mas há quem diga que a economia deve ser vista com mais amplitude – uma investigação de como as sociedades geram recursos ao longo do tempo. ■

A definição de Robbins centra-se no fato de que a escassez força uma opção econômica – como usar o campo para alimentar o gado ou plantar trigo.

Veja também: Demografia e economia 68-69 ▪ Custo de oportunidade 133 ▪ Mercados e resultados sociais 210-13 ▪ Escassez nas economias planificadas 232-33

QUEREMOS MANTER UMA SOCIEDADE LIVRE

LIBERALISMO ECONÔMICO

EM CONTEXTO

FOCO
Sociedade e a economia

PRINCIPAL PENSADOR
Friedrich Hayek (1899-1992)

ANTES
1908 O economista italiano Enrico Barone mostra que o planejamento central pode substituir o livre mercado se conseguir calcular os preços.

1920 Ludwig von Mises refuta o argumento de Barone.

1936-37 Oskar Lange contesta posição de Von Mises.

DEPOIS
Anos 1970 Defesa de Hayek do livre mercado é mais aceita.

1991 O historiador americano Francis Fukuyama diz que capitalismo de livre mercado vence alternativas possíveis.

Final dos anos 2000 Críticas ao socorro do governo aos bancos geram novo interesse nas ideias de Hayek.

As empresas **não sabem tudo** sobre toda a economia.

Mas cada empresa sabe da produção e da demanda do mercado que são **relevantes para si mesma**.

As empresas decidem com base nesses fatos e **agem de acordo com eles**, por exemplo, alterando a produção.

Os preços se movimentam conforme essas ações individuais e portanto **refletem informação sobre todo o mercado**.

Isso produz um mercado livre que os governos devem proteger, porque queremos manter uma sociedade livre.

A corrente econômica dominante sempre teve críticos. Seu foco em fórmulas matemáticas e suas suposições às vezes amplas levaram economistas a contestar tanto seus métodos quanto a falta de evidência empírica. Muitos desses críticos são da esquerda política, para os quais a linha dominante dá apoio evidente a um livre mercado injusto.

Linha minoritária, a Escola Austríaca afirmou bem o contrário. Defensora ferrenha do livre mercado, mas crítica da corrente dominante, ela conseguiu um lugar único na disciplina. O mais destacado desses radicais era o economista austro-britânico Friedrich Hayek. Ele disputa com John Maynard Keynes (p. 161) o título de mais influente economista do século XX e fez uma série de contribuições ao ideário político e econômico. Elas abrangiam economia, direito, teoria política e neurociência. Seus textos tinham um conjunto de princípios coerentes, bem argumentados, que ele considerava estar na tradição do liberalismo clássico: apoio aos mercados livres, apoio à propriedade privada e profundo ceticismo com a capacidade dos governos de moldar a sociedade.

Criação de ditaduras

A declaração mais lembrada de Hayek apareceu em *O caminho da servidão*. Na época, havia um entusiasmo crescente pela intervenção do governo e o planejamento central. Hayek disse que todas as tentativas de impor uma ordem coletiva na sociedade estão fadadas ao fracasso. Afirmou que levariam, inevitavelmente, ao totalitarismo do fascismo ou ao comunismo stalinista. Como qualquer planejamento atua obrigatoriamente

Veja também: Direitos de propriedade 20-21 ▪ O homem econômico 52-53 ▪ Equilíbrio econômico 118-23 ▪ Planejamento central 142-47 ▪ O multiplicador keynesiano 164-65 ▪ Escassez nas economias planificadas 232-33

contra a "ordem espontânea" do mercado, ele só pode ocorrer com certo grau de força ou coerção. Quanto mais esse governo faz planos e os imponha, mais coerção é necessária. Como os governos não são bem informados sobre os detalhes do funcionamento do mercado, o planejamento está destinado a fracassar por completo em suas metas e ao mesmo tempo tornar-se cada vez mais coercivo para compensar as falhas. Nesse ponto, a sociedade cairia num Estado totalitário, em que a liberdade seria extinta, por mais moderadas que fossem as metas iniciais dos planejadores.

Os economistas da esquerda disseram que a economia planificada não só era possível como era mais eficiente que o mercado livre. Seu primeiro adversário significativo, em 1920, foi outro membro da Escola Austríaca, Ludwig von Mises (p. 147), que disse que o socialismo – aí no sentido de planejamento central – não é viável economicamente. Não dá meios racionais de precificação dos produtos, pois depende do *diktat* (comando inquestionável) de um planejador ou comitê central para realizar as decisões de distribuição, que num mercado livre são executadas por centenas de milhares de pessoas. A quantidade de informação necessária para avaliar a escassez e o excedente de um mercado e fixar os preços corretamente é tão grande que a tentativa está fadada ao fracasso. O socialismo, escreveu Von Mises, é a "abolição da economia racional". Só um mercado livre, com propriedade privada, pode propiciar a base das decisões de preço descentralizadas que uma economia complexa exige.

Defesa do socialismo

O economista polonês Oskar Lange, porém, discordou de Von Mises. Ele respondeu à altura às afirmações de Von Mises num artigo de 1936, *On the economic theory of socialism*, usando uma elaboração da teoria do equilíbrio geral. Essa teoria, que só foi aperfeiçoada depois da Segunda Guerra Mundial, é uma representação matemática de uma economia de mercado resumida ao essencial. Todas as imperfeições dos mercados foram retiradas, e todos os participantes do mercado têm informação plena e atuam apenas em interesse próprio. Com base nisso, disse Lange, um comitê de planejamento central poderia fixar o conjunto inicial de preços na economia e depois permitir que todos na sociedade negociassem livremente, ajustando sua procura e sua oferta pautando-se pelos preços dados. O comitê de planejamento depois ajustaria os preços de acordo com a procura e a oferta. O resultado, declarou ele, seria eficaz. O planejamento poderia também reduzir as desigualdades de renda e restringir a tendência do mercado ao pensamento de curto prazo. »

Quanto mais o Estado "planeja", mais difícil se torna o planejamento para o indivíduo.
Friedrich Hayek

O Estado totalitário da Coreia do Norte sofre escassez e fome frequentes. Economistas da Escola Austríaca dizem que isso ocorre porque o planejamento central ignora os mercados.

Lange usou as suposições comuns da microeconomia (de que a oferta e a procura determinam o preço) e as pôs de ponta-cabeça. Sua obra embasaria a economia de bem-estar, que analisa como os mercados livres podem atingir metas sociais desejáveis.

A Escola Austríaca

Contudo, Hayek e seus colegas apresentaram uma versão bem diversa das virtudes do mercado livre. Eles não presumiram que os mercados não tivessem imperfeições ou que as pessoas fossem bem informadas. Ao contrário, disseram, pelo fato de as pessoas e as empresas serem mal informadas e a sociedade, imperfeita, o mecanismo de mercado é a melhor maneira de distribuir os produtos. Essa visão tornou-se um preceito importante da Escola Austríaca.

Em situação de ignorância permanente, afirmou Hayek, o mercado é o melhor meio existente não para dar informação, mas para adquiri-la. Cada indivíduo e cada empresa sabem melhor de sua situação: têm produtos e serviços que as pessoas querem, podem planejar para o futuro e veem os preços que são relevantes para elas. A informação é específica e dispersa entre todos na sociedade. Os preços se movem em reação às ações de indivíduos e empresas e portanto refletem a quantidade total de informação disponível para toda a sociedade.

Hayek sustentou que essa "ordem espontânea" é a melhor forma de organizar a complexa economia moderna, já que o conhecimento sobre a sociedade nunca é perfeito. As tentativas de impor restrições coletivas a essa ordem representam um retorno às ordens instintivas, primitivas, da sociedade – e o mercado livre deve ser defendido contra isso.

Tirania coletiva

A ideia de uma ordem espontânea passou a dominar o pensamento de Hayek, e seus textos voltaram-se cada vez mais para questões políticas. Estas foram mais bem apresentadas em *The constitution of liberty* (1962), que afirma que o governo só deveria agir para manter o funcionamento espontâneo do mercado, no que seja possível. A propriedade privada e os contratos são sagrados, e a sociedade livre deve seguir regras que se apliquem a todos – ao próprio Estado inclusive. Além disso, se necessário, o Estado pode agir contra forças coletivistas que ameacem solapar o primado da lei. Hayek era totalmente a favor da democracia, mas crítico de sua inclinação, em certos casos, para a "tirania democrática do coletivo".

Nasce o neoliberalismo

Após a Segunda Guerra Mundial, a necessária reconstrução dos países levou a um consenso keynesiano, que propunha uma intervenção maior do governo na economia. Ao mesmo tempo, Hayek e outros da Escola

O trânsito livre de informações entre vendedores individuais (esquerda) resulta na fixação de preços corretos dos produtos, de acordo com Hayek. As economias de planejamento central, por outro lado, impõem a visão de uma pessoa ou comitê (direita), restringindo a liberdade individual de se comunicar e a capacidade das empresas de fazer comércio.

Leilões são mercados livres onde os preços sobem pela troca direta e rápida de informação localizada entre compradores e vendedores.

Austríaca formaram a Sociedade Mont Perelin, que atuava como influência orientadora dos grupos de especialistas do livre mercado que surgiram durante o colapso do consenso keynesiano nos anos 1970. Um novo enfoque parecido da política econômica floresceu na América do Sul, mas foi sua adoção pelo governo de Margaret Thatcher, no Reino Unido, e pelo de Ronald Reagan, nos EUA, que o tornaram significativo no mundo. Era o neoliberalismo, que seguia de perto as ideias da outrora difamada Escola Austríaca.

Os setores estatais foram privatizados, e os governos reduziram sua intervenção no funcionamento do mercado. A União Soviética desmoronou, dando novo ímpeto ao aparente triunfo dos temas hayekianos na política. Por todo o mundo, mesmo as parcelas antes categoricamente opostas aos mercados livres acreditaram que não havia alternativa viável, até mesmo o Partido Trabalhista britânico, que fora o alvo direto do *Caminho da servidão* de Hayek.Os economistas dominantes, fortes defensores do pensamento do livre mercado, como Milton Friedman, tornaram-se influentes. Em 2000, um "novo consenso" prevaleceu na macroeconomia, enfatizando o papel restrito do Estado.

Nova relevância

Apesar do aparente triunfo dos temas austríacos na economia e do Prêmio Nobel de Hayek em 1974, a teoria e os métodos distintos da Escola Austríaca continuaram em grande parte marginalizados. Todavia, o colapso do sistema financeiro mundial em 2007-08 e o subsequente resgate de bancos provocaram um interesse renovado em suas doutrinas. A Free Banking School de economia tomou a frente no ataque ao socorro aos bancos, afirmando que representa uma interferência injustificada no mercado. A Free Banking School, que propõe o fim do monopólio do governo na oferta de moeda, inspirou-se num ensaio de 1976 de Hayek, *Denationalization of money*, e suas ideias ganharam terreno. Os programas keynesianos de gastos públicos aumentados receberam crítica similar. Com a economia dominante em frequente estado de agitação, a Escola Austríaca deve exercer nova influência. ■

Friedrich Hayek

Friedrich August von Hayek nasceu em Viena, Áustria, numa família de intelectuais. Aos 23 anos, recebeu doutorado em direito e política, além de passar um ano no Exército italiano durante a Primeira Guerra Mundial. De início atraído pelo socialismo, ele assistiu aos seminários de Ludwig von Mises em Viena e com o apoio deste fundou o Instituto Austríaco de Pesquisa de Ciclos Econômicos. Em 1923, viajou a Nova York por um ano, e a precisão das notícias de jornais americanos sobre a guerra, comparados com os da Áustria, causou sua profunda desconfiança nos governos.

Em 1931, Hayek mudou-se para Londres para lecionar na London School of Economics e se envolveu em debate público de dois anos com John Maynard Keynes. Cidadão britânico em 1938, trocou Londres pela Universidade de Chicago em 1950. Morreu aos 93 anos em Freiburg, Alemanha, em 1992.

Obras-chave

1944 *O caminho da servidão*
1948 *Individualism and economic order*
1988 *The fatal conceit*

INDUSTRIALIZAÇÃO CRIA CRESCIMENTO SUSTENTÁVEL

O SURGIMENTO DAS ECONOMIAS MODERNAS

EM CONTEXTO

FOCO
Crescimento e desenvolvimento

PRINCIPAL PENSADOR
Simon Kuznets (1901-85)

ANTES
Anos 1750 O economista francês François Quesnay declara que riqueza vem da agricultura, não da indústria.

1940 O economista britânico-australiano Colin Clark diz que crescimento econômico implica passar da agricultura para fábricas e serviços.

DEPOIS
1967 O economista americano Edward Denison destaca a contribuição importante da mudança tecnológica e do crescimento da produtividade para o crescimento econômico.

1975 Os economistas americanos Hollis Chenery e Moshe Syrquin acham indícios de que, quando a agricultura declina, as economias crescem, e indústria e serviços aumentam.

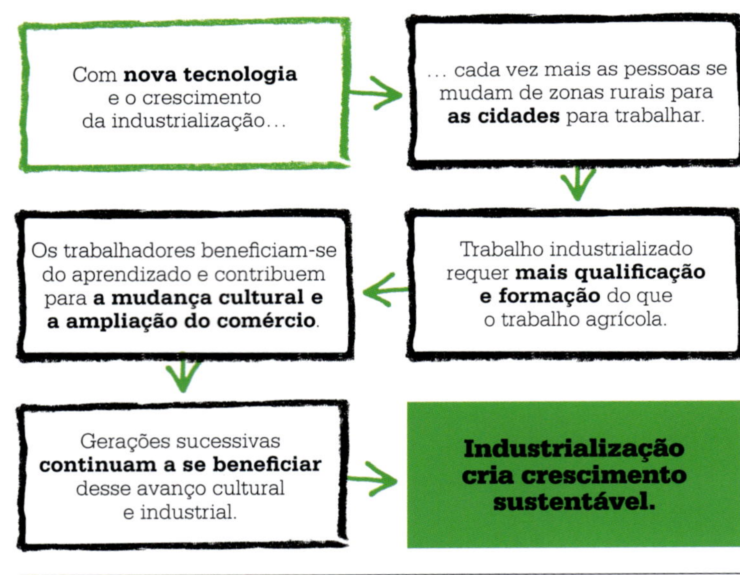

Nascido na Rússia, o economista Simon Kuznets referiu-se ao surgimento da economia moderna como revolução controlada, em que a fábrica tomou o lugar da fazenda. Os padrões de vida mais altos resultantes exigem mudanças econômicas e sociais mais profundas do que indicava de início uma taxa de crescimento numérica, simples. Kuznets chamou esse processo de "crescimento econômico moderno" e mostrou que o sucesso dessa conquista é o que diferencia os países ricos do resto.

A característica principal da teoria de crescimento de Kuznets é que a renda *per capita* cresce rápido, mesmo que a população aumente: há mais pessoas, e elas são mais ricas. Essa expansão é provocada pela disseminação de fábricas e máquinas.

Veja também: Agricultura na economia 39 ▪ Demografia e economia 68-69 ▪ Economias de escala 132 ▪ Integração de mercados 226-31 ▪ Saltos tecnológicos 313

Com um aumento do capital para manter o crescimento industrial, os trabalhadores são levados de pequenas empresas familiares para companhias e fábricas impessoais. Porém, novas tecnologias e métodos de produção de grande escala não podem ser explorados se as pessoas são analfabetas, supersticiosas ou presas à aldeia. Para Kuznets, esse crescimento causa mudanças sociais profundas, com urbanização maior e enfraquecimento da religiosidade.

Revolução Industrial

A Grã-Bretanha foi o primeiro país a atingir o crescimento econômico moderno. A Revolução Industrial do século XVIII a pôs a caminho de se tornar uma nação industrializada avançada. A energia do vapor e as invenções remodelaram a produção. Os trabalhadores deixaram o campo e foram para as fábricas. As cidades cresceram. Novos transportes e tecnologias de comunicação permitiram às empresas britânicas penetrar na economia mundial. Sua economia não se transformou da noite para o dia, mas as mudanças sociais, tecnológicas e institucionais persistiram. Geraram melhorias inéditas nos padrões de vida de uma população crescente.

A disseminação do verdadeiro crescimento econômico moderno foi limitada. Entre os países ricos, como EUA, Austrália e Japão, o processo continua hoje. Após a primeira fase de industrialização, essas economias evoluíram, afastando-se da indústria pesada e aproximando-se do setor de serviços, o que implicará outros tipos de mudança social. ■

O martinete a vapor, de 1837, foi uma das ferramentas mecânicas que intensificaram a industrialização, e as máquinas puderam fazer máquinas.

Simon Kuznets

Simon Kuznets nasceu em 1901 em Pinsk, na atual Bielorrússia. Envolveu-se cedo com economia – era chefe do departamento russo de estatística quando ainda estudava. Após a Revolução Russa, a família de Kuznets foi para a Turquia e depois para os EUA. Ele a seguiu em 1922.

Kuznets matriculou-se na Universidade Columbia, em Nova York, e doutorou-se em 1926. Então trabalhou no Departamento Nacional de Pesquisa Econômica, onde elaborou o moderno sistema de contabilidade da renda nacional, usado até hoje pelos governos. Em 1947, ajudou a formar a International Association for Researchs in Income and Wealth, de assessoria a governos. Lecionou muito e em 1971 ganhou o Nobel por sua análise do crescimento econômico moderno. Morreu em 1985, aos 84 anos.

Obras-chave

1941 *National income and its composition, 1919-1938*
1942 *Uses of national income in peace and war*
1967 *Population and economic growth*

PREÇOS DIFERENTES PARA PESSOAS DIFERENTES

DISCRIMINAÇÃO DE PREÇOS

EM CONTEXTO

FOCO
Mercados e empresas

PRINCIPAL PENSADOR
Joan Robinson (1903-83)

ANTES
1849 Jules Dupuit analisa por que se cobram preços diferentes por produtos iguais.

1891 O economista americano Frank Taussig diz que preços diferentes dos trens refletem graus diferentes de procura.

1920 Arthur Pigou define os três princípios básicos da discriminação de preços.

DEPOIS
1933 O economista americano Edward Chamberlin diz que concorrentes próximos tentam ganhar poder no mercado diferenciando seus produtos.

1996 O economista americano Thomas Holmes mostra que a discriminação de preços é possível, mesmo nos mercados com poucas empresas.

Nos anos 1840, o engenheiro e economista francês Jules Dupuit propôs a cobrança de pedágio nas pontes e estradas construídas por ele. Sugeriu que as pessoas pagassem o que pudessem. Ele foi o primeiro economista a considerar preços diferentes para pessoas diferentes pelo mesmo serviço – a chamada discriminação de preços. Em geral só pode ocorrer onde exista certo poder de monopólio, que permite às empresas cobrar preços diferenciados.

Em 1920, três "graus" diferentes de discriminação de preços foram identificados pelo economista britânico Arthur Pigou (p. 336).

As empresas querem **maximizar os lucros**.

Em geral elas atraem mais compradores com um **preço mais baixo**...

... mas então elas perdem o **lucro extra** que teriam com pessoas que pagariam mais de bom grado.

O segredo é achar um modo de vender o mesmo produto por preços diferentes para pessoas diferentes.

Veja também: Mercados e moralidade 22-23 ▪ Efeitos da concorrência limitada 90-91 ▪ Monopólios 92-97 ▪ O mercado competitivo 126-29 ▪ Mercados eficientes 272

O primeiro grau de discriminação é o modelo que Dupuit usou: a empresa cobra de uma pessoa o máximo que ela deseja pagar. Na prática, isso é raro, porque exige que o vendedor saiba a avaliação do bem feita por cada indivíduo.

O segundo grau de discriminação grau implica reduzir o preço de cada unidade adicional comprada. Esta opção costuma ser usada por supermercados, em ofertas como "compre um e leve outro pela metade do preço".

O terceiro grau de discriminação, talvez a forma mais usual, é a identificação de clientes por suas características – por exemplo, um cinema oferecer ingressos mais baratos a crianças, estudantes e aposentados.

Efeitos da discriminação

Em seu livro de 1933 *The economics of imperfect competition*, a economista britânica Joan Robinson analisou os efeitos da discriminação de preços na sociedade. A maioria dos clientes pensa instintivamente que a discriminação é injusta em suas três formas. Se cada garrafa de refrigerante custa o mesmo para ser feita, por que o supermercado não vende também a primeira pelo preço mais baixo? Por que os ingressos de cinema podem ser mais baratos? Interpretamos essas ofertas como se o monopolista aumentasse seu lucro à custa de seus fregueses.

Os estudantes têm renda baixa, e os preços altos realmente os impedem de fazer ou comprar certas coisas. O desconto dado a eles torna atividades e produtos acessíveis.

A discriminação de preços é o ato de vender o mesmo artigo produzido sob controle único por um preço diferente a compradores diferentes.
Joan Robinson

Robinson descobriu que o monopolista tem a mesma produção, mas cobra preços mais altos de certas pessoas, e os consumidores realmente saem perdendo. Porém, às vezes a discriminação de preços pode permitir que as pessoas façam o que não poderiam fazer não fosse ela. Quando as companhias ferroviárias discriminam o preço, por exemplo, os passageiros nos horários de pico pagam mais, mas nos outros períodos faz sentido a empresa cobrar menos, porque ela precisa incentivar as pessoas a pegar o trem. Assim, embora alguns consumidores paguem mais, um número maior pode viajar por preço menor. Desse modo, os consumidores em geral se beneficiam quando as empresas cobram preços diferentes de pessoas diferentes. ■

Joan Robinson

Nascida em 1903 em família inglesa rica, Joan Violet Robinson (nascida Maurice) é tida como a maior economista do século XX. Estudou na Escola Feminina de St. Paul, em Londres, e formou-se em economia na Universidade de Cambridge. Casou jovem e depois viajou para a Índia por dois anos, até que voltou a Cambridge para lecionar. Aí fez parte do grupo que se formou em torno de John Maynard Keynes, que incluía o economista Richard Kahn, com quem ela teve uma longa parceria intelectual. Joan era uma grande viajante e fez palestras no exterior até seus 70 anos – era conhecida por estudantes na América do Norte e do Sul, na Austrália, na África e na maioria da Europa. Pensadora original que não tinha receio de polêmica, ela é considerada a melhor economista que jamais ganhou o Nobel. Morreu aos 80 anos.

Obras-chave

1933 *The economics of imperfect competition*
1937 *Introdução à teoria do emprego*
1956 *The accumulation of capital*

ECONOM
PÓS-GUE
1945-1970

IA NO

RRA

O **Fundo Monetário Internacional** passa a funcionar com sede em Washington, capital dos EUA.

1945

Konrad Adenauer começa a montar a **economia social de mercado** na Alemanha, com amplos setores privado e público.

1949

1949

É fundada a **República Popular da China**, comandada pelo Partido Comunista.

ANOS 1950

Milton Friedman defende uma **política monetarista**, na qual os governos limitam a oferta de moeda.

O matemático John Nash lança a **teoria dos jogos**, usada para explicar a tomada de decisão econômica.

1951

1951

O **teorema da impossibilidade**, de Kenneth Arrow, mostra que não existe sistema eleitoral perfeito.

Overcentralization, de János Kornai, faz análise crítica das **economias planificadas** dos Estados comunistas.

1953

1953

Maurice Allais apresenta um **paradoxo na tomada de decisão** que mostra que as pessoas detestam perder mais do que gostam de ganhar.

A **General Motors** é a primeira companhia dos EUA a lucrar mais de US$ 1 bilhão em um ano.

1955

Os anos pós-Segunda Guerra Mundial foram inevitavelmente de reconstrução de economias. Ainda antes do final da guerra, políticos e economistas já planejavam para o tempo de paz. Queriam evitar os problemas resultantes da Primeira Guerra Mundial e estabelecer um mundo pacífico de cooperação econômica internacional.

A Liga das Nações, organização internacional feita para manter a paz, havia sucumbido no início da guerra, e em 1945 as Nações Unidas (ONU) a substituíram. Uma das primeiras tarefas da ONU foi votar as propostas dos delegados à sua Conferência Monetária e Financeira, hoje mais conhecida pelo nome do seu local – Bretton Woods, em New Hampshire, EUA. Aí, delegados da União Soviética, da Grã-Bretanha e dos EUA acertaram a fundação de grandes instituições, como o Fundo Monetário Internacional (FMI), o Banco Internacional de Reconstrução e Desenvolvimento (Bird) e o Acordo Geral de Tarifas e Comércio (Gatt).

Keynes no pós-guerra

O delegado britânico em Bretton Woods foi John Maynard Keynes (p. 161), cujo livro de 1919, *As consequências econômicas da paz*, alertara para o que poderia ocorrer após a Primeira Guerra Mundial por causa da política econômica. A obra de Keynes inspirou o então presidente dos EUA, Franklin D. Roosevelt, a tirar os EUA da Grande Depressão dos anos 1930 com o New Deal, pacote de gastos públicos. Não é de surpreender que suas ideias tivessem nova influência após a Segunda Guerra Mundial. Nos EUA, as políticas keynesianas foram defendidas com entusiasmo por economistas como o canadense-americano John Kenneth Galbraith e logo adotadas pelo governo democrata liberal. Na Grã-Bretanha, o governo trabalhista adotou medidas que criaram um estado de bem-estar social. A reconstrução da economia da Alemanha e do Japão marcaria uma virada em sua história. A Alemanha, em particular, viveu um *Wirtschaftswunder* ("milagre econômico") sob o chanceler Konrad Adenauer. O sucesso da sua economia social de mercado, temperando o livre mercado com intervenção do governo, tornou-se modelo de muitas economias da Europa Ocidental na segunda metade do século XX. Porém, outros países não seguiram as mesmas linhas. A maior parte da Ásia estava sob o

1956

Richard Lipsey e Kelvin Lancaster declaram que **intervenção** para corrigir a falha de mercado pode piorar tudo.

1958

Bill Phillips apresenta a **curva de Phillips**, mostrando a relação entre inflação e desemprego.

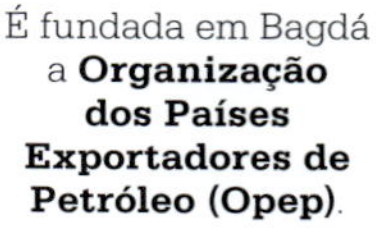

1960

É fundada em Bagdá a **Organização dos Países Exportadores de Petróleo (Opep)**.

1970

Andre Gunder Frank usa a **teoria da dependência** para afirmar que a economia mundial cria uma divisão entre países ricos e pobres.

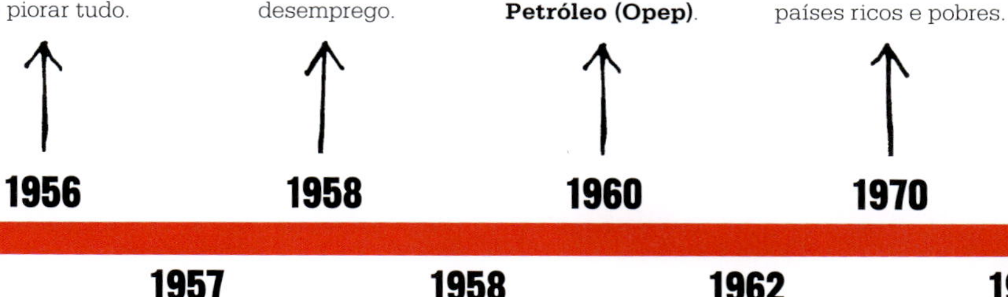

1955

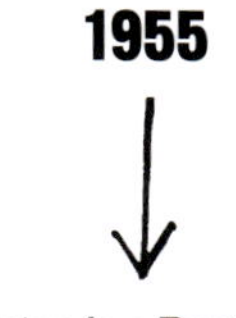

Assinado o **Pacto de Varsóvia** entre sete países comunistas da Europa Oriental e a União Soviética.

1957

É fundada a **Comunidade Econômica Europeia** (CEE) pelo Tratado de Roma.

1958

Mao Tsé-tung inicia o **Grande Salto à Frente**, tentativa de industrializar a China que provoca fome catastrófica.

1962

Robert Mundell e Marcus Fleming descrevem a relação entre **taxas de câmbio** e produção.

1970

Eugene Fama propõe a **hipótese do mercado eficiente**, dizendo que os investidores não conseguem derrotar o mercado sempre.

regime comunista, e a Cortina de Ferro agora dividia a Europa em Leste e Oeste. Foi a era da Guerra Fria entre o bloco soviético e o Ocidente. A propagação de regimes comunistas provocou a reação dos maiores economistas ocidentais, sobretudo os que conheciam a tirania deles.

Renasce o livre mercado

Influenciados por austríacos como Ludwig von Mises (p. 147) e Friedrich Hayek (p. 177), os economistas da Escola de Chicago assumiram uma postura conservadora contra a tendência dominante do keynesianismo. Defenderam a volta ao sistema de livre mercado com menos interferência do governo. As raízes dessa ideia estavam na economia neoclássica da virada para o século XX, centrada na análise da procura e da oferta. Os economistas da Escola de Chicago buscaram inspiração na ciência. Kenneth Arrow (p. 209) usou a matemática para comprovar a estabilidade e a eficiência dos mercados, e Bill Phillips (p. 203) empregou ideias da física para descrever a oposição entre inflação e desemprego. Alguns economistas ocidentais, como Maurice Allais (p. 195), usaram ideias da psicologia nos anos 1950 e 60. Isso inspirou novos modelos de tomada de decisão, que refutaram a crença no "homem econômico racional", descrita primeiro por Adam Smith.

Grandes avanços nas tecnologias de comunicação fizeram o mundo parecer um lugar menor nas décadas após a guerra, e os economistas se conscientizaram mais que nunca da natureza internacional da economia. Embora EUA e Europa ainda dominassem o pensamento econômico fora dos Estados comunistas, dava-se mais atenção aos países em desenvolvimento não apenas como fonte de matérias-primas, mas como economias propriamente ditas.

A globalização cresceu rápido, e os economistas começaram a examinar os motivos do fosso entre países ricos e pobres e como reduzi-lo. As ideias sobre desenvolvimento passaram de investimento de capital para perdão da dívida, mas ficou claro que os problemas eram mais complexos, envolvendo política, cultura e economia. Ao mesmo tempo, os economistas afirmaram cada vez mais que a prosperidade econômica talvez não seja o único – ou mesmo o melhor – modo de medir o bem-estar de um país. ■

HAVENDO GUERRA E DEPRESSÃO, OS PAÍSES DEVEM COOPERAR

COMÉRCIO INTERNACIONAL E BRETTON WOODS

EM CONTEXTO

FOCO
Economia mundial

EVENTO PRINCIPAL
Acordo de Bretton Woods é assinado em New Hampshire, EUA, em julho de 1944.

ANTES
Anos 1930 Colapso do sistema econômico mundial durante a Grande Depressão e interrupção da cooperação entre economias.

1944 John Maynard Keynes publica seus planos de "união monetária internacional" para regular comércio mundial.

DEPOIS
1971 O presidente dos EUA Nixon corta relação entre dólar e o preço do ouro, encerrando o sistema de Bretton Woods.

2009 O Banco da China afirma que o dólar americano é incapaz de atuar como moeda de reserva confiável por causa de conflitos entre políticas internas e internacionais dos EUA.

O padrão-ouro foi um sistema monetário que lastreava as moedas em ouro, garantindo seu valor. Entrou em vigor na Grã-Bretanha em 1812, e o mundo o adotou em 1871.

O sistema propiciava uma firme âncora para o sistema monetário internacional ao correlacionar as taxas de câmbio das várias moedas ao preço do ouro. Também serviu de mecanismo de transferência de ouro entre os países para refletir as novas balanças comerciais e os fluxos de capital. Contudo, a Primeira Guerra Mundial exigiu um financiamento excessivo dos governos, e o sistema começou a desmoronar.

Dresden esteve entre as diversas cidades da Europa e da Ásia destruídas durante da Segunda Guerra. Cria-se o Bird para financiar a reconstrução nos países destruídos.

Certos países abandonaram o padrão-ouro para poder tomar empréstimos e fazer gastos substanciais, quase sempre financiados por emissão de moeda. Terminada a guerra, não houve um retorno suave à situação anterior – países como a Alemanha haviam exaurido suas reservas de ouro e não puderam retomar a filiação, e outros readotaram o padrão com taxas de câmbio tremendamente variáveis.

O abandono do ouro

Nos anos 1930, durante a Grande Depressão, diversos países deixaram o padrão-ouro ao tentar expandir a economia desvalorizando sua moeda a fim de incentivar a exportação. Ao mesmo tempo, o comércio internacional, que fora bastante livre antes da guerra, sujeitou-se a uma gama crescente de restrições, pois os países tentavam manter posição em um mercado mundial encolhido. Essas políticas ajudaram a prolongar a Depressão, já que cada nova restrição ou desvalorização reduzia mais o mercado mundial. Após a Segunda Guerra Mundial, as potências aliadas

Veja também: Vantagem comparativa 80-85 ▪ Depressões e desemprego 154-61 ▪ Integração de mercados 226-31 ▪ Perdão da dívida externa 314-15

dedicaram-se à reconstrução econômica. Na conferência de junho de 1944 em Bretton Woods, New Hampshire, EUA, os delegados concordaram com o plano americano de atrelar as moedas ao dólar. Este, por sua vez, seria mantido pelo governo dos EUA com taxa de câmbio fixa em relação ao preço do ouro.

O sistema era supervisionado pelo Fundo Monetário Internacional (FMI), que se responsabilizaria pela abertura de um fundo de emergência, e criou-se o Banco Internacional de Reconstrução e Desenvolvimento (Bird, hoje ligado ao grupo do Banco Mundial) para financiar projetos de desenvolvimento. Em 1947, o Acordo Geral de Tarifas e Comécio (Gatt) passou a visar à reconstrução do comércio internacional. Juntas, essas novas organizações tentaram renovar a cooperação econômica entre as nações, cuja falta havia sido muito custosa no entreguerras.

Esse sistema sustentou quase 30 anos de crescimento econômico excepcional, mas tinha falhas estruturais. Os constantes déficits comerciais dos EUA (importações superando exportações) ajudaram a manter vivo o sistema, mas os dólares inundaram o exterior até que os estoques desta moeda excederam as reservas de ouro dos EUA, elevando o preço do ouro em dólar acima do preço fixado para o ouro. Com o aumento dos gastos públicos dos EUA, a pressão piorou. Em 1971, o presidente Nixon rompeu o elo dólar--ouro, encerrando o sistema de Bretton Woods. ■

Fundo Monetário Internacional

Criado pelo acordo de Bretton Woods, o Fundo Monetário Internacional (FMI) é hoje um dos mais controversos órgãos internacionais. De início era um fundo de emergência para países com dificuldades financeiras resultantes de déficit no balanço de pagamentos, crises da dívida ou quase sempre ambos. Mais de 180 países-membros contribuem com um fundo central, conforme o tamanho da sua economia, e podem se candidatar a empréstimos baratos. Quando se suspendeu o sistema de câmbio fixo de Bretton Woods em 1971, o papel do FMI mudou. Passou a impor condições rígidas em seus empréstimos. A partir do final dos anos 1970, eles foram muito influenciados pelas ideias neoliberais (pp. 172-77), que defendiam a privatização e cortes nos gastos públicos. Economistas têm criticado o FMI por piorar crises, como a do sudeste asiático no final da década de 1990.

Corretores sem ação enquanto a crise causada pelo colapso da moeda *baht* se espalha pela Ásia em 1997. A Tailândia cedera ao FMI para deixar o *baht* flutuar.

TUDO O QUE OS PAÍSES POBRES PRECISAM É DE UM GRANDE IMPULSO

ECONOMIA DESENVOLVIMENTISTA

EM CONTEXTO

FOCO
Crescimento e desenvolvimento

PRINCIPAIS PENSADORES
Paul Rosenstein-Rodan (1902-85)
Walt Rostow (1916-2003)

ANTES
1837 O economista alemão Friedrich List diz que restrição a importações ajuda a criar indústria nacional.

DEPOIS
1953 O economista estoniano Ragnar Nurkse propõe política de crescimento equilibrado a países em desenvolvimento.

1957 O economista austro-húngaro Peter Bauer critica a ideia do grande impulso e a ortodoxia do planejamento estatal.

Para **se desenvolver**, os países pobres precisam de muitos **investimentos**...

... tanto em **infraestrutura** (como estradas e portos) quanto na **indústria** (como fábricas e usinas de energia).

Esses **investimentos** devem ser feitos ao mesmo tempo, porque precisam uns dos outros para **vingar**.

Só os governos têm condições de fazer **investimentos** nesse volume.

Se investirem, os países crescerão. Tudo o que os países pobres precisam é de um grande impulso.

Uma das principais perguntas dos economistas é "como os países pobres ficaram ricos?" Após a Segunda Guerra Mundial, ela ressurgiu com força. O esfacelamento dos impérios coloniais criara nações independentes, cujo padrão de vida caía cada vez mais em relação ao de seus antigos senhores. Muitos sofriam rápido crescimento populacional e precisavam de um crescimento correspondente em produtos e serviços já produzidos, a fim de aumentar o padrão de vida.

A Europa recuperou-se rápido da guerra, ajudada pelo Plano Marshall – enorme injeção de dinheiro do governo dos EUA que financiou a reconstrução da infraestrutura e das indústrias. O economista polonês Paul Rosenstein-Rodan disse que, para a economia progredir, os novos países independentes dos anos 1950 e 60 precisavam de um "grande impulso" de investimento, como a Europa recebera do Plano Marshall.

Outra ideia correlata era de que os países atravessam uma série de etapas que os leva de sociedades tradicionais a economias de consumo de massa. Walt Rostow, economista americano que apresentou essa teoria, disse que as sociedades tradicionais só se desenvolvem com investimentos de capital enormes: é o grande impulso que provoca a decolagem para o crescimento sustentável. Ele acaba transformando países pobres em grandes economias, com alto padrão de vida para a maioria da população. A questão de como fazer os investimentos necessários para o grande impulso tornou-se primordial no novo campo da economia desenvolvimentista.

Construção simultânea

Rosenstein-Rodan afirmou que, nos países menos desenvolvidos, o mercado não consegue destinar com eficiência recursos para investimentos benéficos que gerem crescimento. Isso porque grandes

Veja também: Economias de escala 132 ▪ O surgimento ds economias modernas 178-79 ▪ Mercados e resultados sociais 210-13 ▪ Teorias do crescimento econômico 224-25 ▪ Os Tigres Asiáticos 282-87

projetos, como estradas, portos e fábricas, são complementares: a existência de um torna os outros economicamente viáveis – o que pode originar um dilema: o primeiro investimento só seria lucrativo se um segundo fosse feito, mas este só seria lucrativo se o primeiro tivesse sido feito. Por exemplo, uma fábrica precisa de uma usina de energia por perto para ser viável, mas a usina só é lucrativa se existe uma fábrica que compre a energia. Há dois resultados possíveis: um, nem fábrica nem usina existem; dois, ambos existem.

O mesmo tipo de argumento aplica-se a combinações de produção mais complexas. Imagine que uma enorme fábrica de calçados seja construída em uma economia subdesenvolvida. Ela faz $10 milhões em sapatos, e a receita das vendas vai para salários e lucro. Porém, essa fábrica só é viável se toda a renda que ela gerar (para os trabalhadores) for gasta em sapatos, quando na realidade as pessoas gastam numa série de produtos. Suponha que se gastem 60% da renda em pão, 20% em roupas, 10% em querosene e 10% em sapatos. Se fábricas de pão, roupas, querosene e sapatos fossem construídas nessa região, a renda gerada por essas empresas seria gasta nos produtos de cada indústria na mesma proporção. As indústrias só são viáveis quando existem juntas, nas proporções corretas.

Encadeamentos essenciais

O economista alemão Albert Hirschman usou o termo "encadeamento" para se referir às interligações entre indústrias. Por exemplo, uma fábrica de tinta ajuda no progresso de uma fábrica de carros aumentando a oferta de tinta. Hirschman chamou isso de "encadeamento prospectivo". A expansão da indústria de tinta aumenta a procura de produtos químicos para fazer tintas e assim aumenta a lucratividade das indústrias químicas. Isso se chama "encadeamento retrospectivo". Na prática, as indústrias têm vários encadeamentos prospectivos e retrospectivos com outras indústrias, criando uma rede complexa de interações que podem tornar economicamente viável toda uma base de produção diversificada.

As indústrias que atendem ao consumo de massa são na maioria complementares, no sentido de que propiciam um mercado para as outras e portanto as apoiam.

Ragnar Nurkse

Economista estoniano (1907-59)

Esse grande impulso implica que países que não têm nada passem a ter de tudo. Por não terem nem usina de energia nem fábrica, as economias em desenvolvimento de repente precisam de ambas. Por não terem nenhum setor industrial, elas devem criar todos ao mesmo tempo. Todavia, »

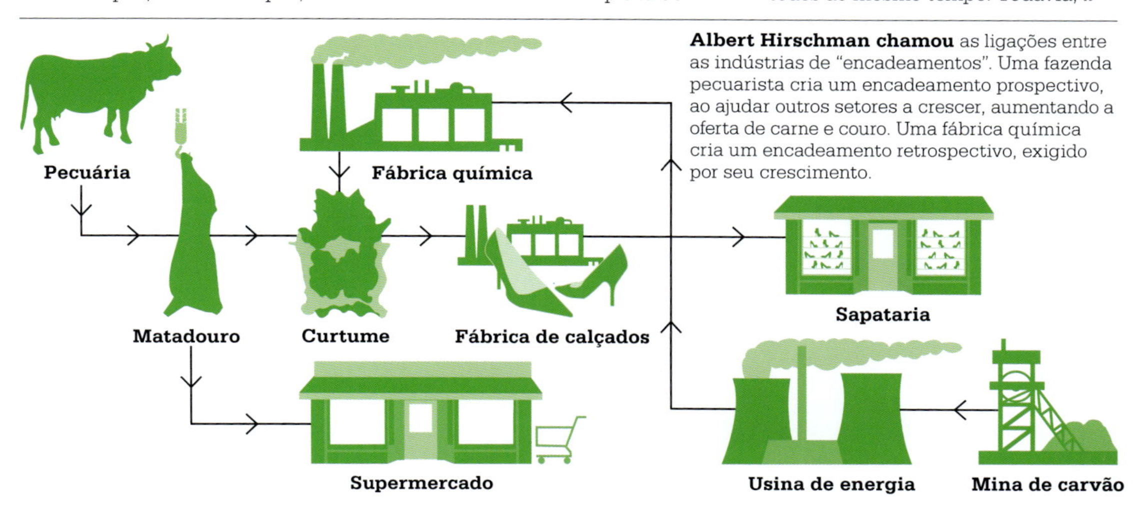

Albert Hirschman chamou as ligações entre as indústrias de "encadeamentos". Uma fazenda pecuarista cria um encadeamento prospectivo, ao ajudar outros setores a crescer, aumentando a oferta de carne e couro. Uma fábrica química cria um encadeamento retrospectivo, exigido por seu crescimento.

Uma grande fábrica feita com dinheiro indiano emprega pessoas para descascar nozes na Tanzânia. Outras indústrias surgiram para atender à fábrica, ajudando a desenvolver o país.

como cada investimento precisa dos outros, é difícil empresários individuais darem o empurrão. Por isso Rosenstein-Rodan e outros disseram que o grande impulso deve partir do Estado, não de mercados privados.

Os governos do mundo em desenvolvimento no pós-guerra que seguiam essa linha envolveram-se em grandes programas de investimento, realizando projetos industriais e de infraestrutura em meio a planos de desenvolvimento nacional. Considerava-se que as nações menos desenvolvidas tinham duas economias: os setores agrícolas tradicionais (com muita mão de obra improdutiva) e os setores modernos, formados por novas indústrias. A ideia era que o grande impulso sugaria o excesso de mão de obra das zonas rurais e o levaria aos novos empreendimentos industriais. Esse raciocínio deu o argumento lógico para grandes injeções de ajuda externa, vistas como combustível da iniciativa de investimento. O investimento conduzido pelo Estado provocou uma industrialização benéfica em certos lugares. Alguns países do sudeste da Ásia tiveram expansão industrial e rápido crescimento da renda; sua aliança bem-sucedida de um Estado ativo e grandes empresas tornou-se conhecida como modelo de Estado desenvolvimentista. Contudo, as condições em que o Plano Marshall foi aplicado em 1948 diferiam daquelas das novas nações dos anos 1950 – muitas tentativas com o grande impulso fracassaram.

Investimento ineficiente

No início, os investimentos necessários ao desenvolvimento econômico podem parecer óbvios. Ainda assim, coordenar um programa de investimentos em muitas indústrias é uma tarefa árdua. Os governos só conseguem criar indústrias viáveis se conhecem o equilíbrio correto da produção – a fatia certa de sapatos, roupas e pão –, que decorre da composição da demanda do consumidor. Só se pode explorar as interações entre os diversos tipos de produção quando se conhecem em detalhe os encadeamentos prospectivos e retrospectivos das indústrias. Nem todos os governos dispõem de perícia, informação ou poder político para ter sucesso nesse empenho.

Muitos países acabaram ficando com indústrias estatais inchadas e ineficientes que não conseguiram deslanchar um crescimento sustentável. Quase sempre se tentou a industrialização impondo tarifas comerciais – a importação de produtos era proibida, na esperança de que as indústrias iniciantes progredissem. A proteção estatal de empresas contra a concorrência estrangeira gerou a "rent-seeking" (busca de renda) – pressão sobre o governo de grupos comerciais que tentam preservar privilégios. Isso frequentemente acarretou relações íntimas entre governos e industriais com contatos políticos, impedindo a concorrência e a inovação.

Nos anos 1970, o grande impulso foi criticado pelos economistas neoclássicos (p. 247), como o americano Paul Krugman, para quem as economias em desenvolvimento não diferiam em essência das desenvolvidas. Disseram que um comportamento economicamente racional e o poder da sinalização dos preços eram tão válidos nos países pobres quanto nos ricos. O investimento era importante, mas devia ter distribuição correta através da economia. Os mercados, não os governos, eram os melhores árbitros para decidir onde investir.

Essa nova onda de pensamento sustentava que as economias em desenvolvimento eram prejudicadas não pela ineficiência inerente aos seus mercados, mas por políticas erradas. O envolvimento excessivo do governo havia rompido o mecanismo de preços (os preços são fixados pela oferta e pela procura) e atrapalhara sua capacidade de distribuir recursos com eficiência. Boa política significava "acertar os preços" e permitir que o mecanismo do mercado funcionasse livremente, para que os recursos fossem mais bem empregados. Caminhar para a frente era recuar as fronteiras do Estado, acabar com a busca de renda e

A complementaridade de indústrias diversas fornece o mais importante conjunto de argumentos em favor da industrialização planejada em ampla escala.

Paul Rosenstein-Rodan

deixar o mecanismo de preços agir soberano.

Nos anos 1980, essa revisão do pensamento levou à ascensão da política de desenvolvimento de livre mercado. O Banco Mundial e o Fundo Monetário Internacional introduziram "programas de ajuste estrutural" para injetar princípios de mercado nas economias africanas. A dita "terapia de choque", usada na Europa Oriental por essas instituições depois da queda do comunismo, visava estabelecer rapidamente sistemas de mercado. Porém, esses experimentos com o mercado livre acabaram criticados por aumentar a pobreza e ao mesmo tempo falhar na construção de economias dinâmicas e diversificadas.

Políticas pró-mercado

A desilusão com o ajuste estrutural fez surgir hoje um novo consenso, que funde as reflexões dos primeiros pensadores desenvolvimentistas a uma visão mais otimista dos mercados. Atualmente os mercados são considerados vitais nos países pobres para criar incentivos que mobilizem recursos de um modo lucrativo. Ao mesmo tempo, economistas como o americano Joseph Stiglitz denunciaram os fracassos do mercado no âmbito das pequenas empresas, os quais costumam refrear os países em desenvolvimento. Por exemplo, não dá para investir lucrativamente se as empresas não conseguem obter empréstimo. Talvez o Estado tenha um papel na correção dessas falhas e possa ajudar, assim, o mecanismo de preços a funcionar mais suave. Esse consenso, às vezes chamado enfoque pró-mercado, vê o Estado e os mercados como complementares.

Porém, no início do século XXI ressurgiram as ideias do grande impulso mais explícitas. Em 2000, as Nações Unidas traçaram metas de desenvolvimento até 2015, as quais incluem universalização do ensino fundamental, erradicação da fome e redução da mortalidade infantil. Isso implica que os países doadores mantenham o fluxo da ajuda prometida e exige grandes investimentos coordenados através de uma série de setores e projetos de infraestrutura. ■

Singapura tornou-se um Estado moderno em 1965. As políticas do governo atraíram investimento estrangeiro, e o Estado floresceu com as exportações, como de petróleo refinado.

Desenvolvimento na América Latina

Após a Segunda Guerra Mundial, muitos governos latino-americanos intervieram na economia para promover a industrialização em vários setores. Restringiram as importações e criaram indústrias para produzir os mesmos bens, impondo tarifas e controle de câmbio a fim de sufocar a concorrência externa. Investiram diretamente na infraestrutura necessária para essa indústria, com ajuda e assistência técnica estrangeiras. Esse processo, chamado de importações por substituição, teve mais sucesso nos países que já possuíam mercados internos grandes a ponto de permitir a presença da indústria pesada junto a empresas de consumo, como Brasil e Venezuela.

Os críticos dizem que os países latino-americanos deveriam ter fortalecido os setores em que tinham uma vantagem comparativa, estimulando as empresas a ser competitivas no mundo e a exportar seus produtos.

O governo da Bolívia fez investimentos recordes na indústria petrolífera em 2011. Privatizada nos anos 1990, a indústria foi renacionalizada em 2006.

AS PESSOAS SÃO INFLUENCIADAS POR ALTERNATIVAS IRRELEVANTES

DECISÕES IRRACIONAIS

EM CONTEXTO

FOCO
Tomada de decisão

PRINCIPAL PENSADOR
Maurice Allais (1911-2010)

ANTES
1944 John von Neumann e Oskar Morgenstern publicam *Theory of games and economic behavior*, lançando os alicerces da teoria da utilidade esperada.

1954 O matemático americano L. J. Savage mostra como as pessoas calculam as probabilidades de acontecimentos incertos.

DEPOIS
1979 Daniel Kahneman e Amos Tversky explicam certas discrepâncias entre testes psicológicos e afirmações da teoria econômica.

Anos 1980 em diante Surge a economia comportamental, que integra técnicas matemáticas de economia à psicologia.

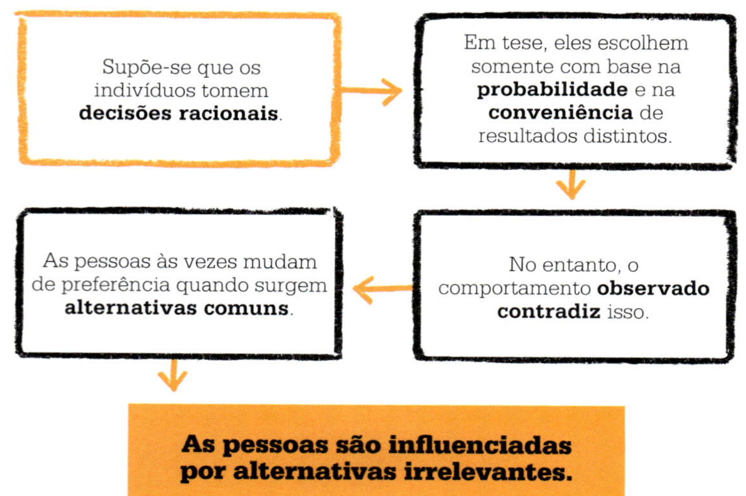

Em 1944, o matemático americano John von Neumann e o economista alemão Oskar Morgenstern criaram a teoria da utilidade esperada para mostrar como as pessoas decidem sob incerteza. "Utilidade" é uma medida de satisfação, e os economistas usam unidades de utilidade para falar da quantidade de satisfação obtida em vários resultados. A teoria presume que as pessoas são racionais quando diante de opções sem resultado garantido: elas comparam a utilidade obtida de cada resultado possível segundo a probabilidade de ocorrerem e então escolhem a opção que promete maior utilidade. O modelo usa um enfoque matemático da tomada de decisões e tem sido usado para analisar todo tipo de comportamento econômico em situações de incerteza.

Veja também: O homem econômico 52-53 ▪ Risco e incerteza 162-63 ▪ Paradoxos nas decisões 248-49 ▪ Economia comportamental 266-69

Contudo, em 1953, o economista francês Maurice Allais contestou a teoria daquela que ele chamou de Escola Americana de economia.

Assinalou que a teoria da utilidade esperada baseia-se em uma suposição, conhecida como axioma da independência, segundo o qual as pessoas olham sem paixão para a possibilidade dos resultados e a utilidade que tirarão de cada um. Elas veem cada opção de maneira independente, ignorando quaisquer fatores em comum em cada opção. Allais disse que raramente isso era verdade, se é que era. Sua opinião se chamaria paradoxo de Allais.

Escolha irracional

Não conseguimos ver o processo de pensamento das pessoas quando elas fazem escolhas, mas podemos observar as opções que elas fazem e ver se são compatíveis com a racionalidade e o axioma da independência. Imagine que você pode optar entre uma maçã e uma laranja e escolha a maçã. Agora imagine que lhe dão as alternativas de uma maçã, uma laranja e um pêssego. O axioma da independência pressupõe que você escolheria de novo a maçã, ou o pêssego, mas não optaria pela laranja, porque o acréscimo do pêssego não pode mudar sua preferência por maçãs a laranjas.

A violação da independência detectada por Allais, porém, ocorre em situações de incerteza. Suponha que você possa escolher entre duas "loterias", cada qual com vários resultados possíveis de probabilidades particulares. A primeira loteria lhe dá 50% de chance de uma maçã e 50% de chance de um pêssego. A segunda dá 50% de chance de uma laranja e 50% de chance de um pêssego. Como você prefere maçãs a laranjas, deve escolher a primeira loteria – pelo axioma da independência, a adição do pêssego na loteria, tornando-a um resultado igualmente provável em ambas as opções, não deveria fazer diferença na escolha da maçã. Mas na prática quase sempre faz.

Em experimentos usando modalidades mais complexas desse tipo de alternativa, as pessoas violam com frequência o axioma da independência, o que conflita com a ideia econômica básica de que elas sempre agem racionalmente. Por algum motivo, a existência de outras opções num grupo de alternativas parece importar – e faz diferença. A descoberta desses comportamentos gerou o novo campo da economia comportamental (pp. 266-69), que tenta elaborar modelos mais realistas de tomada de decisão do ponto de vista psicológico. ▪

Seja qual for o seu poder de atração, nenhum dos postulados fundamentais formulados pela Escola Americana resiste à análise.
Maurice Allais

Maurice Allais

Maurice Allais nasceu em Paris, França, em 1911. Seu pai morreu na Primeira Guerra Mundial, o que o perturbou profundamente. Superou-se na escola e estudou matemática na École Polytechnique, de elite, formando-se como primeiro da classe em 1933. Prestou o serviço militar e depois trabalhou como engenheiro e gerente de departamento da École Nationale Supérieure des Mines. Nessa época, publicou seus primeiros artigos de economia. Em 1948, a École Nationale permitiu-lhe que se dedicasse a lecionar e escrever, e ele se tornou seu professor de análise econômica. Erudito, Allais também contribuiu para a física. Em 1978, foi o primeiro economista a ganhar a medalha de ouro do Centro Nacional de Pesquisa Científica francês e, em 1988, ganhou o Nobel de economia. Morreu em 2010.

Obras-chave

1943 *A la recherche d'une discipline économique*
1947 *Économie et intérêt*
1953 *Le comportement de l'homme rationnel devant le risque*

OS GOVERNOS DEVEM SE RESTRINGIR A CONTROLAR A OFERTA DE MOEDA

POLÍTICA MONETARISTA

EM CONTEXTO

FOCO
Política econômica

PRINCIPAL PENSADOR
Milton Friedman
(1912-2006)

ANTES
1911 Irving Fisher formaliza a teoria quantitativa da moeda, que propõe que os preços têm relação direta com o volume da oferta de moeda.

1936 John Maynard Keynes questiona a eficácia de políticas para controlar a oferta de moeda.

DEPOIS
Anos 1970 Robert Lucas elabora modelos que supõem "expectativas racionais".

Anos 1970-80 Muitos países adotam metas de crescimento monetário, pelas quais os governos tentam controlar o crescimento do volume da oferta de moeda a fim de manter baixa a inflação.

A Grande Depressão fez milhões de americanos migrar para o Oeste em busca de trabalho no campo. Milton Friedman pôs a culpa na redução da oferta de moeda do Federal Reserve.

John Maynard Keynes (p. 161) escreveu nos anos 1930 que as políticas de controle da oferta de moeda eram quase sempre ineficazes. Ele acreditava que a alteração das taxas de juro ou da oferta de moeda não afetava a economia de modo previsível. Os governos acertariam mais se usassem uma política fiscal – mudando a composição de gastos públicos e tributação – para obter proteção contra o desemprego e a inflação. Em 1945, as opiniões de Keynes eram amplamente aceitas.

Todavia, a partir dos anos 1950, economista americano Milton Friedman começou a contestá-lo com a ideia de que "a moeda é importante". Para Friedman, a moeda afeta a produção em curto prazo, e os preços, apenas em longo prazo. Ele afirmou que a política monetária tem um papel valioso na condução da economia – ideia hoje conhecida como monetarismo.

Em 1963, Friedman publicou com sua colega Anna Schwartz *A monetary history of the United States, 1867-1960*. Eles analisaram o papel da moeda nos ciclos econômicos e descobriram que as flutuações no crescimento monetário precediam as flutuações no crescimento da produção. Atribuíram a Grande Depressão de 1929-33, em particular, à incompetência do Federal Reserve – o Banco Central dos EUA –, que permitira ou fizera o volume da moeda cair mais de um terço.

Teoria do consumo

A defesa de Keynes de gastos públicos nas baixas econômicas baseou-se em parte em suas ideias sobre o consumo. Segundo ele, quando a renda pessoal aumenta, o consumo também aumenta, mas não na mesma proporção. Numa baixa, as pessoas guardam dinheiro,

Veja também: O multiplicador keynesiano 164-65 ▪ Inflação e desemprego 202-03 ▪ Poupar para gastar 204-05 ▪ Expectativas racionais 244-47

o que prolonga a queda. Em tal situação, se o governo investe, as rendas aumentam, com efeitos grandes e previsíveis sobre o consumo, restituindo o pleno emprego na economia.

Em 1957, Friedman publicou *A theory of the consumption function*, obra importante que começou a contestar a ortodoxia keynesiana. Friedman disse que as pessoas diferenciam "renda permanente" – seus ganhos estáveis por muito tempo, que elas se sentem seguras de gastar – e "renda transitória" – que é menos perene, pode ser positiva ou negativa e não afeta seu consumo. As pessoas com renda »

Homem cola dinheiro na parede durante a hiperinflação alemã de 1923. Friedman achou que a intervenção do Estado para reduzir o desemprego levou inevitavelmente à alta inflação.

A **demanda de moeda** pode ser prevista analisando o comportamento das pessoas.

↓

A **oferta de moeda** pode ser controlada pelo governo.

Os gastos públicos não conseguem reduzir o desemprego abaixo de sua taxa natural sem provocar inflação.

↓

A inflação perturba a **eficiência econômica** e deve ser evitada.

↓

A moeda deve crescer a uma taxa modesta e constante, a fim de manter baixa a inflação.

↓

Os governos devem se restringir a controlar a oferta de moeda.

Milton Friedman

Nascido em 1912 no Brooklyn, Nova York, Milton Friedman era filho de imigrantes húngaros. Teve os melhores professores de economia dos EUA – na graduação na Rutgers, Nova Jersey; no mestrado em Chicago e no doutorado na Columbia, em Nova York. Em Chicago, conheceu a estudante de economia Rose Director. Casaram em 1938 e colaboraram por toda a vida. De 1935 a 1946, ele trabalhou como estatístico e economista em Nova York e Washington. De 1946 a 1976, lecionou na Universidade de Chicago, quando se destacou. Sua fama aumentou com a série de TV e livro dos anos 1980 *Liberdade de escolher*. Foi assessor dos presidentes americanos Richard Nixon e Ronald Reagan. Morreu em 2006.

Obras-chave

1957 *A theory of the consumption function*
1963 *A monetary history of the United States, 1867-1960* (com Anna Schwartz)
1967 *The role of monetary policy,* discurso presidencial na American Economic Association

Inflação é tributação sem legislação.
Milton Friedman

alta têm renda transitória positiva e consomem apenas uma porção da renda total; aquelas com renda mais baixa têm renda transitória negativa e consomem mais que a sua renda. Porém, caso se somem todas as rendas, as transitórias positivas e negativas anulam-se mutuamente em boa parte. A teoria de Friedman parecia coincidir bem com as evidências. Numa amostra da população, o consumo não cresceu muito com a renda. Mas, ao ser medido ao longo do tempo tendo por base a população inteira (para que os efeitos da renda transitória fossem anulados), o consumo cresceu com a renda. Friedman concluiu que o modelo de consumo de Keynes estava errado. Os gastos públicos teriam função de renda transitória e simplesmente "dispersariam" os gastos privados. Não ocorreriam baixas sem fim causadas por consumo inadequado.

Teoria quantitativa da moeda

Friedman quis mostrar que a política monetária funcionava: uma mudança na quantidade de moeda na economia provoca um efeito previsível na renda total. Keynes dissera que essa relação é instável, porque as pessoas guardavam dinheiro por motivos diferentes – alguns eram o que ele chamou de "especulativos" e difíceis de identificar. Para provar que a teoria quantitativa estava certa, Friedman precisava provar que a demanda de moeda era estável. Ele tinha de apresentar uma teoria verificável sobre a demanda de moeda.

Em 1956, Friedman publicou *The quantity theory of money: a restatement*. Ele considerava a moeda como um bem, uma "morada temporária do poder aquisitivo". A demanda do mercado por um produto depende do orçamento geral das pessoas e de seu preço relativo diante de produtos concorrentes, assim como do gosto do comprador. Para Friedman, a demanda de moeda sofria influência de certos fatores. Primeiro, ela aumentaria com o nível geral de preços, pois a moeda é necessária por seu poder de comprar bens reais. Também seria influenciada pela riqueza "real" das pessoas ou sua renda permanente e pelos rendimentos de dinheiro, títulos, ações e bens duráveis. Por fim, a demanda de moeda teria a influência dos "gostos", que neste contexto significam fatores como incerteza econômica, que leva as pessoas a guardar dinheiro.

Dado um nível bem definido de procura de moeda, os consumidores não exigiriam uma oferta extra de moeda; eles já teriam o dinheiro de que precisavam. Assim, gastariam qualquer dinheiro extra. Como os preços não se ajustam de imediato no curto prazo, não haveria produção maior. Mas, no longo prazo, os preços se ajustariam, e o único efeito da moeda extra seriam preços maiores. O enfoque de Friedman pode então ser visto como uma retomada da teoria quantitativa da moeda, uma fórmula que diz MV = PT, em que "M" é a oferta de moeda e "V" representa a velocidade de circulação do dinheiro. "P" é o nível de preços, que, multiplicado por "T" (número de transações), resulta no valor total das transações. Em suma, essa equação diz que, se V e T são constantes, uma oferta de moeda maior implica um nível de preços maior. No longo prazo, a moeda não tem efeitos "reais" na economia.

Desemprego natural

A palavra "monetarismo" foi usada primeiro em 1968, ano em que Friedman apresentou uma nova interpretação da curva de Phillips (p. 203), referente à suposta relação estável entre inflação e desemprego, que permitiria aos governos escolher entre menos inflação com mais desemprego ou mais inflação com menos desemprego. Friedman desmentiu que existisse essa oposição, a não ser no curtíssimo prazo. Ele disse que existe uma única "taxa natural" de desemprego, que consiste em trabalhadores desempregados temporariamente enquanto procuram emprego. Na prática, a economia tem pleno emprego quando o desemprego está

De 1975 a 1999, o governo americano fixou metas anuais de crescimento da oferta de moeda. Contudo, ela cresceu constantemente mais do que o limite superior da meta governamental.

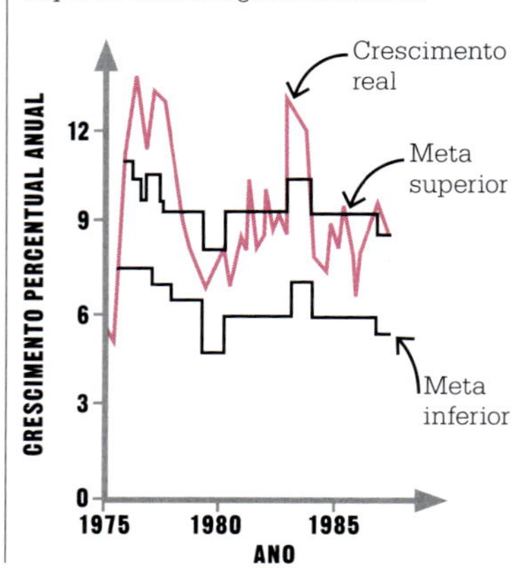

Em 1973, o Chile tornou-se o primeiro país a aplicar políticas monetaristas. Sob o regime do ditador Augusto Pinochet, foi realizado um programa radical de cortes e privatizações.

em seu índice natural. Se os governos gastam para que o desemprego fique abaixo de sua faixa natural, aumentando a inflação, os assalariados inflacionarão ainda mais suas exigências salariais. Duas coisas podem acontecer aí: o desemprego retornar à taxa natural com o novo índice de inflação mais alto; o governo tentar manter o baixo índice de desemprego, mas à custa de uma inflação acelerada.

A conclusão era clara: é fútil os governos tentarem estabilizar o emprego com política fiscal. O aumento da oferta de moeda também só acarreta preços mais altos. No longo prazo, a curva de Phillips é uma linha vertical reta no índice natural de desemprego.

O hiato de tempo entre as mudanças monetárias e as mudanças na produção costuma ser de poucos trimestres. A movimentação dos preços pode levar de um a dois anos ou mais para ocorrer. Esses hiatos são consideravelmente variáveis. Por isso Friedman aconselhou os governos a não tentar usar a política monetária para manipular os mercados diretamente, pois é fácil interpretar errado o que acontece na economia. Eles deveriam seguir uma regra simples: garantir que a moeda tenha aumentos constantes de 2% a 5% (conforme a definição de moeda escolhida) anuais.

A nova escola de macroeconomia clássica, liderada pelos economistas americanos Robert Lucas e Thomas Sargent, apresentou uma revisão desse argumento baseada nas expectativas racionais da política econômica futura. O modelo de Friedman tratava as expectativas como se elas apenas se adaptassem a erros passados. Lucas e Sargent disseram que as expectativas das pessoas são previdentes. Como as pessoas veem o que o governo planeja, qualquer tentativa deste de reduzir o desemprego abaixo da taxa natural levará imediatamente a uma inflação mais alta. Ou seja, a curva de Phillips é vertical também no curto prazo – os governos não têm nem mesmo o poder de reduzir o desemprego.

Monetarismo na prática

Não demorou muito para que as advertências de Friedman se mostrassem corretas. Nos anos 1970, o suposto conflito da curva de Phillips caiu por terra, pois a inflação e o desemprego aumentaram juntos – fenômeno chamado estagflação. Os governos passaram a instituir metas de crescimento da oferta de moeda no planejamento. Alemanha, Japão, EUA, Reino Unido e Suíça adotaram metas monetárias nos anos 1970. Todavia, viu-se que era difícil controlar o aumento monetário. Um problema era que tipo de moeda visar. A maioria dos bancos centrais visava uma forma mais ampla de moeda, que incluía depósitos bancários a prazo fixo (que não podem ser retirados dentro de um certo período). Porém, era difícil controlá-la. A atenção voltou-se então para a base monetária restrita, ou seja, cédulas, moedas e reservas do banco central. Isso era mais fácil de controlar, mas parecia não ter uma relação estável com a chamada moeda ampliada.

Os experimentos monetaristas fracassaram em grande parte, mas o impacto do monetarismo foi significativo. Passou de uma prescrição política sobre a oferta de moeda para um programa voltado para a redução do envolvimento do governo em todos os aspectos da economia. Hoje, poucos discordariam de que "a moeda importa". A política monetária recebe tanta atenção quanto a política fiscal e em geral serve para controlar a inflação. Mas a forma mais pura de monetarismo e as consequências de sua política dependem de suposições controversas: de que existe uma demanda de moeda previsível e a oferta de moeda pode ser controlada facilmente pelas autoridades. Nos anos 1990, os países se afastaram das metas monetárias. Muitos começaram a usar a taxa de câmbio para controlar a inflação ou atrelar a política de taxa de juros à tendência da inflação. ■

Ronald Reagan, dos EUA, e Margaret Thatcher, da Grã-Bretanha, eram aliados conservadores próximos. Ambos aplicaram políticas monetaristas rígidas durante sua gestão.

QUANTO MAIS PESSOAS TRABALHAM, MAIS ALTAS SÃO AS SUAS CONTAS

INFLAÇÃO E DESEMPREGO

EM CONTEXTO

FOCO
Política econômica

PRINCIPAL PENSADOR
Alban William Phillips (1914-75)

ANTES
1936 John Maynard Keynes tenta explicar o desemprego e as recessões.

1937 O britânico John Hicks faz modelo matemático com as reflexões de Keynes.

DEPOIS
1968 Milton Friedman diz que a curva de Phillips deveria contar com expectativas de inflação das pessoas e que há uma taxa "natural" de desemprego.

1978 Os economistas Robert Lucas e Thomas Sargent criticam curva de Phillips.

Anos 1980 em diante
A nova macroeconomia keynesiana reabilita possibilidade de estabilizar macroeconomia (a economia como um todo).

Durante trinta anos após a Segunda Guerra Mundial, as economias mais desenvolvidas do mundo usufruíram seu mais longo período de crescimento. O desemprego estava baixo, a renda aumentou, e os economistas achavam que haviam superado a crise dos anos 1930.

Essa confiança vinha da crença no poder da intervenção do governo para orientar a economia, que foi resumida convincentemente na curva de Phillips. Em 1958, o neozelandês Alban William Phillips publicou *The relationship between unemployment and the rate of change of money wages*, mostrando a ligação entre a inflação salarial e o desemprego no Reino Unido de 1861 a 1957. Anos de alta inflação eram anos de baixo desemprego, e vice-versa.

Inflação ou desemprego?

Uma obra posterior mostrou relações similares e estáveis em outros países desenvolvidos. Os governos

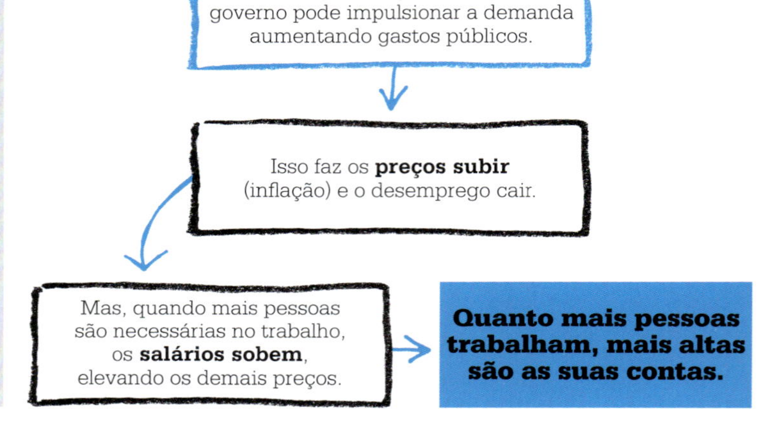

Veja também: Depressões e desemprego 154-61 ▪ O multiplicador keynesiano 164-65 ▪ Política monetarista 196-201 ▪ Expectativas racionais 244-47 ▪ Salários rígidos 303

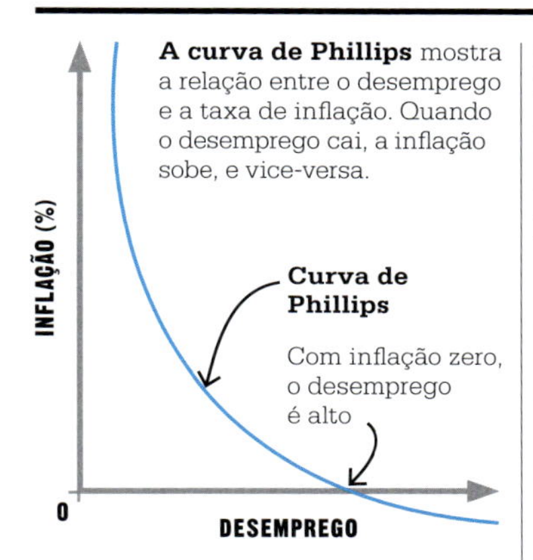

perceberam que existia uma oposição entre inflação e desemprego. Podiam pegar o ponto preferido na curva de Phillips, optando por desemprego baixo e inflação alta ou inflação baixa e desemprego alto, e ajustar suas políticas para tanto. Aumentando ou reduzindo os gastos e endurecendo ou afrouxando a política monetária (oferta de moeda e taxas de juro), eles poderiam regular a demanda agregada (gasto total) para arrumar a economia na curva. A economia era tratada como uma máquina gigante. Todas as questões principais da macroeconomia – todo o sistema econômico do país – aparentemente se resumiam a soluções técnicas, em vez de batalhas ideológicas.

A curva casava bem com a macroeconomia keynesiana (pp. 154-61), comum na época. Quando o desemprego estava alto, achava-se que a queda nos mercados de trabalho e de bens reduziria salários e preços. A inflação seria baixa. Quando a taxa de emprego estava alta, a demanda adicional na economia – talvez com gastos públicos – não aumentava a produção e o emprego, mas fazia baixar preços e salários; a inflação subiria. Contudo, nos anos 1970 essa relação estável sumiu. O desemprego e a inflação subiram juntos, num estado conhecido por "estagflação". O economista americano Milton Friedman (p. 199) explicou o fato de um modo que seria dominante na teoria macroeconômica, ao dizer que, além de mostrar a relação entre os preços reais e o desemprego, a curva de Phillips precisava levar em conta as expectativas de inflação. As pessoas percebiam que, quando o governo aumentava os gastos para estimular a economia (e aumentar o emprego), logo haveria inflação. Em consequência, qualquer aumento nos gastos públicos em período de desemprego alto era tido como sinal de inflação iminente, e os trabalhadores pediam aumento salarial antes de os preços realmente subirem. No longo prazo, declarou Friedman, não há oposição conflituosa entre desemprego e inflação. A economia se ajusta numa "taxa natural" de desemprego. As tentativas do governo de estabilizar a economia só incentivavam a expectativa de inflação futura, e então surgia uma inflação real.

A contestação de Friedman abriu caminho para um ataque à macroeconomia keynesiana, e os governos buscaram opções para melhorar a oferta monetária e de mão de obra, em vez de tentar controlar a demanda. ■

Em 1931, o desemprego chegou a quase 23% nos EUA, com uma queda correspondente nos preços. O governo lançou um programa de obras públicas para criar empregos.

Alban William Phillips

Nascido na Nova Zelândia em 1914, Phillips foi para a Austrália aos 20 anos e por um tempo caçou crocodilos. Viajou para a China em 1937, fugiu quando o Japão a invadiu e chegou ao Reino Unido em 1938 para estudar engenharia. Com a Segunda Guerra Mundial, ele se alistou na RAF (Royal Air Force). Preso pelos japoneses em 1942, passou o resto da guerra num campo de prisioneiros. Em 1947, ele se matriculou em sociologia na London School of Economics, mas trocou-a por economia na pós-graduação. Foi professor de lá em 1958. Em 1967, voltou para a Austrália para lecionar, mas um derrame dois anos depois o fez se aposentar na Nova Zelândia.

Obras-chave

1958 *The relationship between unemployment and the rate of change of money wages*
1962 *Employment, inflation and ghowth: an inaugural lecture*

O CONSUMO CAI AO LONGO DA VIDA

POUPAR PARA GASTAR

EM CONTEXTO

FOCO
Tomada de decisão

PRINCIPAL PENSADOR
Franco Modigliani
(1918-2003)

ANTES
1936 John Maynard Keynes publica *Teoria geral do emprego, do juro e da moeda*, propondo uma função matemática simples para descrever o consumo.

1938 O economista keynesiano Alvin Hansen prevê estagnação de longo prazo na economia dos EUA.

DEPOIS
1978 O economista americano Robert Hall cria função para descrever consumo nos EUA, confirmando potencialmente versão da teoria de Friedman.

1982 Os economistas americanos Robert Hall e Frederick Mishkin dizem que famílias seguem uma "regra prática" ao planejar seu consumo.

As famílias destinam uma **proporção variável** de sua **renda atual** ao consumo.

↓

Isso porque os indivíduos são **racionais, olham para o futuro** e **não gostam de choques**.

↓

Consomem conforme suas **expectativas** de **renda pela vida**, não a renda atual.

↓

Poupam quando jovens e usam as **economias** quando velhos.

↓

O consumo cai ao longo da vida.

Em 1936, a *Teoria geral do emprego, do juro e da moeda*, de John Maynard Keynes, pôs a questão do consumo em posição central: se a procura total na economia é crucial para que ela funcione bem, os grupos que compõem essa procura têm grande importância. Os gastos públicos ficaram sob o controle do governo. O investimento das empresas foi relacionado à taxa de juro. Mas o consumo das famílias representava um desafio maior.

Keynes (p. 161) afirmou que as famílias consomem uma fração de sua renda e guardam o resto, e as famílias ricas poupam mais. A proporção do gasto de todas as famílias determina o tamanho do "multiplicador" (pp. 164-65) – a quantia que o gasto do governo aumenta quando executado. Ele cria empregos e renda, que são multiplicados pelo gasto daqueles que receberam emprego e renda adicional, e desse modo influi na economia em geral. Para os economistas keynesianos, o efeito multiplicador está por trás da maneira como a economia se move no tempo entre crescimento e recessão. Por essa razão, é fundamental obter um quadro preciso do consumo. A teoria de Keynes faz três previsões

Veja também: O homem econômico 52-53 ▪ Empréstimo e dívida 76-77 ▪ O multiplicador keynesiano 164-65 ▪ Expectativas racionais 244-47

empíricas. Primeira, as famílias ricas poupam mais que as pobres. Segunda, com o tempo, à medida que a economia cresce, a quantia que as pessoas gastam sobe menos rapidamente do que a renda, pois as famílias estão mais ricas e, assim, gastam proporcionalmente menos. Terceira, em decorrência disso, as economias mais ricas se tornarão cada vez mais "letárgicas": quando o consumo cai em relação à renda, reduz-se o multiplicador, e a economia começa a estagnar.

Poupança de uma vida

Contudo, as previsões teóricas não combinaram bem com a realidade. A relação entre consumo familiar e renda no longo prazo mostrou-se estável em países diversos, ao invés de baixar com o crescimento. Ela flutuou em curtos períodos, mas não se alterou de modo palpável em nenhuma direção. Após a Segunda Guerra Mundial, os economistas previram a estagnação, mas em todo lado as economias melhoraram. Duas soluções desse mistério tiveram aceitação. Ambas diziam que indivíduos racionais não consomem cegamente a renda atual, mas olham para o futuro e criam expectativas de quanto devem poupar. Em 1954, o economista italiano Franco Modigliani disse que isso estava relacionado com as etapas da vida. Quando são economicamente ativas, as pessoas poupam para a velhice. Quando mais velhas, elas usam a poupança. Tentam manter constante o consumo, reduzindo-o com o tempo. Isso ficou conhecido como hipótese do ciclo de vida.

Só aproveitamos a aposentadoria quando temos fundos para substituir a renda. Franco Modigliani disse que a consciência disso nos faz poupar para permitir um consumo constante.

Gerações sucessivas parecem ser cada vez menos econômicas.
Franco Modigliani

Três anos depois, o economista americano Milton Friedman (p. 199) propôs a teoria correlata de que as pessoas reduzem o consumo ao longo do tempo, deixando-o próximo de sua "renda permanente" – expectativa de ganhos futuros, baseada sobretudo na riqueza presente. Qualquer renda extra é "transitória" e será poupada, no que se conhece por hipótese da renda permanente.

Avanços mais recentes nas teorias de consumo sugerem que de fato os consumidores tendem a usar "regras práticas" e outras formas de comportamento "não racional" ao tomarem decisões sobre quanto gastar e poupar. ■

Franco Modigliani

Franco Modigliani nasceu em Roma, Itália, em 1918. Estudou direito na Universidade de Roma, mas trocou-o por economia. Em 1938, Mussolini aprovou leis antissemitas, e Modigliani, antifascista ferrenho, mudou-se para Paris e depois para Nova York com sua mulher, a ativista antifascista Serena Calabi. Ele sustentou sua crescente família vendendo livros enquanto estudava. Lecionou em várias cadeiras antes de se tornar professor titular de economia do Instituto de Tecnologia de Massachusetts (MIT). Em 1985, ganhou o Prêmio Nobel por sua análise pioneira da poupança e dos mercados financeiros. Após sua morte, em 2003, o economista Paul Samuelson disse que ele fora "o maior dos macroeconomistas".

Obras-chave

1954 *Utility analysis and the consumption function* (com Richard Brumberg)
1958 *The cost of capital, corporation finance and the theory of investment* (com Merton Miller)
1966 *The life-cycle hypothesis of saving*

AS INSTITUIÇÕES SÃO IMPORTANTES

INSTITUIÇÕES NA ECONOMIA

EM CONTEXTO

FOCO
Sociedade e economia

PRINCIPAL PENSADOR
Douglass North (1920-)

ANTES
1904 O economista americano Thorstein Veblen defende primazia de instituições nas explicações de desempenho econômico.

1934 O economista americano John Commons afirma que economias são complexas redes de instituições e interesses divergentes.

DEPOIS
1993 O economista americano Avner Greif usa a teoria dos jogos para analisar a evolução histórica das instituições que permitiram o desenvolvimento do comércio.

2001 O economista turco-americano Daron Acemoğlu explica as diferenças institucionais entre países conforme sua origem colonial.

A economia comum pressupõe a existência de mercados e que os governos detêm a alavanca das políticas, necessária para estimular os mercados na direção dos tipos benéficos de comércio, investimento e inovação. Os economistas institucionais, no entanto, vão mais fundo – buscam a origem dos mercados, seu envolvimento com o Estado e as condições políticas e sociais que auxiliam a atividade econômica.

O economista americano Douglass North definiu instituições como "as restrições criadas pelo homem para dar forma às interações humanas". Essas restrições são as "regras do jogo" e se mostram no aspecto formal e no

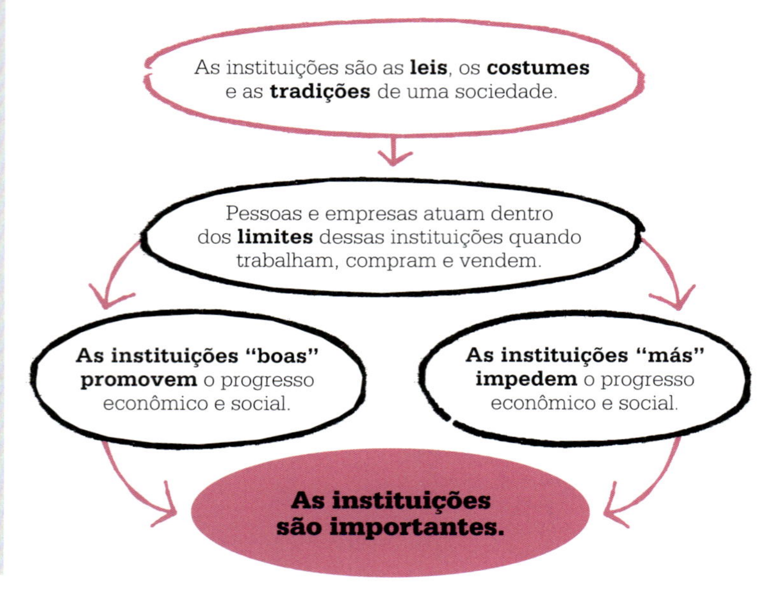

Veja também: Direitos de propriedade 20-21 ▪ Empresas de capital aberto 38 ▪ Economia e tradição 166-67 ▪ Capital social 280 ▪ Resistência a mudanças 328-29

informal. As restrições formais são as regras arraigadas na lei e na política de cada país, e as restrições informais, os códigos, os costumes e as tradições sociais. Juntas, elas compõem as instituições de Norton e estabelecem as regras amplas do jogo no qual os seres humanos interagem como trabalhadores, consumidores e investidores.

Mercados e propriedade

Os direitos de propriedade – física e intelectual – são uma instituição essencial para o crescimento econômico. North investigou o aparecimento dos direitos de propriedade na Inglaterra e disse que eles surgiram em 1688, quando a Coroa sujeitou-se ao Parlamento. Antes, o monarca expropriava recursos sem consideração pelos direitos privados de propriedade. North notou que, após a restrição ao poder da Coroa, as trocas ficaram menos caras, e os incentivos aumentaram. Seu ponto de vista foi contestado, mas continua influente.

O exemplo de North revela a tensão existente no coração da economia institucional. O Estado garante a ordem, que lhe dá o poder de ativar os direitos de propriedade,

As instituições propiciam a estrutura de incentivo de uma economia.
Douglass North

O Bundestag (Parlamento) alemão foi uma instituição criada após 1945. Teve papel importante dando forma à legislação e à economia da Alemanha no pós-guerra.

já que não sobrevivem na anarquia. Contudo, é esse mesmo poder que também permite ao Estado usar recursos em benefício próprio.

O economista turco-americano Daron Acemoğlu (1967-) provou que essa tensão tem raízes na origem colonial das sociedades. Em regiões como a África, onde havia a ameaça de doenças infecciosas, os colonizadores não ficaram muito tempo. Foram criadas instituições com o propósito de extrair recursos naturais rapidamente para enriquecer um Estado, e não para promover o crescimento econômico. Nas colônias norte-americanas, mais agradáveis, os colonos criaram instituições que propiciaram um crescimento duradouro.

As instituições determinam o sucesso e o fracasso das economias – criam a estrutura essencial. Os economistas ainda precisam identificar com clareza que mutação institucional dispara o progresso econômico. É difícil reformar as instituições, pois o passado sempre deixa marcas no presente. ▪

Douglass North

Douglass North nasceu em Cambridge, Massachusetts, EUA. Quando estudava na Universidade da Califórnia em Berkeley, recusou-se a servir na Segunda Guerra Mundial e, depois de se formar, alistou-se na marinha mercante de seu país para não combater. Nesses três anos de serviço leu diversos livros de economia e achou difícil escolher entre fotografia (um hobby antigo) e economia quando voltasse aos EUA. A economia venceu, e ele se doutorou por Berkeley em 1952. Começou a lecionar na Universidade de Washington, onde ajudou a fundar o campo de cliometria (análise econômica e estatística da história).

North lecionou em Washington até 1983, mas em 1996 passou um ano em Genebra estudando a história econômica europeia, despertando seu interesse pelo papel das instituições. Ganhou o Prêmio Nobel de economia em 1993.

Obras-chave

1981 *Structure and change in economic history*
1990 *Institutions*

AS PESSOAS SE SAFAM QUANDO PODEM

INFORMAÇÃO E INCENTIVOS DE MERCADO

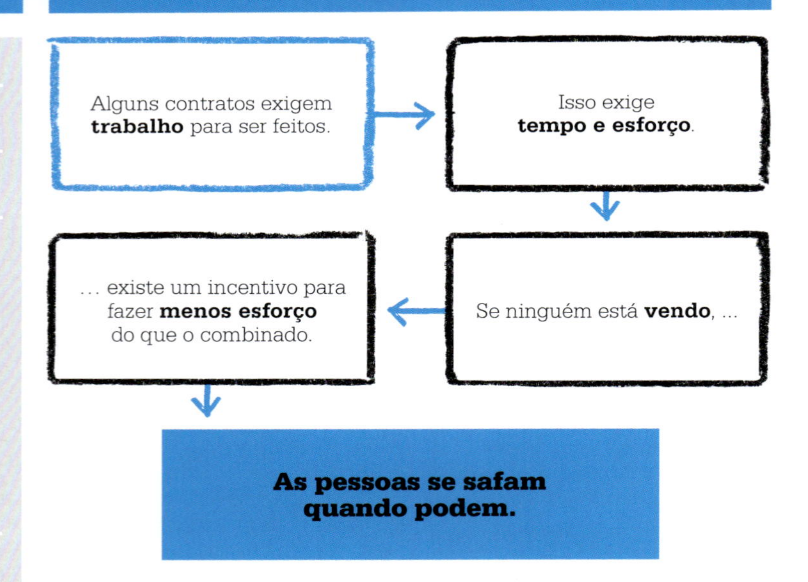

EM CONTEXTO

FOCO
Tomada de decisão

PRINCIPAL PENSADOR
Kenneth Arrow (1921-)

ANTES
1600 em diante "Risco moral" é usado para situações em que os indivíduos podem não ser honestos.

Anos 1920-30 O economista americano Frank Knight e o economista britânico John Maynard Keynes enfrentam o problema da incerteza na economia.

DEPOIS
1970 O economista americano George Akerlof publica *The market for lemons*, análise da questão da informação limitada sobre qualidade dos produtos.

2009 Mervyn King, diretor do Banco da Inglaterra, chama socorro governamental ao sistema bancário de "maior risco moral da história".

O modelo-padrão de comportamento econômico, descrito primeiro por Adam Smith (p. 61) no século XVIII, supõe que os participantes do mercado são todos racionais e bem informados. Porém, nem sempre é assim.

O economista americano Kenneth Arrow foi um pioneiro na análise do problema de informação incompleta nos mercados. Ele destacou que, ainda que as partes concordem em assinar um contrato, não existe garantia de que qualquer uma o cumprirá. Se uma parte não observar o comportamento da outra, pode haver um incentivo para a não observada deixar de cumprir todas as cláusulas do contrato sem que a outra saiba. Existe um desequilíbrio de informação, porque as ações são ocultadas.

Veja também: Fornecimento de bens e serviços públicos 46-47 ▪ O homem econômico 52-53 ▪ Mercados e resultados sociais 210-13 ▪ Teoria dos jogos 234-41 ▪ Incerteza no mercado 274-75 ▪ Incentivos e salários 302

O seguro de viagem pode fazer o segurado sentir-se protegido dos riscos e estimulado a tentar atividades mais perigosas. Por isso as seguradoras aumentam o preço da cobertura.

Risco moral

Chama-se essa situação de "risco moral". No mercado de seguros, por exemplo, uma apólice pode ser um incentivo para o segurado correr mais riscos, por saber que a seguradora cobrirá o custo de quaisquer danos. O resultado é que as seguradoras oferecem cobertura menor, por medo de estimular um risco excessivo e acabar assumindo custos altos. Isso significa que haverá uma falha de mercado: os que compram seguro pagarão caro demais, e muitas pessoas serão excluídas do mercado de seguros. Arrow afirmou que, em tais circunstâncias, existe justificativa para o governo intervir e corrigir a falha de mercado.

O risco moral pode surgir em qualquer situação em que uma pessoa (o "principal") tenta levar a outra (o "agente") a se comportar de certo modo. Se o comportamento desejado pelo principal exige esforço do agente e se o principal não pode observar as ações do agente, este tem motivo e oportunidade para se safar. Os contratos de seguro são entre empresas e seus clientes, mas o problema também ocorre dentro de uma empresa: os funcionários podem se safar quando o empregador não os está observando. Esses problemas principal-agente quase sempre aparecem em contratos de longo prazo para tarefas complexas. Em tais circunstâncias, não se pode estipular com antecedência cada exigência, e o risco moral pode surgir de modo inesperado. Os problemas principal-agente fizeram aparecer muitos livros sobre gestão de tarefas complexas, enfocando as melhores maneiras de escrever contratos.

Grande demais para falir?

Mais recentemente, o risco moral tornou-se uma questão crítica nos argumentos políticos após a crise financeira de 2008. Quando se diz que os bancos são "grandes demais para quebrar", pode estar ocorrendo uma versão de risco moral. Como sabem que seu fracasso pode causar uma recessão, os bancos talvez acreditem que o governo vai socorrê-los em qualquer caso. Há economistas que afirmam que isso faz os bancos assumirem investimentos com risco excessivo. A crise do euro de 2012 também é tida como exemplo de risco moral: suspeita-se que países como a Grécia conduziram a economia achando que fossem "grandes demais para quebrar". ■

Kenneth Arrow

Kenneth Arrow nasceu em Nova York, EUA, em 1921. Estudou sempre em sua cidade, formou-se em ciências sociais na City College e fez mestrado em matemática na Universidade Columbia. Adotou a economia, mas com a Segunda Guerra Mundial ele foi para a Força Aérea do Exército como oficial meteorologista, para pesquisar os usos do vento. Após a guerra, Arrow casou-se com Selma Schweitzer, e tiveram dois filhos. Ele lecionou na Columbia a partir de 1948 e assumiu a cadeira de economia em Stanford e depois Harvard. Em 1979 voltou a Stanford, até se aposentar, em 1991. É mais conhecido pela obra sobre equilíbrio geral e escolha social e ganhou o Prêmio Nobel em 1972 por suas contribuições pioneiras à economia.

Obras-chave

1951 *Social choice and individual values*
1971 *Essays in the theory of risk-bearing*
1971 *General competitive analysis* (com Frank Hahn)

TEORIAS DE EFICIÊNCIA DO MERCADO EXIGEM MUITAS SUPOSIÇÕES

MERCADOS E RESULTADOS SOCIAIS

EM CONTEXTO

FOCO
Economia de bem-estar

PRINCIPAL PENSADOR
Gérard Debreu (1921-2004)

ANTES
1874 O economista francês Léon Walras mostra que economia competitiva e descentralizada pode atingir equilíbrio estável.

1942 O economista polonês Oskar Lange dá primeira prova da eficiência dos mercados.

DEPOIS
1967 O economista americano Herbert Scarf demonstra um método de aplicação de dados econômicos reais a modelos de equilíbrio geral.

Anos 1990 Novos modelos de macroeconomia integram a análise do equilíbrio geral a dados econômicos reais ao longo do tempo.

Nos anos 1860 e 70, a ciência econômica predominante havia criado um conjunto claro de afirmações sobre o mundo, apresentando modelos matemáticos com os quais os economistas puderam avaliar o comportamento individual em certas condições de mercado. Esses modelos foram tirados da matemática que descrevia o mundo natural, em rápida evolução. Esse avanço, às vezes chamado "revolução marginalista", incluiu a afirmação de que o valor é determinado pelas preferências pessoais e pelos recursos, não por um padrão mais objetivo ou absoluto, o que permitiu apresentar de um modo novo

Veja também: Economia de livre mercado 54-61 ▪ Equilíbrio econômico 118-23 ▪ Eficiência e justiça 130-31 ▪ A teoria segundo ótimo 220-21

Os **preços de mercado refletem** a procura e a oferta de cada mercadoria.

Na teoria, os preços **refletem completamente** as preferências dos consumidores e os limites dos recursos numa economia.

Isso significa que os mercados levam a um **resultado econômico "eficiente"**.

Mas isso só acontece quando se fazem **suposições** que raramente ocorrem no mundo real.

Teorias de eficiência do mercado exigem muitas suposições.

questões teóricas prementes. A "mão invisível" do mercado de Adam Smith realmente guiava indivíduos egoístas aos melhores resultados possíveis? Os mercados eram ou não um modo mais eficiente de orientar a sociedade? Seria possível existir um mercado inteiramente livre?

O governo redistribui a riqueza tributando bens como o petróleo. Com certas suposições, pode-se provar que o mercado livre se ajusta para atingir o uso eficiente de bens, apesar dos impostos.

Mercados estáveis

O economista francês Léon Walras (p. 120) foi um dos pioneiros nessa revolução na teoria. Ele tentou mostrar que os mercados, se deixados à vontade, podem obter um resultado estável para toda a sociedade, equilibrando com perfeição as exigências dos »

Gérard Debreu

Nascido em 1921 em Calais, França, Gérard Debreu estudou na École Normale Supérieure de Paris durante a ocupação alemã. Depois de servir o Exército francês, Debreu retomou o estudo de matemática e desenvolveu interesse por problemas econômicos. Em 1949, uma bolsa de estudos lhe permitiu visitar algumas das melhores universidades dos EUA, da Suécia e da Noruega, atualizando-o com os avanços econômicos desconhecidos na França. Nos EUA, fez parte da muito influente Comissão Cowles, criada nos anos 1930 para conseguir um enfoque matemático das questões econômicas. Trabalhou nas universidades americanas de Stanford e Berkeley, lecionando economia e matemática. Ganhou o Prêmio Nobel em 1983. Morreu em 2004.

Obras-chave

1954 *Existence of an equilibrium for a competitive economy* (com K. Arrow)
1959 *Theory of value: an axiomatic analysis of economic equilibrium*

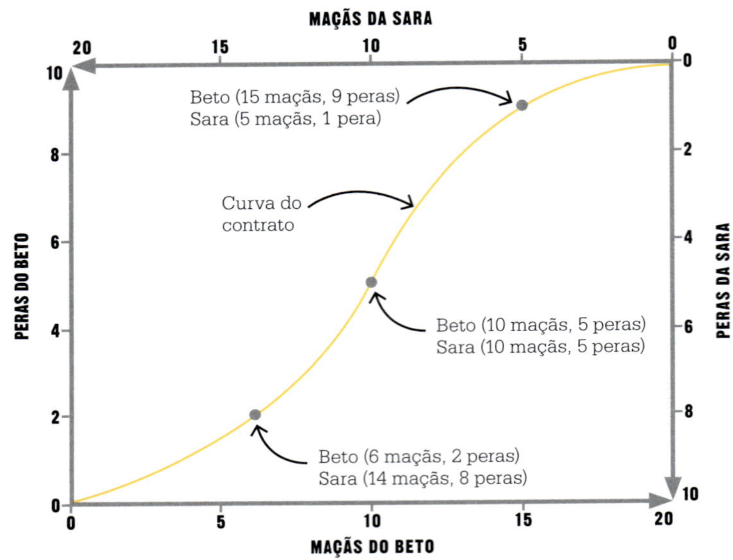

A caixa de Edgeworth é um modo de mostrar a distribuição de produtos na economia. Neste exemplo, a economia contém duas pessoas – Beto e Sara – e dois produtos – 20 maçãs e 10 peras. Cada ponto na caixa representa uma distribuição possível de maçãs e peras entre Beto e Sara. A linha amarela é a curva do contrato, que representa a possível alocação de bens que poderia ser obtida por Beto e Sara depois de fazerem as trocas. O comércio de acordo com os pontos dessa curva leva ao ótimo de Pareto.

consumidores com a oferta de bens e serviços. Sabia-se que um só mercado pode atingir o equilíbrio, mas não era claro se um grupo de mercados faria o mesmo.

A questão do "equilíbrio geral" foi solucionada rigorosamente em 1954 pelo matemático francês Gérard Debreu e pelo economista americano Kenneth Arrow (p. 209). Aplicando matemática avançada, eles mostraram que, sob dadas circunstâncias, um grupo de mercados poderia obter equilíbrio geral. Em certo sentido, Arrow e Debreu reviram o argumento de Adam Smith de que os mercados livres acarretam ordem social. Mas Smith fizera uma afirmação mais forte do que a puramente factual de que os mercados convergem para um ponto de estabilidade. Disse também que esse equilíbrio era desejável por implicar uma sociedade livre.

Resultados do ótimo de Pareto

Os economistas modernos medem a conveniência usando um conceito chamado "ótimo de Pareto" (pp. 130-31). Pelo ótimo de Pareto, é impossível melhorar a situação de uma pessoa sem piorar a de outra. Ocorre uma melhora na economia se os bens mudam de mãos de tal forma que aumente o bem-estar de pelo menos uma pessoa. Arrow e Debreu ligaram o equilíbrio de mercado ao ótimo de Pareto. Ao fazê-lo, comprovaram rigorosamente a opinião máxima de Smith de que os resultados do mercado são bons. Eles chegaram a isso comprovando dois teoremas, chamados "teoremas fundamentais da economia de bem-estar".

O primeiro teorema do bem-estar postula que qualquer economia de livre mercado pura em equilíbrio alcançou necessariamente "ótimo de Pareto" – que ela leva a uma distribuição de recursos em que é impossível melhorar a situação de alguém sem piorar a de outro. Os indivíduos começam com uma "dotação" de bens. Fazem trocas entre si e chegam a um equilíbrio, que o teorema sustenta ser eficaz.

O ótimo de Pareto é um critério ético fraco. Uma situação em que um rico tem tudo de um bem desejado e as outras pessoas não têm nada dele seria o ótimo de Pareto porque seria impossível tirar parte do bem do rico sem piorar a situação dele. Então, esse primeiro teorema do bem-estar diz que os mercados são eficientes, mas não diz nada sobre a questão crucial da distribuição.

O segundo teorema do bem-estar toca nesse problema. Na economia existem tipicamente muitas alocações de recursos

Como ocorre essa coordenação [da oferta e da procura] tem sido uma preocupação central da teoria econômica desde Adam Smith.
Kenneth Arrow

Uma alocação de recursos pode ser eficiente no sentido de Pareto e ainda assim resultar em riqueza enorme para uns e pobreza extrema para outros.
Kenneth Arrow

segundo o ótimo de Pareto. Algumas serão distribuições bem iguais, outras, bastante desiguais. O teorema diz que qualquer uma dessas distribuições Pareto-ótimo pode ser obtida por meio de mercados livres – conceito referido pelos economistas como "curva do contrato". Porém, para obter uma dessas alocações específicas, é preciso fazer uma redistribuição de dotações individuais. Depois as trocas podem começar, e ocorre a alocação de recursos segundo o ótimo de Pareto.

A implicação prática aqui é que o governo pode redistribuir os recursos – por meio da cobrança de impostos – e depois depender do livre mercado para garantir a eficiência da alocação. A equidade (justiça) e a eficiência andam de mãos dadas.

Limites da realidade

Os resultados de Arrow e Debreu dependem de suposições estritas: se elas não são válidas, a eficiência pode ser comprometida, situação chamada pelos economistas de "falha de mercado". Para o teorema ser válido, os indivíduos têm de se comportar conforme a racionalidade econômica. Eles precisam reagir com perfeição aos sinais do mercado, algo que sem dúvida não ocorre na realidade. O comportamento das empresas tem de ser competitivo, enquanto na prática o mundo está cheio de monopólios.

Além disso, os teoremas do bem-estar não se sustentam quando há economias de escala, como nas situações em que existem empresas grandes com altos custos de instalação – por exemplo, muitas companhias de utilidade pública. Outra condição importante para a eficácia do equilíbrio é não haver "externalidades" – custos e benefícios não computados nos preços de mercado. Por exemplo, o barulho de uma oficina de motos pode atrapalhar a produção de uma firma de contabilidade ao lado, mas os donos da oficina não levam em conta esse custo mais amplo, porque ele não afeta seus custos particulares. As externalidades impedem a eficiência. Além disso, se os indivíduos não tiverem informação plena sobre os preços e as características dos bens que estão comprando, é provável que os mercados fracassem.

O que os teoremas dizem

Dá vontade de perguntar qual é a razão desse modelo se suas suposições estão tão longe da realidade a ponto de não serem aplicáveis a qualquer situação, mas os modelos teóricos não pretendem ser descrições fiéis da realidade – se fossem, o modelo de Arrow e Debreu seria inútil. Ao contrário, seus teoremas respondem uma pergunta crucial: em que condições os mercados geram eficiência? O rigor dessas condições, então, nos diz quanto e de que modo as economias reais se afastam da referência de eficiência total. As condições de Arrow e Debreu indicam o que deveríamos fazer para chegar mais perto da eficiência. Poderíamos, por exemplo, tentar dar um preço à poluição para lidar com as externalidades, quebrar monopólios para tornar os mercados mais competitivos ou criar instituições para informar os consumidores sobre os produtos que compram.

O trabalho de Arrow e Debreu formou o alicerce da maior parte da economia do pós-guerra. Foram feitas tentativas para refinar as descobertas deles e investigar a eficiência da economia com suposições diferentes. Grandes modelos macroeconômicos, tanto teóricos quanto empíricos, foram feitos com o enfoque do equilíbrio geral de Arrow e Debreu. Houve quem os criticasse por não apreender a natureza caótica e imprevisível das economias reais. Essas vozes ficaram mais altas recentemente, quando esses modelos não conseguiram prever a crise financeira de 2008. ■

Os modelos de equilíbrio não previram a crise de 2008, iniciada quando o Banco Lehman Brothers quebrou e demitiu todo o pessoal, gerando críticas às suposições básicas dos modelos.

NÃO HÁ SISTEMA DE VOTAÇÃO PERFEITO

TEORIA DA ESCOLHA SOCIAL

EM CONTEXTO

FOCO
Economia de bem-estar

PRINCIPAL PENSADOR
Kenneth Arrow (1921-)

ANTES
1770 O matemático francês Jean-Charles de Borda concebe sistema de voto preferencial.

Anos 1780 O filósofo e reformador inglês Jeremy Bentham propõe um sistema de utilitarismo, visando à maior felicidade do maior número possível de pessoas.

1785 Nicolas de Condorcet publica *Essai sur l'application de l'analyse à la probabilité des décisions rendeus à la pluralité des voix*, no qual apresenta o paradoxo do voto.

DEPOIS
1998 O economista indiano Amartya Sen ganha o Prêmio Nobel por sua obra de economia de bem-estar e a teoria da escolha social.

À primeira vista, pode parecer que a matemática da votação tem pouco a ver com a economia. Todavia, na área da economia do bem-estar e na teoria da escolha social em particular, ela tem papel crucial. A teoria da escolha social foi elaborada pelo economista americano Kenneth Arrow nos anos 1950. Ele percebeu que, para avaliar o bem-estar econômico de uma sociedade, os valores de seus membros individuais têm de ser computados. Em nome de decisões coletivas que determinem o bem-estar e o estado social de uma sociedade, deve haver um sistema pelo qual os indivíduos expressem suas preferências e que reúna essas

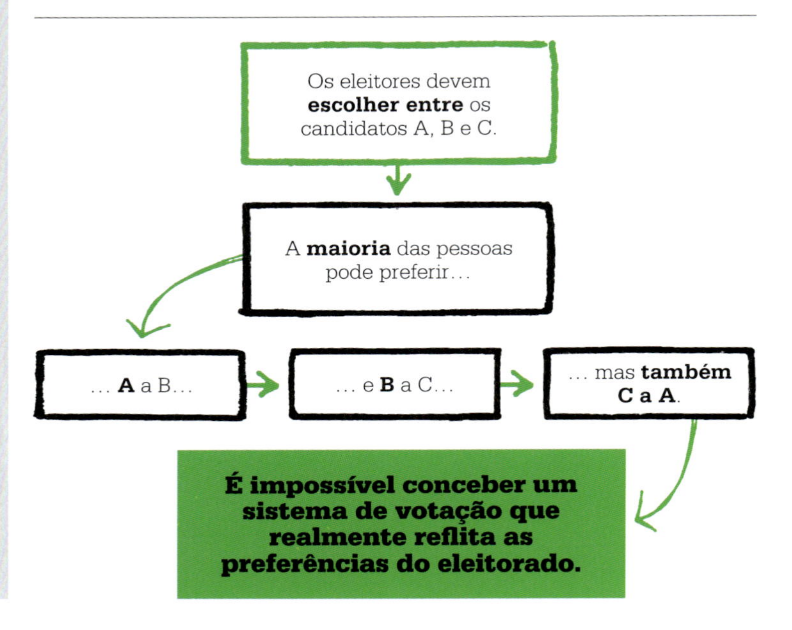

Veja também: Eficiência e justiça 130-31 ▪ Mercados e resultados sociais 210-13 ▪ Economia social de mercado 222-23

Numa democracia capitalista existem em essência dois métodos para fazer escolhas sociais: o voto [...] e o mecanismo de mercado.
Kenneth Arrow

preferências. O processo decisório coletivo depende de um sistema de votação justo e eficiente. Contudo, em *Social choices and individual values* (1951), Arrow demonstrou que havia um paradoxo.

Paradoxo do voto

O chamado paradoxo do voto foi descrito pela primeira vez 200 anos antes pelo pensador político e matemático francês Nicolas de Condorcet (1743-94). Ele descobriu que é possível uma maioria de votantes preferir A a B e B a C e ainda, ao mesmo tempo, preferir C a A. Por exemplo, se um terço dos votantes classificam as opções A-B-C, outro terço B-C-A e o terço restante C-A-B, então a maioria claramente prefere A a B e B a C. Intuitivamente, esperamos que C fique no fim da lista de opções. Mas a maioria também prefere C a A. Em tais casos, tomar uma decisão coletiva justa é sem dúvida problemático.

Arrow provou que um sistema de votação que realmente reflita as preferências do eleitorado não é só problemático, mas impossível. Ele propôs um conjunto de critérios de justiça que precisa ser satisfeito por um sistema de votação ideal. Então, demonstrou que nenhum sistema consegue satisfazer todas essas condições. Na verdade, quando se cumpre a maioria das suposições razoáveis, há um resultado não discernível. Um dos critérios de justiça era que não deveria haver um “ditador” – nenhum indivíduo que determine a decisão coletiva. Mas, paradoxalmente, quando todas as outras condições se a aplicam, surge esse ditador.

O direito de votar na urna eleitoral – na França do século XIX – está arraigado na civilização ocidental e é quase universal, mas um sistema de votação perfeito é difícil de alcançar.

O bem-estar de muitos

O paradoxo de Arrow (também chamado teorema da possibilidade geral) é a pedra angular da moderna teoria da escolha social, e os critérios de justiça de Arrow compõem a base da concepção de métodos justos de votação que considerem as preferências individuais.

A teoria da escolha social é hoje um importante campo de estudo da economia de bem-estar, por avaliar os efeitos das políticas econômicas. Essa área, que se iniciou com a elaboração de teoremas abstratos, foi aplicada a situações econômicas concretas em que governos e planejadores comparam o bem-estar de muitas pessoas. Grande parte disso tem implicações profundas nos problemas econômicos fundamentais de distribuição de recursos e de riqueza. ▪

O que são funções de bem-estar social?

Vários métodos avaliam o bem-estar social. Os utilitaristas do século XIX achavam que os níveis individuais de utilidade, ou felicidade, pudessem ser somados, como a renda, para medir o bem-estar total. Depois os economistas elaboraram “funções de bem-estar social”, tentando fazer o mesmo, mas estas não precisavam envolver a medição da utilidade. Kenneth Arrow e outros formularam tais funções a fim de transformar preferências individuais em classificações de estados sociais possíveis (sua posição econômica na sociedade). Existe uma dimensão ética no raciocínio sobre bem-estar social. Uma forma simples de utilitarismo enfatiza a maximização da felicidade total menos a sua distribuição. Outra, proposta pelo filósofo americano John Rawls (1921-2002), maximiza o bem-estar da pessoa menos abonada da sociedade.

A META É MAXIMIZAR A FELICIDADE, NÃO A RENDA

A ECONOMIA DA FELICIDADE

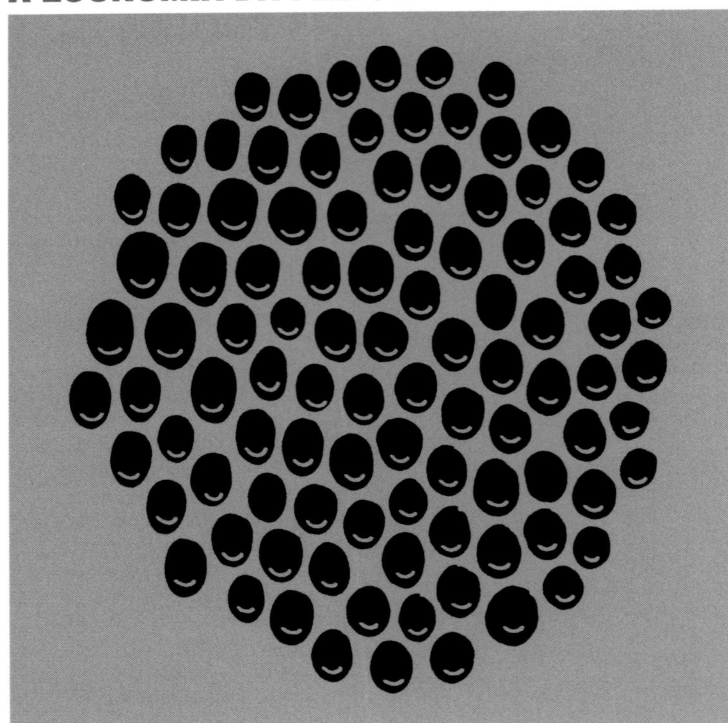

EM CONTEXTO

FOCO
Sociedade e economia

PRINCIPAL PENSADOR
Richard Easterlin (1926-)

ANTES
1861 John Stuart Mill afirma que a ação moral é a que maximiza a felicidade total.

1932 Simon Kuznets publica a primeira contabilidade da renda nacional dos EUA baseado apenas em variáveis econômicas comuns.

DEPOIS
1997 O economista britânico Andrew Oswald diz que falta de emprego é a razão principal da infelicidade.

2005 O economista britânico Richard Layard publica *Felicidade: lições de uma nova ciência*, reavaliando o debate sobre a relação entre felicidade e renda.

As primeiras contas nacionais modernas foram criadas nos EUA nos anos 1930 pelo economista russo-americano Simon Kuznets. Seu trabalho pioneiro levou depois à criação das contas nacionais no Reino Unido, na Alemanha e em outros países desenvolvidos. Essas contas abrangiam a soma de todas as transações da economia durante um ano para chegar ao resultado da renda nacional, que ficou conhecido como produto interno bruto (PIB). Economistas antigos, como o francês François Quesnay, haviam tentado obter medidas semelhantes, mas fracassaram devido ao tamanho aparente da tarefa. Ela só se tornou possível com avanços na estatística,

Veja também: O cálculo da riqueza 36-37 ▪ Eficiência e justiça 130-31 ▪ Consumo conspícuo 136 ▪ Mercados e resultados sociais 210-13 ▪ Economia comportamental 266-69 ▪ Gênero e economia 310-11

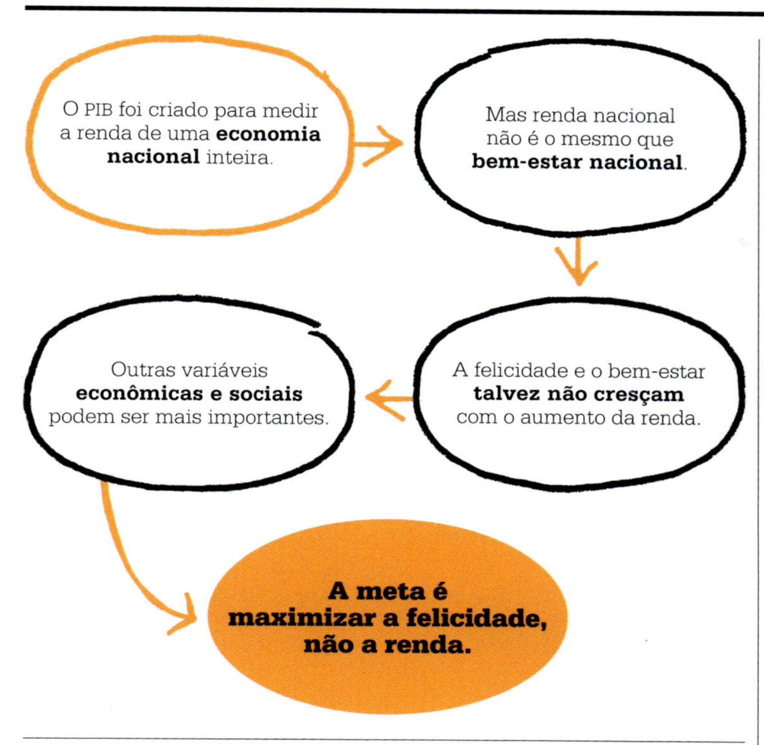

Inveja é uma causa de infelicidade. O fato de seus vizinhos terem mais que você ou não pode ser um fator mais importante para o seu bem-estar do que quanto você tem.

nas técnicas de pesquisa e nos estudos de toda a economia.

Cálculos demais

Desde sua primeira aparição, os números do PIB exerceram atração quase irresistível sobre políticos, jornalistas e economistas. De modo simples, pareciam mostrar um resumo de todos os fatos mais importantes da economia. Um PIB crescente significa mais empregos e salários mais altos, enquanto um PIB em queda implica desemprego e incerteza. Após a Segunda Guerra Mundial, os debates sobre política econômica logo se tornaram pouco mais que uma série de discussões sobre a melhor maneira de aumentar o PIB. Buscaram-se outras políticas, mas todas tinham o mesmo objetivo.

Contudo, isso ignorou questões significativas. O PIB é apenas um número, e talvez não o mais importante. Não existe uma ligação obrigatória entre o PIB e o bem-estar social real, como assinalou o próprio Kuznets em palestra no Congresso dos EUA. Um PIB crescente pode ser distribuído muito desigualmente, de modo que poucas pessoas têm muito dinheiro, e muitas têm bem pouco. Outros fatores que fazem as pessoas felizes, como relações de família ou com amigos, simplesmente não estão registrados nessa escala. Entretanto, o PIB tornou-se a estatística econômica primordial, usada para mostrar que o país ia bem. Muitos acreditaram, ainda que não se tenha comprovado, que mesmo onde o PIB não condizia com o bem-estar ambos se moviam na mesma direção.

Em 1974, o economista americano Richard Easterlin fez uma contestação direta ao conceito de PIB e renda nacional. Ele analisou pesquisas sobre felicidade em 19 países relativas às três décadas anteriores e afirmou que a ligação entre PIB e bem-estar não era tão forte quanto se pensava. Easterlin descobriu que a felicidade declarada aumentava com a renda, como era de esperar. Mas, para quem ganhava acima do nível de subsistência, a variação na felicidade em países diversos não se alterava muito, apesar das grandes diferenças na renda nacional. O povo dos países »

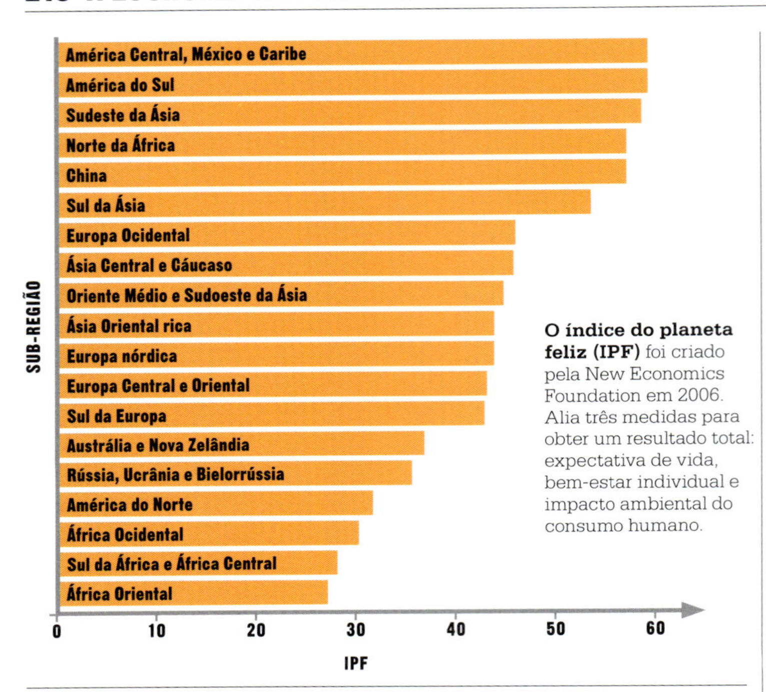

O índice do planeta feliz (IPF) foi criado pela New Economics Foundation em 2006. Alia três medidas para obter um resultado total: expectativa de vida, bem-estar individual e impacto ambiental do consumo humano.

ricos não era necessariamente o mais feliz.

Com o passar do tempo, o retrato pareceu ainda mais peculiar. Nos EUA houve aumentos contínuos e comparativamente rápidos do PIB no período desde 1946, mas o grau de felicidade declarada nas pesquisas não parecia acompanhá-los – na verdade, declinou nos anos 1960. Parece que o dinheiro realmente não comprava a felicidade.

Os resultados das pesquisas de Easterlin ficaram conhecidos como paradoxo de Easterlin. Eles desencadearam novas pesquisas sobre a relação entre economia e bem-estar, que haviam ficado dormentes desde o final do século XIX. Os pesquisadores tentaram avaliar como as decisões de indivíduos, empresas e governo impactam a sensação das pessoas sobre si mesmas e a sociedade.

Outra explicação veio com o conceito de "rotina hedonista", proposto em 1971 pelos psicólogos americanos Phillip Brickman e Donald Campbell. Eles disseram que as pessoas se adaptam muito rápido a seus níveis correntes de bem-estar, mantendo-o apesar dos acontecimentos, bons ou ruins. Quando a renda aumenta, elas logo se adaptam ao novo nível de segurança material, encarando-o como normal e, portanto, sem ser mais felizes do que antes. Uma versão radical dessa teoria seria concluir que, além das rendas de subsistência, todo desenvolvimento econômico é em essência irrelevante para o bem-estar, pois a felicidade das pessoas é determinada por algo bem diferente, como caráter ou amizades.

Por outro lado, os pesquisadores expuseram a importância do status e das comparações com outras pessoas. Por exemplo, se ninguém tem carro em uma sociedade, não ter carro faz pouca diferença. Mas, assim que algumas pessoas compram carro, as que não têm um podem sentir isso como perda de status. "Igualar-se aos vizinhos"

Um festival de primavera no Butão é comemorado com dança. Em 1972, o rei decretou que seu governo instituiria políticas que maximizassem a "felicidade interna bruta".

Os assuntos econômicos só importam quando fazem as pessoas mais felizes.
Andrew Oswald
Economista britânico (1953-)

significa que, quando a economia cresce, a nova riqueza tem impacto positivo limitado sobre a felicidade declarada. Todos acabam numa corrida febril, tentando freneticamente ultrapassar os outros. Quanto mais desigual a sociedade, pior isso se torna.

A contestação do paradoxo

À medida que cresceu o interesse pelo paradoxo de Easterlin nos anos 2000, ele começou a ser contestado. Com dados de um grupo maior de países, os economistas americanos Betsey Stevenson e Justin Wolfers afirmaram em 2008 que a felicidade aumenta com a renda em países diferentes e que um salário crescente também provoca bem-estar maior.

Em geral, os pesquisadores descobriram que, se renda mais alta não se traduz facilmente em um grau maior de felicidade, perder renda tem um efeito bastante negativo no bem-estar. Sobretudo demissão e desemprego afetam duramente o bem-estar, assim como doença grave e novas deficiências.

Em outras palavras, existe uma relação entre PIB e renda nacional, mas não é simples. À medida que dados melhores ficaram disponíveis, a noção de felicidade e bem-estar como metas passíveis de política governamental ganhou adeptos. Por sua vez, isso causou a lenta remoção do PIB como variável econômica crítica de interesse. O argumento é simples: se as variáveis econômicas amplamente divulgadas não captam aspectos importantes da vida econômica e social, basear-se nelas implicaria políticas ruins. Se as políticas se baseassem em "indicadores de felicidade" e não só no PIB, novas prioridades surgiriam. Entre elas poderiam estar medidas para estimular um equilíbrio melhor entre vida pessoal e trabalho. O desemprego poderia ser considerado mais custoso e se poderiam tomar medidas mais fortes para reduzi-lo. Já estão em uso indicadores mais amplos de bem-estar, especialmente em debates sobre países em desenvolvimento: por exemplo, o índice de desenvolvimento humano (IDH) associa renda à expectativa de vida e educação. Já se disse que a atenção concentrada no crescimento do PIB ajudou a ocultar os problemas criados pelo crescimento das dívidas antes da crise financeira de 2008. Se existissem indicadores mais amplos, mais sintonizados com a percepção do bem-estar e mais próximos dos interesses reais das pessoas, o indicador de um PIB crescente não teria sido motivo para comemoração. ■

O povo das Bahamas teve pontuação bem alta em satisfação com o índice de vida, concebido pelo psicólogo britânico Adrian White para medir as sensações de bem-estar.

Medindo a felicidade

Em 2007, o presidente francês Nicolas Sarkozy pediu aos economistas Joseph Stiglitz, Amartya Sen e Jean-Paul Fitoussi que investigassem uma medida do progresso social e econômico e vissem como adotar medidas mais amplas de bem-estar. O relatório deles, publicado em 2009, diz que é necessário mudar o foco das políticas econômicas de medidas de produção econômica (como o PIB) para medidas de bem-estar e sustentabilidade. O relatório destacou em particular o fato de que o hiato entre os indicadores econômicos comuns e o bem-estar divulgado parece estar aumentando.

Segundo eles, um sistema alternativo de mensuração deveria, obrigatoriamente, usar uma série diferente de indicadores, como saúde e impacto ambiental dos estilos de vida, em vez de tentar resumir tudo a um simples número.

POLÍTICAS PARA CORRIGIR MERCADOS PODEM PIORÁ-LOS

A TEORIA SEGUNDO ÓTIMO

EM CONTEXTO

FOCO
Política econômica

PRINCIPAIS PENSADORES
Kelvin Lancaster (1924-99)
Richard Lipsey (1928-)

ANTES
1776 Adam Smith diz que a "mão invisível" do mercado autorregrado é melhor que a intervenção do governo.

1932 O economista britânico Arthur Pigou defende o uso de impostos para corrigir falhas de mercado.

1954 Em *Existence of an equilibrium for a competitive economy*, Gérard Debreu e Kenneth Arrow demonstram que uma economia de livre mercado pleno pode aumentar o bem-estar dos participantes.

DEPOIS
Anos 1970 em diante
Desenvolve-se a economia do bem-estar através das obras dos economistas Joseph Stiglitz, Amartya Sen e outros.

Em tese, o livre mercado é a economia **mais eficiente** possível.

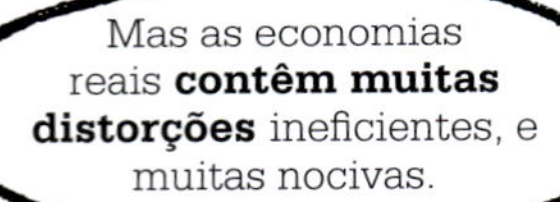

Mas as economias reais **contêm muitas distorções** ineficientes, e muitas nocivas.

As distorções podem estar **relacionadas**, e talvez o governo não consiga eliminar algumas.

Como as tentativas de solução podem **piorar os efeitos** de outras distorções, o governo deve ter cautela.

Políticas para corrigir mercados podem piorá-los.

A teoria econômica comum sustenta que a economia é mais eficiente onde existem mercados para todos os bens e serviços, e todos que os usam são bem informados. Como não se pode mudar a distribuição de recursos para melhorar a situação de uma pessoa sem piorar a de outra, o bem-estar da sociedade é um bem como outro num mercado livre. A melhor política existente, segundo os defensores do livre mercado, é o governo eliminar as imperfeições dos mercados, tornando-os o mais próximos possível do ideal.

Atuando com imperfeições

Existem, no entanto, condições rígidas para a consecução de políticas eficientes. Em 1956, o economista australiano Kelvin Lancaster e seu colega canadense Richard Lipsey demonstraram que, em certas circunstâncias, as políticas que visam melhorar a eficiência do mercado podem piorar tudo. Em um ensaio intitulado *The general theory of second best*, eles avaliaram casos em que uma imperfeição do mercado era permanente – e que não havia como o governo corrigi-la ou eliminá-la. Não havia o "primeiro ótimo". Em

Veja também: Economia de livre mercado 54-61 ▪ Equilíbrio econômico 118-23 ▪ Custos externos 137

casos assim, a intervenção do governo em qualquer parte da economia pode piorar os efeitos das imperfeições existentes, afastando o mercado ainda mais do ideal. A reflexão de Lancaster e Lipsey foi de que, se onde uma imperfeição num mercado não pode ser eliminada, todos os outros mercados a evitarão. Eles obterão uma eficiência relativa na distribuição de recursos, dada a existência da imperfeição.

A menos pior

Lancaster e Lipsey foram adiante: quando uma distorção é corrigível, mas outras não, a melhor opção de política pode ser o contrário daquilo que a teoria recomenda. Por exemplo, talvez seja melhor o governo distorcer mais o mercado se ele quiser melhorar o bem-estar geral. As políticas ideais, então, não podem ser orientadas só por princípios abstratos; devem ser fundamentadas na plena compreensão do funcionamento conjunto dos mercados.

Um exemplo clássico é o de um monopolista que polui um rio na produção. A poluição é tanto custosa para a sociedade como uma consequência inevitável da produção. Não pode ser eliminada do processo e é uma imperfeição permanente do mercado. Mas o monopólio pode ser eliminado.

A teoria econômica comum diria ao governo que rompesse o monopólio e criasse mais concorrência no mercado. Isso aproximaria a economia do ideal de eficiência. Contudo, os produtores concorrentes produziriam mais do que um único produtor e também aumentariam a poluição. O resultado quanto ao bem-estar da sociedade como um todo é incerto. A população pode lucrar com o aumento da produção e os custos mais baixos, mas perderia com mais poluição. A solução do "segundo ótimo" seria deixar o monopólio em funcionamento.

A teoria do segundo ótimo continua sendo crucial para a política econômica, recomendando que os governos ajam com cautela em vez de tentar alcançar o ideal. ▪

Richard Lipsey

Economista canadense nascido em 1928, Richard Lipsey ficou famoso com a teoria do segundo ótimo, formulada com Kelvin Lancaster. Ele é professor emérito da Universidade Simon Fraser, Canadá, e lecionou nos EUA e no Reino Unido. Em 1968, sua defesa da curva de Phillips (p. 203) contra a crítica de Milton Friedman (p. 199) constituiu um dos grandes debates de economia. Lipsey é autor de um manual-padrão de teoria econômica, *Introdução à economia positiva*, e recentemente ajudou a aprimorar a economia evolutiva, sendo coautor de um livro influente sobre os processos de mudança histórica.

Obras-chave

1956 *The general theory of second best* (com Kelvin Lancaster)
2006 *Economic transformations: general-purpose technologies and long-term economic growth* (com K. Carlaw e C. Bekar)

A escolha da solução menos pior
(1) Um monopolista está provocando poluição. Tanto o monopólio quanto a poluição são imperfeições do mercado.

(2) O governo poderia eliminar o monopólio e substituí-lo por empresas concorrentes. No entanto, por haver agora mais empresas concorrendo, a poluição poderia piorar muito.

TORNAR OS MERCADOS JUSTOS

ECONOMIA SOCIAL DE MERCADO

EM CONTEXTO

FOCO
Sociedade e economia

PRINCIPAIS PENSADORES
Walter Eucken (1891-1950)
Wilhelm Röpke (1899-1966)
Alfred Müller-Armack (1901-78)

ANTES
1848 Karl Marx e Friedrich Engels publicam o *Manifesto comunista*.

1948 Os economistas alemães Walter Eucken e Franz Böhm fundam o jornal *ORDO*, que dá nome ao ordoliberalismo e defende o modelo da economia social de mercado.

DEPOIS
1978 O primeiro-ministro chinês Deng Xiaoping introduz elementos do capitalismo na economia chinesa.

Anos 1980 As ideias monetaristas de Milton Friedman contra a intervenção do governo são adotadas por EUA e Reino Unido.

Após a Segunda Guerra Mundial, a Alemanha Ocidental teve de reconstruir sua economia e seu sistema político do zero. O chanceler Konrad Adenauer empreendeu essa tarefa em 1949, após a ocupação aliada. O modelo que ele escolheu tinha origem nas ideias de Franz Böhm e Walter Eucken, da Escola de Freiburg, dos anos 1930, que ressurgiu nos anos 1940 como "ordoliberalismo". Seus principais defensores eram Wilhelm Röpke e

Uma economia de **livre mercado**...

... estimula o **crescimento econômico** e o desenvolvimento.

Também pode ser instável, sofrer falhas de mercado e **produzir monopólios**.

Isso pode levar à **desigualdade**.

Uma economia **socialista**...

... garante **distribuição mais igualitária** da riqueza.

Reduz os efeitos dos monopólios e das falhas de mercado e **estabiliza a economia**.

Mas pode **refrear o crescimento econômico** e o desenvolvimento.

A economia social de mercado procura tornar os mercados justos, criando uma via intermediária.

Veja também: Mercados e moralidade 22-23 ▪ Economia de livre mercado 54-61 ▪ Economia marxista 100-05 ▪ Negociação coletiva 134-35 ▪ O multiplicador keynesiano 164-65

As Alemanhas Ocidental e Oriental se reunificaram em 1990, um ano após a queda do Muro de Berlim (direita). A Alemanha Oriental abandonou sua economia centralizada e se fundiu com a economia de mercado da Alemanha Ocidental.

Alfred Müller-Armack. Esses economistas pretendiam atingir o que Müller-Armack chamava de economia social de mercado: não só uma "economia mista", em que o governo provê o mínimo dos bens públicos necessários, mas uma via intermediária entre o capitalismo de livre mercado e o socialismo, a fim de obter o melhor dos dois. A indústria continuou privada e tinha liberdade de concorrência, mas o governo propiciava vários bens e serviços públicos, como seguridade social com assistência de saúde universal, pensões, auxílio desemprego e medidas que baniam monopólios e cartéis (acordos entre empresas). Em tese, isso permitiria o crescimento econômico de mercados livres, mas ao mesmo tempo produziria inflação baixa, baixo desemprego e uma distribuição de riqueza mais igualitária.

Milagre econômico

A mistura de mercados livres com elementos do socialismo funcionou espantosamente bem. A Alemanha viveu um *Wirtschaftswunder* ("milagre econômico") nos anos 1950 que a transformou de uma nação destruída pela guerra em uma nação desenvolvida. Economias sociais de mercado evoluíram em outros lugares, sobretudo na Escandinávia e na Áustria. Quando a Europa iniciou a união econômica, a economia social de mercado foi elevada a modelo para a Comunidade Econômica Europeia nos anos 1950. Muitos países europeus prosperaram sob alguma forma de economia social de mercado, mas, nos anos 1980, alguns – especialmente a Grã-Bretanha – foram atraídos pelas ideias de Milton Friedman (p. 199), que defendia um governo "menor". A primeira-ministra britânica Margaret Thatcher criticou o modelo europeu por sua intervenção estatal e impostos altos, que, para ela, impediam a concorrência.

Com o colapso do comunismo no bloco oriental, as economias planificadas da Europa Oriental foram substituídas por várias versões da economia mista. Ao mesmo tempo, alguns dos países comunistas remanescentes passaram a introduzir reformas. Na China, por exemplo, o premiê Deng Xiaoping adotou elementos da economia de livre mercado na economia centralizada, no que ele chamou de "economia de mercado socialista com características chinesas". Seu objetivo era estimular o crescimento econômico e se tornar competitivo no palco mundial. Hoje a economia da China ainda está bem distante do modelo social de mercado europeu, mas deu passos significativos na direção de uma economia mista. ■

O modelo nórdico

Quando o mercado social alemão associava-se à política de centro-direita, as economias da Escandinávia se desenvolveram em linhas parecidas, mas de centro-esquerda política, com maior ênfase na justiça dos mercados. O dito modelo nórdico caracteriza-se por sistemas de bem-estar social generosos e compromisso com uma justa distribuição de riqueza, obtida com impostos e gastos públicos altos. Esses países têm usufruído de alto padrão de vida e forte crescimento econômico, auxiliados por uma população pequena, indústria forte e, quanto à Noruega, petróleo.

Hoje existe uma pressão para reduzir o papel do Estado para manter sua competitividade internacional. Contudo, a mudança é gradual: os governos sabem que a desregulamentação na Islândia, nos anos 1990, levou a crescimento econômico seguido de crise financeira.

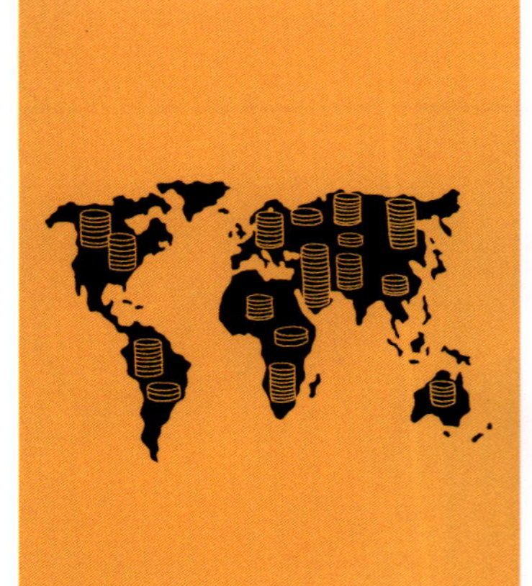

COM O TEMPO, TODOS OS PAÍSES SERÃO RICOS

TEORIAS DO CRESCIMENTO ECONÔMICO

EM CONTEXTO

FOCO
Crescimento e desenvolvimento

PRINCIPAL PENSADOR
Robert Solow (1924-)

ANTES
1776 Adam Smith pergunta o que torna as economias prósperas, em *A riqueza das nações*.

Anos 1930 e 40 O britânico Roy Harrod e o russo-americano Evsey Domar criam modelo de crescimento com suposições keynesianas (intervencionismo do governo).

DEPOIS
Anos 1980 Os economistas americanos Paul Romer e Robert Lucas apresentam a teoria do crescimento endógeno, dizendo que o crescimento é essencialmente resultado de fatores internos.

1988 O economista americano Brad DeLong encontra poucas provas da previsão de convergência básica do modelo de Solow.

Nos anos 1950, o economista americano Robert Solow elaborou um modelo de crescimento econômico que previu a uniformização dos padrões de vida em todo o globo. Sua previsão era de que o capital tem rendimentos decrescentes: investimentos extras geram uma produção cada vez menor. Como os países pobres têm pouco capital, o capital extra adicionaria muita produção, e esses retornos atrairiam investimento. Presume-se que os países tenham acesso à mesma tecnologia; ao usá-la, os países pobres empregam o capital adicional para aumentar a produção. O efeito é maior do que num país

Nos países desenvolvidos, o capital é sujeito a rendimentos decrescentes – **investimento extra** resulta em **produção cada vez menor**.

Mas os países pobres têm tão pouco capital investido que os investidores conseguem ter **altos rendimentos** com seus investimentos.

Os países pobres podem usar o **novo capital com novas tecnologias** para propiciar um crescimento rápido.

Os países pobres **crescem mais rápido** do que os ricos, e seu padrão de vida os alcança.

Com o tempo, todos os países serão ricos.

Veja também: Rendimentos decrescentes 62 ▪ Demografia e economia 68-69 ▪ O surgimento das economias modernas 178-79 ▪ Economia desenvolvimentista 188-93 ▪ Saltos tecnológicos 313 ▪ Desigualdade e crescimento 326-27

Ciclistas em Pequim, China, olham para um Ferrari estacionado numa ciclovia. China e Índia entraram para o clube dos países convergentes.

mais rico. Portanto, o crescimento é maior nos países pobres, e seu padrão de vida alcança o dos países ricos, num efeito que os economistas chamam de convergência.

Desde os anos 1950, poucos países asiáticos alcançaram os ocidentais, mas muitos países africanos ficaram bem atrás. As premissas de Solow nem sempre são reais. A tecnologia não é universal; mesmo que o conhecimento seja acessível, pode haver barreiras ao seu uso. O capital nem sempre vai para os países pobres – por exemplo, direitos de propriedade frouxos e instabilidade política afastam investidores. Enfim, a teoria do crescimento endógeno, aprimorada nos anos 1980, vai além do modelo de Solow com pesquisas mais realistas sobre os efeitos do avanço tecnológico. Nessa teoria, as novas técnicas desenvolvidas por uma empresa podem beneficiar outras, o que talvez provoque retornos crescentes do investimento. Então, em vez de convergência, o resultado pode ser de divergência entre os países.

Padrões de vida

A convergência pode ser medida por outros fatores que não a renda. Saúde e alfabetização estão ligadas à renda, mas de modo imperfeito: alguns países pobres têm população relativamente saudável e letrada. A expectativa de vida pode aumentar muito com intervenções sanitárias simples como vacinação. Assim, sem levar em conta a renda, os países pobres têm mais sucesso em melhorar o padrão de vida.

Apesar disso, muitos economistas ainda tentam explicar as diferenças de renda. A atenção se deslocou do capital e da tecnologia aos pré-requisitos necessários para os países em desenvolvimento convergirem com os ricos. ▪

Robert Solow

Robert Solow nasceu em 1928 em Nova York. Por ter vivido a Grande Depressão, quis entender como as economias crescem e como se pode melhorar o padrão de vida. Entrou na Universidade Harvard em 1940, mas em 1942 se alistou no Exército dos EUA e serviu na Segunda Guerra Mundial. Ao voltar, orientado pelo economista Wassily Leontief, sua tese venceu o Prêmio Wells, de Harvard – US$ 500 e a publicação de um livro. Solow achou que podia fazer mais que a tese, então não a publicou nem descontou o cheque. Nos anos 1950, assumiu um cargo no Instituto de Tecnologia de Massachusetts (MIT), onde publicou suas ideias sobre um novo modelo de crescimento econômico. Sua pesquisa inspirou novos campos de estudo na área e lhe deram o Prêmio Nobel de 1987.

Obras-chave

1956 *A contribution to the theory of economic growth*
1957 *Technical change and the aggregate production function*
1960 *Investment and technical progress*

A GLOBALIZAÇÃO NÃO É INEVITÁVEL

INTEGRAÇÃO DE MERCADOS

EM CONTEXTO

FOCO
Economia mundial

PRINCIPAL PENSADOR
Dani Rodrik (1957-)

ANTES
1664 O inglês Thomas Mun diz que crescimento exige redução nas importações.

1817 O economista britânico David Ricardo afirma que comércio internacional enriquece os países.

1950 Raúl Prebisch e Hans Singer dizem que os países em desenvolvimento perdem com a globalização por causa de desigualdade no comércio.

DEPOIS
2002 Joseph Stiglitz critica a globalização promovida pelo Banco Mundial e pelo FMI.

2005 David Dollar, economista do Banco Mundial, diz que a globalização reduziu a pobreza nos países pobres.

Globalização é um termo de significado diferente para políticos, executivos e cientistas sociais. Para os economistas significa a integração de mercados, o que eles sempre acharam bom.

No século XVIII, Adam Smith (p. 61) chamou de protecionistas as ideias do velho mercantilismo, que pretendiam restringir a entrada de produtos estrangeiros. Para ele, o comércio internacional aumentaria os mercados e daria mais eficiência aos países que se especializassem em certos produtos. A integração de mercados costuma ser considerada inevitável, por vir com uma onda de nova tecnologia – telefones mais inteligentes, aviões mais rápidos e expansão de internet. A globalização também é afetada por opções que os países fazem – às vezes conscientes, às vezes acidentais. Embora a mudança tecnológica aproxime as nações, as políticas escolhidas podem afastá-las.

A globalização atual não é inédita. Ela aumentou e diminuiu ao longo do tempo à medida que as nações escolhiam políticas diversas. Essas escolhas aumentaram o efeito do progresso tecnológico na integração dos mercados, mas também o restringiram.

A integração de mercados é a fusão de muitos em um só. Em certo mercado, um produto tem um só preço: o preço da cenoura é o mesmo na zona Leste e na zona Oeste de Paris, se essas regiões fazem parte do mesmo mercado. Se o preço da cenoura na zona Oeste fosse maior, a cenouras seriam levadas da zona

Cristóvão Colombo embrenhou-se nas Américas numa expedição para encontrar nova rota de comércio para a China. Os esforços para globalizar o comércio ocorrem há séculos.

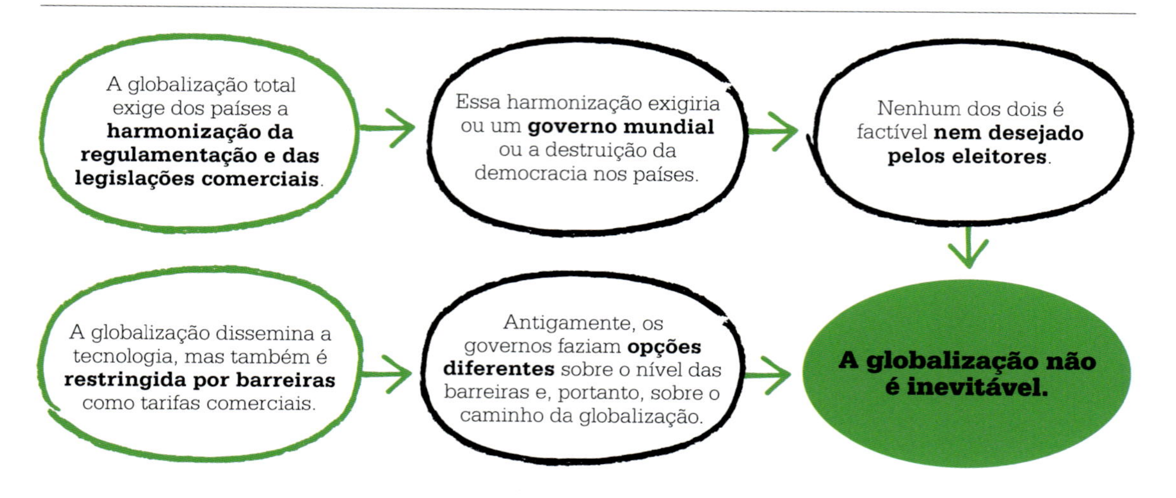

Veja também: Protecionismo e comércio 34-35 ▪ Vantagem comparativa 80-85 ▪ Comércio internacional e Bretton Woods 186-87 ▪ Teoria da dependência 242-43 ▪ Os Tigres Asiáticos 282-87 ▪ Desequilíbrios na poupança mundial 322-25

Leste para lá, e os preços se nivelariam. O preço da cenoura em Paris e em Lisboa, contudo, pode ser bem diferente, e o alto custo do transporte e outras despesas tornariam contraproducente para os portugueses levar seu estoque para a França caso os preços fossem mais altos lá. Em mercados diferentes, o preço de um mesmo bem pode ser diferente por um longo período.

A integração global de mercados implica a eliminação das diferenças de preço entre os países, pois todos os mercados tornam-se um. Um modo de acompanhar o avanço da globalização é ver as tendências de convergência (semelhança) de preços nos países. Quando os custos do comércio internacional caem, aumenta a chance de as empresas se aproveitarem das diferenças de preço – por exemplo, de os portugueses entrarem no mercado francês. Os custos comerciais caem quando formas de transporte são criadas ou quando ficam mais rápidas e mais baratas. Além disso, alguns custos são impostos pelo homem: os Estados criam barreiras ao comércio, como tarifas e cotas de importação. Quando estas são reduzidas, o custo do comércio internacional cai.

Ascensão do comércio mundial

O comércio de longa distância existe há séculos, pelo menos desde as missões comerciais dos fenícios no primeiro milênio antes de Cristo. Esse comércio teve o incentivo de populações e rendas crescentes, que criaram a demanda de novos produtos. Contudo, as barreiras comerciais que dividem os mercados não mudaram muito. A globalização só decolou realmente nos anos 1820, quando as diferenças de preço passaram a diminuir. Isso foi causado por uma revolução no transporte – o advento dos navios a vapor e das ferrovias, a invenção da refrigeração e a abertura do canal de Suez, que cortou o tempo de viagem entre a Europa e a Ásia. Na véspera da Primeira Guerra Mundial, a economia internacional era bastante integrada, mesmo pelos padrões do século XX, com fluxos de capital e de mão de obra sem precedentes.

Do século XIX em diante, o avanço tecnológico ajudou a integrar os mercados. É isso que faz a globalização parecer irreversível – quando inventada uma tecnologia como o transporte a vapor, ela não é desinventada, mas tende a se tornar mais viável economicamente em mais países. Boa parte desse desenvolvimento foge ao controle direto dos governos. Todavia, de um só golpe os governos podem impor tarifas e outros tipos de barreiras ao comércio, cortando importações e dificultando o comércio.

> [...] integração econômica 'profunda' é inalcançável num contexto em que as nações e a política democrática ainda exerçam um poder considerável.
> **Dani Rodrik**

Nos tempos modernos, a mais surpreendente reversão da globalização provocada por políticas ocorreu na Grande Depressão dos anos 1930. Quando os países entraram em recessão, os governos impuseram tarifas. Estas deveriam fazer os consumidores procurar produtos nacionais. Em 1930, os EUA aprovaram a tarifa Smoot-Hawley, que aumentou a alíquota sobre »

A Grã-Bretanha possuía tecnologia nova em meados do século XIX, como os teares mecanizados nas tecelagens, que lhe permitiam exportar e concorrer em vários mercados mundiais.

O progresso do transporte é um grande incentivador da globalização. Em Xangai, China, os EUA estão investindo num "megaporto" gigantesco que tornará o transporte mais seguro.

bens importados a um nível recorde. Essas tarifas reduziram a procura de produtos estrangeiros. Outros países reagiram, impondo tarifas. O resultado foi o colapso do mercado mundial, que intensificou os efeitos da Depressão. Foram necessárias três décadas para reconstruir a economia mundial.

Integração

No final do século XX, a globalização da maioria dos mercados voltou ao nível de logo antes da Primeira Guerra. Hoje, os mercados são mais integrados que nunca, pois os custos de transporte continuam a cair, e a maioria das tarifas foi eliminada.

Uma previsão do futuro da globalização envolve a eliminação de outros tipos de barreira ao comércio causados por diferenças institucionais entre os países. Os mercados estão inseridos nas instituições – nos direitos de propriedade, na legislação e nas regulamentações. As diferenças entre as instituições nacionais criam custos comerciais, do mesmo modo que as tarifas ou a distância. Por exemplo, pode haver leis diferentes no Quênia e na China sobre o que acontece quando um comprador não paga, dificultando para o exportador chinês recuperar o que lhe devem caso haja uma ação judicial, com o que a empresa poderia relutar em entrar no mercado queniano. Apesar da suspensão de tarifas, o mundo está longe de ser um mercado único. Por causa dessas incompatibilidades institucionais, as fronteiras ainda contam. A integração plena exige a eliminação de diferenças legais para criar um espaço institucional único. Alguns economistas dizem que esse processo está em curso e é inevitável, e que os mercados mundiais levam à harmonização das instituições nacionais. Pense numa empresa multinacional que escolha um país para abrir uma fábrica. Para atrair o investimento dela, o governo pode cortar impostos e abrandar exigências legais. Outros países fazem o mesmo. Com a menor arrecadação tributária, os países têm menos capacidade de financiar sistemas assistenciais e programas educacionais. Todas as decisões políticas voltam-se para a integração com os mercados mundiais. Não haveria produtos nem serviços incompatíveis com isso.

Globalização × democracia

O economista turco Dani Rodrik (1957-) criticou essa visão de "integração profunda", chamando-a de indesejável e muito longe de inevitável e dizendo que persiste uma diversidade institucional considerável entre os países. O ponto de partida de Rodrik é de que as opções sobre a direção da globalização estão sujeitas a um "trilema" político. As pessoas querem a integração de mercados pela prosperidade que ela traz;

Liberalização dos mercados monetários

A liberalização dos mercados de capitais, pela qual os fundos para investimento podem ser emprestados, colaborou muito para o ritmo da globalização. Desde os anos 1970 houve uma tendência para um fluxo mais livre de capitais entre fronteiras. A teoria econômica atual diz que isso ajuda o progresso: os países em desenvolvimento têm poupança interna limitada para investir no crescimento, e a liberalização permite usufruir do conjunto mundial de fundos. Um mercado de capitais global também dá aos investidores maior espaço para gerir e diluir os riscos. Porém, há quem diga que um fluxo de capitais mais livre aumenta o risco de instabilidade financeira. A crise do leste asiático no final dos anos 1990 surgiu na esteira desse tipo de liberalização. Sem um sistema financeiro forte e um ambiente regulatório estável,a globalização do mercado de capitais pode semear instabilidade nas economias, em vez de crescimento.

A crise do leste da Ásia começou quando o governo tailandês tentou flutuar o *bhat* no mercado mundial, rompendo seu atrelamento ao dólar.

O século XIX viveu uma grande explosão da globalização.
Jeffrey G. Williamson e K. H. O'Rourke

Os países podem querer democracia, independência e integração econômica mundial profunda. Ainda assim, só duas podem ser compatíveis ao mesmo tempo. No diagrama, cada lado do triângulo representa a combinação possível.

também querem democracia e uma nação soberana e independente. Rodrik diz que as três são incompatíveis. Só duas são possíveis ao mesmo tempo. A solução do trilema implica formas diferentes de globalização.

O trilema vem do fato de que uma integração de mercados profunda, ou mais completa, requer a remoção de variações institucionais entre os países. Mas cada eleitorado nacional quer tipos diferentes de instituição. Em comparação com os eleitores dos EUA, os europeus tendem a preferir Estados bastante assistencialistas. Então, uma estrutura mundial única, em que as nações ainda existam, significa ignorar as preferências do eleitorado de alguns países. Isso conflitaria com a democracia, e os governos ficariam no que o jornalista americano Thomas Friedman (1953-) chamou de "camisa de força de ouro". Por outro lado, uma estrutura institucional mundial em que a democracia reinasse exigiria um "federalismo global" – um único eleitorado internacional e a dissolução das nações.

Hoje estamos longe da camisa de força de ouro e do federalismo global. Os Estados são fortes, e a persistente diversidade institucional entre os países indica que as preferências variadas de populações diferentes importam. Desde a Segunda Guerra Mundial, o trilema de Rodrik tem sido resolvido com o sacrifício da integração profunda. Os mercados têm se aproximado ao máximo ante a diversidade de instituições dos países. Rodrik chamou a isso de "compromisso de Bretton Woods", referindo-se às instituições mundiais criadas após a guerra (pp. 186-87) – o Acordo Geral de Tarifas e Comércio (Gatt), o Banco Mundial e o Fundo Monetário Internacional. Essas organizações visavam evitar a repetição da reação catastrófica vista nos anos 1930 na forma de uma integração controlada, em que os Estados eram livres para fazer políticas nacionais e se desenvolver segundo vias institucionais variadas.

A era da liberalização, a partir dos anos 1980, viu o compromisso de Bretton Woods se enfraquecer, com a agenda política cada vez mais orientada para a integração profunda. Rodrik afirma que a diversidade institucional deve ser preservada em detrimento da integração profunda. O desejo dos eleitores europeus de assistencialismo e sistemas públicos de saúde não é apenas econômico, mas sua visão de justiça. A diversidade institucional reflete esses valores diferentes. Na prática, existe mais de um caminho institucional para uma economia saudável. Os requisitos para o crescimento nos países em desenvolvimento atuais podem ser diferentes dos das nações desenvolvidas. Com a imposição de um modelo institucional mundial, corre-se o risco de pôr uma camisa de força nos países, sufocando seu desenvolvimento econômico. A globalização pode ter limite, e este talvez seja de que a fusão completa das economias não é nem factível nem, afinal, desejável. ■

SOCIALISMO FAZ AS LOJAS FICAREM VAZIAS

ESCASSEZ NAS ECONOMIAS PLANIFICADAS

EM CONTEXTO

FOCO
Sistemas econômicos

PRINCIPAL PENSADOR
János Kornai (1928-)

ANTES
1870 Os economistas William Jevons, Alfred Marshall e Léon Walras abordam a otimização da eficiência com restrições orçamentárias.

DEPOIS
1954 Gérard Debreu e Kenneth Arrow identificam as condições em que a procura se iguala à oferta em todos os mercados de uma economia concorrencial.

1991 A União Soviética deixa de existir, e termina o planejamento central.

1999 Os economistas Philippe Aghion, Patrick Bolton e Steven Fries publicam *The optimal design of bank--bailouts*, afirmando que os bancos enfrentam restrição orçamentária leve.

Nos mercados competitivos, a **receita** das empresas deve ser **mais alta que os custos**, ou elas vão à falência.

Nas economias planificadas, se as empresas não cobrem seus custos, o Estado intervém para **protegê-las** da falência.

Isso significa que os custos (materiais e laborais) não precisam se aproximar **da produção ou da procura**.

Socialismo faz as lojas ficarem vazias.

Com intenso crescimento de início após a Segunda Guerra Mundial, as economias de planejamento central da Europa Oriental enfrentaram problemas cada vez mais óbvios. Conseguiam mobilizar recursos em ampla escala para tarefas bem definidas, como produção de armamentos, mas tinham dificuldade em questões mais complexas. A escassez era constante, pois produtos e serviços – ao contrário do planejado – não eram entregues na hora, na quantidade necessária ou com a qualidade adequada. O hiato entre Oriente e Ocidente se ampliou.

Restrição orçamentária fraca

Alguns regimes tentaram fazer reformas no planejamento. A Hungria foi mais longe, introduzindo elementos de concorrência de mercado a partir dos anos 1960. Em tese, isso deveria beneficiar o mercado, trazendo inovação, ampliando as opções e ao mesmo tempo mantendo a capacidade de propiciar bens sociais amplos, como pleno emprego. Na prática, após sucessos iniciais, o sistema manteve escassez e ineficiência.

Veja também: Economia de livre mercado 54-61 ▪ Economia marxista 100-05 ▪ O mercado competitivo 126-29 ▪ Planejamento central 142-47 ▪ Liberalismo econômico 172-77

Na tentativa de entender o problema, o economista húngaro János Kornai saiu-se com o conceito de "restrição orçamentária fraca". Nos mercados concorrenciais, as decisões das empresas em geral se sujeitam a restrições orçamentárias "rígidas": as receitas precisam ao menos cobrir os custos, ou elas têm perdas financeiras. Isso disciplina as empresas a economizar em insumos e vender a produção de um modo que maximize os lucros. Kornai notou que, em economias planejadas como a da Hungria, as empresas não eram submetidas a essa disciplina: tinham restrições orçamentárias fracas, não rígidas. O Estado as protegia da ameaça de falência – as que produziam bens essenciais nunca seriam obrigadas a fechar. Mesmo depois de algumas reformas terem sido realizadas, o Estado continuava a socorrer as empresas falimentares. Além disso, as empresas usavam de barganha política para se safar de pagar suprimentos ou evitar a tributação.

A restrição orçamentária fraca implica às empresas não precisarem cobrir os custos com a receita. Elas costumam exigir insumos a mais em relação ao nível de produção, gerando uma procura excessiva de certos insumos e depois escassez derivada da ineficiência. A escassez acaba chegando aos compradores, que acham as prateleiras do mercado vazias. Para Kornai, a escassez sujeitava os consumidores a uma "substituição forçada" – a necessidade de comprar a segunda opção disponível, dada a escassez.

Socorros financeiros

Ineficiências desse tipo se somaram à grave fraqueza das economias planificadas. O socorro garantido e a falta de disciplina orçamentária acarretavam pouco incentivo às empresas para fornecer bens e serviços com eficiência.

Kornai fala das restrições orçamentárias fracas como uma "síndrome" do planejamento central que não tem cura, porque só uma mudança sistêmica completa traria uma solução. O problema não era restrito aos países socialistas – Kornai afirmou que grandes bancos ocidentais têm restrição orçamentária fraca, já que esperam ser socorridos pelo governo, pondo o sistema bancário sob alto grau de risco. Por outro lado, pode soar injusto instituir restrições rígidas ao orçamento em cada Estado ou autoridade governamental local – como mandar prender uma família inadimplente. Na prática, mesmo as mais livres economias de mercado contêm uma mistura de restrições orçamentárias fracas e rígidas. ■

Escassez era um aspecto da vida nas economias centralizadas. Se uma fila se formava, os compradores entravam nela, pois indicava que um produto essencial estava disponível por pouco tempo.

János Kornai

O economista húngaro János Kornai é mais conhecido por sua obra sobre economias planejadas. Ele viveu o terror do fascismo na pele – seu pai morreu em Auschwitz –, o que o levou ao comunismo. Estudou filosofia em Budapeste, mas a trocou por economia depois de ler *O capital*, de Marx. Em 1947, Kornai passou a trabalhar no jornal do Partido Comunista, mas rompeu com o partido no início dos anos 1950, abalado com a tortura de um amigo inocente pelo regime. Seus artigos críticos causaram sua demissão do jornal em 1955. Sem permissão de sair da Hungria, ele trabalhou na Academia de Ciências Húngaras até 1985, quando obteve um cargo em Harvard. Kornai voltou à Hungria em 2001. Tem criticado a economia neoclássica por preferir a teorização abstrata a solucionar e responder às "grandes questões".

Obras-chave

1959 *Overcentralization in economic administration*
1971 *Anti-equilibrium*
1992 *The socialist system*

O QUE O OUTRO ACHA QUE EU VOU FAZER?

TEORIA DOS JOGOS

EM CONTEXTO

FOCO
Tomada de decisão

PRINCIPAL PENSADOR
John Nash (1928-)

ANTES
1928 O matemático americano John von Neumann formula a "regra minimax", que diz que a melhor estratégia é minimizar a perda máxima em qualquer situação.

DEPOIS
1960 O economista americano Thomas Schelling publica *The strategy of conflict*, que desenvolve estratégias no contexto da Guerra Fria.

1965 O economista alemão Reinhard Selten analisa jogos com muitas rodadas.

1967 O economista americano John Harsanyi mostra que jogos podem ser analisados, mesmo que haja incerteza sobre o tipo de adversário.

Nossas interações diárias envolvem decisões estratégicas parecidas com um jogo de xadrez, em que os jogadores escolhem movimentos de acordo com o que acham que o adversário fará.

Você faz cálculos estratégicos quando imagina como outra pessoa reagirá ao que você faz. Realizar com sucesso as interações sociais econômicas é um pouco como um jogo de xadrez, em que os jogadores devem escolher um movimento de acordo com o possível movimento do outro jogador. Até os anos 1940, a economia evitava essa questão. Os economistas presumiam que todo comprador e vendedor fossem pequenos demais comparados com o tamanho total do mercado, de modo que ninguém podia escolher o preço que pagava por um produto ou o salário pelo qual vendia seu trabalho. Afirmava-se que, como as opções pessoais não influem nos outros, elas podiam ser ignoradas. Contudo, ainda em 1838 o economista francês Antoine Augustin Cournot (p. 91) avaliou quanto duas empresas produziriam

O que o outro acha que eu vou fazer?

Cooperar com ele, porque achamos que concordamos com uma opção que beneficia os dois. → Se ele acha **que vou cooperar**, posso cooperar com segurança.

Competir com ele, porque tomamos decisões independentemente. → Se ele acha que **vou competir**, é melhor eu competir.

Veja também: O homem econômico 52-53 ▪ Cartéis e conluio 70-73 ▪ Efeitos da concorrência limitada 90-91 ▪ Equilíbrio econômico 118-23 ▪ Economia comportamental 266-69 ▪ A maldição do vencedor 294-95

baseadas no que uma achava que a outra faria, mas esse foi um caso isolado de análise de interações estratégicas.

Em 1944, os matemáticos americanos John von Neumann e Oskar Morgenstern publicaram a inovadora obra *Theory of games and economic behavior*. Eles afirmaram que muitas partes do sistema econômico eram dominadas por um número pequeno de participantes, como empresas grandes, sindicatos ou o governo. Em tal situação, o comportamento econômico precisava ser explicado em relação às interações estratégicas. Ao analisar jogos simples com duas pessoas que são de "soma zero" (um vence, e o outro perde), eles pretendiam criar regras gerais sobre o comportamento estratégico das pessoas em qualquer ocasião, o que passou a se chamar teoria dos jogos.

Von Neumann e Morgenstern analisaram os jogos cooperativos em que são dadas aos jogadores algumas ações possíveis, cada qual com um resultado particular, ou recompensa (*pay-off*). Os jogadores têm a oportunidade de discutir a situação e chegar a um plano de ação acordado. Um exemplo real desse jogo foi dado pelo matemático americano Merrill Flood, que deixou seus três adolescentes fazerem propostas (lances) pelo direito de um deles de trabalhar como babá por um pagamento máximo de US$4. Eles puderam discutir o problema e formar uma aliança, mas, se não conseguissem chegar a um consenso, o pior apostador ganharia. Para Flood, as soluções do problema eram fáceis, como resolver por lote ou dividir o arrecadado por igual. No entanto, seus filhos não conseguiram achar uma solução, e afinal um deles fez o lance de 90 centavos para fazer o trabalho.

Equilíbrio de Nash

No início dos anos 1950, um matemático americano jovem e brilhante, John Nash, ampliou esse trabalho para ver o que acontecia quando os jogadores tomam decisões independentes em situações não cooperativas – em que não há oportunidade de comunicação ou colaboração. A cooperação é um resultado possível, mas só se cada jogador achar que ela aumenta suas chances de sucesso. Nash notou um estado de equilíbrio nesses jogos, no qual nenhum dos jogadores quer mudar de atitude. O jogador escolhe sua melhor estratégia, presumindo que o adversário também procura a sua melhor. Para Nash, em tal situação nenhum dos jogadores quer mudar de atitude, porque "a estratégia de cada jogador é ótima diante da dos outros". Hoje esse estado é conhecido como equilíbrio de Nash. Houve um grande florescimento da teoria dos »

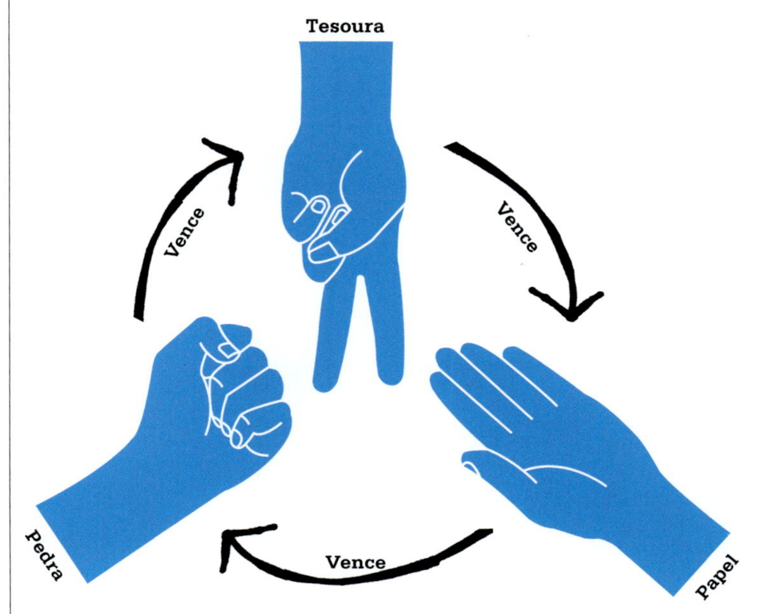

Tesoura-papel-pedra é exemplo de um jogo simples de soma zero em que, se um jogador vence, o outro perde. O jogo é disputado por dois jogadores. Cada qual deve fazer um dos três gestos com a mão ao mesmo tempo. O gesto de um jogador ou empata ou vence ou perde do gesto do adversário: pedra vence tesoura, tesoura vence papel, e papel vence pedra. Os teóricos analisam jogos como esse para descobrir regras gerais do comportamento humano.

O dilema do prisioneiro é um exemplo de jogo não cooperativo em que nenhum lado pode se comunicar com o outro. O "equilíbrio de Nash" do jogo é os dois jogadores traírem.

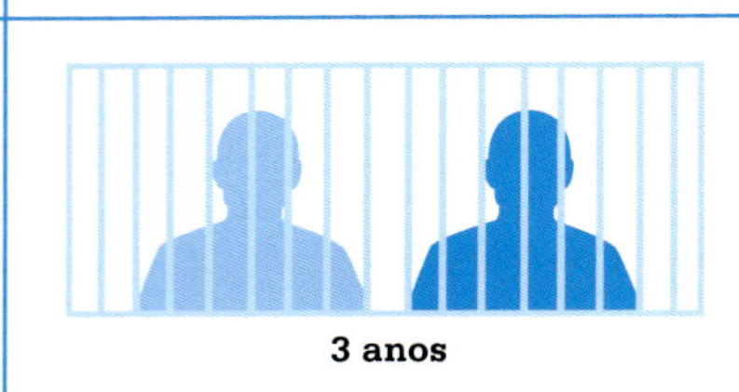

jogos depois da Segunda Guerra Mundial, principalmente no grupo de especialistas da Rand (nome que vem da empresa Research and Development – pesquisa e desenvolvimento). Criada pelo governo dos EUA em 1946, a Rand recebeu a incumbência de pôr a ciência a serviço da segurança nacional. Empregou matemáticos, economistas e outros cientistas para pesquisar áreas como a da teoria dos jogos, que era considerada particularmente relevante para a política da Guerra Fria.

Em 1950, os teóricos da Rand conceberam dois exemplos de jogos não cooperativos. O primeiro foi publicado com o nome de "So Long Sucker" (Até mais, bobo). Esse jogo foi feito especificamente para ser o mais cruel possível do ponto de vista psicológico. Forçava os jogadores a fazer alianças, mas no fim, para ganhar, era preciso enganar o parceiro. Conta-se que, depois de experimentar jogá-lo, maridos e mulheres iam para casa em táxis separados.

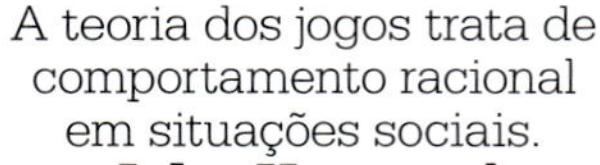

A teoria dos jogos trata de comportamento racional em situações sociais.

John Harsanyi

Economista americano (1920-2000)

O dilema do prisioneiro

Talvez o exemplo mais famoso de um jogo não cooperativo seja o dilema do prisioneiro. Foi criado em 1950 por Melvin Dresher e Merrill Flood, ampliando o trabalho de Nash. O dilema envolve dois criminosos capturados que ficam presos separadamente durante o interrogatório. São oferecidas a eles duas opções: se ambos testemunharem contra o outro, eles serão condenados a uma pena mediana na cadeia que será difícil, mas suportável. Se nenhum testemunhar contra o outro, ambos receberão uma pena curta, que eles cumprirão com facilidade. Contudo, se um testemunhar e o outro não, o primeiro será libertado, e o homem que ficou em silêncio receberá uma pena longa que lhe arruinará a vida.

O dilema de cada detento é trair ou não trair. Se ele trair o parceiro, será libertado ou acabará com uma pena mediana. Se ele confia que o parceiro não o trairá, poderá ter uma pena curta ou passará muito tempo na cadeia. Para evitar a possibilidade da "recompensa do bobo" – acabar com uma sentença longa –, o equilíbrio de Nash é sempre trair. O interessante é que a estratégia "dominante" (melhor) de traição mútua não aumenta o bem-estar do grupo. Se ambos se recusassem a trair, o tempo total de prisão seria reduzido.

Dresher e Flood testaram o dilema do prisioneiro em dois dos seus colegas para ver se a previsão de Nash estava correta. Eles fizeram um jogo em que cada jogador poderia escolher confiar ou trair o outro. A compensação foi preparada de tal forma que houvesse uma recompensa do bobo, mas também uma opção de troca cooperativa que beneficiaria a ambos os jogadores, solução que refletia o trabalho anterior de Von Neumann e Morgenstern com jogos cooperativos.

A experiência teve cem rodadas. Essa versão repetitiva do jogo deu aos jogadores a chance de punir ou recompensar a atitude anterior do parceiro. Os resultados mostraram que o equilíbrio de Nash de traição fora escolhido apenas 14 vezes,

A estratégia de cada jogador é ótima diante das dos outros.
John Nash

contra 68 vezes da solução cooperativa. Dresher e Flood concluíram que pessoas de carne e osso aprendem rápido a escolher uma estratégia que aumente seu benefício. Nash afirmara que a experiência tinha falhas porque deu margem a muita interação e que o único ponto de equilíbrio verdadeiro era a traição.

Jogo de guerra e paz

A versão interativa do dilema do prisioneiro acabou conhecida como jogo de guerra e paz. Foi usado para explicar a melhor estratégia na Guerra Fria com a União Soviética. À medida que se criavam novas tecnologias, como a de mísseis balísticos intercontinentais, cada lado tinha de decidir se investia uma quantidade enorme de dinheiro para comprar tais armas. A nova tecnologia poderia implicar a capacidade de ganhar uma guerra relativamente indolor se o outro lado não inventasse uma nova arma. A consequência de não a criar era ou uma economia enorme de dinheiro, »

Tecnologia cara, como o bombardeiro Stealth, foi criada na Guerra Fria. Para evitar a "recompensa do bobo", a teoria dos jogos sugeria que ambos os lados gastassem o dinheiro.

John Nash

Nascido em 1928 em família americana de classe média, John Nash foi rotulado de retardado na escola por suas habilidades sociais fracas. Contudo, seus pais notaram nele uma incrível capacidade acadêmica. Em 1948, ganhou uma bolsa de estudos da Universidade Princeton. Seu ex-professor escreveu uma carta de recomendação: "Este homem é um gênio". Em Princeton, Nash evitava palestras e preferia raciocinar do zero. Foi aí que ele aprimorou as ideias da teoria dos jogos, que lhe daria o Prêmio Nobel. Nos anos 1950, trabalhou na Rand e no Instituto de Tecnologia de Massachusetts (MIT), mas seu estado mental já piorava. Em 1961, sua mulher o fez se tratar de esquizofrenia. Nash se debateu com a doença nos 25 anos seguintes, mas nunca deixou de sonhar em acrescentar algo proveitoso ao estudo da matemática.

Obras-chave

1950 *Equilibrium points in N-person games*
1950 *The bargaining problem*
1952 *Real algebraic manifolds*

caso o outro lado também não a desenvolvesse, ou a recompensa do bobo de derrota total, caso o outro lado a criasse.

A importância da obra de Nash, em contexto mais amplo, foi mostrar que poderia haver um equilíbrio entre indivíduos independentes e interesseiros, que criaria estabilidade e ordem. Na verdade, afirmou-se que o equilíbrio obtido por indivíduos que tentam maximizar sua recompensa produzia resultados mais seguros e estáveis que quando os jogadores tentavam levar em conta o outro.

Nash dividiu o Prêmio Nobel de economia de 1994 com outros dois economistas que ajudaram a aprimorar a teoria dos jogos. Nascido na Hungria, o economista John Harsanyi provou que os jogos em cujos participantes não têm informação completa sobre motivos ou recompensas podem mesmo assim ser analisados. Uma vez que a maioria das decisões estratégicas na vida é tomada em meio a incerteza, essa foi uma descoberta significativa. Um exemplo real pode ser o de os bancos não saberem qual será a atitude do banco central diante de inflação e desemprego, e não saberem, portanto, se as taxas de juro subirão para reduzir a inflação ou serão reduzidas para aumentar o emprego. Como os lucros das empresas no mercado financeiro são determinados pela taxa de juro que o banco central definirá, as empresas precisam ser capazes de avaliar o risco de emprestar mais ou menos dinheiro. Harsanyi mostrou que, mesmo que os mercados não saibam com que alvo o banco central está mais preocupado, a teoria dos jogos consegue identificar o equilíbrio de Nash, que é a solução do problema.

O jogo centípede

Outro economista responsável pelo aprimoramento da teoria dos jogos foi o alemão Reinhard Selten, que concebeu o conceito de perfeição de subjogo em jogos de muitas etapas. A ideia é que deveria haver um equilíbrio em cada etapa, ou "subjogo", de um jogo inteiro. Isso pode ter grandes consequências. Um exemplo é o jogo centípede, em que os jogadores passam certa soma de dinheiro entre si e, cada vez que o fazem, a pilha de dinheiro aumenta 20%. Existem duas maneiras de o jogo terminar: o dinheiro é passado entre eles por cem rodadas (daí o nome centípede), e então a quantia total é dividida, ou em certa etapa um jogador decide ficar com a pilha de dinheiro que recebeu. A opção de cada jogador é cooperar passando o dinheiro adiante ou sair e ficar com o dinheiro. Na última rodada, o melhor que o jogador pode fazer é sair e ficar com o dinheiro. Isso implica que na penúltima rodada a saída é também a melhor opção –

Você sabe em que está pensando, mas não sabe por que está pensando nisso.
Reinhard Selten

Ao regatear com um comprador, o vendedor pode pedir um preço bem superior ao que ele gostaria, porém arriscando-se a perder a venda.

Chegando à verdade

Em 1960, o economista russo Leonid Hurwicz começou a estudar a mecânica dos mercados. Na teoria clássica, presume-se que os produtos sejam negociados com eficiência: por preço justo e para as pessoas que mais os querem. No mundo real, os mercados não funcionam assim. Hurwicz notou, por exemplo, que o comprador e o vendedor de um carro usado têm um estímulo para mentir sobre quanto cada um acha que ele vale.

Mesmo que ambos revelassem por quanto querem comprar ou vender e concordassem em dividir a diferença de preço, é improvável que esse artifício desse um resultado ideal. Os vendedores naturalmente dizem querer um preço muito mais alto do que o que necessitam, e os compradores oferecem muito menos do que desejam pagar. Em tais circunstâncias, eles não conseguirão chegar a um acordo, mesmo que os dois queiram fazer negócio. Hurwicz conclui que, se os participantes fossem convencidos a revelar a verdade, os benefícios para ambos os lados seriam maiores.

Em jogos de cooperação, os jogadores têm a oportunidade de fazer alianças. Em muitos deles, como cabo de guerra, a única chance que o indivíduo tem de ganhar é cooperar com os outros.

prevendo a saída mais à frente do adversário. Dando prosseguimento a essa lógica de trás para a frente, a saída predomina em cada rodada, de modo que a escolha perfeita do subjogo é sair na primeira rodada. Contudo, o resultado parece paradoxal, porque o montante de dinheiro na primeira rodada é muito pequeno, e não vale a pena sair do jogo por ele.

Essa ideia foi aplicada à situação em que há uma grande rede de lojas por todo o país e uma concorrente prepara-se para entrar no mercado em uma ou mais cidades. A rede pode ameaçar baixar os preços no local em que a nova empresa tenciona entrar. Essa ameaça pode parecer real e proveitosa, pois não tomaria muito do lucro da rede e impediria que a outra empresa entrasse nessa região. A estratégia ideal quanto ao equilíbrio de Nash parece ser a de a rede travar uma guerra de preços e a nova empresa não entrar no mercado. Todavia, segundo Selten, se a empresa existente for forçada a baixar os preços toda vez que uma nova concorrente tentar entrar em um de seus mercados, as perdas acumuladas seriam grandes demais. Assim, olhando para a frente e raciocinando para trás, a ameaça de uma guerra de preços é irracional. Selten conclui que a entrada da nova empresa sem uma guerra de preços é perfeita no subjogo.

Quando eu teorizava sobre um impasse nuclear, eu não precisava realmente entender o que estava acontecendo dentro da União Soviética.

Thomas Schelling

Racionalidade limitada

Esses paradoxos vêm da suposição de que os indivíduos que participam dos jogos são totalmente racionais. Selten propôs uma teoria mais realista de tomada de decisão. Embora as pessoas às vezes tomem decisões com cálculo racional, quase sempre o fazem com base em experiências anteriores e princípios. Elas nem sempre usam cálculo racional, mas podem ser o que os teóricos chamam de "limitadamente racionais": capazes de escolher por intuição as soluções mais atraentes a jogos que possam não ser perfeitos no subjogo.

A teoria dos jogos tem seus críticos, para os quais ela conta histórias maravilhosas, mas não passa no exame principal de qualquer teoria científica: não consegue fazer previsões úteis sobre o que virá. Um jogo pode ter muitos equilíbrios. Um setor que acabe se transformando num cartel pode ser um resultado tão racional quanto aquele que leva a uma guerra de preços. Além disso, as pessoas não tomam decisões com base em um infindável "se eu fizer isto e eles fizerem aquilo ou se eu fizer aquilo e eles fizerem isto".

O economista americano Thomas Schelling abordou essa questão ao se aprofundar na ideia de que os gatilhos do comportamento não se baseiam apenas em probabilidades matemáticas. No "jogo de coordenação", em que ambos os jogadores são recompensados se pensam na mesma carta, que carta do baralho você escolheria se quisesse se igualar a alguém? Você pegaria o ás de espadas? ■

PAÍSES RICOS EMPOBRECEM OS POBRES

TEORIA DA DEPENDÊNCIA

EM CONTEXTO

FOCO
Crescimento e desenvolvimento

PRINCIPAL PENSADOR
Andre Gunder Frank
(1929-2005)

ANTES
1841 O economista alemão Friedrich List critica livre comércio e defende protecionismo no mercado interno.

1949-50 Hans Singer e Raúl Prebisch dizem que condições comerciais entre países ricos e pobres pioram com o tempo.

DEPOIS
1974-2011 O sociólogo americano Immanuel Wallerstein amplia teorias de desenvolvimento de Frank, para criar teoria do sistema mundial, que utiliza base histórica para explicar as mudanças havidas na ascensão do mundo ocidental.

Os países pobres ouvem dizer que sua economia crescerá se eles **abrirem as fronteiras** ao comércio internacional.

↓

Os países ricos estão em posição dominante e então **exploram os países pobres** com condições comerciais desiguais.

↓

Essa exploração faz a economia dos países pobres **estagnar-se ou encolher**...

↓

... enquanto os países ricos **tornam-se mais ricos**.

↓

Países ricos empobrecem os pobres.

Os países ricos dizem que não querem manter a pobreza dos países pobres, e sim que as relações entre eles ajudem os dois lados. Todavia, nos anos 1960 o economista alemão Andre Gunder Frank afirmou que as políticas de desenvolvimento do mundo ocidental, ao lado do livre comércio e do investimento, perpetuam a divisão do mundo. Preservam o domínio do mundo rico e mantêm a pobreza nos países pobres. Frank chamou a isso de "teoria da dependência".

Comércio desequilibrado

Os países ocidentais ricos nunca foram parceiros menores num bloco de países poderosos e avançados economicamente, como ocorre hoje com os países pobres. Por isso certos economistas notaram que as políticas que ajudaram os países avançados a se desenvolver podem não beneficiar os países pobres.

A liberalização do comércio internacional costuma ser louvada por economistas como uma maneira infalível de ajudar as economias subdesenvolvidas. Contudo, a teoria da dependência de Frank diz que tais políticas em geral provocam situações em que os países ricos se

Veja também: Protecionismo e comércio 34-35 ▪ Vantagem comparativa 80-85 ▪ Economia desenvolvimentista 188-93 ▪ Teorias do crescimento econômico 224-25 ▪ Integração de mercados 226-31 ▪ Os Tigres Asiáticos 282-87 ▪ Perdão da dívida externa 314-15

Muitos petroleiros nigerianos trabalham para empresas estrangeiras que fizeram investimentos na Nigéria, mas lucram desproporcionalmente com salários baixos e matéria-prima valiosa.

aproveitam dos pobres. Os países subdesenvolvidos produzem matérias-primas, compradas pelos países ricos, que então fabricam produtos vendidos internamente ou aos outros países desenvolvidos. Isso acarreta um sistema comercial desequilibrado, no qual a maior parte do comércio dos países pobres é com nações ricas e desenvolvidas. Só uma pequena porcentagem se dá com países em desenvolvimento. Em decorrência, os países mais pobres veem-se em posição fraca para negociar – fazem comércio com potências maiores e mais ricas –, e lhes são recusadas as condições comerciais favoráveis de que precisam para prosperar.

Costuma-se dizer que essas forças implicam a separação da economia mundial em um "núcleo" de países ricos para os quais flui a riqueza de uma "periferia" de países pobres marginalizados. A economia dos países pobres tende também a se organizar de tal modo que não incentiva o investimento, que é um estímulo crucial ao crescimento da economia de qualquer país.

Quando os países ricos levam indústria e investimentos aos países pobres, eles dizem que ajudam a economia dos países pobres a crescer. Os teóricos da dependência declaram que, na realidade, os recursos nacionais são explorados, os trabalhadores são mal pagos e os lucros, distribuídos a acionistas no exterior, e não reinvestidos na economia do país.

Via alternativa

Para evitar os perigos apontados pelos teóricos da dependência, alguns países pobres adotaram uma via diferente. Em vez de se abrirem ao comércio mundial, à globalização e ao investimento estrangeiro, decidiram isolar-se. Há quem diga que a ascensão dos Tigres Asiáticos – Hong Kong, Cingapura, Taiwan e Coreia do Sul – e o extraordinário crescimento econômico da China revelam falhas na teoria da dependência. Era um grupo de economias em desenvolvimento para as quais o comércio exterior foi uma força de crescimento e industrialização rápidos. Há pouco tempo, a teoria da dependência teve eco nos movimentos antiglobalização, que continuam a questionar o enfoque clássico. ■

O subdesenvolvimento não se deve à sobrevivência de instituições arcaicas e [...] à escassez de capital [...] é gerado pelo [...] desenvolvimento do próprio capitalismo.
Andre Gunder Frank

Desigualdade: matérias-primas e manufaturados

Em 1949 e 1950, os economistas Hans Singer, da Alemanha, e Raúl Prebisch, da Argentina, publicaram separadamente artigos ilustrando a desvantagem dos países em desenvolvimento no comércio com o mundo desenvolvido. Eles observaram que as condições comerciais (o volume de importações comprado por um país com certo volume de exportações) são piores para os países que exportam sobretudo matérias-primas ou produtos básicos do que para os países que exportam mais produtos beneficiados. Isso se explica pelo fato de que, quando a renda cresce, a procura de alimentos e produtos básicos se mantém.

Por outro lado, rendas mais altas provocam uma procura maior de bens manufaturados e de luxo, o que acarreta aumento nos preços e implica no país pobre poder comprar menos bens manufaturados com o dinheiro que ele recebe de suas exportações.

NÃO DÁ PARA ENGANAR O POVO

EXPECTATIVAS RACIONAIS

EM CONTEXTO

FOCO
Macroeconomia

PRINCIPAIS PENSADORES
John Muth (1930-2005)
Robert Lucas (1937-)

ANTES
1939 O economista britânico John Hicks analisa o modo como as expectativas sobre o futuro mudam.

1956 O economista americano Philip Cagan usa "expectativas adaptativas" para explicar previsões baseadas no passado.

DEPOIS
1985 O economista americano Gregory Mankiw contribui para o surgimento da economia "neokeynesiana", que usa modelos que incorporam as expectativas racionais sobre o futuro das pessoas em seus cálculos.

O aumento da intervenção e dos gastos do governo após a Segunda Guerra Mundial propiciou uma nova maneira significativa para os economistas pensarem sobre a economia inteira. Eles acreditavam em particular que o governo pudesse estimular a economia usando políticas monetárias e fiscais (impostos e gastos) para obter uma produção permanentemente mais alta e desemprego mais baixo.

As primeiras críticas a esses modelos keynesianos tinham um exame detido da ideia de "expectativas". As expectativas importam porque o que as pessoas acham que vai acontecer afeta seu

Veja também: O homem econômico 52-53 ▪ Empréstimo e dívida 76-77 ▪ O multiplicador keynesiano 164-65 ▪ Política monetarista 196-201 ▪ Economia comportamental 266-69 ▪ Mercados eficientes 272 ▪ Bancos centrais independentes 276-77

comportamento no presente. De início, achou-se que as expectativas fossem "adaptativas". Isso quer dizer que as pessoas criam expectativas sobre o futuro baseadas apenas no que já aconteceu – se o acontecimento A levou ao acontecimento B, o mesmo ocorrerá de novo. Em cada caso, os indivíduos se ajustam no hiato entre o que esperavam acontecer e o resultado real.

Reconheceu-se que a necessidade de levar em conta as expectativas na teoria econômica enfraquecia o resultado das políticas keynesianas (pp. 154-61), com as quais os governos aumentam os gastos para aumentar a demanda. Essas políticas presumem que, se os salários aumentam em decorrência de um incentivo do governo à economia, ocorrerá um aumento na atividade econômica real das pessoas – elas trabalharão mais. Na realidade, o aumento da demanda também implica o aumento de preços, de modo que em termos reais os salários não aumentaram. As pessoas são levadas temporariamente a pensar que o salário monetário maior reflete um aumento no salário real, porque elas levam um tempo para perceber que os preços também subiram – sua expectativa quanto a preços futuros ajusta-se lentamente. Desse modo, o governo consegue aumentar a produção da economia por meio de uma política monetária ou fiscal (de fato) enganando o povo.

Um pai transmite seu conhecimento de mecânica ao filho. No futuro, o filho tomará decisões econômicas, como que carro comprar, baseado em parte nesse conhecimento.

Porém, isso só é assim no curto prazo: quando as expectativas se ajustam, as pessoas percebem que seu salário real não aumentou, e a economia retoma o nível de emprego mais baixo original.

Expectativas racionais

Esse modo de moldar expectativas era simples, mas falho. Se as pessoas só olhassem para o passado ao fazer previsões, é bem provável que elas sempre estivessem erradas. Os choques inesperados na economia, fazendo-a se desviar (mesmo temporariamente) de uma rota anterior, se tornariam erros permanentes nas previsões. Mas, se as pessoas cometessem erros de previsão persistentes, elas perderiam constantemente para o mercado – o que não parece retratar o comportamento individual.

Foi a insatisfação com a teoria das expectativas adaptativas que levou o importante economista americano John Muth à teoria das "expectativas racionais", em 1961. No centro dessa teoria encontra-se uma ideia bastante simples. Se os »

Agricultor australiano inspeciona sua lavoura. Os agricultores não decidem o que plantar com base só no que aconteceu. Eles ponderam fatores como clima e níveis de demanda.

compradores são racionais, eles não adivinham os preços futuros com base nos anteriores. Ao contrário, tentarão prever os preços baseados na informação disponível e usando criticamente um modelo correto da economia. Farão previsões abalizadas, sem seguir cegamente o comportamento passado – e isso porque, se não criarem expectativas racionalmente, serão punidos pelo mercado e perderão dinheiro.

Usamos expectativas racionais o tempo todo. Os agricultores, por exemplo, tomam decisões sobre o que plantar com base nos preços obtidos antes, nas condições atuais e nas probabilidades futuras. Eles não supõem que, se plantarem a mesma quantidade do mesmo produto de cinco anos antes, este terá o mesmo preço de mercado – nem os vendedores de produtos agrícolas. A punição do mercado obriga as pessoas a ter comportamento racional, e, com o tempo, suas expectativas podem ser consideradas tão boas quanto o melhor modelo econômico existente. A teoria das expectativas racionais é aparentemente simples, mas tem consequências assombrosas. De acordo com as expectativas adaptativas, a intervenção do governo pode funcionar por um tempo, porque pegaria as pessoas de surpresa. Elas não conseguiriam prever políticas futuras, de modo que um aumento inesperado nos gastos agiria como um choque "positivo" na economia, com efeitos reais em curto prazo. Mesmo esses efeitos temporários são impossíveis, segundo a teoria das expectativas racionais, pois as previsões pessoais de aumentos de preço ajustam-se de imediato.

Antecipando os fatos

Em 1975, dois economistas americanos, Thomas Sargent e Neil Wallace, disseram que, se as expectativas são racionais, os indivíduos não só passam a esperar uma intervenção do governo, mas adaptam seu comportamento de tal maneira que aquela política seria ineficaz. Pressupondo expectativas racionais, as pessoas saberiam que o governo teve um motivo para gerar choques, como a tentativa de manter baixo o desemprego. Elas ajustariam suas expectativas de acordo. Por exemplo, entenderiam que o fato de o governo usar uma política monetária (como baixar as taxas de juro) para manter o nível de emprego implica inflação mais alta. Por conseguinte, as pessoas alteram suas expectativas quanto ao aumento de salário e de preços. Em vez de se sentirem mais ricas, a expectativa de inflação anula os efeitos das taxas de juro mais baixas propostas pelo governo. Assim, a política monetária torna-se totalmente ineficaz, porque sempre será levada em conta, e o comportamento alterado das pessoas a anulará.

Os responsáveis pelas políticas já acreditaram que existisse uma oposição entre desemprego e inflação – que os governos pudessem incentivar a economia e obter um nível de emprego mais alto no longo prazo com inflação mais alta (pp. 202-03). Segundo a teoria das expectativas racionais, essa oposição se desvanece. O desemprego é determinado pela capacidade produtiva da economia: a produtividade e a capacidade tecnológica das empresas e a eficiência de seus mercados. Os responsáveis pelas políticas não conseguem incentivar a economia além desse nível de emprego.

> É muito surpreendente que as expectativas não tenham sido consideradas antes como modelos dinâmicos racionais, uma vez que se pressupõe a racionalidade em todos os outros aspectos do comportamento empresarial.
> **John Muth**

A crítica de Lucas

O economista americano Robert Lucas ressaltou que, se as expectativas individuais se ajustam conforme a política oficial, quer dizer que toda a estrutura da economia – os conjuntos de relações entre diferentes famílias, empresas e o governo – se altera com mudanças na política. Em decorrência, nem sempre os efeitos da política são os almejados. Isso passou a ser conhecido como a "crítica de Lucas", que teve força suficiente para convencer a maioria dos economistas de que são falhas as tentativas de moldar uma economia inteira mexendo em suas relações estruturais, como fazem os modelos keynesianos. Ao contrário, os modelos devem focar as preferências sub-reptícias mais profundas das pessoas e os recursos e as tecnologias que orientam o comportamento individual. Lucas sugeriu um novo enfoque "neoclássico" da macroeconomia, propiciando um retorno parcial ao mundo pré-keynesiano. Os modelos posteriores de "ciclos econômicos reais" afirmaram que as mudanças no emprego são determinadas por alterações em fatores de mão de obra "reais", como aumento na produtividade ou mudanças nas preferências pessoais por lazer e não por trabalho. O elemento crítico tanto dos ciclos econômicos reais quanto dos modelos neoclássicos é que eles espelham a macroeconomia no efeito do comportamento racional dos indivíduos.

Embora na realidade as pessoas nem sempre tenham expectativas racionais, a pressuposição de que elas as têm ajuda os economistas a elaborar modelos que atuam como guias úteis do funcionamento da economia. As expectativas racionais têm sido criticadas por economistas comportamentais, que trabalham com modelos mais realistas do ponto de vista psicológico. ■

Os benefícios da inflação derivam do uso da política expansionista para levar os agentes econômicos a se comportar de um modo preferível na sociedade, muito embora seu comportamento não seja em interesse próprio.

Robert Hall

Economista americano (1943-)

Os corretores nos mercados financeiros formam expectativas racionais em parte com base nas ações dos colegas no trabalho. Quem não nota os sinais é punido pelo mercado.

John Muth

Nascido em 1930, o americano John Muth cresceu no Meio Oeste dos EUA e estudou engenharia industrial na Universidade de Washington de Saint Louis e economia matemática na Carnegie Tech de Pittsburgh. Nos anos 1950, a Carnegie tinha uma ótima faculdade, onde Muth estudou para fazer doutorado – ela contou com os futuros ganhadores do Nobel Franco Modigliani, John Nash, Herb Simon e depois Robert Lucas.

O primeiro ensaio de Muth sobre expectativas racionais saiu em 1961 e foi pouco notado na época. Tímido e modesto, Muth não conseguiu publicar um artigo posterior sobre o tema e foi trabalhar em outras áreas, escrevendo uma obra fundamental sobre gestão de operações e inteligência artificial. Pesquisadores de economia, como Lucas e Simon, ampliaram a obra de Muth sobre expectativas racionais e ganharam bons prêmios, mas Muth continuou sem ser reconhecido pelo mundo. Lecionou na Indiana e na Bloomington, universidades que não eram das sete principais e não tinham status, mas lhe permitiram satisfazer sua grande curiosidade intelectual. Ele é considerado pai da "revolução das expectativas racionais". Muth morreu em 2005.

Obras-chave

1960 *Optimal properties of exponentially weighted forecasts*
1961 *Rational expectations and the theory of price movements*
1966 *Forecasting models*

NINGUÉM LIGA PARA PROBABILIDADES AO ESCOLHER

PARADOXOS NAS DECISÕES

EM CONTEXTO

FOCO
Tomada de decisão

PRINCIPAL PENSADOR
Daniel Ellsberg (1931-)

ANTES
1921 O economista americano Frank Knight explica que "risco" pode ser quantificado e "incerteza", não.

1954 O matemático americano L. J. Savage tenta mostrar em *The foundations of statistics* que probabilidades podem ser atribuídas a eventos futuros.

DEPOIS
Anos 1970 em diante
Economia comportamental usa experimentos para estudar comportamento em situações de incerteza.

1989 Michael Smithson propõe "taxonomia" do risco.

2007 Nassim Nicholas Taleb discute em *A lógica do cisne negro* o problema de acontecimentos raros e imprevistos.

Nos anos 1960, a economia dominante adotou um conjunto de princípios para entender como as pessoas decidiam. Os seres humanos são racionais e calculistas. Diante de opções diversas e de um futuro incerto, eles atribuem uma probabilidade a cada resultado futuro possível e fazem a escolha condizente. Querem aumentar sua "utilidade esperada" (a quantidade de satisfação que almejam) com base no que creem sobre a probabilidade de resultados futuros diferentes, preferindo a opção com maior utilidade esperada.

Contudo, esse conjunto de ideias foi contestado por resultados que indicavam, mesmo em experimentos, que os seres humanos não se comportam como na teoria. Uma das críticas mais importantes se encontrava no paradoxo de Ellsberg, divulgado pelo economista americano Daniel Ellsberg em 1961, mas

Os economistas costumam supor que **as pessoas tomam decisões racionais**...

... e que, quando enfrentam incerteza, **decidem conforme as probabilidades** de cada resultado possível.

Mas alguns futuros possíveis têm uma **probabilidade desconhecida** por completo.

As pessoas **se esquivam das ambiguidades** e tomam decisões com princípios diferentes.

Ninguém liga para probabilidades ao escolher.

Veja também: O homem econômico 52-53 ▪ Bolhas econômicas 98-99 ▪ Risco e incerteza 162-63 ▪ Decisões irracionais 194-95 ▪ Economia comportamental 266-69

Um experimento de probabilidade ofereceu apostas diversas. Os jogadores sabiam que havia 30 bolas vermelhas numa urna e mais 60 bolas amarelas e pretas sem número específico. Tirar uma bola vermelha rendia $100; preta, $100. A maioria dos jogadores apostou na vermelha.

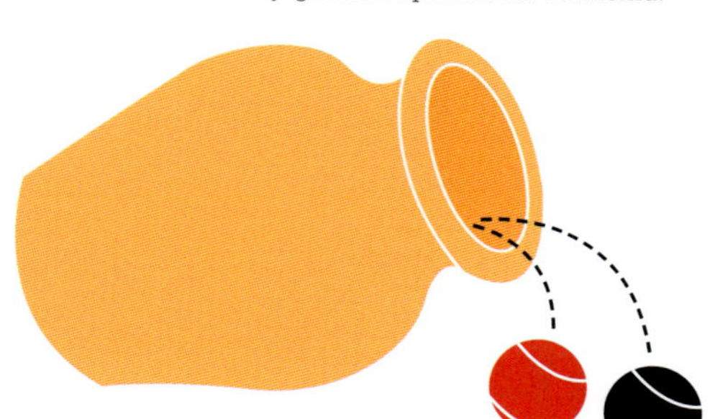

Outra opção dava $100 se uma bola vermelha ou amarela fosse tirada, ou $100 se uma bola preta ou amarela fosse tirada. Dessa vez, a maioria dos jogadores optou pela bola preta ou amarela. Em todos os casos, os jogadores preferiram as chances conhecidas às desconhecidas.

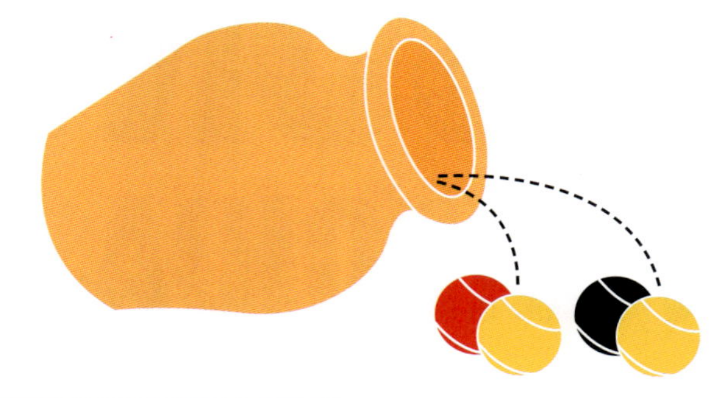

inspirado numa ideia apresentada primeiro por John Maynard Keynes (p. 161) nos anos 1930.

Aversão à ambiguidade

Ellsberg descreveu um experimento de raciocínio em que se oferecia um prêmio em dinheiro se uma bola de certa cor fosse retirada de uma urna imaginária (veja acima). As apostas feitas pelos participantes mostraram que as pessoas tendem a fazer uma escolha pensada quando recebem informações para tirar algum grau de probabilidade, e portanto risco. Todavia, o comportamento delas muda se um resultado futuro parece ambíguo, e esse é o paradoxo que diverge da teoria da utilidade esperada. As pessoas preferem saber mais sobre as incertezas que enfrentam, e não menos. Como disse o ex-secretário da Defesa dos EUA Donald Rumsfeld (1932-), as pessoas preferem "os desconhecidos conhecidos" aos "desconhecidos desconhecidos". O resultado do experimento foi reproduzido em vários outros experimentos reais desde que Ellsberg publicou seu ensaio. Passou a se chamar "aversão à ambiguidade", e às vezes "incerteza knightiana", por causa do economista americano Frank Knight (p. 163). Querendo saber mais sobre os "desconhecidos desconhecidos", as pessoas podem agir de modo incoerente em relação a escolhas anteriores mais lógicas e ignorar questões de probabilidade ao fazer uma escolha.

Conhecer o desconhecido

O paradoxo de Ellsberg foi polêmico. Economistas afirmam que ele pode muito bem estar dentro da teoria convencional e que as condições experimentais não reproduzem adequadamente o comportamento de uma pessoa que se vê diante de uma ambiguidade real. No entanto, a crise financeira de 2008 provocou um interesse renovado pelo problema da ambiguidade. As pessoas querem saber mais sobre os riscos desconhecidos e imensuráveis que a teoria da utilidade esperada não abrange. ▪

Daniel Ellsberg

Nascido em 1931, Daniel Ellsberg estudou economia em Harvard, EUA, e entrou para os fuzileiros navais em 1954. Em 1959, tornou-se analista da Casa Branca. Recebeu o doutorado em 1962, no qual revelou seu paradoxo. Então trabalhando com informações ultrassecretas, Ellsberg se desiludiu com a Guerra do Vietnã. Em 1971, revelou documentos secretos em que o Pentágono admitia que a guerra não seria vencida e se entregou às autoridades. Seu julgamento terminou quando se soube que agentes da Casa Branca usaram escuta ilegal em sua casa.

Obras-chave

1961 *Risk, ambiguity, and the savage axioms*
2001 *Risk, ambiguity and decision*

ECONOMIAS PARECIDAS PODEM SE BENEFICIAR DE UMA MOEDA ÚNICA

TAXAS DE CÂMBIO E MOEDAS

EM CONTEXTO

FOCO
Economia mundial

PRINCIPAL PENSADOR
Robert Mundell (1932-)

ANTES
1953 Milton Friedman afirma que taxas de câmbio de flutuação livre deixariam as forças do mercado resolver problemas com o balanço de pagamentos (a diferença entre o valor de exportações e importações).

DEPOIS
1963 O economista americano Ronald McKinnon mostra que economias pequenas teriam benefício com moeda única se reduzissem choques melhor que as grandes economias.

1996 Os economistas americanos Jeffrey Frankel e Andrew Rose declaram que os próprios critérios para uma área monetária são afetados por desenvolvimento econômico prévio.

No início dos anos 1960, as instituições das economias do pós-guerra estavam sólidas. Perto do final da Segunda Guerra Mundial, criou-se o sistema de Bretton Woods (pp. 186-87), para regulamentar as relações financeiras entre os grandes Estados industriais, fundamentando o capitalismo ocidental num sistema de taxas de câmbio fixas que controlava os fluxos de capital e moeda no mundo todo. O comércio internacional se recuperara depois da queda dos anos entreguerras, e o crescimento econômico era rápido.

Todavia, o sistema tinha falhas. Primeiro houve problemas com o balanço de pagamentos (a diferença entre o que um país paga pelas importações e o que ele recebe das exportações). As crises do balanço de pagamentos ocorreram porque os países não conseguiram ajustar com facilidade suas taxas de câmbio no sistema internacional. Junto com mercados de trabalho enxutos e preços nacionais inflexíveis, os mecanismos antes automáticos e ditados pelo mercado, que deixavam os países ajustar-se aos choques econômicos externos, não funcionavam muito bem. Isso originou uma série de crises quando os países não conseguiram pagar as importações com os ganhos das exportações. Várias iniciativas para a integração das economias europeias passaram a aventar a possibilidade de unificação monetária entre os países europeus. Começaram com o Tratado de Paris de 1951, que estabeleceu áreas comuns de comércio de carvão e aço. Em 1961, o economista canadense Robert Mundell foi o primeiro a tentar analisar o que ele chamou de "área monetária ótima".

Áreas monetárias

Mundell procurou responder ao que a princípio parecia uma pergunta estranha: em que área geográfica uma moeda deve ser usada? Na época, a questão era quase inédita. Aceitava-se tranquilamente que cada economia tinha a sua moeda nacional. A ideia de que isso podia não ser a melhor solução não ocorrera a ninguém. Mundell percebeu que, se a história tinha dado às nações moedas próprias, não queria dizer que lhes tivesse dado a melhor solução. Sem dúvida o uso de moedas diferentes acarretava um custo, pois elas

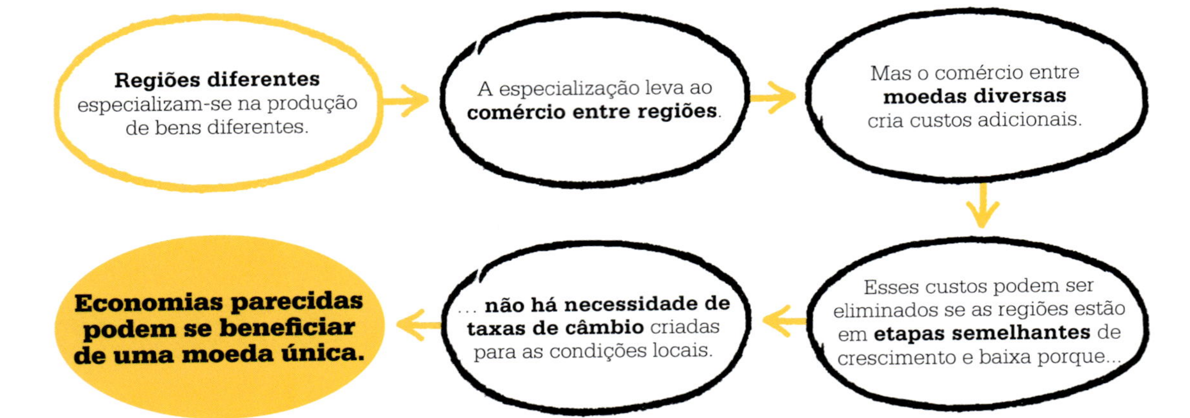

Veja também: Crescimento e retração 78-79 ▪ Vantagem comparativa 80-85 ▪ Comércio internacional e Bretton Woods 186-87 ▪ Integração de mercados 226-31 ▪ Especulação e desvalorização da moeda 288-93

Uma região pequena que cruze fronteiras nacionais pode se beneficiar da moeda única. Uma parte importa eletricidade de uma usina do outro lado da fronteira sem os custos do câmbio.

precisavam ser trocadas para haver comércio. De um lado, seria muito ineficiente ter uma moeda distinta para cada código postal de uma cidade. De outro lado, uma moeda para o mundo inteiro seria uma camisa de força indesejável para tantas economias diversas. Mundell perguntou-se qual seria o melhor ponto entre esses dois extremos.

Em primeiro lugar, é importante entender por que os países precisam de moedas diferentes. Um país com moeda própria pode tomar decisões a respeito de sua oferta monetária e taxas de juro e, portanto, pode fazer uma política monetária sob medida para as situações econômicas nacionais. Além disso, se as taxas de câmbio de sua moeda não são fixas, o câmbio com seus parceiros comerciais pode ser ajustado para compensar desequilíbrios no comércio. Suponha que um país agrícola negocie com uma economia fabril. Um aumento repentino na produtividade da economia fabril deveria causar um excesso de demanda de produtos agrícolas e um excesso de oferta de bens industrializados. A economia fabril passaria a ter déficit no balanço de pagamentos, importando mais (em valor) do que suas exportações. O déficit faz a moeda do país industrializado se desvalorizar, barateando suas exportações e, desse modo, incentivando-as e restaurando o equilíbrio.

Agora suponha que a economia fabril e a economia agrícola tivessem a mesma moeda. Nesse caso, o tipo de ajuste citado acima não seria possível, e talvez as moedas distintas trouxessem mais benefícios. Pode ser também que uma área econômica única – como aquela constituída pela economia fabril – seja de fato composta de vários Estados. Portanto, seria melhor para eles compartilhar uma moeda.

Parece difícil que no mundo da viabilidade política as moedas nacionais sejam abandonadas em favor de qualquer outra solução [...]
Robert Mundell

Ciclos econômicos

As reflexões posteriores sobre o tema ajudaram a esclarecer as condições em que uma zona monetária seria mais viável economicamente. A fim de estar mais preparada para uma moeda única, a região precisaria ter mercados flexíveis de capital e mão de obra, permitindo o movimento livre de ambos conforme as demandas do mercado. Assim, preços e salários precisariam ser flexíveis, ajustando-se às mudanças na oferta e na procura e sinalizando ao capital e à mão de obra móveis aonde deveriam ir. As diferentes partes da região também precisariam ter ciclos econômicos similares, permitindo que o banco central comum para a moeda única atuasse corretamente em toda a região. Também seriam necessários mecanismos para enfrentar a falta de sincronia dos ciclos econômicos na região. O mais óbvio desses problemas são as transferências »

Multidão se reúne em Frankfurt, Alemanha, para o lançamento do euro, moeda única da eurozona, em 1º de janeiro de 1999. O euro coexistiu por um tempo com as moedas nacionais.

fiscais – pegar impostos de uma área em crescimento e aplicá-los a outra em recessão. Esta situação e o fracasso em resolvê-la teriam graves consequências na Europa.

Introdução do euro

A ideia de uma moeda única para a Europa começou a ganhar feição em 1979, quando se formou o sistema monetário europeu para estabilizar as taxas de câmbio. Por fim, em 1999, criou-se a eurozona (a área da moeda única), com 11 Estados-membros da União Europeia (UE). Ao mesmo tempo que os Estados da UE negociavam muito entre si e suas instituições haviam suspendido as restrições ao livre movimento de mão de obra, capital e produtos, achou-se necessário impor limitações à filiação ao euro para garantir que a moeda realmente funcionasse.

Os "critérios de convergência", consagrados pelo Tratado de Maastricht de 1992, foram elaborados para assegurar que todos os países que desejassem filiar-se ao euro tivessem economias parecidas e estivessem em etapa parecida em seus ciclos econômicos (crescimento ou recessão). O mecanismo da taxa de câmbio (MTC) anterior já tentara parear as moedas nacionais entre si dentro da UE. O euro significou um passo adiante, ao extinguir todas as moedas e fixar permanentemente as taxas de câmbio. Foram instituídas novas regras significativas sobre a dívida pública. Sob o pacto de estabilidade e crescimento de 1997, nenhum país poderia ter dívida interna de mais que 60% do produto interno bruto (PIB) e déficit anual acima de 3% do PIB. Um novo Banco Central Europeu atuaria na zona do euro, substituindo os bancos centrais nacionais e estabelecendo a política monetária de todos os países-membros.

Robert Mundell

Nascido em Kingston, Canadá, em 1932, Robert Mundell estudou na Universidade da Columbia Britânica em Vancouver e se mudou para a Universidade de Washington de Seattle. Doutorou-se pelo Instituto de Tecnologia de Massachusetts em 1956. Foi professor de economia da Universidade de Chicago de 1966 a 1974, quando se mudou para a Universidade Columbia, em Nova York.

Fora seu trabalho acadêmico, Mundell foi conselheiro dos governos do Canadá e dos EUA e de organizações como as Nações Unidas e o Fundo Monetário Internacional. Ao lado de sua obra sobre áreas monetárias ótimas, Mundell criou um dos primeiros modelos para mostrar a interação da política macroeconômica (toda a economia) com comércio exterior e taxas de câmbio. Ganhou o Prêmio Nobel de economia em 1999 em reconhecimento por sua obra de macroeconomia.

Obras-chave

1968 *International* economics
1968 *O homem e a economia*
1971 *Monetary theory*

[...] países com laços firmes no comércio internacional e ciclos de negócios verdadeiramente correlatos são mais propensos a aderir e ganhar com [a união monetária europeia] [...]
Jeffrey Frankel e Andrew Rose

Falha fatal

Todavia, as cláusulas do euro não continham um mecanismo de compartilhamento de riscos – significativamente, elas não contaram com um meio de transferências fiscais (receita tributária) entre os países europeus. A razão para tanto foi simples – e política. Apesar de muitos instrumentos de transferência estarem em vigor, como a Política Agrícola Comum, nenhum país da UE queria perder a prerrogativa de fixar seus impostos e limites de gastos. As transferências fiscais pelo continente exigiriam uma autoridade central forte, capaz de pegar os impostos de regiões com excedente e redistribuí-los às deficitárias – por exemplo, tributar na Alemanha e gastar na Grécia. Mas faltou vontade política para praticar isso. Os líderes europeus esperavam, ao contrário, que o pacto de estabilidade e crescimento fosse um vínculo suficiente nas atividades governamentais, a ponto de um mecanismo de transferência fiscal ser desnecessário.

Crise na eurozona

O euro funcionou bem por quase uma década depois de lançado. O comércio europeu cresceu até 15% em certas estimativas. Os mercados de capital e trabalho ficaram mais flexíveis. O crescimento, sobretudo nos países mais pobres, como a Irlanda e os do sul da Europa, foi impressionante. Mas por baixo desse verniz havia problemas profundos. As diferenças no custo da mão de obra ajudaram a exacerbar os desequilíbrios comerciais entre os países. A zona do euro como um todo estava muito equilibrada com o resto do mundo, exportando mais ou menos o que importava. Porém, dentro da zona do euro surgiram enormes diferenças. O norte da Europa tinha superávits comerciais crescentes, que se igualaram aos déficits crescentes do sul. Sem mecanismos para permitir transferências fiscais dos países superavitários para os países deficitários, esses déficits acabaram na verdade financiados pelo acúmulo de dívidas crescentes no sul. Quando estourou a crise financeira em 2008, o sistema desequilibrado chegara ao extremo.

A crise do euro causou o questionamento de a Europa ser ou não uma área monetária ideal. Alguns países pareciam deslocados em matéria de comércio, e a falta de um mecanismo de transferência fiscal impediu que os desequilíbrios fossem superados. O pacto de estabilidade e crescimento não tinha força suficiente para obrigar as economias nacionais diferentes a convergir.

Os países-membros do euro enfrentam escolhas difíceis. Caso se crie um instrumento para realizar as transferências fiscais, esses países talvez sejam capazes de superar sua desigualdade. Se tal mecanismo não obtiver consenso político, a própria existência do euro poderá estar ameaçada. ■

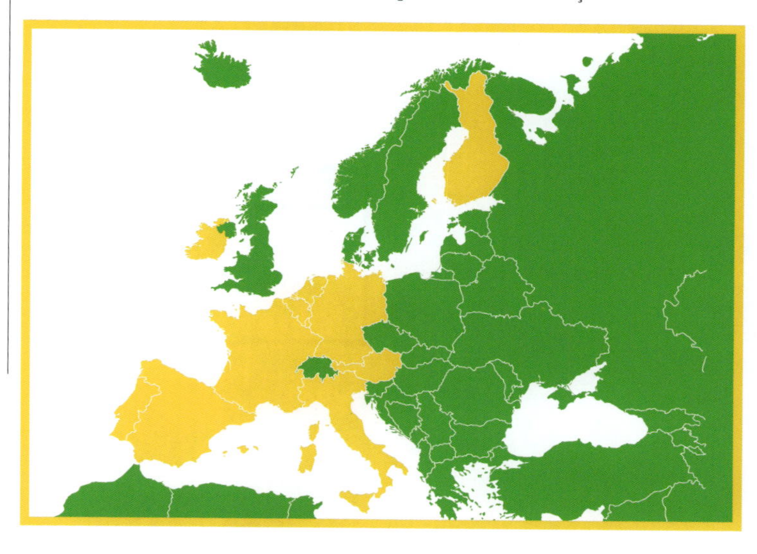

A eurozona foi criada em 1999 como união monetária dos onze países da União Europeia ilustrados aqui. Em 2012, havia 17 membros da eurozona, e outros oito tinham entrada agendada.

PODE HAVER FOME NAS GRANDES SAFRAS

TEORIA DOS DIREITOS FUNDAMENTAIS

EM CONTEXTO

FOCO
Crescimento e desenvolvimento

PRINCIPAL PENSADOR
Amartya Sen (1933-)

ANTES
1798 Thomas Malthus conclui em *Ensaio sobre o princípio da população* que crescimento da população causará fome e morte.

Anos 1960 A visão comum é que a fome se deve à queda da disponibilidade de alimentos.

DEPOIS
2001 O economista britânico Stephen Devereux diz que a teoria dos direitos fundamentais ignora causas políticas da fome.

2009 O acadêmico norueguês Dan Banik publica *Starvation and India's democracy*, dizendo que fome e subnutrição podem continuar ocorrendo, apesar de vigorar uma democracia.

As famílias **trocam seu trabalho por dinheiro**, com o qual compram comida para sobreviver.

↓

Se ocorre uma **mudança no preço** do seu trabalho ou da comida…

↓

… se os salários ficam muitos baixos para comprar uma quantidade mínima de comida que a família necessita…

↓

… a família **passa fome**, mesmo que seja produzida uma quantidade suficiente de comida.

↓

Pode haver fome nas grandes safras.

O indiano Amartya Sen cresceu durante a grande fome de Bengala de 1943. Ele tinha apenas nove anos quando chegou à sua escola um homem que não comia havia 40 dias. Antes desse encontro, Sen não sabia do sofrimento em sua região. Ninguém em sua família e nas famílias dos amigos foi atingido. Mesmo com tão pouca idade, Sen ficou chocado com o sofrimento causado pelo sistema de classes. Quase 40 anos depois, a lembrança da fome de Bengala fez Sen pesquisar e escrever em 1981 sobre o tema em *Poverty and famines: an essay on entitlement and deprivation*. Ele concluiu que, ao contrário da crença popular, a fome não é causada por escassez de comida. Safras ruins, estiagem ou redução na importação de alimentos são fatores que contribuem, mas um fator mais importante é a distribuição da comida.

Direitos fundamentais

Uma escassez absoluta de alimentos é muito rara. É bem mais comum a comida não ser fornecida a quem mais precisa dela. Sen chamou o conjunto de bens e serviços a que os indivíduos têm acesso de seus “direitos fundamentais”. A fome é um exemplo

Veja também: Mercados e moralidade 22-23 ▪ Demografia e economia 68-69 ▪ Oferta e procura 108-13 ▪ O problema da pobreza 140-41 ▪ Economia desenvolvimentista 188-93

Fomes como a do Congo em 2008 são causadas por falhas econômicas, segundo Amartya Sen. Ele afirmou que não se sabe da ocorrência de fome em uma democracia funcional.

de falha nos direitos fundamentais, e direitos fundamentais dependem de muito mais do que a quantidade de alimento produzida. Numa economia moderna fundada na troca, a maioria das pessoas não produz o próprio alimento: elas trocam um produto (seu trabalho) por outro produto (dinheiro), que é então trocado de novo por comida. O fato de uma família ter ou não comida suficiente depende do que ela consegue permutar conforme o preço da comida. A fome ocorre quando os direitos fundamentais das famílias (os bens a que elas têm acesso, não a quantidade em geral disponível) estão aquém da quantidade mínima necessária à sobrevivência. Isso pode acontecer quando o preço dos alimentos sobe ou os salários caem.

Sen analisou a fome de Bengala de 1943 e fomes mais recentes na África e na Ásia para coletar provas empíricas que confirmassem sua tese. Ele descobriu que em Bengala a produção total de alimentos, embora mais baixa que no ano anterior ao início da fome, havia sido mais alta que nos anos sem fome. Sen concluiu que a principal causa da fome era que o salário dos lavradores não acompanhava o preço crescente dos alimentos em Calcutá, em decorrência da inflação. A Índia, então governada pelos britânicos, passava por alto crescimento, pois o governo britânico injetara dinheiro em meio ao esforço de guerra. Isso fez diminuir a capacidade dos trabalhadores de comprar comida, e eles passaram fome.

Sen afirmou que particularmente os países democráticos devem ser capazes de evitar as piores fomes. Seu enfoque pioneiro provocou uma reviravolta nas crenças e nas reflexões sobre a fome. ■

Amartya Sen

Amartya Sen nasceu em Santiniketan, Bengala Ocidental, Índia, em 1933. Seu pai era professor de química, mas Sen preferiu economia e se formou na Universidade de Calcutá, em 1953. No mesmo ano, obteve outra graduação pela Universidade de Cambridge, Reino Unido. Aos 23 anos, Sen tornou-se o mais jovem diretor de economia da Universidade Jadavpur, Calcutá. Uma bolsa-prêmio permitiu-lhe diversificar os estudos com filosofia. Sen estudou em universidades de Calcutá e Délhi, na Índia; MIT, Stanford, Berkeley e Cornell, nos EUA; e Oxford e Cambridge, no Reino Unido. Em 1988, ganhou o Prêmio Nobel de economia. Mudou-se para a Universidade Harvard, EUA, em 2004, onde leciona economia e filosofia. Sen casou-se duas vezes e tem quatro filhos.

Obras-chave

1970 *Collective choice and social welfare*
1981 *Poverty and famines: an essay on entitlement and deprivation*
1999 *Desenvolvimento como liberdade*

ECONOM
CONTEMP
1970-PRESENTE

A

ORÂNEA

1970

George Akerlof descreve mercados em que um comprador tem melhor informação que outro e abre novo campo da **economia da informação**.

1971

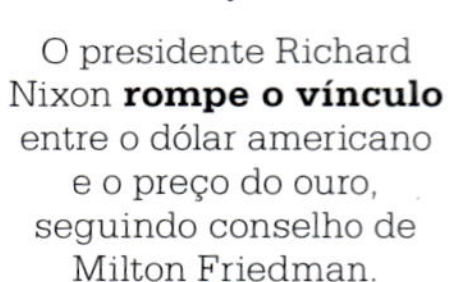

O presidente Richard Nixon **rompe o vínculo** entre o dólar americano e o preço do ouro, seguindo conselho de Milton Friedman.

1973

OPEP – grupo de países produtores de petróleo – inicia **embargo de petróleo**, mergulhando o mundo em crise econômica.

1973

Augusto Pinochet toma o poder por golpe no Chile, que se torna o primeiro país a adotar **políticas econômicas monetaristas**.

1974

Arthur Laffer expõe a **curva de Laffer**, que mostra que o aumento de impostos pode causar redução de receita.

1974

Hyman Minsky delineia sua hipótese de **instabilidade financeira**, mostrando como a estabilidade leva à instabilidade.

1977

Edward Prescott e Finn Kydland defendem **bancos centrais independentes**.

1979

Os psicólogos Amos Tversky e Daniel Kahneman publicam *Prospect theory*, alicerce da **economia comportamental**.

Nos 25 anos após a Segunda Guerra Mundial, as políticas keynesianas, que propunham a intervenção ativa do Estado na economia, tornaram o Ocidente próspero. Nas palavras do primeiro-ministro britânico Harold Macmillan, o povo "nunca esteve tão bem". Porém, no início dos anos 1970, uma crise de petróleo causou uma desaceleração econômica. Desemprego e inflação aumentaram rápido. O modelo keynesiano parecia não funcionar mais.

Por alguns anos, os economistas conservadores vinham pedindo a volta de mais políticas de livre mercado, e então seus argumentos passaram a ser levados a sério. O economista americano Milton Friedman (p. 199) era o mais destacado da Escola de Chicago que se opunha às ideias de Keynes. Ele declarou que, em vez de combater o desemprego, o foco da política econômica deveria ser a inflação, e o único papel do Estado, controlar a oferta de moeda e deixar os mercados funcionarem – doutrina conhecida por monetarismo.

Ascensão da direita

À medida que minguava o crédito às políticas keynesianas, os partidos de direita de Ronald Reagan e Margaret Thatcher, ambos crentes ferrenhos na economia monetarista de Friedman, subiram ao poder nos EUA e na Grã-Bretanha. As políticas que eles instituíram nos anos 1980 marcaram a volta das velhas crenças na estabilidade, na eficiência e no crescimento dos mercados, se deixados à própria sorte.

As políticas sociais da dita reaganomia e do thatcherismo foram inspiradas no economista austríaco Friedrich Hayek (p. 177), que punha o indivíduo, não o Estado, no centro do pensamento econômico, e em economistas que consideravam o corte de impostos um modo de aumentar a receita tributária.

Liberalização tornou-se a nova contrassenha. A desregulamentação das instituições financeiras não só facilitou os empréstimos a empresas como deixou os credores usufruir as novas técnicas financeiras que prometiam lucro com risco zero. Durante os anos 1980, o humor da economia mudava no mundo inteiro. As reformas na União Soviética acabariam no esfacelamento do bloco soviético, reforçando a opinião dos economistas conservadores de que as políticas socialistas não davam certo. A Europa continental, no entanto, resistiu à moda

Mikhail Gorbachev inicia reforma econômica na União Soviética, conhecida como *perestroika*.

1985

1988

If women counted, de Marilyn Waring, dá uma **perspectiva de gênero** à economia.

Alice Amsden descreve a **ascensão econômica dos Tigres do leste Asiático**.

1989

1994

Robert Flood e Peter Garber criam o primeiro de vários **modelos de crise monetária**.

Alberto Alesina e Dani Rodrik trabalham na relação entre **crescimento econômico e desigualdade**.

ANOS 2000

2005

Em *O fim da pobreza*, Jeffrey Sachs diz que **o perdão da dívida** pode ativar economias do Terceiro Mundo.

Nicholas Stern diz que **aquecimento global** é o "maior problema de ação coletiva" que atinge a humanidade.

2006

2008

Crise bancária causa **recessão mundial**, quando crédito é suspenso e estoura a bolha imobiliária.

anglo-americana de Keynes a Friedman e só adotou aos poucos políticas de livre mercado.

Mercados livres repensados

Embora o monetarismo e a liberalização talvez tivessem ajudado os mercados a ser mais eficientes nos anos 1980 e 90, alguns economistas se inquietaram com a sustentabilidade dessas políticas. Ainda em 1974, o economista americano Hyman Minsky (p. 301) advertira para a instabilidade inerente às instituições financeiras. Uma aceleração dos ciclos de "crescimento e retração" parecia confirmar sua hipótese. A desregulamentação estimulava os empréstimos de risco, que causaram a falência de empresas e bancos. Outros economistas contestaram a eficiência e a racionalidade do mercado, afirmando que os modelos "científicos" da economia eram baseados nas ciências erradas: novas ideias da matemática e da física, como as teorias da complexidade e do caos, talvez fossem analogias melhores, e a psicologia comportamental poderia explicar melhor os atos do "homem econômico" do que a noção-padrão de racionalidade dos economistas.

Enquanto isso, economias mais jovens se desenvolviam, sobretudo na Ásia, onde reformas transformavam as economias chinesa e indiana. Surgiu um novo bloco econômico para rivalizar com o Ocidente, na forma do BRIC (Brasil, Rússia, Índia e China). A prosperidade das novas potências econômicas estimulou um interesse renovado nas chamadas economias em desenvolvimento, enquanto outros países continuaram presos à pobreza com uma dívida atroz e instabilidade política. Ao mesmo tempo, a tecnologia que dera prosperidade econômica agora era uma ameaça na forma do aquecimento global e da mudança climática, que precisavam ser tratados em âmbito internacional.

Na primeira década do século XXI, uma série de crises financeiras sacudiu as economias ocidentais, e pareceu que as políticas de livre mercado haviam fracassado. Mais uma vez a economia passou a se preocupar com as desigualdades e os efeitos sociais dos mercados livres. Alguns economistas até se perguntaram se a falha dos mercados livres não seria um aviso do colapso do capitalismo previsto por Karl Marx (p. 105). Mais uma vez, o mundo parecia estar à beira de profunda mudança econômica. ■

É POSSÍVEL INVESTIR SEM CORRER RISCO

ENGENHARIA FINANCEIRA

EM CONTEXTO

FOCO
Bancos e finanças

PRINCIPAIS PENSADORES
Fischer Black (1938-95)
Myron Scholes (1941-)

ANTES
1900 O matemático francês Louis Bachelier demonstra que preços de ações são coerentes, mas aleatórios.

1952 O economista americano Harry Markowitz propõe método para carteiras ideais com risco diversificado.

Anos 1960 É criado modelo de precificação de ativos financeiros para mostrar sua taxa correta de rendimento.

DEPOIS
Anos 1990 É criado o "Value at Risk" (VaR) para medir risco de perda com carteira.

Fim dos anos 2000 Os mercados financeiros mundiais quebram.

Nos anos 1960, a estabilidade das instituições do mundo do pós-guerra estava muito abalada. O sistema de Bretton Woods (pp. 186-87), de taxas de câmbio fixas vinculadas ao dólar americano, por sua vez atrelado ao preço do ouro, começava a ruir. Os EUA apresentavam déficits persistentes (importações acima das exportações), enquanto em outros lugares as seguidas crises do balanço de pagamentos provocavam exortações pela adoção de taxas de câmbio flutuantes e livres. Em 1971, o presidente dos EUA, Richard Nixon, tomou uma decisão definitiva: unilateralmente, encerrou o atrelamento do dólar ao

Veja também: Serviços financeiros 26-29 ▪ Empresas de capital aberto 38 ▪ Risco e incerteza 162-63 ▪ Economia comportamental 266-69 ▪ Mercados eficientes 272 ▪ Crises financeiras 296-301

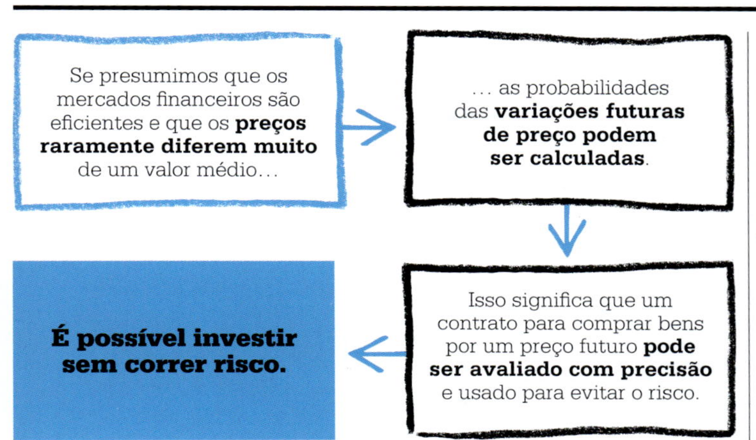

ouro, encerrando todo o sistema de Bretton Woods.

Ao mesmo tempo, as economias nacionais viviam um aumento constante no índice de inflação. O keynesianismo (pp. 154-61), ideário econômico que predominara no pós-guerra, estava sob ataque frequente. Os mercados financeiros, regulamentados com rigidez desde os anos 1930, pressionaram pelo fim das restrições a suas atividades, as quais foram suspensas em 1972, quando a Bolsa Mercantil de Chicago recebera permissão para redigir o primeiro contrato de derivativos de taxas de câmbio.

Contratos futuros

Os derivativos existiam havia séculos. Um derivativo é um contrato redigido não diretamente para uma mercadoria, mas alguma característica associada a ela. Por exemplo, um dos primeiros contratos típicos de derivativos foi "a termo", que especifica o preço e a data futura de entrega de um produto, como o café. A vantagem desse acordo é permitir aos produtores fechar para os seus clientes um preço futuro, independentemente do resultado das colheitas e da produção – no caso de bens agrícolas. O derivativo visava reduzir o risco e dar garantia futura. Isso se chama "proteção" (*hedge*). Porém, o contrato de derivativo também funciona ao contrário. Em vez de garantir o futuro, ele pode ser usado para apostar com o futuro. Um contrato a termo congela a entrega dos produtos por certo preço em certa data. Mas, se o preço de mercado imediato (o "preço à vista") na data for menor que o do contrato a termo, pode-se fazer lucro fácil. Claro, se o preço de mercado for maior que o especificado, haverá perda. Além disso, os contratos de derivativos, por não envolverem o pagamento dos ativos ou das mercadorias reais, mas apenas o direito de comprar esses produtos no futuro, permitem negociação de grande quantidade. Os derivativos dão aos negociadores alavancagem – "muito por pouco".

Desistência do ativo

Os contratos de derivativos se padronizaram e puderam então ser »

O preço do arroz pode variar com mudanças no tempo. O contrato a termo, em que uma parte compra o arroz por certo preço em certo dia, permite ao agricultor controlar o risco.

Os contratos de opção são um tipo de derivativo que dá a opção de comprar ou vender algo, como café, por certo preço em certa data. A opção não precisa ser exercida.

comprados e vendidos no mercado como qualquer outro produto. A primeira bolsa que ofereceu derivativos negociáveis de produtos agrícolas foi o Chicago Board of Trade, em 1864. Contudo, a possibilidade de especulação que todo contrato de derivativos contém causou proibições frequentes ao seu uso. Os contratos "cash settlement" causaram uma preocupação particular. Tratava-se de contratos de derivativos em que a entrega do ativo em questão não precisava ocorrer no dia especificado; dinheiro podia substituí-lo. Nesse momento, perdeu-se toda a ligação real entre o produto em questão e o derivativo, e a possibilidade de uma conduta meramente especulativa era imensa.

Desregulamentação

O reconhecimento desse potencial especulativo motivou os governos a instituir regras rígidas. Dos anos 1930 em diante, os derivativos de cash settlement foram considerados uma forma de jogo de azar nos EUA, não investimento, e controlados com rigor. As bolsas ficaram proibidas de negociá-los. Com o fim do sistema de câmbio fixo em 1971, logo surgiu a necessidade de proteção contra taxas de câmbio flutuantes potencialmente instáveis. As restrições foram suspensas, e o mercado de derivativos expandiu-se rapidamente.

Esse foi o cenário de um problema crítico. Não existiam meios confiáveis de precificar com exatidão os derivativos, uma vez que, por natureza, eram contratos bastante complexos. Mesmo uma simples "opção" (o direito e não a obrigação de negociar o ativo em questão em certo momento do futuro) tinha um preço determinado por diversas variáveis, como o preço atual do ativo, o tempo do prazo final da opção e a variação de preço esperada. A descoberta de uma fórmula matemática para essa questão foi feita em 1973 pelos economistas americanos Myron Scholes e Fischer Black e aprimorada pelo também americano Robert C. Merton no mesmo ano.

Esses economistas fizeram elaborações com certas suposições e reflexões sobre os mercados financeiros para simplificar o problema. Primeiro, usaram a regra de "não arbitragem", pela qual os preços em um mercado financeiro em funcionamento normal refletem toda a informação disponível. Um preço de uma ação indicava tanto o valor de uma companhia na data quanto o que os investidores esperavam dele no futuro. Seria impossível ter lucro garantido protegendo-se contra o risco futuro, porque os preços já incorporavam toda a informação em que se baseava a proteção.

A segunda suposição foi de que é sempre possível elaborar um contrato de opção que espelhe uma carteira de ativos. Ou seja, qualquer tipo de carteira de ativos pode ser protegido com perfeição por opções. Todo risco desaparece com essa garantia. Terceiro, eles presumiram que, embora os preços dos ativos flutuem aleatoriamente com o tempo, variam de modo regular, chamado de "distribuição normal". Isso em geral implica que os preços não se distanciam muito em um intervalo curto de tempo.

Com essas suposições, Black, Scholes e Merton conseguiram criar um modelo matemático sólido para estabelecer o preço de um contrato de opção padronizado, com base nos movimentos do preço do ativo em questão. Os contratos de derivativos, outrora considerados instrumentos não confiáveis, podiam agora ser realizados em ampla escala usando a informática. Estava aberto o caminho para uma vasta expansão dos negócios com derivativos.

O modelo de precificação de opções que Black, Scholes e Merton criaram propiciou um modo todo novo de pensar sobre os mercados financeiros. Podia até ser usado ao contrário. Os preços existentes de opções alimentavam o modelo de precificação de trás para a frente,

Não atravesse um rio que tenha em média 1,50 metro de profundidade.
Nassim Nicholas Taleb

Nos anos anteriores à quebra de 2008, os bancos presumiram que o risco de investimento seguia um padrão de "distribuição normal" (linha azul), no qual existe grande probabilidade de ter um ganho pequeno e probabilidade muito baixa de ter um ganho ou uma perda exagerada. Contudo, o risco de investimento na verdade segue um padrão diferente (linha pontilhada), em que acontecimentos extremos são bem mais comuns.

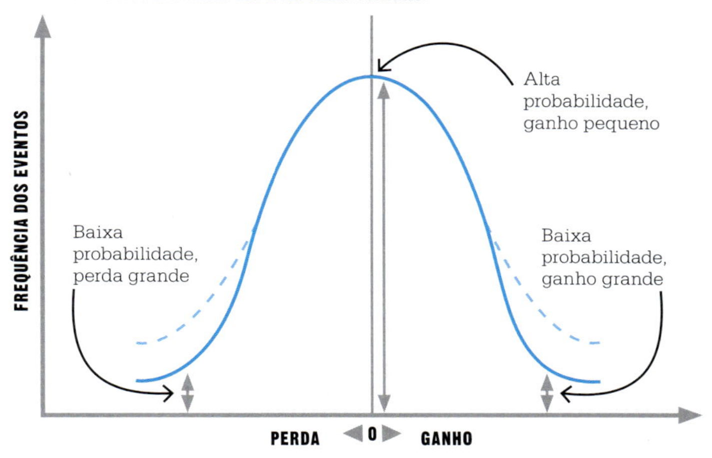

para gerar "volatilidades implícitas", criando uma nova maneira de lidar com o risco: em vez de negociar com base em preços ou preços esperados, as carteiras de ativos podiam ser montadas segundo o que indicava o preço de mercado. O risco em si, conforme a descrição dos modelos matemáticos, podia ser negociado e controlado.

A quebra de 2008

A explosão da inovação financeira, ajudada pela sofisticada matemática e pelo crescente poder da computação, ajudou a incentivar uma expansão extraordinária do sistema financeiro ao longo de várias décadas. De um tamanho desprezível nos anos 1970, o mercado mundial de derivativos cresceu em média 24% ao ano, atingindo um total de €457 trilhões em 2008 – cerca de 20 vezes o produto interno bruto internacional. As aplicações multiplicaram-se, pois as empresas encontraram um modo novo e aparentemente seguro de gerir os riscos dos empréstimos.

Em setembro de 2008, quando o banco de investimentos americano Lehman Brothers faliu, ficou claro que aquela expansão tinha pontos fracos fatais. Entre eles, foi crucial a dependência na suposição de uma distribuição normal: a ideia de que a maioria dos preços se agrupa em torno de uma média e de que preços extremos são muito raros. Porém, isso já havia sido contestado em 1963, quando o matemático francês Benoît Mandelbrot dissera que os movimentos extremos de preços eram muito mais comuns do que se esperava.

Após a quebra, esses modelos vêm sendo revistos. Os economistas comportamentais (pp. 266-69) e os econofísicos usam modelos e técnicas estatísticas da física para entender melhor os mercados financeiros e o risco. ■

Risco baixo, prêmio alto

O economista libanês-americano Nassim Nicholas Taleb afirma que, ao menosprezar o risco dos movimentos extremos de preço, os modelos financeiros aparentemente sofisticados expõem demais os investidores ao risco real. Os Collateralized Debt Obligations (CDOs), exemplo fundamental, são instrumentos financeiros que captam dinheiro emitindo obrigações próprias, antes de investi-lo em um misto de ativos, como empréstimos. Os CDOs assumiram os riscos de dívidas imobiliárias de alto risco (*subprime*), com grande chance de não ser pagas, e as misturaram a dívidas de baixo risco, como certificados do Tesouro dos EUA. Pareciam oferecer pouco risco e alto rendimento. Porém, isso se apoiava na presunção de que o risco de insolvência seguia um padrão de distribuição normal e era estável. Quando as hipotecas americanas de alto risco não foram pagas em número crescente, o enorme mercado de CDOs implodiu.

Os cisnes-negros quase não são vistos, mas existem. Taleb refere-se aos movimentos extremos e muito inesperados do mercado como "eventos cisnes-negros".

AS PESSOAS NÃO SÃO 100% RACIONAIS

ECONOMIA COMPORTAMENTAL

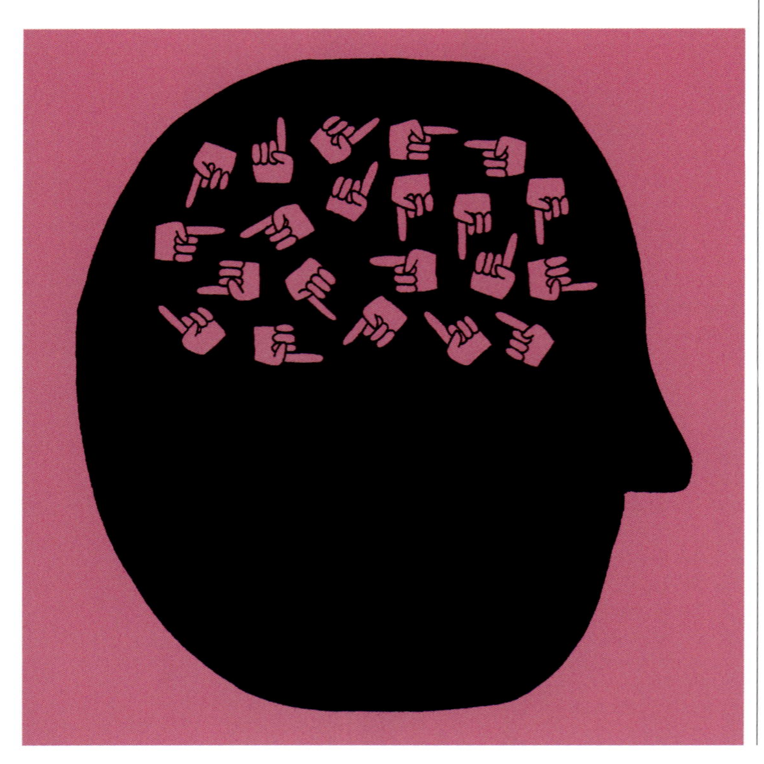

EM CONTEXTO

FOCO
Tomada de decisão

PRINCIPAIS PENSADORES
Amos Tversky (1937-96)
Daniel Kahneman (1934-)

ANTES
Anos 1940 O economista americano Herbert Simon diz que só a racionalidade não justifica a decisão.

1953 O economista francês Maurice Allais critica a teoria da utilidade esperada, dizendo que as decisões na vida nem sempre são racionais.

DEPOIS
1990 Os economistas Andrei Shleifer e Lawrence Summers mostram que decisão irracional pode afetar preços.

2008 O psicólogo americano Dan Ariely publica *Previsivelmente irracional*, considerando a irracionalidade como padrão.

Até os anos 1980, a teoria econômica corrente era dominada pela ideia do "homem econômico racional" (pp. 52-53). Os indivíduos eram tidos como agentes que encaram todas as decisões racionalmente, comparam custos e benefícios e tomam uma decisão que lhes dará o melhor proveito. Os economistas pensavam que era assim que as pessoas se comportavam em situações de certeza ou incerteza e formalizaram a ideia da tomada de decisão racional na teoria da utilidade esperada (pp. 162-63). Na realidade, porém, as pessoas costumam tomar decisões irracionais que não lhes dão a

Veja também: O homem econômico 52-53 ▪ Economia de livre mercado 54-61 ▪ Bolhas econômicas 98-99 ▪ Risco e incerteza 162-63 ▪ Decisões irracionais 194-95 ▪ Paradoxos nas decisões 248-49

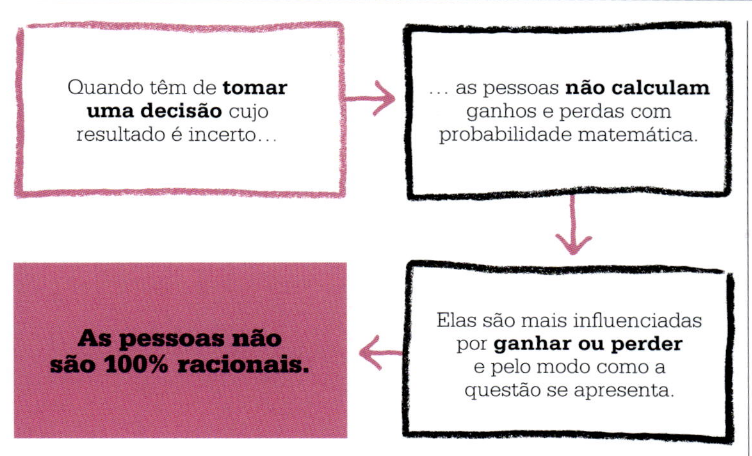

melhor compensação e podem até prejudicar seus planos.

Os primeiros estudos desses caprichos de comportamento foram feitos em 1979 por dois psicólogos israelense-americanos, Amos Tversky e Daniel Kahneman. Eles analisaram a psicologia da tomada de decisão e respaldaram suas hipóteses com exemplos empíricos. Seu principal ensaio, *Prospect theory: an analysis of decision under risk*, delineou uma teoria que assinalou um novo ramo de estudo chamado economia comportamental, que visava tornar as teorias econômicas sobre tomadas de decisão mais realistas do ponto de vista psicológico.

Lidando com o risco

Tversky e Kahneman descobriram que as pessoas costumam violar as suposições-padrão dos economistas sobre o comportamento, sobretudo quando as consequências são imprevistas. Viu-se que, longe de agirem racionalmente em interesse próprio, as pessoas são influenciadas pelo modo como a decisão é apresentada e reagem de uma maneira que desmente a teoria convencional.

Fazia tempo que os economistas achavam que as pessoas fossem "avessas ao risco". Por exemplo, se têm opção entre realmente receber $1.000 ou 50% de chance de receber $2.500, é mais provável que optem pelos $1.000 garantidos – apesar de a expectativa média incerta da segunda opção ser de $1.250. Os psicólogos montaram a situação contrária, dando às mesmas pessoas a opção de perder inteiramente $1.000 ou ter uma chance de 50% de não perder e 50% de perder $2.500. As pessoas que escolheram a opção segura na situação anterior agora optaram pela alternativa mais arriscada do jogo de não perder ou perder muito. Isso se chama propensão ao risco.

O enfoque-padrão da decisão sob incerteza presumia que o indivíduo é avesso ao risco, propenso ao risco ou não se importa. Essas preferências quanto ao risco ocorreriam se o indivíduo estivesse diante de risco de ganho ou perda. Contudo, Tversky e Kahneman descobriram que as pessoas são avessas ao risco quando diante de ganho, mas propensas ao risco quando diante de perda: a natureza da preferência individual parece mudar. O trabalho deles mostrou que as pessoas são "avessas ao risco" e, portanto, desejam assumir riscos para evitar a perda na situação em que não assumiriam riscos para ganhar algo. Por exemplo, a queda da utilidade ao perder $10 mostra-se maior do que o ganho de utilidade ao ganhar $10.

Esses caprichos do comportamento revelam que o modo de apresentar as opções influencia a decisão, mesmo que os resultados sejam os mesmos. Por exemplo, pense numa situação em que uma doença possa matar 600 pessoas. Existem dois programas para combater a doença: o A salva 200, e o B oferece uma chance de um terço de salvar 600 pessoas contra uma chance de dois terços de que nenhuma será salva. Quando o problema é apresentado dessa maneira, a maioria se mostra avessa ao risco – opta pela certeza de salvar »

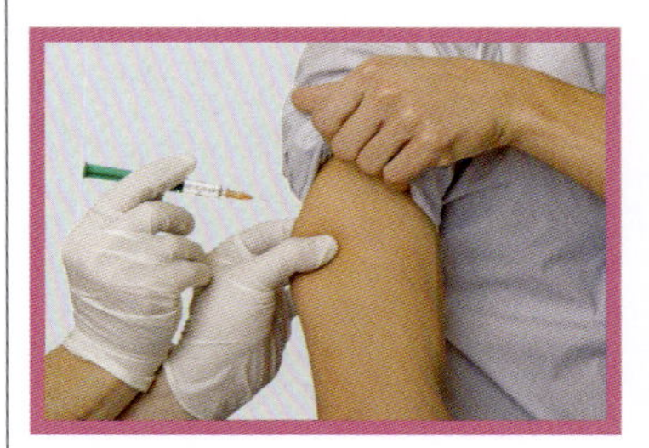

Um governo que queira convencer o povo a ser vacinado deve frisar a maior probabilidade de morte de quem não se vacinar. As pessoas não gostam de perder e adoram ganhar.

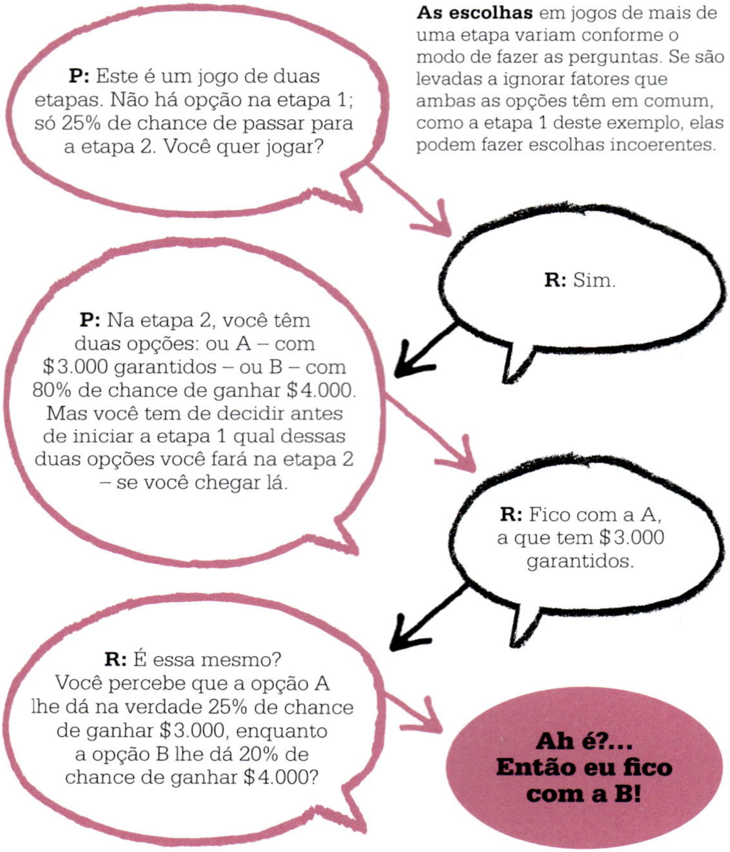

P: Este é um jogo de duas etapas. Não há opção na etapa 1; só 25% de chance de passar para a etapa 2. Você quer jogar?

R: Sim.

P: Na etapa 2, você têm duas opções: ou A – com $3.000 garantidos – ou B – com 80% de chance de ganhar $4.000. Mas você tem de decidir antes de iniciar a etapa 1 qual dessas duas opções você fará na etapa 2 – se você chegar lá.

R: Fico com a A, a que tem $3.000 garantidos.

R: É essa mesmo? Você percebe que a opção A lhe dá na verdade 25% de chance de ganhar $3.000, enquanto a opção B lhe dá 20% de chance de ganhar $4.000?

Ah é?... Então eu fico com a B!

As escolhas em jogos de mais de uma etapa variam conforme o modo de fazer as perguntas. Se são levadas a ignorar fatores que ambas as opções têm em comum, como a etapa 1 deste exemplo, elas podem fazer escolhas incoerentes.

200 pessoas. Todavia, se a questão é reformulada, tendo como opção o programa C, que dá como certa a morte de 400 pessoas, ou o programa D, que dá chance de um terço de que ninguém morrerá contra uma chance de dois terços de que 600 pessoas morrerão, a maioria opta pelo arriscado programa D.

Os resultados finais dos pares de opções são os mesmos: tanto em A quanto em C temos 400 mortos, enquanto em B e em D há o resultado esperado de 400 mortes. Mas as pessoas preferem a opção que mais lembra um jogo. Elas tendem mais a evitar a perda de vidas (uma perda) do que a salvação (um ganho). Dão maior valor subjetivo à perda de algo do que ao ganho de algo – a sensação de perder $10 é pior que a de ganhar $10.

Essa tendência para a aversão à perda significa que, quando as opções de mudança são formuladas de tal modo que as consequências pareçam negativas, é mais provável que as pessoas vejam a mudança como um problema. Isso pode ser usado para influenciar as pessoas. Por exemplo, se o governo quer encorajar o povo a adotar algo, é mais provável que tenha sucesso se enfatizar os ganhos positivos por

Economia comportamental em ação

O novo campo da economia comportamental deu às empresas modos diferentes de conduzir os negócios. Em 2006, um grupo de economistas criou um experimento para um banco da África do Sul que queria conceder mais empréstimos. Os economistas tradicionais teriam aconselhado o banco a baixar sua taxa de juro para estimular a procura. Contudo, o banco deixou os economistas testar várias opções para descobrir qual a mais lucrativa. Enviaram 50 mil cartas oferecendo taxas de juro diferentes – algumas altas, outras baixas. As cartas também continham fotografias dos empregados e uma tabela simples ou complicada com as várias probabilidades de ganhar um prêmio se fossem respondidas.

Ao descobrir quais clientes responderam, foi possível quantificar os efeitos dos fatores psicológicos perante o fator puramente econômico da taxa de juro. A experiência revelou que o juro era apenas o terceiro fator mais importante no estímulo da procura, e a inclusão da foto de uma funcionária teve um efeito igual ao da redução do juro em cinco pontos. Essa descoberta é inovadora: a identificação dos fatores psicológicos para estimular a procura pode ficar bem mais barata do que reduzir as taxas de juro.

tomar tal decisão. Se, por outro lado, o governo quiser que a população rejeite algo, deverá se concentrar no que ela perderá.

Processos e resultados

Kahneman e Tversky mostraram ainda que o processo de decisão pode influir na opção, mesmo quando não influi na recompensa final. Por exemplo, imagine um jogo de duas etapas em que os jogadores podem escolher entre duas opções na segunda etapa, caso cheguem lá. Contudo, eles devem fazer a escolha antes da primeira etapa. Um exemplo desse jogo está na página ao lado.

Nesse jogo de duas etapas, a maioria das pessoas escolhe a opção garantida de $3.000. Mas, quando a decisão é uma opção entre uma chance menor de ganhar $4.000 ou uma chance maior de $3.000, a maioria prefere a chance menor de ganhar mais dinheiro. Por que a mudança?

Nesse processo de duas etapas, as pessoas ignoram a primeira etapa, porque é comum aos dois resultados. Elas veem as opções como uma escolha entre um ganho garantido e uma simples chance de ganho, embora as probabilidades sejam alteradas pela primeira etapa. Isso contradiz o padrão econômico de racionalidade, pelo qual as decisões sofrem influência apenas dos resultados finais.

O fim do homem racional?

As principais descobertas desse trabalho – de que gostamos menos de perder do que de ganhar e interpretamos as perdas e os ganhos num contexto – ajudaram a esclarecer por que as pessoas tomam decisões incompatíveis com a teoria da utilidade ou a ideia do "homem econômico racional". A teoria é um alicerce da economia comportamental e também tem tido grande influência no marketing e na publicidade. Entendendo como decidimos, os marqueteiros podem comercializar os produtos com maior eficiência. Um bom exemplo disso são as promoções de loja, com "descontos enormes" em artigos que antes tinham preço inflacionado.

Cambista vende ingresso de esporte. O valor do ingresso estimado por vendedor e comprador depende não só da utilidade percebida, mas de fatores como onde o vendedor o conseguiu.

A *Prospect theory* tem implicações em muitos tipos de decisões econômicas comuns. Por exemplo, a teoria explica por que as pessoas viajam a outra parte da cidade para economizar $5 em um DVD de $15, mas é improvável que façam a mesma viagem para poupar $5 numa TV de $400, muito embora sua riqueza líquida seja atingida na mesma quantia em qualquer caso. A aversão à perda explica ainda o que é chamado de efeito de dotação: as pessoas costumam dar a um objeto um valor maior quando o possuem – e não querem perdê-lo – do que antes de possuí-lo quando se trata apenas de "ganho provável".

Pode-se descobrir que a atratividade relativa das opções varia quando o mesmo problema de decisão é apresentado de formas diferentes.
Amos Tversky e Daniel Kahneman

A economia comportamental é fundamental para o entendimento da economia e deu à economia moderna o realismo da psicologia. A *Prospect theory* foi a primeira a declarar que as pessoas não são simplesmente 100% máquinas racionais. As implicações dessa descoberta – para as teorias econômicas e as políticas governamentais – têm alcance muito amplo. Por exemplo, ter uma sensação de propriedade pode alterar a maneira de cuidar das coisas. ■

IMPOSTO MENOR PODE SIGNIFICAR RECEITA MAIOR

TRIBUTAÇÃO E INCENTIVOS ECONÔMICOS

EM CONTEXTO

FOCO
Política econômica

PRINCIPAIS PENSADORES
Robert Mundell (1932-)
Arthur Laffer (1940-)

ANTES
1776 Adam Smith diz que impostos moderados podem gerar receita maior do que impostos altos.

1803 O economista francês Jean-Baptiste Say afirma que a oferta cria a própria demanda.

DEPOIS
1981 O presidente americano Ronald Reagan corta alíquotas mais altas e tributa os ganhos de capital.

2003 O presidente americano George W. Bush ignora crítica de grandes economistas e segue política de corte de impostos.

2012 Em janeiro, o déficit público dos EUA atinge inéditos US$ 15 trilhões.

Diz o senso comum que, se o governo quer mais dinheiro para gastar em serviços públicos, ele deve aumentar os impostos, por mais impopular que isso seja. Do mesmo modo, cortar impostos pode implicar corte nos serviços públicos. Todavia, alguns economistas disseram que nem sempre é assim e que o corte nos impostos pode fazer aumentar a arrecadação, e não diminuí-la.

Essa é uma ideia fundamental dos economistas do "supply-side" dos anos 1980. O lado da oferta é a parte da economia que faz e vende bens, em oposição ao lado da procura, o da compra dos bens. Os

Se o governo **não cobra imposto**, não recebe receita.

Se a alíquota de imposto é de **100%**, o governo não recebe receita, porque ninguém quer trabalhar.

Em algum lugar entre 0% e 100% está o ponto em que a receita tributária é **máxima**.

Se os **impostos são altos demais**, os trabalhadores são incentivados a trabalhar menos para pagar menos imposto no total, e a receita cai.

Mas a **redução dos impostos** estimula os trabalhadores a trabalhar mais, e a receita aumenta.

Imposto menor pode significar receita maior.

Veja também: A carga tributária 64-65 ▪ Abundância no mercado 74-75 ▪ Empréstimo e dívida 76-77 ▪ O multiplicador keynesiano 164-65 ▪ Governança corporativa 168-69 ▪ Política monetarista 196-201

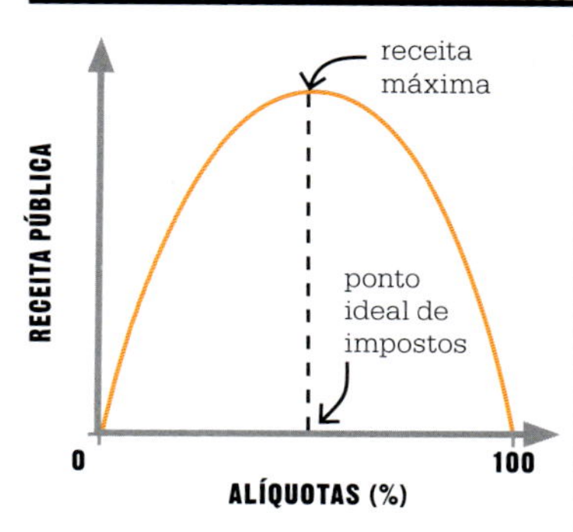

A curva de Laffer mostra a relação entre as alíquotas e a receita pública. Revela que impostos mais altos nem sempre resultam em receita mais alta.

economistas da oferta afirmam que a melhor maneira de fazer a economia crescer é aprimorar as condições do lado da oferta, liberando as empresas de regulamentações e cortando subsídios e alíquotas tributárias altas.

Da tributação aos paraísos

O argumento da receita para cortar impostos surgiu com o economista americano Arthur Laffer. Ele disse que, se o governo não cobra imposto, não recebe receita. Se cobra 100% de imposto, não recebe receita também, pois ninguém vai trabalhar. Mas, mesmo abaixo de 100%, o imposto sobre a renda muito alto tira das pessoas o estímulo para o trabalho. Essa redução nas horas de trabalho tem mais peso que a alíquota alta, e o resultado é a queda da receita tributária. Quando as alíquotas são altas demais, também se pode perder a receita dos que ganham mais, que saem do país ou põem o dinheiro em paraísos fiscais – países que cobram imposto baixo ou nenhum. Laffer traçou uma curva em forma de sino (à esquerda) para mostrar que, em algum lugar entre os extremos de nenhum imposto e 100% de imposto, há um ponto em que o governo maximiza a receita.

O argumento é que, de um ponto de partida de impostos altos, os cortes de impostos, com outras políticas que fortaleçam o lado da oferta, podem aumentar a eficiência econômica e gerar maior receita tributária. Nos anos 1970, quando Laffer elaborou suas teorias, alguns países taxavam certas pessoas em 70%, e outros poucos, os mais ricos em 90%. Os economistas discordaram do ápice da curva de Laffer. Os direitistas disseram que a economia estava um ponto à direita do pico da curva, indicando que o corte de impostos aumentaria a receita. Os esquerdistas discordaram.

Muitos paraísos fiscais se formaram nos anos 1970, quando pequenas ilhas e países como Mônaco preferiram cobrar impostos baixos – ou nenhum –, a fim de atrair investimento.

Situação ganha-ganha

Para os políticos de direita, a teoria de Laffer era atraente: eles podiam ser populares cortando impostos e ainda prometer manter os serviços públicos. Nos EUA em 1981, o presidente Ronald Reagan cortou os impostos mais altos e continuou herói para muitos dos mais pobres no país. Contudo, há poucas provas de que a ideia funcione. Nos EUA e em outros países, os impostos estão bem abaixo do nível dos anos 1970. Mas a suposta receita abundante não veio. Em vez dela, os cortes de impostos têm sido financiados em grande parte por déficits crescentes da dívida. ■

Economia da oferta

A teoria da economia da oferta gerou uma polêmica considerável quando foi criada nos anos 1970. Veio em resposta ao aparente fracasso das políticas keynesianas de intervenção do governo (pp. 154-61), para lidar com uma economia parada com inflação alta – situação chamada estagflação. O termo foi popularizado pelo jornalista americano Jude Wanniski, mas a curva tributária do economista americano Arthur Laffer é que chamou a atenção dos colegas. A curva de Laffer foi elaborada sob a orientação do economista canadense Robert Mundell (p. 254), que declarou que, se os impostos fossem reduzidos, a produção nacional cresceria e a receita tributária aumentaria. Após uma queda rápida, as receitas realmente aumentaram, mas desde então se debate se ele tinha mesmo razão.

OS PREÇOS DIZEM TUDO

MERCADOS EFICIENTES

EM CONTEXTO

FOCO
Mercados e empresas

PRINCIPAL PENSADOR
Eugene Fama (1939-)

ANTES
1863 O corretor francês Jules Regnault publica *Calcul des chances et philosophie de la bourse*, que diz que flutuações no mercado de ações não podem ser previstas.

1964 O economista Paul Cootner aprimora ideias de Regnault sobre mercados flutuantes em seu *The randon character of stock market prices*.

DEPOIS
1980 O economista Richard Thaler lança primeiro estudo de economia comportamental.

2011 Paul Volcker, ex-presidente do Federal Reserve (banco central dos EUA), culpa a "fé injustificada nas expectativas racionais e eficiências do mercado" por crise financeira de 2008.

Uma crença comum entre os investidores é que eles conseguem "vencer", ou superar, o mercado de ações. O economista americano Eugene Fama discordou. *Efficient capital markets* (1970) conclui que é impossível vencer o mercado com constância. Sua teoria chama-se hipótese do mercado eficiente.

Fama afirmou que todos os investidores têm acesso às mesmas informações divulgadas que seus adversários, de modo que os preços das ações refletem por completo o conhecimento disponível. Esse é o "mercado eficiente". Como ninguém sabe que novidade será anunciada, seria quase impossível os investidores terem lucro sem usar informação indisponível na concorrência, ou "informações privilegiadas", o que é ilegal.

Todavia, foram destacados problemas na hipótese por economistas comportamentais. Eles dizem que a teoria não leva em conta a superconfiança do investidor nem o instinto de "grupo". Esse problema se manifestou na bolha das pontocom nos anos 1990, em que se culpou a "exuberância irracional" por inflar artificialmente as ações de tecnologia, e a mais recente crise financeira de 2007-08.

Em um mercado eficiente, a qualquer instante, o preço real de um título é uma boa estimativa de seu valor intrínseco.
Eugene Fama

Após essas crises, muitos analistas consideram a teoria supérflua; alguns até a culparam pelas quebras. O próprio Eugene Fama reconheceu que investidores desinformados podem desviar o rumo do mercado e fazer os preços ficarem "um tanto irracionais". ■

Veja também: Bolhas econômicas 98-99 ▪ Testando das teorias econômicas 170 ▪ Engenharia financeira 262-65 ▪ Economia comportamental 266-69

COM O TEMPO, ATÉ O EGOÍSTA COLABORA COM OS OUTROS

CONCORRÊNCIA E COOPERAÇÃO

EM CONTEXTO

FOCO
Tomada de decisão

PRINCIPAL PENSADOR
Robert Axelrod (1953-)

ANTES
1859 O biólogo britânico Charles Darwin publica *A origem das espécies*, dizendo que as espécies mais bem adaptadas são as que têm mais condições de sobreviver.

1971 O biólogo americano Robert Trivers lança *The evolution of reciprocal altruism*, mostrando que o altruísmo e a cooperação podem beneficiar indivíduos.

DEPOIS
1986 Os economistas americanos Drew Fudenberg e Eric Maskin testam estratégias de cooperação em jogos repetidos.

1994 O economista britânico Kenneth Binmore publica *Playting fair*, usando a teoria dos jogos para explorar o aprimoramento da moralidade.

O economista americano Robert Axelrod escreveu em 1984 *A evolução da cooperação*. Baseava-se nos resultados de uma série de jogos em que especialistas na teoria dos jogos se enfrentavam em programas de computador, para ver quem se saía melhor. O jogo que eles disputaram foi o dilema do prisioneiro (p. 238), que envolve dois ladrões presos pela polícia. Cada detento deveria confessar, ficar em silêncio ou "entregar" o outro? O jogo investiga se é mais inteligente cooperar em nome do benefício mútuo ou agir com egoísmo.

A melhor estratégia

Axelrod descobriu que a cooperação pode vir de atos interesseiros. Sua série de jogos testou muitas estratégias. A mais bem-sucedida foi a simples "olho por olho", em que um jogador coopera na primeira jogada e depois espelha o adversário, não sendo nunca o primeiro a "capitular". As abordagens de mais sucesso foram as "amáveis". Descobriu-se que a cooperação dava resultados mutuamente benéficos. Mas não se deve ser muito amável – se alguém é traído, é crucial revidar na jogada seguinte. Para manter a credibilidade, os jogadores devem revidar imediatamente se forem "entregues". Esse enfoque da análise da competição e cooperação tornou-se um campo rico que examina como surgem as regras sociais e até as morais. ■

Quando os presidentes Bush, dos EUA, e Putin, da Rússia, assinaram o Tratado de Moscou em 2002, ajudaram a reduzir muito seus arsenais nucleares, apesar da desconfiança mútua.

Veja também: O homem econômico 52-53 ▪ Efeitos da concorrência limitada 90-91 ▪ Economia e tradição 166-67 ▪ Teoria dos jogos 234-41

A MAIORIA DOS CARROS VENDIDOS É "ABACAXI"

INCERTEZA NO MERCADO

EM CONTEXTO

FOCO
Mercados e empresas

PRINCIPAL PENSADOR
George Akerlof (1940-)

ANTES
1558 O financista inglês sir Thomas Gresham avisa que "dinheiro ruim afasta o bom".

1944 John von Neumann e Oskar Morgenstern publicam primeira tentativa de analisar comportamento estratégico em situações econômicas.

DEPOIS
1973 O economista americano Michael Spence explica como as pessoas comunicam suas habilidades a empregadores potenciais.

1976 Os economistas americanos Michael Rothschild e Joseph Stiglitz lançam *Equilibrium in competitive insurance markets*, estudo do problema de "ficar com a cereja" quando as seguradoras competem por clientes.

Até que o economista americano George Akerlof começasse a estudar preços e mercados nos anos 1960, a maioria dos economistas achava que os mercados deixariam qualquer um que quisesse vender produtos por certo preço fazer negócio com qualquer um que quisesse comprar produtos por certo preço. Akerlof mostrou que em muitos casos isso não ocorre. Sua obra principal, *The market for lemons* (1970), explica como a incerteza causada por informação restrita pode levar a uma falha de mercado. Akerlof afirmou que os compradores e vendedores têm uma quantidade diferente de informação, e essas diferenças, ou assimetrias,

Veja também: Economia de livre mercado 54-61 ▪ Informação e incentivos de mercado 208-09 ▪ Mercados e resultados sociais 210-13 ▪ Sinalização e filtragem 281

podem ter efeitos desastrosos no funcionamento dos mercados.

Informação "assimétrica"

O comprador de um carro usado tem menos informação sobre a qualidade dele do que o vendedor que o possui. O vendedor já pôde verificar se o carro está pior que outro parecido – se ele é um "abacaxi" (ou "limão", nos EUA), cheio de defeitos. Um comprador que acabe com um abacaxi se sente enganado. A existência de abacaxis desconhecidos no mercado cria incerteza na cabeça do comprador, que passa a se preocupar com a qualidade de todos os carros usados à venda. Essa incerteza faz o comprador baixar o preço que deseja pagar por qualquer carro, e então os preços caem no mercado.

A tese de Akerlof é uma versão atual de uma ideia dada de início pelo financista inglês sir Thomas Gresham (1519-79). Ele notou que, quando as moedas com teor de prata mais alto ou menos alto estavam em circulação, o povo tentava se apegar às mais valiosas, indicando que "dinheiro ruim tira o bom de circulação". Do mesmo modo, os vendedores com carros melhores que a média os retirarão do mercado por não conseguirem um preço justo de um comprador incapaz de dizer se o carro é ou não um abacaxi. Isso significa que "a maioria dos carros negociados vai ser um abacaxi". Em tese, isso poderia baixar tanto os preços que o mercado faliria e não haveria comércio por preço nenhum, ainda que haja negociantes dispostos a comprar e vender.

Seleção adversa

Outro mercado em que os abacaxis influem no comércio é o de seguros. No seguro-saúde, por exemplo, os compradores de apólices sabem mais sobre seu estado de saúde que os vendedores. Então as seguradores se veem negociando com pessoas que elas prefeririam evitar: as menos saudáveis. Como os prêmios de seguro aumentam com a idade, uma porcentagem maior de "abacaxis" compra apólices, mas as empresas não conseguem identificá-los com precisão. Isso se chama "seleção adversa", e sua probabilidade significa que as seguradoras acabam, na média, com riscos muitos maiores que os cobertos pelos prêmios. Isso tem provocado em alguns lugares a suspensão de apólices de seguro médico de pessoas acima de determinada idade. ■

Um vendedor de carros pode reduzir o risco da venda dando garantias. Em geral os mercados se ajustam para dar conta de informações assimétricas.

George Akerlof

Nascido em Connecticut, EUA, em 1940, George Akerlof foi criado em uma família de acadêmicos. Na escola, interessou-se por ciências sociais, inclusive história e economia. O emprego instável de seu pai alimentou seu interesse pela economia keynesiana. Akerlof graduou-se em economia pela Universidade Yale e depois se doutorou no MIT (Instituto de Tecnologia de Massachusetts), em 1966. Pouco depois de entrar na Universidade Berkeley como professor adjunto, Akerlof passou um ano na Índia, onde investigou os problemas do desemprego. Em 1978, lecionou na London School of Economics até retornar a Berkeley como professor titular. Ganhou o Prêmio Nobel de economia em 2001, com Michael Spence e Joseph Stiglitz.

Obras-chave

1970 *The market for lemons*
1988 *Fairness and unemployment* (com Janet Yellen)
2009 *Animal spirits: how human psychology drives the economy* (com Robert J. Shiller)

AS PROMESSAS DO GOVERNO SÃO INACREDITÁVEIS

BANCOS CENTRAIS INDEPENDENTES

EM CONTEXTO

FOCO
Política econômica

PRINCIPAIS PENSADORES
Edward Prescott (1940-)
Finn Kydland (1943-)

ANTES
1961 John Muth publica *Rational expectations and the theory of price movements*.

1976 O economista americano Robert Lucas diz que é ingênuo basear políticas do governo em soluções que deram certo no passado.

DEPOIS
1983 Os economistas americanos Robert Barro e David Gordon declaram que inflação alta vem de política econômica governamental arbitrária e propõem a independência do banco central.

1980 em diante Bancos centrais independentes são criados em muitos países e se pautam por diretrizes simples.

Se o governo atua com **discernimento**, ele pode descumprir promessas, portanto...

... as promessas do governo são inacreditáveis.

Indivíduos racionais preveem a quebra de promessas e **mudam o próprio comportamento**.

Isso impede que a **política discricionária do governo** dê certo.

Os governos deveriam seguir **regras simples**, e não usar uma política arbitrária.

Após a Segunda Guerra Mundial, o pensamento keynesiano (pp. 154-61) dominava a economia. Propunha que os governos mantivessem alto o nível de emprego com duas políticas discricionárias, instituídas para atingir metas específicas com um conjunto particular de ações. As duas políticas com esse fim eram a fiscal (gastos públicos e tributação) e a monetária (taxas de juro e oferta de moeda).

Em 1977, dois economistas – Finn Kydland, da Noruega, e Edward Prescott, dos EUA – publicaram um artigo intitulado *Rules rather than discretion*, afirmando que uma política discricionária era na verdade contraproducente. O argumento baseava-se no conceito das expectativas racionais, criado pelo economista americano John Muth (p. 247). Muth dizia que as crenças incorretas sobre os preços custam caro e os indivíduos, que são racionais, procuram evitar seus erros planejando com antecedência.

Antes disso, os modelos macroeconômicos pressupunham que as pessoas só olhassem para trás, esperando ingenuamente que o futuro parecesse o passado. O novo modelo entendia que, se as pessoas

Veja também: O homem econômico 52-53 ▪ O multiplicador keynesiano 164-65 ▪ Política monetarista 196-201 ▪ Inflação e desemprego 202-03 ▪ Expectativas racionais 244-47

O governo pode evitar a construção de moradias em área de enchente não dando subsídios ao seguro contra enchentes. Mas, se resgatou as pessoas antes, as casas serão construídas.

coletam informações e são racionais, elas podem prever – e preveem – as intervenções do governo. Então, adaptam seus atos à esperada política governamental, que se torna menos eficaz. Uma política discricionária só funciona quando é de surpresa, e é difícil surpreender indivíduos racionais.

Como exemplo, imagine um professor indulgente que tente convencer um aluno preguiçoso a fazer a lição de casa. O professor lhe diz que, se não entregar a tarefa, será punido. Mas o aluno sabe que o professor é tolerante e não gosta de punir. O aluno prevê que não será punido se não entregar o trabalho. Assim, ele não faz o dever de casa. O objetivo do professor de que o aluno entregasse a lição é minado pelo comportamento racional do aluno.

Kydland e Prescott afirmaram que as promessas do governo de inflação baixa enfrentam o mesmo problema. O governo não gosta de desemprego alto e então incentiva a economia para mantê-lo baixo, mas isso aumenta a inflação. Como o professor que ameaça com uma punição que ele não cumprirá, o governo tem objetivos conflitantes. As pessoas sabem disso e não acreditam na promessa do governo de inflação baixa. Isso desfaz a meta de aumentar a procura para implicar um nível de emprego mais alto, porque se sabe que salários mais altos serão compensados com preços mais altos. Contando com expectativas racionais, o efeito do incentivo é simplesmente inflação mais alta.

Regra inflexível

A solução para o nosso professor seria uma regra compulsória da escola que punisse trabalhos entregues com atraso, de modo que ele a cumprisse. Do mesmo modo, Kydland e Prescott propuseram que, em vez de ter total liberdade para instituir a política econômica, os governos deveriam seguir diretrizes claras. Uma solução mais radical do dilema do professor seria delegar a punição a um diretor rigoroso. Em política macroeconômica, esse tipo de papel pode ser desempenhado por bancos centrais independentes que deem menos importância ao nível de emprego e mais peso à inflação baixa do que o governo. Seu controle da política monetária deixa o governo se dedicar com credibilidade a baixar a inflação. O período de inflação baixa nos anos 2000 costuma ser atribuído ao aparecimento de bancos centrais independentes. ■

Finn Kydland

Nascido em 1943 num sítio em Gjesdal, Noruega, Finn Kydland era o mais velho de seis filhos. Após o ensino médio, lecionava no fundamental havia muitos anos quando um colega lhe sugeriu que estudasse contabilidade, o que lhe despertou o interesse por negócios. Cursou economia a partir de 1965 na Faculdade de Economia e Administração de Empresas (NHH) de seu país. Kydland pretendia ser gerente de empresa, mas após a graduação foi assistente do professor de economia Sten Thore, que se mudou para a Universidade Carnegie Mellon, EUA, e levou Kydland consigo. Kydland voltou à NHH em 1973 e publicou seu artigo fundamental com Edward Prescott. Em 1976, voltou aos EUA, onde leciona até hoje. Em 2004, ganhou o Prêmio Nobel de economia.

Obras-chave

1977 *Rules rather than discretion* (com E. Prescott)
1982 *Time to build and aggregate fluctuations*
2002 *Argentina's lost decade* (com Carlos E. J. M. Zarazaga)

A ECONOMIA É CAÓTICA, MESMO QUANDO OS INDIVÍDUOS NÃO O SÃO

COMPLEXIDADE E CAOS

EM CONTEXTO

FOCO
Macroeconomia

PRINCIPAIS PENSADORES
René Thom (1923-2002)
Jean-Michel Grandmont (1939-)
Alan Kirman (1939-)

ANTES
1887 A análise do matemático francês Henri Poincaré sobre interação entre três corpos orbitando um ao outro cria a base da teoria do caos.

Anos 1950 O matemático francês Benoît Mandelbrot encontra padrões recorrentes na variação dos preços do algodão.

1960 O matemático e meteorologista americano Edward Lorenz descobre o efeito borboleta na meteorologia.

DEPOIS
Anos 1980 O economista norte-irlandês Brian Arthur elabora a teoria da complexidade.

Não há sistema que garanta um bom retorno no mercado de ações. Era de esperar que a economia, com seus modelos teóricos de que sempre se retoma o equilíbrio, deveria nos dar esse instrumento. A maior parte da teoria econômica baseia-se nas leis de movimento elaboradas nos anos 1680: toda ação leva a um resultado, e todo acontecimento está ligado a uma cadeia casual para trás e para a frente no tempo, no que se chama de processo "linear". A economia tradicional constrói suas previsões de grande escala – o equilíbrio a que uma economia chegará – com o efeito combinado do comportamento de indivíduos racionais em reação aos preços.

Mudanças mínimas nas condições iniciais podem levar a mudanças enormes no fim pelo "efeito borboleta" – ideia de Edward Lorenz de que uma borboleta batendo as asas no Brasil pode provocar um ciclone no Texas.

Em busca da complexidade

Se o mundo real funciona assim, por que é tão difícil prever as crises no mercado de ações? Há economistas que dizem que todo o enfoque linear é obsoleto. O austríaco Friedrich Hayek (p. 177) acreditava que a economia fosse complexa demais para ter modelos como a física. Uma resposta a essas dúvidas é a teoria da complexidade, surgida da obra de termodinâmica do químico russo-belga Ilya Prigogine (1917-2003). Ao contrário da economia tradicional, esse enfoque reconhece que as ações previsíveis e regulares dos indivíduos não necessariamente implicam uma economia estável e previsível.

Em 1975, os economistas franceses Jean-Michel Grandmont e Alan Kirman declararam que as economias são "sistemas complexos". Nos modelos de concorrência perfeita da economia tradicional, os indivíduos não interagem diretamente entre si, mas

Veja também: O homem econômico 52-53 ▪ Bolhas econômicas 98-99 ▪ Testando teorias econômicas 170 ▪ Economia comportamental 266-69

reagem aos preços, mudando constantemente seu comportamento e preços para obter o melhor resultado. Num sistema complexo como uma economia, os indivíduos interagem diretamente entre si usando as simples "regras práticas", em vez de cálculos racionais, quase como abelhas na colmeia. Isso pode acarretar padrões de comportamento complexos na economia como um todo.

Economia caótica

Ideias ligadas aos argumentos de Grandmont e Kirman estão presentes na teoria do caos, iniciada nos anos 1950 pelo matemático e meteorologista americano Edward Lorenz, que tentava descobrir por que não se conseguia prever o tempo num futuro distante. Suas análises por computador revelaram que mudanças ínfimas na atmosfera se multiplicavam para criar alterações drásticas no tempo.

Para analisar as variações caóticas, os teóricos criaram uma forma de matemática "não linear". Eles disseram que, como ocorre com o tempo, uma mudança ínfima nas condições iniciais pode gerar um resultado tão diferente que o processo parece caótico, seja nas variações do mercado de ações, seja no crescimento econômico. Se estiverem certos, então os equilíbrios previsíveis, o alicerce da maioria das teorias econômicas, estão bastante incorretos. ■

Casualidade louca

Nos anos 1960 e 70, o matemático franco-americano Benoît Mandelbrot insistiu que os economistas erram ao tentar nivelar os índices econômicos procurando as médias e ignorando os extremos. Para ele, os extremos é que formam um quadro verdadeiro.

A crítica de Mandelbrot visava aqueles que embasam os preços de ações e produtos básicos na suposição de que um preço leva direto ao outro e tudo atinge uma média no longo prazo. Ele dizia que os elementos amenos da casualidade incorporados a esses modelos enganam. Os modelos deveriam basear-se na suposição de "casualidade louca" – a ideia de que eventos inusitados importam quando ocorrem mudanças. Para Mandelbrot, os mercados são muito mais voláteis do que acreditam os economistas, e o engano que eles costumam cometer é tentar chegar a leis que atuam do mesmo modo que as leis clássicas da física.

Ínfimas variações de força lançam a bola em direções bem diferentes. Como o jogador de fliperama, os economistas nem sempre podem prever o rumo das ações.

REDES SOCIAIS SÃO UM TIPO DE CAPITAL

CAPITAL SOCIAL

EM CONTEXTO

FOCO
Sociedade e economia

PRINCIPAL PENSADOR
Robert Putnam (1941-)

ANTES
1916 O termo "capital social" aparece em artigo do educador americano Lyda J. Hanifan.

1988 O sociólogo americano James Coleman descreve o capital social, aplicando-o ao fenômeno da evasão escolar no ensino médio.

DEPOIS
1999 O cientista político americano Francis Fukuyama afirma que capital social não diminuiu em países desenvolvidos como os EUA.

2001 O economista marxista britânico Ben Fine critica o conceito de capital social.

2003 O sociólogo britânico John Field diz que teoria do capital social significa que "os relacionamentos importam".

A palavra "capital" é mais empregada em relação ao maquinário usado na produção – capital físico. Uma definição mais ampla inclui as qualificações da mão de obra – capital humano. O uso eficiente de capital físico e humano foi reconhecido há muito tempo como crucial para a economia, mas nos anos 1990 o cientista político americano Robert Putnam falou de uma forma menos concreta de capital, feita de relações sociais. Ele disse que as redes sociais também importam para o desempenho econômico. Assim como a chave de fenda (capital físico) ou a formação universitária (capital humano), os contatos sociais podem aumentar a produtividade, porque influem na capacidade de indivíduos e grupos. As interações no trabalho, na comunidade e no lazer podem ser consideradas "capital social".

As redes sociais ajudam as pessoas a melhorar suas qualificações, promover sua carreira e aumentar a produtividade geral pelo estímulo à cooperação e à troca de informação. Por outro lado, quando essas ligações minguam, o desempenho econômico padece. Putnam notou que desde os anos 1960 a população dos países desenvolvidos tornou-se mais isolada, vivendo em zonas urbanas com senso de comunidade reduzido. Ele diz que isso contribuiu para o declínio econômico. Ainda que nem todos os economistas concordem com essa análise, o capital social hoje é tido em geral como elemento significativo do desempenho econômico. ■

Uma sociedade com muitos indivíduos virtuosos mas isolados não é necessariamente rica em capital social.
Robert Putnam

Veja também: Protecionismo e comércio 34-35 ▪ Vantagem comparativa 80-85 ▪ Economias de escala 132 ▪ Integração de mercados 226-31

FORMAÇÃO É SÓ UM SINAL DE CAPACIDADE

SINALIZAÇÃO E DETECÇÃO

EM CONTEXTO

FOCO
Tomada de decisão

PRINCIPAIS PENSADORES
Michael Spence (1943-)
Joseph Stiglitz (1943-)

ANTES
1963 Kenneth Arrow analisa os problemas da economia da informação, como quando um lado numa transação está mais bem informado que o outro.

1970 George Akerlof descreve mercados com disparidades de informação em *The market for lemons.*

DEPOIS
1976 Michael Rothschild e Joseph Stiglitz lançam a "detecção", pela qual uma parte desinformada pode induzir a outra a transmitir informações.

2001 Michael Spence, George Akerlof e Joseph Stiglitz ganham o Nobel por seu trabalho com a economia da informação.

Um novo campo da economia desenvolveu-se nos anos 1970 quando o economista americano George Akerlof publicou suas descobertas sobre a superação das disparidades no acesso à informação (pp. 274-75).

O economista americano Michael Spence disse que, na prática, se o Sujeito 1 tem mais informação que o Sujeito 2 numa transação, é provável que o Sujeito 1 mande um sinal para que o Sujeito 2 possa tomar uma decisão mais abalizada.

O exemplo dado por Spence foi o da entrevista de emprego, em que o empregador tem menos informação que o candidato de seu potencial produtivo. O candidato entrega um currículo com sua formação, que pode não ter relevância alguma para o cargo almejado, mas sinaliza a disposição para trabalhar duro e se esforçar. Segundo Spence, o ensino superior, ao contrário da formação profissional, tem sobretudo uma função sinalizadora, e os eventuais "bons" funcionários investem em maior formação para sinalizar seu potencial de produtividade mais alto. O contrário disso, por exemplo, o empregador usar a entrevista para obter informação, chama-se detecção. Quem quer comprar um carro usado ou conseguir um empréstimo usa perguntas de detecção para obter informação antes de decidir. Sinalização e detecção são usadas em todas as transações comerciais. ■

A área de formação e o conhecimento dela são secundários quando a pessoa se candidata a um emprego. Mais que isso, graduação indica qualificação e capacidade de trabalho.

Veja também: Economia comportamental 266-69 ▪ Incerteza no mercado 274-75 ▪ Salários rígidos 303 ▪ Busca e ajuste 304-05

O ESTADO GOVERNA O MERCADO

O MILAGRE DO LESTE ASIÁTICO

EM CONTEXTO

FOCO
Crescimento e desenvolvimento

EVENTO PRINCIPAL
Japão passa a investir na Coreia do Sul em 1965.

ANTES
1841 O economista alemão Friedrich List afirma que proteção à indústria ajuda diversificação econômica.

1943 O economista polonês Paul Rosenstein-Rodan diz que países pobres precisam de investimento estatal.

DEPOIS
1992 A economista americana Alice Amsden diz que uso de parâmetros de desempenho na Coreia do Sul incentivou o crescimento industrial.

1994 O economista americano Paul Krugman diz que o avanço no leste da Ásia deve-se a aumento no capital físico.

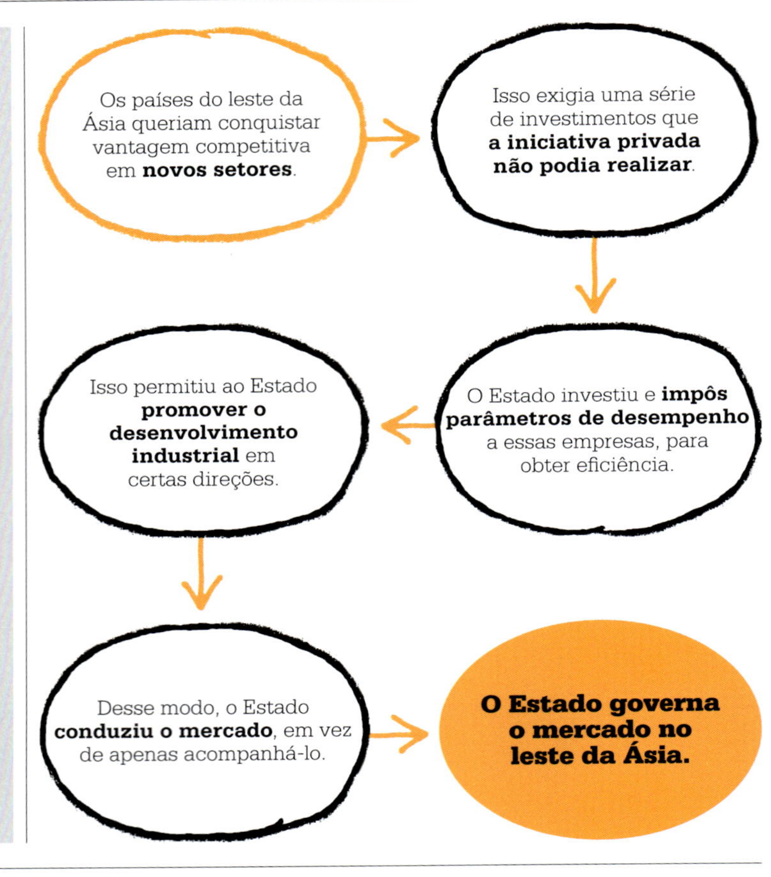

Após a Segunda Guerra Mundial, a economia de alguns países do leste da Ásia cresceu espetacularmente. Liderados por novos governos muito intervencionistas, esses países se transformaram de economias estagnadas em dinâmicas potências industriais em apenas duas décadas. Os chamados Tigres Asiáticos – Coreia do Sul, Hong Kong, Cingapura e Taiwan – foram seguidos por Malásia, Tailândia, Indonésia e, depois, China. Essas nações obtiveram um crescimento constante na renda *per capita* mais rápido do que qualquer outra região. O PIB (produto interno bruto, o total da renda nacional de produtos e serviços) costuma ser usado para medir a riqueza do país. Em 1950, o PIB per capita da Coreia do Sul (o PIB dividido pelo número de habitantes) era metade do PIB do Brasil; em 1990, era o dobro; em 2005, três vezes maior. Esse crescimento provocou queda surpreendente na pobreza. No final do século XX, os quatro Tigres Asiáticos iniciais tinham um padrão de vida que rivalizava com o dos países da Europa Ocidental, mudança sem precedentes na história, apelidada de "milagre do leste da Ásia".

O ambiente que gerou os Tigres Asiáticos foi forjado por intervenção governamental e pela relação intensa entre o Estado e a economia, modelo que ficou conhecido como "Estado desenvolvimentista". Depois da Segunda Guerra Mundial, era grande a expectativa de desenvolvimento das nações mais pobres, e a meta de rápido progresso econômico tornou-se o motor da política econômica governamental. Burocracias fortes envolveram-se na condução de atividades econômicas

Veja também: O surgimento das economias modernas 178-79 ▪ Economia desenvolvimentista 188-93 ▪ Teorias do crescimento econômico 224-25 ▪ Integração de mercados 226-31 ▪ Comércio e geografia 312

O rápido desenvolvimento da Coreia do Sul foi iniciado pelo general Park Chung-hee em 1961. Ele restabeleceu relações com o Japão, antigo ocupante do país, e atraiu o investimento japonês.

do setor privado de um modo muito mais arrojado do que ocorrera na Europa Ocidental. Contudo, esses governos preservaram a iniciativa privada, num modelo que pouco se parecia com o planejamento estatal do bloco comunista. Os Tigres Asiáticos deram forma ao desenvolvimento, investindo mais em ramos estratégicos e promovendo a atualização tecnológica dos produtores. Isso provocou o deslocamento dos trabalhadores da agricultura para o crescente setor industrial. O grande investimento na educação deu aos trabalhadores a qualificação exigida pelos novos setores, e as indústrias passaram a exportar seus produtos, tornando-se a força motriz de um crescimento constante levado pelo comércio.

Nova espécie de Estado

Nunca se vira esse tipo de Estado. Ele desafiou as opiniões ortodoxas sobre o papel do Estado na economia. A economia tradicional considera que o Estado deve corrigir as falhas do mercado – os governos fornecem bens públicos, como defesa e iluminação, que a iniciativa privada sozinha não costuma propiciar. Garantem que instituições como os tribunais funcionem bem, para que os contratos sejam cumpridos e os direitos de propriedade, protegidos, mas, fora isso, o papel deles é ínfimo. Quando os pré-requisitos para a atividade do mercado já existem, diz a economia clássica que o Estado deve retirar-se e deixar o mecanismo de preço trabalhar sozinho. Considera-se que as instituições pró-mercado e um Estado restrito tenham sido cruciais para o sucesso econômico britânico durante a industrialização.

Alguns economistas sustentam que isso também ocorreu nas economias de sucesso do leste da Ásia: ao promover o desenvolvimento, esses Estados sustentaram os mercados sem interferir neles. Suas intervenções ajudaram a distribuir recursos e investimentos de um modo condizente com o espírito de mercado: em certo sentido, o Estado "corrigiu os preços". Para fazer isso, os governos cultivaram a estabilidade macroeconômica, vital para dar confiança aos investidores. Eles intervieram para corrigir falhas do mercado e forneceram defesa e ensino. Também construíram a infraestrutura, como portos e ferrovias, cujo custo alto afastava a iniciativa privada. Entende-se que os Estados desenvolvimentistas do leste da Ásia tenham tido sucesso porque seguiram o mercado.

Liderando o mercado

O economista neozelandês Robert Wade afirma que os Estados desenvolvimentistas do leste da Ásia tanto lideraram quanto seguiram os mercados. Conduziram a expansão de setores selecionados, proporcionando crédito barato e subsídios. Ao liderar os mercados, sua alocação preferida de recursos foi bem diferente daquela que teria sido feita pelos mercados sozinhos.

Para a economista americana Alice Amsden, a característica foi »

A Samsung, que emprega quase 35 mil pessoas em seus escritórios de Seul, foi um dos carros-chefe do crescimento econômico da Coreia do Sul. Atualmente é uma das maiores empresas de tecnologia do mundo.

A rápida ascensão dos Tigres Asiáticos baseou-se em exportações. O Estado construiu grandes instalações para receber contêineres, como estas de Cingapura, e estimular o crescimento.

que o Estado “fixou preços errados” de propósito, a fim de forjar novos tipos de vantagem competitiva. Os “setores nascentes”, alimentados com subsídios e proteção comercial, acabaram levados ao crescimento. O Estado impôs parâmetros de desempenho às empresas, pois podia suspender o tratamento preferencial quando necessário.

Robert Wade afirma que o modo como esses Estados preferiram liderar o mercado explica a criação de vantagens comparativas em setores em que antes não existia nenhuma. De início, os preços dos produtos de um novo ramo não eram competitivos no plano internacional. Além disso, a produção de um novo bem em geral exigiu a instalação simultânea de outras indústrias de infraestrutura. A coordenação desse processo é mais difícil para a iniciativa privada que para o Estado.

Os ramos nascentes protegidos tornaram-se competitivos quando receberam os incentivos clássicos para aprender a ser mais eficientes. A fim de obter a educação econômica das novas empresas e a coordenação da produção inicial, os governos precisaram violar os preços estreitos do mercado. Isso ocorreu no setor siderúrgico da Coreia do Sul. Nos anos 1960, o Banco Mundial aconselhou o governo sul-coreano a não entrar nesse setor por não ter aí nenhuma vantagem comparativa – outros países poderiam bater seus preços com facilidade. Nos anos 1980, a Posco, grande empresa coreana, já era uma das siderúrgicas mais eficientes do mundo.

Interferência política

As experiências com políticas intervencionistas fora do leste da Ásia não haviam tido sucesso, manchando a reputação do Estado desenvolvimentista. Na América Latina e na África, o tratamento preferencial dado a empresas e setores gerou incentivos pobres: as empresas se viram protegidas da concorrência, mas o Estado não aplicou parâmetros de desempenho. Os setores nascentes nunca se tornaram exportadores de sucesso.

Sobretudo na América Latina, o tratamento preferencial passou a ser ligado à política, com pequeno rendimento econômico: empresas com bons contatos receberam subsídios e proteção tarifária, mas não vieram a ser mais produtivas. Com o tempo, viraram um escoadouro do orçamento público, mais absorvendo que gerando recursos. “Fixar preços errados” não ajudou a formar vantagens comparativas nos novos ramos. Ao contrário, causou uma produção ineficiente e estagnação econômica.

No leste da Ásia, os Estados bem-sucedidos mostraram-se mais bem preparados para resistir à pressão de interesses privados. Depois de criar sua nova companhia siderúrgica nos anos 1960, o governo da Coreia do Sul exigiu dela que atingisse as metas de eficiência. Se surgissem interesses políticos que o impedissem de disciplinar a empresa, o Estado se tornaria escravo de interesses, não da eficiência geral da economia. O Estado tinha de permanecer autônomo e resistir à pressão para favorecer grupos particulares. Ao mesmo tempo, o Estado deu crédito e assistência técnica às empresas – para tanto e para verificar o rendimento delas, os tentáculos do Estado precisaram alcançar as

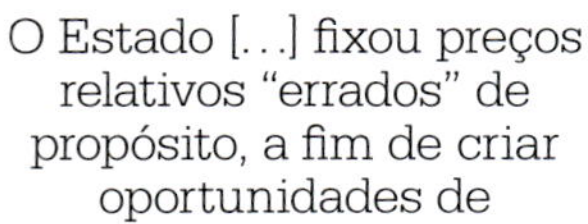

O Estado [...] fixou preços relativos “errados” de propósito, a fim de criar oportunidades de investimento lucrativas.
Alice Amsden

menores engrenagens da economia. A burocracia econômica necessitava de informação detalhada sobre os investimentos potenciais e relação constante com os gerentes.

O economista americano Peter Evans chamou de "autonomia embutida" esses indicadores dos Estados desenvolvimentistas bem-sucedidos. Só quando ela está instalada é que o Estado pode tentar "fixar os preços errados" sem ser cooptado por interesses. Não é fácil criá-la, e sua inexistência pode ser fator de resultados ruins da intervenção estatal em outras regiões em desenvolvimento.

A ascensão da China

Com a crise financeira do leste da Ásia nos anos 1990, o modelo do Estado desenvolvimentista voltou a ser questionado. Muitos notaram que instituições que haviam gerado um rápido crescimento industrial após a Segunda Guerra Mundial perderam força no final do século XX. Por outro lado, a incrível ascensão da China ressuscitou a ideia do Estado desenvolvimentista ou no mínimo de políticas e instituições que produzam transformação econômica rápida e ao mesmo tempo se afastam das prescrições da economia clássica. A China iniciou uma série de reformas no sistema comunista no final dos anos 1970. Criou um modelo próprio de Estado desenvolvimentista, que lembrava o dos Tigres Asiáticos, e tinha um governo autoritário responsável pela promoção do setor privado e das exportações. A agricultura foi descoletivizada, e as indústrias estatais ganharam mais autonomia e se sujeitaram à concorrência. Essas reformas ajudaram a desencadear a vasta expansão da atividade econômica privada, sem a introdução de direitos de propriedade como os ocidentais.

Como a maioria das cidades chinesas, Hangzhou, no leste da China, viveu rápido crescimento e urbanização com a industrialização do país.

Incentivos alternativos surgiram de instituições exclusivas da China: por exemplo, do "Sistema de Responsabilidade da Casa", pelo qual os gerentes ficaram responsáveis pelos lucros e pelas perdas da empresa, tornando desnecessária a propriedade privada. Os resultados foram impressionantes. Ainda que a China continue pobre em relação à Europa Ocidental, seu crescimento rápido tirou da pobreza 170 milhões de pessoas na década de 1990, o que representou queda de três quartos da pobreza nas regiões em desenvolvimento.

A história da China e dos Tigres Asiáticos mostra que não existe um só caminho para o desenvolvimento. O modo como esses Estados intervieram na economia foi muito diferente de qualquer coisa que tenha ocorrido na Europa quando ela se desenvolvia. Todavia, parece que todos os modelos de desenvolvimento, mesmo os bem-sucedidos, acabam sofrendo restrições. Os benefícios do Estado desenvolvimentista se reduziram nos Tigres Asiáticos nos anos 1990 – as instituições que haviam funcionado numa década começaram a falhar na seguinte. Um dia o Estado chinês também poderá perder a potência. Ele terá de se reinventar se quiser que sua ascensão espetacular prossiga. ■

Política industrial e incentivos

No leste da Ásia, os Estados desenvolvimentistas deram tratamento diferenciado a empresas de setores preferidos e criaram incentivos, mas exigiram delas que cumprissem parâmetros de desempenho, em parte com torneios em que as firmas competiam por prêmios. Como de costume, o critério consistia no sucesso das exportações. O prêmio era de linhas de crédito ou acesso à moeda estrangeira. Na Coreia do Sul e em Taiwan, por exemplo, as empresas tinham de mostrar que haviam recebido pedidos de exportação. Só então recebiam o prêmio. A Coreia do Sul fez competições em que as empresas privadas davam lances por projetos em novos setores, como construção naval. As empresas de sucesso recebiam proteção no mercado mundial por um tempo. Um dos critérios de desempenho era a empresa ser competitiva no exterior em certo prazo. As que falhassem eram punidas.

A indústria siderúrgica da Coreia do Sul foi um grande sucesso do Estado desenvolvimentista. Em 2011, o país era o sexto maior produtor de aço do mundo.

CONVICÇÕES PODEM CAUSAR CRISES CAMBIAIS

ESPECULAÇÃO E DESVALORIZAÇÃO DA MOEDA

EM CONTEXTO

FOCO
Economia mundial

PRINCIPAL PENSADOR
Paul Krugman (1953-)

ANTES
1944 Grécia passa pela maior crise cambial da história.

1978 O historiador de economia americano Charles Kindleberger enfatiza o papel do comportamento irracional nas crises.

DEPOIS
2009 Os economistas americanos Carmen Reinhart e Kenneth Rogoff publicam *Oito séculos de delírios financeiros*, em que traçam semalhanças entre crises ao longo dos séculos.

2010-12 Prioridades nacionais divergentes, erros sérios de conduta e enorme pressão especulativa ameaçam a dissolução do euro.

Crise cambial é uma queda forte e repentina no valor da moeda de um país em relação a outras. Por cerca de trinta anos após a Segunda Guerra Mundial, as principais moedas do mundo foram governadas pelo sistema de Bretton Woods (pp. 186-87), baseado em taxas de câmbio fixas, não ajustáveis.

Quando esse sistema terminou, em 1971, as crises cambiais tornaram-se mais comuns. Em geral, elas são desencadeadas por pessoas que vendem uma moeda nacional em grande quantidade. Essa atitude parece vir da fusão de expectativas e certas fraquezas econômicas correlatas (ditas "fundamentais") – ou seja, as reações das pessoas a problemas percebidos. Os economistas têm tentado criar um modelo matemático dessa interação, mas, sempre que pensam ter encontrado um modelo que reflete os dados, surge um novo tipo de crise.

Crises cambiais no contexto

Como furacões, as crises financeiras acontecem com frequência surpreendente, mas é difícil prevê-las. Séculos atrás, quando o dinheiro era baseado em metais preciosos, a moeda costumava perder o valor por causa de depreciação, que ocorria quando um governante reduzia o teor do metal precioso na cunhagem. Depois que a moeda passou a ser impressa em papel por bancos centrais, a inflação alta as fez desabar. Foi assim na Alemanha em 1923, onde a certa altura os preços duplicavam em dois dias. Contudo, não é necessário haver hiperinflação para ocorrer uma crise monetária. Por exemplo, durante a Grande Depressão de 1929-33, os preços de produtos como minerais e alimentos despencaram, e as moedas dos países latino-americanos, que dependiam de exportações, caíram com eles.

Diretrizes incompatíveis

Em texto de 1979, o economista americano Paul Krugman mostrou que, para ocorrer uma crise cambial, bastava o governo implementar políticas incompatíveis com a taxa de câmbio.

A ideia de Krugman é a base dos modelos de crises cambiais de primeira geração. Esses modelos presumem uma taxa de câmbio fixa entre a moeda nacional e uma moeda estrangeira e que o governo tem déficit orçamentário (gasta mais do que arrecada com impostos), que ele financia emitindo moeda. Ao aumentar a oferta de moeda, essa política cria uma incompatibilidade com o valor da moeda determinado pela taxa de câmbio fixa. Mantendo estáveis os demais fatores, a política econômica fará o valor "real" da moeda nacional cair.

A seguir, os modelos pressupõem que o banco central venda suas reservas de moeda estrangeira, a fim de sustentar a própria moeda. Todavia, supõe-se que as pessoas percebam que as reservas internacionais do banco

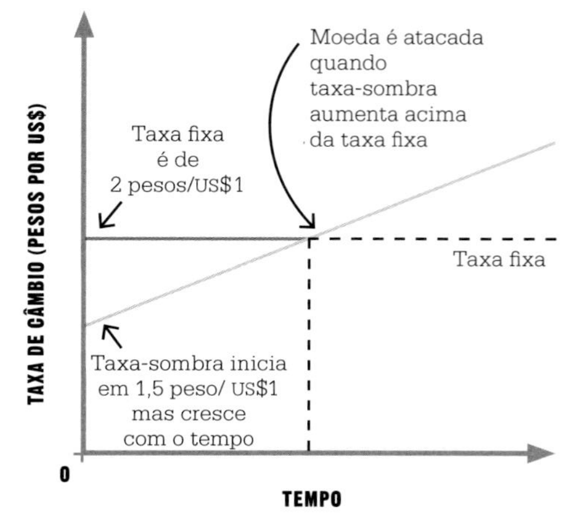

Em modelos de crise de "primeira geração", quando uma moeda é atrelada a outra, seu valor "real", ou taxa-sombra, pode cair abaixo do valor em que foi fixada. Nesse caso, esse é o ponto em que a taxa de câmbio-sombra aumenta acima de 2 pesos/US$1. Quando isso acontece, a moeda está vulnerável a ataque, pois os especuladores compram as reservas da moeda estrangeira do país prevendo uma desvalorização.

Veja também: Bolhas econômicas 98-99 ▪ Expectativas racionais 244-47 ▪ Taxas de câmbio e moedas 250-55 ▪ Crises financeiras 296-301 ▪ Corrida aos bancos 316-21 ▪ Desequilíbrios na poupança mundial 322-25

central se esgotarão. Assim, a taxa de câmbio terá de "flutuar" (ser negociada livremente) e cairá. O modelo propõe a existência de uma "taxa-sombra de câmbio", aquela que seria a taxa de câmbio caso o banco central não aplicasse a taxa de câmbio fixa. Analisando o déficit público, as pessoas sabem quanto é (e será) essa taxa-sombra em qualquer momento. No instante em que notarem que é melhor vender a moeda nacional pela taxa de câmbio fixa, elas provocarão um ataque especulativo e comprarão todas as reservas de moeda estrangeira do banco central. Então a moeda nacional será forçada a flutuar, e a taxa-sombra depreciada se tornará a taxa de câmbio real. O ataque especulativo ocorre no ponto em que a taxa-sombra em depreciação constante se iguala à taxa de câmbio fixa.

Esse modelo parecia condizer com as crises monetárias da América Latina nos anos 1970 e 1980, e com a do México, em 1982. Todavia, em 1992-93, estourou uma crise cambial no Sistema Monetário Europeu (SME) que pareceu contradizer o modelo. Sob o »

Mulheres observam a nova cédula do dólar zimbabuano em 2009. Após um período de hiperinflação, o governo reformou a moeda e tirou 12 zeros das velhas notas.

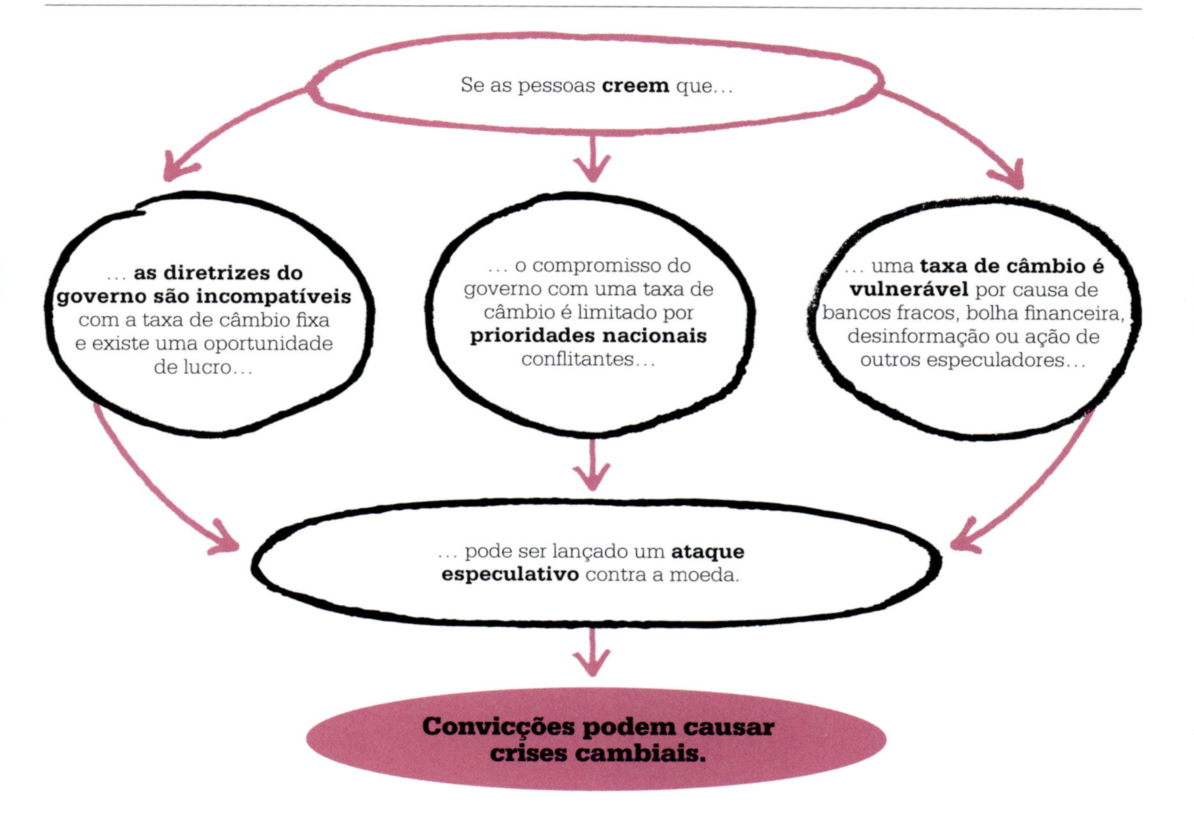

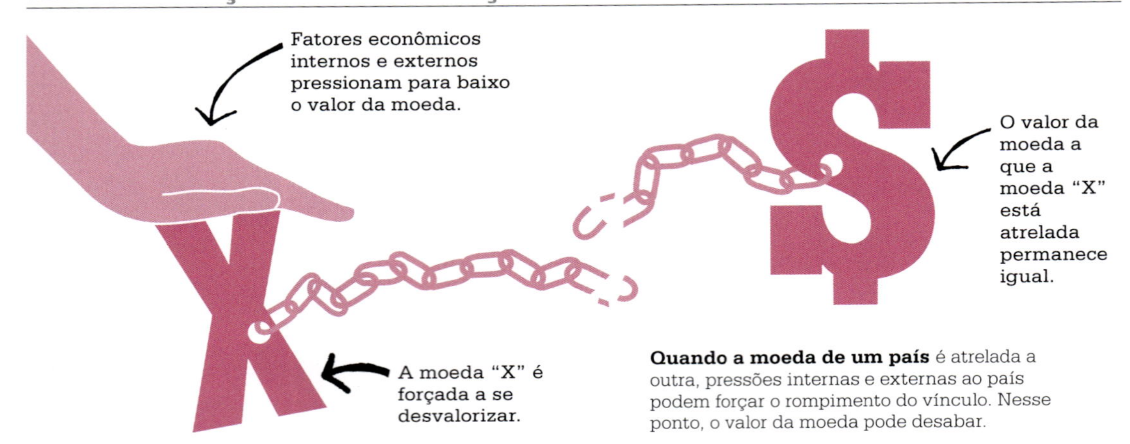

Quando a moeda de um país é atrelada a outra, pressões internas e externas ao país podem forçar o rompimento do vínculo. Nesse ponto, o valor da moeda pode desabar.

mecanismo de taxa de câmbio (MTC) desse sistema, os países europeus realmente fixaram, ou atrelaram, sua moeda ao marco alemão. Várias moedas foram pressionadas por especuladores, sobretudo o financista George Soros. Seria difícil negar que países como o Reino Unido estivessem adotando políticas incompatíveis com a taxa de câmbio visada. O Reino Unido tinha um déficit orçamentário muito baixo e antes tivera superávit. No entanto, em 1992 foi obrigado a se retirar do SME, provocando grande constrangimento político ao ministro das Finanças, Norman Lamont. Era necessário um novo modelo para explicar esses acontecimentos.

Crises autorrealizáveis

Nos modelos de primeira geração, a política do governo é "fixa": as autoridades usam mecanicamente suas reservas estrangeiras para defender a moeda. A segunda geração de modelos deu ao governo uma alternativa: ele pode estar comprometido com uma taxa de câmbio fixa, mas essa "norma" tem uma cláusula de escape. Se o desemprego fica muito alto, o governo pode abandonar seu compromisso com o câmbio fixo, porque os custos sociais da defesa da moeda (por exemplo, por meio de taxas de juro altas) são grandes demais. Vimos essa escolha difícil no drama da Grécia em 2012. No entanto, não fosse um ataque especulativo, os custos sociais extras não subiriam. Esses modelos implicam a possibilidade de mais de um resultado, que os economistas chamam de "equilíbrios múltiplos". Um ataque especulativo ocorre se muitas pessoas creem que outras vão atacar a moeda. Então aquelas a atacam, dando origem a uma crise. Porém, se as pessoas não acreditam nisso, a crise pode não acontecer. Nesses modelos, as crises são "autorrealizáveis". Eles afirmam que, em caso extremo, uma crise pode ocorrer independentemente dos fundamentos econômicos do país. Esses novos modelos, baseados no trabalho de economistas como o americano Maurice Obstfeld, mostraram-se mais realistas que os anteriores, por permitirem que o governo use instrumentos para defender a moeda, como o aumento da taxa de juro para evitar sua desvalorização. Pareceram também condizentes com a experiência da crise do MTC, em que os governos tinham a limitação do alto nível de desemprego.

O único modo totalmente infalível de não haver especulação sobre uma moeda [...] é não ter uma moeda independente.
Paul Krugman

Fragilidade financeira

A crise do leste da Ásia de 1997 (veja na seção anterior) pareceu não se inserir nos dois primeiros tipos de modelo. O desemprego não era um problema, mas ainda assim as moedas do leste da Ásia se viram de repente sob enorme ataque especulativo. Nos modelos de segunda geração, a cláusula de escape da desvalorização deveria aliviar a economia dos custos sociais, mas a baixa acentuada das moedas seguiu-se de uma queda econômica grave, mas curta. A fragilidade financeira, provocada por alta e baixa bancária, desempenhou papel significativo. Diante disso, os economistas concentraram-se na interação entre as fraquezas da economia e as expectativas autorrealizáveis dos especuladores.

A terceira geração de modelos levou em conta novos tipos de fragilidade financeira, como aqueles que surgiram quando empresas e bancos pegaram empréstimos em moeda estrangeira e emprestaram em moeda nacional. Os bancos não poderiam pagar a dívida caso a moeda fosse desvalorizada. Essas espécies de fraqueza poderiam desencadear ataques especulativos e crises.

Além de elaborar teorias, os economistas procuram indícios de sinas de alerta de crises monetárias. Em um artigo de 1996, Jeffrey Frankel e Andrew Rose revisaram as crises cambiais de 105 países em desenvolvimento de 1971 a 1992. Descobriram que as desvalorizações ocorrem quando as entradas de capital estrangeiro param, quando as reservas de moeda estrangeira do banco central estão baixas, quando o crescimento do crédito no país está alto, quando aumentam taxas de juro estrangeiras importantes (sobretudo o dólar americano) e quando a taxa de câmbio real (preços de produtos negociados no país em relação aos estrangeiros) está alta, o que significa que os bens de um país não são competitivos em mercados estrangeiros. Os economistas dizem que, ao monitorar esses sinais de alerta, as crises podem ser previsíveis até um ou dois anos antes.

Como evitar as crises

Há estudos que indicam que de 5% a 25% da história recente foi de crise. Novas crises continuarão a surpreender, mas alguns sinais podem ajudar a avisar quando os furacões monetários estão a caminho, como a taxa de câmbio real, exportações e contas correntes e o volume de moeda na economia em relação às reservas internacionais do banco central. As experiências das últimas décadas expuseram as raízes financeiras das crises. Hoje os economistas falam de "crises gêmeas" – escaladas violentas de crises cambiais e bancárias.

Acha-se que a rápida desregulamentação financeira e a liberalização de mercados de capital internacionais tenham causado crises em países com fracas instituições financeiras e reguladoras. Além de dar atenção aos sinais macroeconômicos de crises futuras, os governos precisam cuidar daquelas vulnerabilidades institucionais. ■

Crise financeira do leste da Ásia

A crise de 1997 no leste da Ásia parecia sem origem e atingia países com histórico de forte crescimento e superávit na balança. Antes dela, a maioria dos países da região havia atrelado sua taxa de câmbio ao dólar dos EUA. O primeiro sinal de problema foi a falência de empresas na Tailândia e na Coreia do Sul. Em 2 de julho de 1997, após uma batalha de meses para salvar sua taxa de câmbio atrelada, a Tailândia desvalorizou a moeda. Poucas economias na região resistiram à pressão das especulações. As Filipinas foram forçadas a adotar a flutuação em 11 de julho, a Malásia, em 14 de julho, e a Indonésia, em 14 de agosto. Em menos de um ano, as moedas da Indonésia, da Tailândia, da Coreia do Sul, da Malásia e das Filipinas caíram de 40% a 85%. Só Hong Kong suportou os especuladores.

A grave crise bancária foi responsabilizada. Os empréstimos eram sempre de curto prazo, e, quando os credores estrangeiros retiraram seu capital, o contágio se espalhou, e as moedas desabaram.

Islandeses ocupam as ruas de Reykjavik em 2008 para denunciar a manipulação da crise cambial pelo Estado, na qual a coroa islandesa perdeu mais de um terço de seu valor oficial.

GANHADORES DE LEILÕES PAGAM MAIS QUE A COTAÇÃO

A MALDIÇÃO DO VENCEDOR

EM CONTEXTO

FOCO
Tomada de decisão

PRINCIPAIS PENSADORES
William Vickrey (1914-96)
Paul Milgrom (1948-)
Roger Myerson (1951-)

ANTES
1951 O matemático americano John Nash formula conceito de equilíbrio nos jogos, que seria preceito da teoria dos leilões.

1961 O economista canadense William Vickrey usa a teoria dos jogos para analisar leilões.

DEPOIS
1971 Revela-se que companhias petrolíferas que fazem lances para contratos de perfuração podem não saber da "maldição do vencedor".

1982 Os economistas americanos Paul Milgrom e Robert J. Weber mostram que, quando os participantes sabem a avaliação dos concorrentes, o "leilão inglês" dá o melhor preço para o vendedor.

Num leilão em que o valor do artigo à venda é duvidoso, todo participante toma **uma decisão própria** sobre o seu valor.

Se chegam à avaliação em sigilo, haverá uma série de **avaliações diferentes**.

O valor real do artigo tenderá a ficar ao redor da **média** das avaliações dos lançadores.

A venda será feita ao participante que mais **superestimar** o valor da peça.

Ganhadores de leilões pagam mais que a cotação.

Os leilões existem há muito tempo, mas só recentemente os economistas perceberam que eles são um campo de provas ideal para as estratégias de competição da teoria dos jogos. Essa teoria ganhou destaque nos anos 1950, quando os matemáticos viram que jogos simples podiam esclarecer situações em que as pessoas competem diretamente. Foi difícil aplicar essa ideia ao mundo real. Contudo, as regras rígidas de um leilão, com número restrito de participantes e estratégias de compra estudadas, pareceram bem próximas da teoria.

Tipos de leilão

O primeiro que aplicou a teoria dos jogos aos leilões foi o economista canadense William Vickrey, nos anos 1960. Ele comparou os três tipos mais comuns de leilão. "Leilão inglês" é o método usado nas casas de arte britânicas, nas quais os lances sobem até que sobre um participante. No "leilão holandês", usado, por exemplo, nos mercados de flores da Holanda, o preço cai até chegar àquele que alguém pagará. Em um "leilão de primeiro preço", os participantes apresentam lances fechados, e o mais alto vence. Vickrey propôs um quarto tipo de leilão, parecido com o de primeiro preço, mas no qual o vencedor paga tanto quanto o segundo maior lance.

Veja também: O mercado competitivo 126-29 ▪ Risco e incerteza 162-63 ▪ Teoria da escolha social 214-15 ▪ Teoria dos jogos 234-41

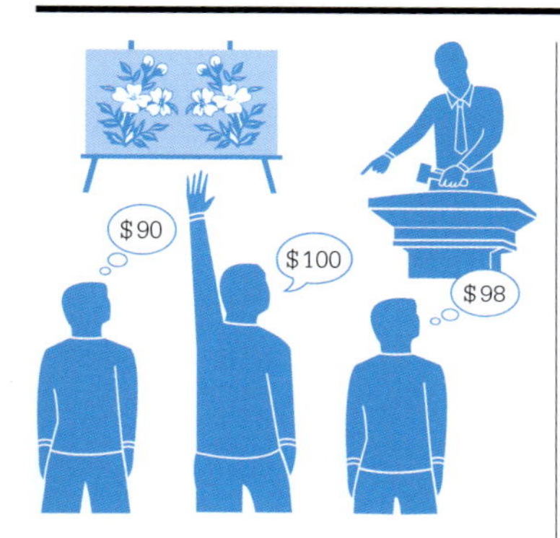

Nos leilões, há o perigo de que o lance vencedor parta de um concorrente que supervalorizou a peça, infelicidade chamada "maldição do vencedor".

Usando a matemática, Vickrey provou que, quando os lançadores avaliam os itens separadamente, todos os quatro tipos de leilão rendem o mesmo para o vendedor, descoberta chamada de "teorema da equivalência de receitas".

Lances-sombra

Vickrey provou que é melhor os negociantes fazerem lance menor que a sua avaliação, estratégia que os teóricos denominam "sombrear", do contrário poderão pagar acima da cotação. Esse recurso ganhou importância especial nos anos 1970, quando se viu que as companhias petrolíferas que faziam lances pelo direito de perfuração em alto-mar quase sempre acabavam pagando demais. Os teóricos de leilões descobriram o fenômeno da "maldição do vencedor": o item acaba com o participante que mais o supervalorizou. Imagine que você dê um lance vencedor de $100 por um quadro. Você ganha, porque seu lance é superior ao dos outros. Supondo que o segundo maior lance fosse $98, você poderia ter oferecido lance menor – $ 98,01 – e ainda assim venceria. Em geral, o arrematador paga "a mais", neste caso com diferença de $1,99.

A teoria pode ser usada para conceber leilões que maximizem a receita do vendedor e garantam que o bem fique com o comprador que mais lhe dá valor. O sucesso do governo dos EUA nos leilões do espectro na década de 1990 (veja o quadro à direita) criou uma animação por essa nova área de economia. Para muitos, provou que a teoria dos jogos não era apenas teoria, mas se aplicava a mercados reais. Outros insistem que os leilões são um tipo especial de mercado e que até eles podem não ser explicados inteiramente pela teoria dos jogos. A verdade é que os leilões agora se expandiram bem além de seus domínios tradicionais de aquisições do governo e vendas de títulos públicos. ■

A venda do espectro

A teoria dos leilões ganhou força com a drástica avalanche de leilões do governo nos EUA nos anos 1990 para privatizar setores da economia. A maior das vendas ocorreu quando as empresas de telefonia celular se prepararam para pagar alto pelo espectro eletromagnético (ondas de rádio) para fazer a transmissão. O governo dos EUA queria maximizar seu lucro, mas também garantir a venda ao lançador que mais lhe desse valor.

Em 1993, a Comissão Federal de Telecomunicações (FCC) chamou teóricos para projetar o leilão de 2.500 das chamadas licenças do espectro. Enquanto isso, as companhias contrataram teóricos para formular suas estratégias de lance. A FCC decidiu-se por um leilão de estilo inglês, com uma diferença: a identidade dos lançadores seria sigilosa, para evitar lances de retaliação ou conluio para manter baixos os preços. Os leilões quebraram todos os recordes, e o método tem sido bastante copiado.

Em leilões holandeses, como no mercado de flores de Aalsmeer, o preço começa alto e depois vai descendo. O primeiro concorrente que parar o preço em queda fica com as flores.

ECONOMIAS ESTÁVEIS TÊM SEMENTES DA INSTABILIDADE

CRISES FINANCEIRAS

EM CONTEXTO

FOCO
Bancos e finanças

PRINCIPAL PENSADOR
Hyman Minsky (1919-96)

ANTES
1933 O economista Irving Fisher mostra como dívida causa depressão.

1936 John Maynard Keynes afirma que mercados financeiros têm papel relevante no funcionamento da economia.

DEPOIS
2007 O teórico de riscos Nassim Nicholas Taleb publica *A lógica do cisne negro*, que critica conduta de gestão de riscos dos mercados financeiros.

2009 Paul McCulley, ex-diretor-geral de grande fundo de investimento nos EUA, cunha o termo "momento Minsky", em referência ao momento em que a alta cai.

A instabilidade dos sistemas econômicos tem sido debatida ao longo da história da economia. A visão dos economistas clássicos, seguindo a tradição iniciada por Adam Smith, é que a economia sempre retoma um equilíbrio estável. Sempre haverá perturbações que criam altas e baixas – padrão às vezes chamado de ciclo econômico –, mas a tendência é de estabilidade, com uma economia de pleno emprego.

A Grande Depressão de 1929 levou alguns economistas a analisar os ciclos econômicos em detalhe. Em 1933, o economista americano Irving Fisher mostrou como a alta pode virar uma baixa por meio de instabilidades causadas por dívidas excessivas e preços em queda. Três anos depois, John Maynard Keynes (p. 161) questionou a ideia de que a economia se autocorrige. Em sua *Teoria geral*, ele formulou a tese de que a economia poderia acabar em uma depressão da qual teria pouca chance de escapar.

Essas obras foram etapas no entendimento da natureza instável das economias modernas. Em 1992, Hyman Minsky reavaliou o problema em seu ensaio "A hipótese da instabilidade financeira", que diz que a economia capitalista moderna contém as sementes da autodestruição.

Charles Ponzi, em foto após sua prisão nos EUA em 1910, cometeu fraudes ao prometer rendimentos irreais. Minsky comparou as altas capitalistas aos esquemas Ponzi, fadados ao fracasso.

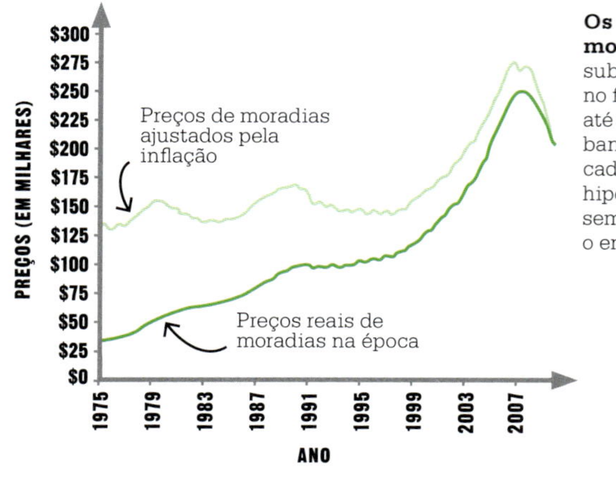

Os preços de moradias nos EUA subiram bruscamente no final dos anos 1990 até 2007, quando os bancos concederam cada vez mais hipotecas a pessoas sem renda para pagar o empréstimo.

Na opinião de Keynes, a economia capitalista moderna é diferente da que existia no século XVIII. A principal diferença é o papel das instituições monetárias e financeiras. Em 1803, o economista francês Jean-Baptiste Say (p. 75) fez uma interpretação clássica da economia, de que ela é em essência um refinado sistema de escambo, em que as pessoas produzem bens que elas trocam por dinheiro, usado para permutar pelos bens que quiserem. A permuta real é um bem por outro: o dinheiro é apenas um lubrificante. Keynes argumentou que o dinheiro faz mais que isso: permite que as transações ocorram ao longo do tempo: uma empresa toma dinheiro emprestado hoje para construir uma fábrica, que ela espera gere lucro, que poderá ser usado no futuro para pagar o empréstimo e os juros. Minsky ressaltou que não apenas empresas

Veja também: Serviços financeiros 26-29 ▪ Crescimento e retração 78-79 ▪ Bolhas econômicas 98-99 ▪ Equilíbrio econômico 118-23 ▪ Engenharia financeira 262-65 ▪ Corrida aos bancos 316-21 ▪ Desequilíbrios na poupança mundial 322-25

fazem parte desse processo: os governos financiam a dívida pública, e os consumidores tomam empréstimos altos para comprar carros e casas. Estes também fazem parte do complexo mercado financeiro que permite as transações ao longo do tempo.

Comerciantes de dívidas

Minsky afirmou que existe uma segunda grande diferença entre a economia pré-capitalista e a moderna. Segundo ele, o sistema bancário não se limita a juntar credores e mutuários, mas também se esforça para inovar a forma de vender recursos e tomá-los emprestados. Entre exemplos recentes disso estão os instrumentos financeiros chamados obrigações de dívida garantida (CDOs), criadas na década de 1970. As CDOs reúnem diferentes ativos financeiros (empréstimos) – alguns de alto risco, outros de baixo risco. Esses novos ativos foram então divididos em partes menores para ser vendidos. Cada parte continha dívidas variadas. Em 1994, surgiram os *credit default swaps*, visando proteger estes ativos contra o risco de inadimplência. Ambas as inovações incentivaram a oferta de empréstimos no sistema financeiro, o que aumentou a oferta de liquidez, ou dinheiro vivo, no sistema. Minsky concluiu que essas inovações implicavam que não seria mais possível aos governos controlar o volume de dinheiro na economia. Se existisse demanda de empréstimos, os mercados financeiros encontrariam um modo de atender a ela.

O dinheiro é um véu por trás do qual se esconde a ação das forças econômicas reais.
Arthur Pigou

Segundo Minsky, após a Segunda Guerra Mundial as economias capitalistas já não eram dominadas por um grande governo ou grandes empresas. Ao contrário, estavam sujeitas à influência dos grandes mercados monetários. A influência dos mercados financeiros no comportamento das pessoas criou um sistema que continha as sementes da sua própria destruição. Ele declarou que, quanto mais longo o período de crescimento econômico estável, mais as pessoas acreditavam que a prosperidade continuaria. Como a confiança aumentava, o desejo de assumir riscos fazia o mesmo. Paradoxalmente, longos períodos de estabilidade resultavam numa economia com grande tendência para uma instabilidade fatal.

Minsky explicou o caminho da estabilidade para a instabilidade ao analisar três tipos de opções de investimento, que podem ser exemplificados com simplicidade pela maneira de comprar imóveis. A decisão mais segura é pedir »

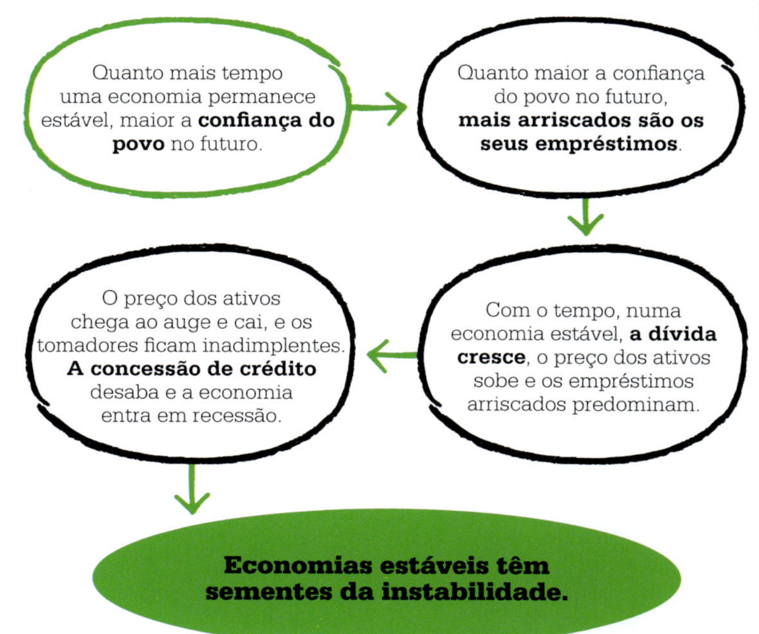

Em período de estabilidade, a confiança no futuro aumenta, o que leva as pessoas a fazer investimentos mais arriscados. Isso provoca uma bolha de preços de ativos que acaba estourando.

Nos primeiros anos de estabilidade, preços de ativos são razoáveis

Com o tempo, o preço dos ativos sobe

Mais adiante, os preços sobem demais e a confiança desaparece

Investimentos de baixo risco

Investimentos de baixo risco + alto risco

Investimentos de baixo risco + alto risco + imprudentes

emprestado um montante que a renda pessoal consiga restituir, junto com os juros, por determinado tempo. Minsky chamou isso de unidades de proteção, que criam risco baixo para o credor e o devedor. Se as pessoas se sentem mais confiantes no futuro, elas talvez façam um financiamento maior, só de juros – a renda paga apenas os juros do empréstimo, não o empréstimo em si. A esperança era de que um crescimento econômico estável aumentasse a procura, para que o valor da casa fosse maior no final do prazo do que no início. Minsky chamou esses indivíduos de mutuários especulativos.

Com o tempo, se a estabilidade e a confiança ainda existissem, o desejo de assumir riscos maiores incentivaria as pessoas a comprar uma casa com uma renda que nem pagaria os juros, de modo que o volume total da dívida aumentaria, ao menos no curto prazo. A expectativa seria de que o preço dos imóveis subisse suficientemente rápido para cobrir a falta de pagamento de juros. Esse terceiro tipo de investimento criaria a maior das instabilidades no futuro e, para Minsky, era feito por mutuários investidores Ponzi – em referência a Charles Ponzi, imigrante italiano nos EUA, um dos primeiros presos por executar o golpe financeiro que hoje leva seu nome. Os "esquemas Ponzi" captam recursos financeiros com a oferta de rendimentos muito elevados. De início, os criminosos usam o dinheiro de novos investidores para pagar os dividendos, mantendo a ilusão de que o investimento é rentável, e atraem novos clientes. No entanto, logo o esquema falha, por não pagar o elevado montante de rendimentos prometidos. Quem investe num esquema desses costuma perder grande parte do dinheiro.

Bolha imobiliária

A história recente do mercado imobiliário dos EUA é um exemplo de que uma economia que teve um longo período de estabilidade cria dentro de si condições para a instabilidade. Nos anos 1970 e 80, um financiamento garantido por hipoteca era oferecido de um modo que garantia o pagamento dos juros e do principal, o que Minsky chamou de unidades de proteção. No entanto, no final da década de 1990, um período constante de crescimento provocara aumento nos preços dos imóveis, convencendo um número crescente de pessoas a tomar financiamentos, pois se especulava que os preços ainda subiriam. Então o sistema financeiro passou a oferecer uma série de negócios com hipotecas tipo Ponzi a mutuários que tinham renda tão baixa que nem pagava os juros do empréstimo – eram as hipotecas "de alto risco" (*subprime*). A dívida mensal se somava à dívida total. Se os preços de imóveis continuassem a subir, o valor da propriedade seria maior que a dívida. Enquanto mais gente entrasse no mercado, os preços continuariam aumentando. Ao mesmo tempo, o setor financeiro que oferecia financiamentos fez um pacote com elas e vendeu-as a bancos como ativos que dariam renda contínua por 30 anos.

O fim do jogo foi em 2006. Como a economia dos EUA se estagnou, as rendas caíram, e a procura de novas

Corretor mostra imóvel a um casal. Na febre imobiliária nos EUA, os bancos emprestavam à espera de aumento dos preços. Pessoas sem condições de pagar hipotecas foram incentivadas a comprar.

Os traços peculiares da conduta de uma economia capitalista concentram-se no impacto das finanças sobre a conduta do sistema.
Hyman Minsky

moradias, também. Quando os aumentos nos imóveis começaram a desacelerar, desencadeou-se a primeira série de uma inadimplência crescente, pois os mutuários viram a dívida crescer, em vez de encolher. Aumentou o número de imóveis desapropriados, e os preços caíram.

Em 2007, a economia dos EUA chegou ao que ficou conhecido como "momento Minsky", o ponto em que a especulação insustentável se transforma em crise. O colapso do mercado imobiliário deixou os bancos com dívidas enormes, e, como ninguém sabia quem tinha comprado a dívida hipotecária tóxica, as instituições pararam de fazer empréstimos entre si. Em decorrência, bancos passaram a falir – o mais famoso foi o Lehmann Brothers, em 2008. Como Minsky previra, ocorreu um colapso quase catastrófico no sistema financeiro, porque um período de estabilidade havia gerado um volume enorme de dívidas, criando as condições para a instabilidade.

Minsky também previra as três atitudes possíveis para conter a fatal instabilidade e os problemas derivados dessas correções.

Primeiro, o banco central poderia agir como emprestador de última instância, socorrendo o sistema bancário. Minsky notou que isso poderia aumentar ainda mais a instabilidade no sistema no futuro, pois incentivaria os estabelecimentos bancários a assumir maiores riscos, sabendo que seriam salvos.

Segundo, o governo poderia aumentar a dívida pública para estimular a demanda na economia. No entanto, até os governos têm dificuldade de financiar dívidas numa crise. Terceiro, os mercados financeiros poderiam ficar sujeitos a regulamentação mais rígida. Minsky acreditava firmemente que isso fosse necessário no longo prazo. Porém, a velocidade com que os mercados financeiros se inovam dificultaria essa regulamentação.

Em 2009, o financista Bernard Madoff foi condenado pela maior fraude do esquema Ponzi da história. Pegou mais de US$ 18 bilhões de investidores por 40 anos até o esquema fracassar.

Segundo Minsky, a instabilidade financeira é crucial para explicar o capitalismo moderno. O dinheiro não é mais um véu que esconde o funcionamento real da economia; tornou-se a economia. Hoje as ideias de Minsky despertam uma atenção cada vez maior. ■

Hyman Minsky

Economista da esquerda política, Hyman Minsky nasceu em Chicago de imigrantes judeus russos que se conheceram em comício em homenagem a Karl Marx (p. 105). Estudou matemática na Universidade de Chicago antes de abraçar a economia. Minsky tinha esperança de um mundo melhor, mas era igualmente fascinado pelo mundo prático do comércio e trabalhou como conselheiro e diretor de um banco americano por 30 anos. Depois de servir o Exército dos EUA na Segunda Guerra Mundial, voltou e passou a maior parte da carreira lecionando economia na Universidade de Washington.

Pensador original e comunicador natural, Minsky fazia amigos com facilidade. Como acadêmico, tinha mais interesse nas ideias que no rigor matemático. O tema que permeia sua obra é o fluxo do dinheiro. Em parte por opção, ficou à margem do pensamento econômico dominante, mas, desde a sua morte e especialmente após a crise de 2007-08 que ele previra, suas ideias tornaram-se cada vez mais influentes. Casado, com dois filhos, ele morreu de câncer em 1996, aos 77 anos.

Obras-chave

1965 *Labor and the war against poverty*
1975 *John Maynard Keynes*
1986 *Estabilizando uma economia instável*

EMPRESAS PAGAM MAIS QUE O SALÁRIO DE MERCADO

INCENTIVOS E SALÁRIOS

EM CONTEXTO

FOCO
Mercados e empresas

PRINCIPAIS PENSADORES
Joseph Stiglitz (1943-)
Carl Shapiro (1955-)

ANTES
1914 Durante recessão, o fabricante de carros Henry Ford anuncia que duplicará o salário dos trabalhadores para US$5 por dia.

Anos 1920 O economista britânico Alfred Marshall dá ideia de salários de eficiência.

1938 The Fair Labour Standards Act institui salário mínimo nos EUA.

DEPOIS
1984 Carl Shapiro e Joseph Stiglitz dizem que salários de eficiência fazem trabalhador evitar corpo mole.

1986 Os economistas americanos George Akerlof e Janet Yellen falam de razões sociais para pagar salários de eficiência, como aumentar o moral.

Os economistas americanos Carl Shapiro e Joseph Stiglitz sustentam que as empresas pagam mais que o salário de mercado porque sempre existe um núcleo de desemprego. Explicam isso com a ideia de "salários de eficiência". Os empregadores pagam mais porque vale a pena – obtêm mais dos funcionários.

Isso deriva das "imperfeições" do mercado. Os empregadores não podem observar o esforço dos trabalhadores sem custo (problema chamado de "risco moral"). Por isso, Shapiro e Stiglitz dizem que os salários de eficiência acabam com o "corpo mole". Se os funcionários soubessem que teriam emprego assim que demitidos, seriam tentados a descuidar do serviço. Os salários mais altos e a ciência de que a demissão pode implicar um longo desemprego aumentam o custo da perda do trabalho e fazem os funcionários trabalhar melhor.

Operários fazem o carro Modelo T na revolucionária linha de produção de Henry Ford em 1913. Uma descoberta de Ford foi que os funcionários podiam ser seus melhores clientes.

Os patrões também não podem aferir sem custo a capacidade dos trabalhadores, e os salários de eficiência devem ajudar a atrair candidatos melhores. Entre outras explicações está o desejo do empregador de aumentar o moral e reduzir a rotatividade (quanto mais alto o salário, mais fácil manter o pessoal e evitar novo treinamento). Salários altos também mantêm a saúde do trabalhador para que faça um bom serviço. Isso é mais importante nos países em desenvolvimento. Os salários de eficiência explicam ainda por que as empresas não cortam salários quando cai a demanda: os funcionários se demitiriam. ■

Veja também: Oferta e procura 108-13 ▪ Depressões e desemprego 154-61 ▪ Informação e incentivos de mercado 208-09

SALÁRIOS REAIS AUMENTAM DURANTE A RECESSÃO

SALÁRIOS RÍGIDOS

EM CONTEXTO

FOCO
Macroeconomia

PRINCIPAL PENSADOR
John Taylor (1946-)

ANTES
1936 John Maynard Keynes afirma que intervenção do governo pode tirar economias da recessão.

1976 Thomas Sargent e Neil Wallace dizem que expectativas racionais tornam políticas macroeconômicas keynesianas inúteis.

DEPOIS
1985 Greg Mankiw afirma que "custos de menu" – o custo que a empresa tem ao fazer mudanças nos preços – pode causar rigidez de preços.

1990 O economista americano John Taylor apresenta a "regra de Taylor", mostrando que os bancos centrais devem aplicar políticas monetárias enérgicas para estabilizar a economia.

A economia keynesiana (pp. 154-61) supõe que os salários monetários tendem a não cair: eles são "rígidos" e reagem devagar às mudanças no estado do mercado. Quando vem uma recessão e os preços caem, o valor real dos salários aumenta. As empresas então procuram menos mão de obra, e o desemprego sobe.

Os economistas neokeynesianos, como o americano John Taylor, tentam explicar a rigidez. Nos anos 1970, a figura das expectativas racionais (pp. 244-47) solapou a economia keynesiana. Não poderia existir desemprego persistente, porque os salários cairiam e as políticas do governo para levantar a economia não funcionariam. O novo pensamento keynesiano mostrou que, mesmo com as expectativas racionais, o desemprego persistiria e a política governamental seria eficaz, porque a rigidez salarial não poderia coexistir com indivíduos racionais.

Taylor e o economista americano Greg Mankiw dizem que os preços podem ser rígidos devido aos chamados "custos de menu" – os custos das mudanças, como imprimir a nova lista de preços. A rigidez também pode ser causada por contratos trabalhistas, em que os salários são fixos por um tempo. O comportamento individual e a racionalidade não existiam nos primeiros modelos keynesianos. Os economistas neokeynesianos puseram suas conclusões sobre alicerces teóricos mais firmes. ■

Se você tiver que recorrer a apenas um economista para entender os problemas da economia, não há dúvida de que será John Maynard Keynes.
Greg Mankiw

Veja também: Depressões e desemprego 154-61 ▪ O multiplicador keynesiano 164-65 ▪ Expectativas racionais 244-47 ▪ Incentivos e salários 302

ACHAR EMPREGO É COMO ENCONTRAR PARCEIRO OU CASA

BUSCA E AJUSTE

EM CONTEXTO

FOCO
Tomada de decisão

PRINCIPAL PENSADOR
George Stigler (1911-91)

ANTES
1944 O político britânico William Beveridge diz que, se a taxa de desemprego é alta, o número de vagas de emprego é baixo.

DEPOIS
1971 O economista americano Peter Diamond mostra que conflitos custosos de busca fazem lei de "único salário" não funcionar na prática.

1971 O economista americano Dale Mortensen analisa aumento do desemprego de trabalhadores qualificados, mesmo quando existem vagas de emprego.

1994 O economista britânico Christopher Pissarides apresenta dados empíricos e modelos para a teoria da busca e do ajuste.

Em geral é fácil decidir onde comprar pão ou sabonete – há supermercados em todo canto. E encontrar um modelo específico de carro usado ou um instrumento musical antigo? De acordo com uma visão tradicional do mercado – em que oferta e procura sempre se equilibram –, vendedores e compradores se encontram de imediato, sem custo, e têm plena informação sobre o preço de todos os produtos e serviços. Porém, quem já tentou achar um carro usado, uma nova casa ou um parceiro sabe que é raro isso acontecer de verdade.

Conflitos de busca

Diz-se que os mercados têm "conflitos de procura" quando compradores e vendedores não se acham automaticamente. Os economistas elaboraram aos poucos a "teoria da busca", para investigar tais conflitos. Um dos principais focos dessa teoria é a procura de emprego e o desemprego.

O modelo clássico do mercado de trabalho supõe um plano de oferta de mão de obra (número de trabalhadores dispostos a trabalhar por certo salário) e um plano de procura de mão de obra (número de vagas oferecidas por certo salário).

As agências de namoro online são um mercado onde se é vendedor e comprador. Não se pode procurar eternamente, então se trabalha com mais eficiência procurando numa faixa.

Quando o salário de cada plano se ajusta, a oferta se iguala à procura, e o mercado se equilibra. Então, como podem existir trabalhadores à procura de trabalho e empregadores à procura de trabalhadores?

O economista americano George Stigler disse nos anos 1960 que o mercado de "único salário" usado pelos economistas clássicos só ocorreria quando a informação sobre salários ofertados ou procurados não custasse nada. Em todo mercado, em que os produtos (como empregos) são diferentes, a busca

Veja também: Economia de livre mercado 54-61 ▪ Depressões e desemprego 154-61 ▪ Expectativas racionais 244-47 ▪ Salários rígidos 303

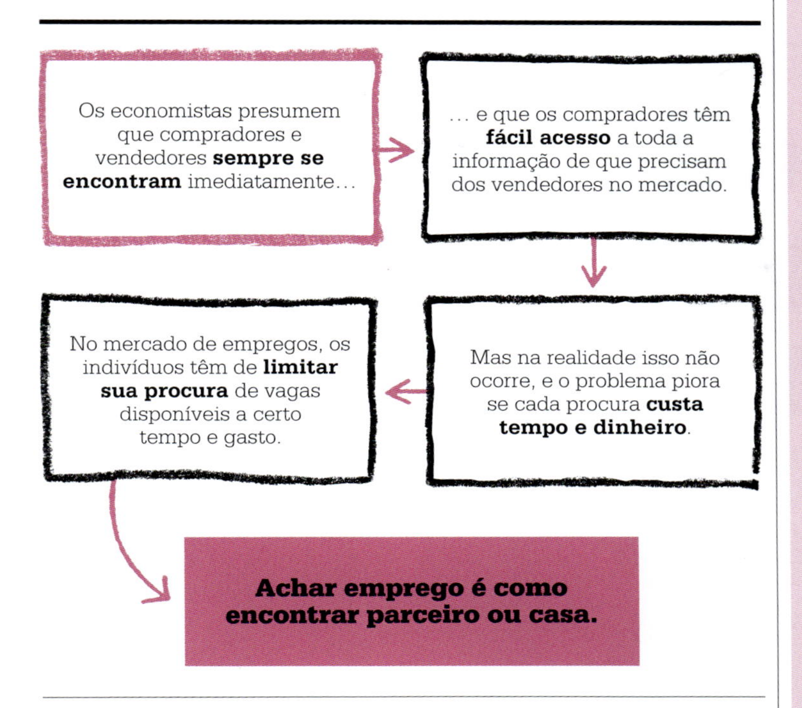

tem custos. Quanto maiores, maior a gama de salários por um serviço similar. Quem procura emprego nota que os salários diferem entre empregadores e tem de decidir a que distância e por quanto tempo procurá-lo. Stigler mostrou que, para fazer a procura ideal, os trabalhadores deveriam rejeitar qualquer salário inferior ao seu "salário de reserva" (o menor que aceitariam) e aceitar qualquer oferta maior. Esse modelo – traçar um nível aceitável – funciona na procura em qualquer mercado, mesmo o de agências de encontro.

Em 2010, os economistas Peter Diamond, Christopher Pissarides e Dale Mortensen receberam juntos o Prêmio Nobel por seu trabalho com a teoria da procura e do ajuste. Diamond descobriu que até um aumento ínfimo no custo da busca leva a aumento no preço dos produtos. Os compradores relutam em pagar a segunda ou a terceira busca, de modo que, se o aumento de preços é pequeno no local em que busca, os vendedores sabem que os compradores não notarão, porque não os comparam com o resultado das outras buscas.

A teoria da busca e do ajuste tem implicações no desenvolvimento eficiente do auxílio desemprego. Benefícios incondicionais reduziriam os incentivos ao desempregado para procurar e aceitar ofertas de emprego. Mas os que são concebidos de um modo que estimule a procura devem ajudar a melhorar a eficiência dos mercados de trabalho. ▪

Desemprego mundial

Se muita gente hoje tem emprego bem remunerado e gratificante, em certas partes do mundo o desemprego continua alto. Além disso, o mercado de trabalho está mudando, e os bons cargos estão sumindo, mesmo nos lugares ricos do mundo.

Em março de 2012, quase metade dos espanhóis e dos gregos com menos de 25 anos estava desempregada, e o desemprego na África do Sul beirava os 30%. Até nos EUA ele passou de 9,1%. Isso parece desmentir o argumento de que sempre há emprego para quem aceita salários mais baixos. O economista americano Michael Phelps diz que a globalização tem parte nisso, pois nos países mais ricos tende-se a criar empregos em setores "não transacionáveis", como governo e saúde, e os transacionáveis (como fabricação de telefones) foram para países como China e Filipinas, onde os salários são baixos em geral. A solução de problemas assim é hoje uma das maiores preocupações dos economistas.

Em 2011, milhares de espanhóis que se chamavam *los indignados* marcharam para Bruxelas a fim de protestar contra o índice de desemprego de 40%.

O MAIOR DESAFIO DA AÇÃO COLETIVA É A MUDANÇA DO CLIMA

ECONOMIA E MEIO AMBIENTE

EM CONTEXTO

FOCO
Política econômica

PRINCIPAIS PENSADORES
William Nordhaus (1941-)
Nicholas Stern (1946-)

ANTES
1896 Para o cientista sueco Svante Arrhenius, a duplicação do dióxido de carbono na atmosfera aumentará 5°-6°C na temperatura mundial.

1920 O economista britânico Arthur Pigou propõe cobrança de impostos sobre poluição.

1992 Assinada a Convenção sobre Mudança do Clima das Nações Unidas.

1997 O Protocolo de Kyoto é ratificado. Em 2011 mais de 190 países são signatários.

DEPOIS
2011 O Canadá retira-se do Protocolo de Kyoto.

Desde a Revolução Industrial, desenvolvimento econômico e prosperidade ocorreram por causa da tecnologia, sustentada principalmente por combustíveis fósseis como carvão, petróleo e gás. Porém, está cada vez mais claro que a prosperidade tem um custo: não só estamos esgotando rápido os recursos naturais, como também a queima de combustíveis fósseis polui a atmosfera. Um conjunto crescente de provas aponta como causa do aquecimento global as emissões de gases de efeito estufa, em particular o dióxido de carbono (CO_2), e hoje o consenso entre cientistas de todo o mundo é que sofreremos uma

Veja também: Fornecimento de bens e serviços públicos 46-47 ▪ Demografia e economia 68-69 ▪ Custos externos 137 ▪ Economia desenvolvimentista 188-93 ▪ A economia da felicidade 216-19

A Revolução Industrial, iniciada há cerca de 150 anos, levou à queima de um volume enorme de combustíveis fósseis. Essas emissões criaram o "efeito estufa" na atmosfera.

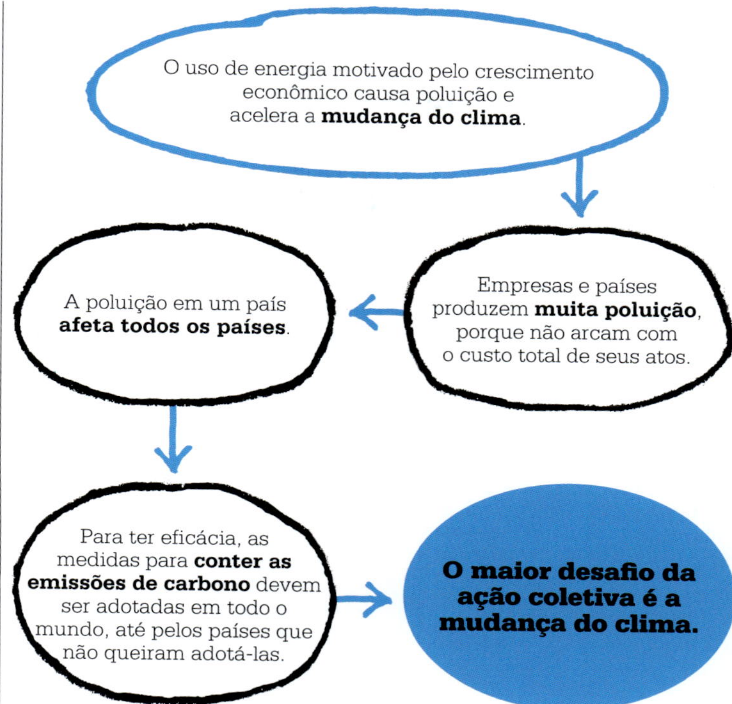

mudança climática devastadora se não cortarmos as emissões rápida e drasticamente.

As implicações são econômicas e ambientais, mas economistas e governos estão divididos quanto às medidas a tomar. Até recentemente, muitos argumentaram que os custos do combate às mudanças climáticas mais ameaçam a prosperidade econômica que criam benefícios eventuais. Alguns ainda contestam as evidências de que a mudança do clima deve-se ao homem, e outros dizem que o aquecimento da Terra até pode ser benéfico. Um número crescente admite hoje que se deve avaliar a questão e encontrar soluções econômicas.

Fatos econômicos

Em 1982, o economista americano William Nordhaus publicou *How fast should we graze the global commons?*, analisando em detalhe o impacto econômico da mudança climática e as possíveis soluções. Ele assinalou que certas características do problema do clima o tornam singular quanto às soluções econômicas: a longa escala do tempo, as incertezas, a internacionalidade da questão e a distribuição desigual de benefícios e custos pelo planeta.

O governo da Grã-Bretanha pediu em 2006 ao economista britânico Nicholas Stern um estudo sobre a economia da mudança climática. A Resenha de Stern teve conclusões claras, com argumentos sólidos em favor de ação imediata para reduzir as emissões de gases de efeito estufa. Stern estimou que o custo eventual da mudança do clima seria de até 20% do produto interno bruto (PIB, ou renda nacional total), em comparação com o custo de cerca de 1% do PIB caso se tomasse uma atitude imediata. Em 2009, Nordhaus estimou que, sem intervenção, os danos econômicos com a mudança climática seriam em torno de 2,5% da produção mundial por ano até 2099. Os maiores danos seriam suportados por regiões tropicais de baixa renda, como a África tropical e a Índia.

A questão não era mais se conseguiríamos cortar as emissões, mas se poderíamos nos dar ao luxo de não cortá-las e como fazê-lo. Existem fortes argumentos em favor da intervenção do governo: do ponto de vista econômico, a atmosfera »

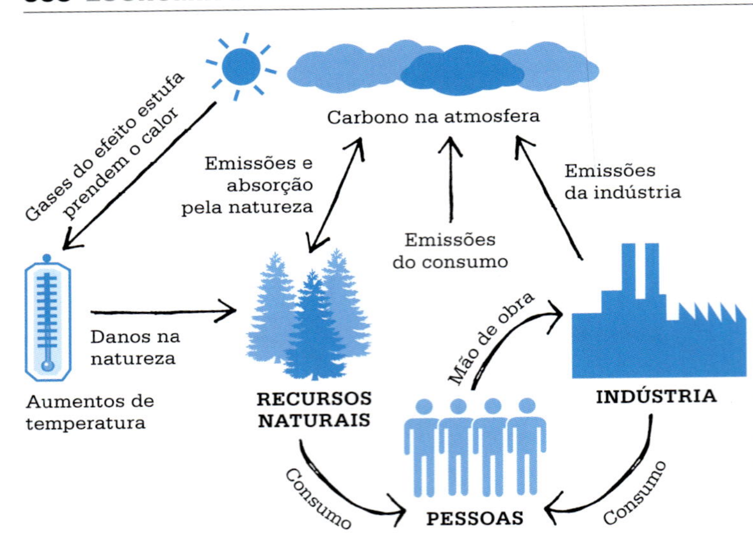

William Nordhaus inventou um programa de computador chamado Dice para mostrar a interação dos elementos da mudança climática e onde estão os custos ecológicos e financeiros. Esse sistema de modelagem financeira permite aos governos saber seus recursos, consumo e necessidades atuais e comparar custos e benefícios – para os países e a Terra – das opções existentes.

pode ser considerada um bem público (pp. 46-47) que tende a ser de baixa oferta pelos mercados; a poluição pode ser vista como externalidade (p. 137), em que os custos sociais de uma ação não se refletem nos preços e, portanto, não são inteiramente suportados por aqueles sujeitos a ela. Por esses motivos, Stern classificou a mudança do clima de maior falha de mercado jamais experimentada.

Nações desiguais

O primeiro obstáculo para economistas como Nordhaus e Stern foi convencer os governos a adotar medidas nocivas à economia no curto prazo, mas que atenuariam consequências mais danosas no longo prazo. O segundo foi encontrar o modo mais eficiente de instituir diretrizes sobre emissões. Nem todos os governos se convenceram facilmente. As economias mais desenvolvidas, que são maioria em áreas temperadas, provavelmente não sofrerão as piores consequências do aumento da temperatura mundial. As prováveis mudanças no clima atingirão os países pobres com maior intensidade. Isso significa que, em muitos casos, os países com maior incentivo para atenuar os efeitos da mudança climática são aqueles que geram menos poluição.

Os piores poluidores, como EUA, Europa e Austrália, têm relutado em aceitar que os governos imponham políticas caras. Mesmo que o fizessem, a poluição não se restringe aos seus territórios. O problema é mundial e exige ação coletiva de escala internacional.

A necessidade de ação coletiva foi reconhecida primeiro na "Cúpula da Terra" da ONU, em 1992, que exigiu de todos os seus membros que coibissem as emissões de gases de efeito estufa. Muitos governos elaboraram políticas ambientais e estratégias para implantá-las. Uma solução é a regulamentação na forma de punição, como multas por produção excessiva de poluentes, mas é difícil determinar cotas de emissão que sejam justas com todas as empresas envolvidas. E também é difícil aplicar as multas.

Outra opção, sugerida primeiro pelo economista britânico Arthur Pigou em 1920, é a imposição de impostos de poluição (p. 137). A cobrança de impostos de empresas que emitem gases de efeito estufa e de fornecedores e produtores de energia sobre o volume de carbono liberado na atmosfera funcionaria como um desincentivo da poluição. Impostos sobre combustíveis fósseis desencorajariam seu consumo excessivo. A ideia de Pigou é fazer os indivíduos arcar com todos os custos sociais de seus atos, para "internalizar" a externalidade.

Créditos de carbono

Pode-se entender a poluição como falha de mercado porque normalmente não há mercado para ela. Os economistas afirmam que, se

Os enfoques de preço, como harmonização tributária sobre o carbono, são instrumentos fortes para coordenar políticas e retardar o aquecimento global.
William Nordhaus

O furacão Katrina destruiu boa parte de Nova Orleans, EUA, em 2005. O custo dos danos, estimado em US$81 bilhões, fez o mundo perceber os efeitos econômicos da mudança do clima.

houvesse, o ótimo social seria o volume emitido, porque os poluidores arcariam com o custo total de seus atos. Assim, outra proposta de solução do problema do clima é criar um mercado para a poluição com créditos de emissões. Isso implica o governo (ou um grupo de governos trabalhando juntos) determinar um nível aceitável de emissões de CO_2, por exemplo, e depois leiloar as permissões a empresas cujos negócios necessitam lançar dióxido de carbono. Como as permissões são negociáveis, se a empresa precisa aumentar as suas, ela pode comprar créditos de outra que não tenha usado a sua cota. Esse plano tem a vantagem de premiar as empresas que cortam suas emissões e então vendem seu excedente. Isso pode desestimular as empresas de superar sua cota e ter de comprar créditos a mais. O volume total de emissões, todavia, continua o mesmo e é controlado por uma autoridade central.

Protocolo de Kyoto

Se os créditos de emissão são sem dúvida um passo na direção certa, o problema precisa ser enfrentado mundialmente para afastar o risco de mudança climática. Todavia, acordos internacionais, como o Protocolo de Kyoto, não obtiveram ratificação universal. Em 1997, 141 países participaram dos debates, mas em 2012 apenas 37 haviam concordado em aplicar suas metas de emissão de gases. Os EUA têm sempre rejeitado os termos do acordo, e o Canadá retirou-se em 2011. Mesmo os países que se comprometeram a conter as emissões não têm cumprido suas metas. Países desenvolvidos, como EUA e Austrália, afirmam que adotá-los prejudicaria sua economia. Economias em desenvolvimento, como China, Índia e Brasil, dizem que não devem pagar pela poluição causada pelo Ocidente (muito embora elas próprias venham se tornando grandes poluidoras). Por outro lado, países mais avançados ecologicamente, como Alemanha e Dinamarca, concordaram em reduzir suas metas em 20%.

Modelagem econômica

Os economistas criaram vários modelos para estudar o impacto econômico da mudança climática, como o modelo Dinâmico Integrado de Clima e Economia (Dice), de Nordhaus, apresentado pela primeira vez em 1992 (veja a página ao lado). Ele correlaciona emissões de CO_2, ciclos de carbono, mudança climática, danos climáticos e fatores que afetam o crescimento.

Hoje, a maioria dos economistas concorda que a mudança climática é um problema complexo com potencial de causar danos graves e persistentes. A solução não é óbvia, mas em 2007 Nordhaus disse crer que o segredo do sucesso está não em projetos grandes e ambiciosos, como o de Kyoto, mas em ideias "universais, previsíveis e incômodas", como a harmonização tributária do carbono. ■

Necessidades crescentes da Índia

A taxa de crescimento da Índia em 2012 era estimada em 7% a 8%. Os líderes empresariais do país sabem que, se esse crescimento continuar, haverá enorme falta de energia. Como o medo é que a falta seja compensada pelo uso de carvão e diesel, "sujos" e baratos, tenta-se aumentar a eficiência e ao mesmo tempo estimular o uso de energia renovável, usando as tecnologias solar, eólica e geotérmica.

Os economistas esperam que as energias renováveis, junto com a nuclear (tida como "limpa"), possam suprir as crescentes necessidades indianas. Contudo, até agora as formas renováveis de energia, como a solar, não são viáveis economicamente em larga escala. Isso significa que precisarão de um incentivo do governo de curto prazo para se expandir. Isso está previsto no ambicioso Plano de Ação Nacional da Mudança Climática da Índia, instituído em junho de 2008.

Painéis solares captam a luz do sol no Himalaia, norte da Índia. A energia solar pode ser fonte eficiente de energia renovável na Índia, onde a luz solar é intensa.

O PIB IGNORA AS MULHERES

GÊNERO E ECONOMIA

EM CONTEXTO

FOCO
Sociedade e economia

PRINCIPAL PENSADOR
Marilyn Waring (1952-)

ANTES
1932 O economista russo-americano Simon Kuznets produz a primeira contabilidade de toda a economia dos EUA.

1987 A economista Marianne Ferber publica *Women and work: paid and unpaid*, uma bibliografia das pesquisas anteriores sobre mulheres e economia.

DEPOIS
1990 Primeira divulgação do Índice de Desenvolvimento da ONU, que tenta justificar um conceito mais amplo de desenvolvimento que os índices nacionais de renda.

1996 Os economistas americanos Barnet Wagman e Nancy Folbre analisam contribuição do trabalho doméstico à renda nacional dos EUA.

O produto interno bruto (PIB) é o índice econômico mais citado. Ele faz uma quantificação sucinta da atividade econômica interna do país por um ano – e dá a impressão de relacionar diretamente fatores importantes, como renda familiar e taxa de emprego. Contudo, apesar de toda a sua relevância nos debates econômicos, o PIB sofre de problemas consideráveis.

Esses problemas e limitações concentram-se no modo de cálculo do PIB e no que ele inclui. Sua apuração depende da coleta de dados das transações econômicas. O princípio por trás dele é que tudo que se compre ou venda em um ano deve ser registrado pelo PIB. Os estatísticos do governo conduzem pesquisas aprofundadas para chegar a esse número. Todavia, tudo que se compra e vende numa nação não equivale a toda a atividade econômica realizada. Nem o número final capta inevitavelmente boa parte do que as pessoas valorizam num país. Por exemplo, um ambientalista diria que o PIB não leva em conta o esgotamento de recursos naturais. O desflorestamento é geralmente

O PIB visa **registrar o valor** das transações anuais na economia.

Isso representaria toda a **atividade econômica significativa**.

Mas **exclui a atividade paralela ao mercado**, como trabalho doméstico e assistência à criança, embora tenham valor.

Essas atividades são **realizadas principalmente pelas mulheres**.

O PIB ignora as mulheres.

Veja também: O cálculo da riqueza 36-37 ▪ Economia e tradição 166-67 ▪ A economia da felicidade 216-19 ▪ Capital social 280

Muitos trabalhos são realizados mais por mulheres, entre eles assistência a crianças. São vitais para a economia, mas não contam no PIB, pois não têm registro na economia remunerada.

adicionado ao PIB, presumindo que a madeira seja vendida. Porém, um recurso natural potencialmente insubstituível é consumido, e o PIB não indica nada disso. Do mesmo modo, se uma atividade econômica produz poluição, o PIB computa apenas os produtos vendidos e ignora efeitos indesejáveis, como perda de biodiversidade ou piora da saúde pública.

Trabalho feminino

Existem outros problemas com o cálculo final do PIB. Em seu influente livro de 1988, *If women counted*, Marilyn Waring, ex-parlamentar na Nova Zelândia, declarou que o PIB menospreza o trabalho realizado por mulheres. Elas são responsáveis por grande parte do trabalho nas residências de todo o mundo, bem como pela maior parte da criação de crianças e da assistência a idosos. Esse trabalho é sem dúvida necessário do ponto de vista econômico, pois, por exemplo, ajuda a garantir a reprodução da força de trabalho. Mas, na vasta maioria dos casos, tal trabalho não é remunerado e portanto não entra no cálculo do produto interno bruto.

Exclusão das mulheres

As diferenças de contabilidade no cálculo da produção econômica podem ser bastante arbitrárias, tratando trabalhos equivalentes em essência de modo muito diferente. A culinária é atividade "econômica ativa" quando a comida é vendida e "atividade econômica inativa" quando não. A única diferença aí é a presença ou a ausência de uma transação de mercado, embora a atividade seja idêntica. Uma exclui as mulheres, enquanto a outra, não.

Existe, então, um enorme preconceito de gênero implícito nas contas nacionais, e o verdadeiro valor econômico do trabalho das mulheres é subestimado sistematicamente nos métodos convencionais de contabilidade. Waring foi ainda mais longe e afirmou que o sistema-padrão internacional de cálculo da renda nacional – o Sistema de Contas Nacionais da ONU – é um exemplo de "patriarcado aplicado": em outras palavras, uma tentativa da economia masculina de excluir as mulheres de um modo que acaba reforçando as divisões de gênero em todo o mundo.

As críticas de Waring e aquelas de outras economistas feministas ajudaram a dar forma às discussões sobre o futuro da contabilidade da renda nacional. Os debates atuais sobre como levar em conta o bem-estar e o desenvolvimento de índices sociais mais amplos de progresso econômico indicam um desejo crescente de vencer as amarras e as limitações do PIB como índice de valor. ▪

Marilyn Waring

Uma das primeiras deputadas da Nova Zelândia, Marilyn Waring nasceu em 1952. Foi promovida por Robert Muldoon, primeiro-ministro pelo Partido Nacional, e se tornou presidente da Comissão de Gastos Públicos em 1978. Depois saiu do governo, ameaçando votar a favor de uma moção oposicionista para proibir energia e armas nucleares no país em 1984. Muldoon convocou eleições gerais, em que o Partido Nacional perdeu.

Depois do Parlamento, Marilyn Waring seguiu sua vocação para agricultura e economia. Em 2006, tornou-se professora de Política Pública na Universidade de Tecnologia de Auckland, onde continuou a pesquisar a mensuração de áreas excluídas pela economia convencional.

Obra-chave

1988 *If women counted: a new feminist economics*

Nós, mulheres, somos visíveis e valiosas para cada um e devemos, hoje que somos bilhões, proclamar essa visibilidade e esse valor.

Marilyn Waring

A VANTAGEM COMPARATIVA É ACIDENTAL

COMÉRCIO E GEOGRAFIA

EM CONTEXTO

FOCO
Economia mundial

PRINCIPAL PENSADOR
Paul Krugman (1953-)

ANTES
1817 David Ricardo diz que países têm vantagens comparativas por causa de fatores físicos.

Anos 1920 e 30 Eli Heckscher e Bertil Ohlin dizem que países abundantes em capital exportam bens de capital intensivo.

1953 Wassily Leontief descobre paradoxo empírico: os EUA, país abundante em capital, têm exportações relativamente intensivas em mão de obra, violando as teorias comerciais.

DEPOIS
1994 Gene Grossman e Elhanan Helpman analisam as diretrizes das políticas comerciais para saber o efeito do lobby no grau de proteção dado a empresas.

Os economistas costumam acreditar que as nações comerciavam entre si por serem diferentes: os países tropicais vendiam açúcar aos temperados, e estes exportavam lã. Alguns faziam melhor certas coisas – eles tinham uma "vantagem comparativa", por causa de seu clima e solo.

No entanto, há um bom motivo para acreditar que não seja só isso. Em 1895, Catherine Evans, de Dalton, na Geórgia, EUA, visitava uma amiga e notou uma colcha feita em casa. Inspirada, ela fez uma parecida e passou a ensinar às pessoas. Logo surgiram empresas têxteis, criando uma indústria de tapetes que dominou o mercado, contradizendo a explicação comum do comércio internacional, pois a Geórgia não tinha vantagem comparativa em tapetes.

As regiões que por uma razão histórica começam primeiro como centros de produção atraem cada vez mais produtores.
Paul Krugman

Capricho da história

Em 1979, o economista americano Paul Krugman propôs uma nova teoria, que aceitava a influência de acidentes na história, como uma indústria surgir ao acaso na Geórgia. Ele notou que existe muito comércio entre economias similares. A produção tem economias de escala: o primeiro investimento numa fábrica de carros faz os custos baixar, à medida que mais carros são feitos. Qualquer país pode fazer carros, mas, quando um começa, ele adquire uma vantagem de custo que o outro país dificilmente superará. Então, uma região pode dominar o comércio de um produto por um capricho da história. ■

Veja também: Protecionismo e comércio 34-35 ▪ Vantagem comparativa 80-85 ▪ Economias de escala 132 ▪ Integração de mercados 226-31

COMO O VAPOR, COMPUTADORES REVOLUCIONARAM A ECONOMIA

SALTOS TECNOLÓGICOS

EM CONTEXTO

FOCO
Crescimento e desenvolvimento

PRINCIPAL PENSADOR
Robert Solow (1924-)

ANTES
1934 Joseph Schumpeter salienta o papel vital da mudança tecnológica para o crescimento econômico.

1956 Robert Solow cria o modelo neoclássico de crescimento, do qual o avanço tecnológico participa, mas não é explicado.

1966 Para Jacob Schmookler, desenvolvimento tecnológico respondem a incentivos econômicos.

DEPOIS
2004 Nicholas Crafts mostra que tecnologias de uso geral demoram para se disseminar pelas economias.

2005 Richard Lipsey afirma que revoluções tecnológicas levaram à ascensão do Ocidente.

O crescimento econômico é movido por inovação e invenção. Certas inovações são incrementais, enquanto outras revolucionam. Uma furadeira melhor pode ser uma de muitas inovações pequenas que tornam as economias mais produtivas. A descoberta da eletricidade, porém, foi realmente revolucionária; ela transformou as economias nos últimos dois séculos, permitindo o uso de novos tipos de máquina. Há pouco tempo, os economistas começaram a pensar nesses saltos. Os americanos Timothy Bresnahan e Manuel Trajtenberg chamam a eletricidade de "tecnologia de uso geral". Uma furadeira melhor ajuda os construtores; a eletricidade torna todas as empresas mais produtivas. No entanto, os efeitos positivos desses avanços revolucionários podem demorar para ser sentidos.

Os computadores revolucionaram o trabalho de muita gente nos anos 1980. Mas essas mudanças cruciais podem demorar anos para se refletir em aumento de produtividade.

Exploração da tecnologia

No final dos anos 1980, o economista americano Robert Solow (p. 225) pensou ter descoberto um paradoxo: a proliferação da tecnologia da informação e comunicação (TIC) não parece ter influído na produtividade. Na Revolução Industrial, a difusão do motor a vapor foi bastante lenta: levou tempo para ele ser rentável e as empresas se organizarem para usá-lo. A TIC teve efeito mais rápido, mas demorou para se disseminar. A solução do paradoxo de Solow é que os benefícios totais das tecnologias de uso geral demoram a aparecer. ■

Veja também: O surgimento das economias modernas 178-79 ▪ Instituições na economia 206-07 ▪ Teorias do crescimento econômico 224-25

É POSSÍVEL IMPULSIONAR AS ECONOMIAS POBRES CANCELANDO A DÍVIDA

PERDÃO DA DÍVIDA EXTERNA

EM CONTEXTO

FOCO
Crescimento e desenvolvimento

PRINCIPAL PENSADOR
Jeffrey Sachs (1954-)

ANTES
1956 É criado o Clube de Paris, grupo de países credores, para facilitar o alívio da dívida entre nações.

DEPOIS
1996 O FMI e o Banco Mundial lançam a iniciativa Países Pobres Altamente Endividados (HIPC), para aliviar a dívida e dar início a políticas reformadoras nos países pobres.

2002 Seema Jayachandran e Michael Kremer dizem que países podem não ser responsáveis legalmente por dívidas "odiosas" contraídas por regimes corruptos.

2005 G8 concorda com perdão de US$ 40 bilhões pela Iniciativa Multilateral de Alívio da Dívida na cúpula de Gleneagles.

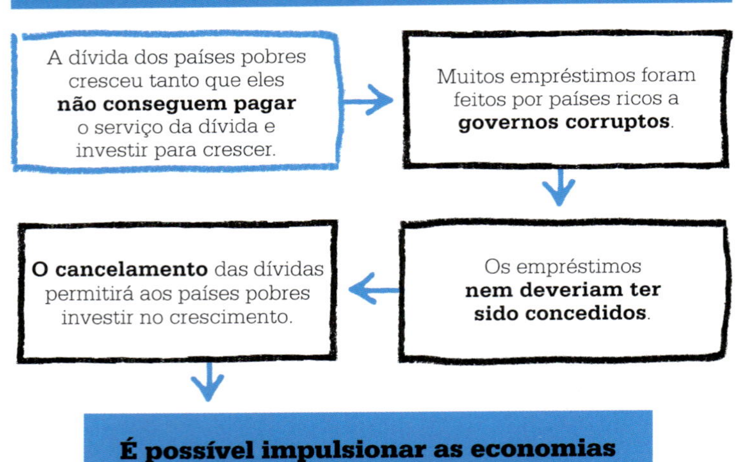

Nas últimas décadas do século XX, os países mais pobres do mundo detinham uma dívida assombrosa, que passou de US$ 25 bilhões em 1970 para US$ 523 bilhões em 2002.

Nos anos 1990, estava claro que existia uma crise da dívida. Nenhum país africano muito endividado tinha prosperado. Na verdade, a maioria estava em tal dificuldade econômica que não conseguia nem pagar o serviço da dívida sem um sofrimento intenso, quanto mais fazer os investimentos necessários para sair do círculo vicioso de declínio econômico. As campanhas pelo cancelamento da dívida se intensificaram.

Muitos ativistas assumiram uma postura moral, criticando o papel negligente ou egoísta dos países ricos e de instituições como o Banco Mundial e o Fundo Monetário Internacional (FMI), que haviam feito vários dos empréstimos. Os ativistas

Veja também: Comércio internacional e Bretton Woods 186-87 ▪ Economia desenvolvimentista 188-93 ▪ Teoria da dependência 242-43 ▪ Os Tigres Asiáticos 282-87 ▪ Especulação e desvalorização da moeda 288-93

Devemos deixar as crianças da África e da Ásia morrer de doença curável, impedi-las de ir à escola e limitar suas oportunidades de trabalho significativo, só para pagar empréstimos injustos e ilegítimos feitos por seus antepassados?

Desmond Tutu

Arcebispo sul-africano (1931-)

disseram que, como os países ricos deram os empréstimos ou para garantir apoio na Guerra Fria ou para assegurar contratos para suas empresas, tinham obrigação de suspender a dívida. O economista americano Michael Kremer adotou o argumento jurídico de que, já que muitas dívidas haviam sido contraídas por regimes corruptos para proveito próprio, elas poderiam ser consideradas "odiosas", o que significa que os países não precisam pagá-las. O Banco Mundial, por exemplo, continuou a emprestar ao ex-ditador Mobutu Sese Seko, do Zaire (hoje República Democrática do Congo), mesmo depois que um representante do FMI denunciou que ele roubava o dinheiro. Várias das dívidas da África do Sul foram feitas pelo regime do apartheid, tido por muitos como um governo ilegítimo.

Outros, como Jeffrey Sachs, usaram um argumento econômico. Sachs afirmou que cancelar a dívida e ampliar a ajuda poderia estimular o crescimento nos países pobres. Os argumentos foram tão contundentes que os membros do G8 (oito maiores economias do mundo) concordaram em cancelar US$40 bilhões de dívidas em 2005. Outro americano, William Easterly, diz que o perdão da dívida premia políticas econômicas ruins e a corrupção nos países devedores. Muitos criticam os programas de reforma de livre mercado que são uma condição para a ajuda, o que pode prejudicar as perspectivas econômicas dos países agraciados.

É interessante notar que a crise da dívida hoje passou do mundo menos desenvolvido para os outrora prósperos países da Europa. Aí, vêm sendo impostas medidas parecidas de austeridade de livre mercado, mas, o que é fundamental, as dívidas não têm sido canceladas. ■

Na África do Sul, dívidas altas foram feitas pelo regime do apartheid. Muitos afirmam que as dívidas dessa época deveriam ser canceladas, pois o governo não era legítimo.

Jeffrey Sachs

Um dos mais controversos economistas do mundo, Jeffrey Sachs nasceu em Detroit, EUA, em 1954. Atraiu olhares pela primeira vez em 1985, com um plano para ajudar a Bolívia a superar a hiperinflação, o qual se chamou "terapia de choque" e propunha que o país se abrisse a empresas estrangeiras. Isso implicou abrir o mercado boliviano, acabar com os subsídios do governo, eliminar as cotas de importação e atrelar a moeda do país ao dólar americano. A inflação realmente foi controlada, e Sachs passou a ser considerado um negociador econômico mundial. Ele estava por perto em 1990 para tirar a Polônia do comunismo com uma privatização arriscada e fez o mesmo na Rússia no início dos anos 1990. Na década de 2000, Sachs voltou a atenção para as questões de desenvolvimento mundial, dizendo que, com as intervenções corretas – inclusive ajuda e microcrédito –, a pobreza estaria erradicada em 20 anos.

Obra-chave

2005 ***O fim da pobreza***

O PESSIMISMO PODE DESTRUIR BANCOS SAUDÁVEIS

CORRIDA AOS BANCOS

EM CONTEXTO

FOCO
Bancos e finanças

PRINCIPAIS PENSADORES
Douglas Diamond (1953-)
Philip Dybvig (1955-)

ANTES
1930-33 Falência de um terço dos bancos nos EUA leva à criação da Empresa Federal de Garantia de Depósitos (FDIC).

1978 Historiador econômico Charles Kindleberger publica estudo relevante sobre corridas aos bancos, *Da euforia ao pânico – uma história das crises financeiras.*

DEPOIS
1987-89 No auge da crise de uma década da poupança e dos empréstimos, falências de bancos nos EUA sobem para 200 por ano.

2007-09 Treze países passam por crises bancárias sistêmicas.

Durante a Grande Depressão no início dos anos 1930, cerca de 9 mil bancos americanos faliram – um terço do total. Contudo, só nos anos 1980 a teoria econômica começou a lidar com questões básicas, como por que os bancos existem e o que causa uma corrida aos bancos – em que os depositantes entram em pânico e correm para retirar seu dinheiro de bancos que eles acham que podem falir. O artigo que iniciou o debate foi *Bank runs, deposit insurance, and liquidity*, escrito em 1983 pelos economistas americanos Douglas Diamond e Philip Dybvig. Eles mostraram que bancos saudáveis podem ser vítimas de uma corrida e falir.

Investimentos líquidos

Diamond e Dybvig fizeram um modelo matemático de uma economia para mostrar como ocorre a corrida aos bancos. O modelo tem três momentos no tempo – como segunda, terça e quarta-feira – e pressupõe que só exista um bem ou produto disponível para o público, que ele pode consumir ou investir.

Se algum banco falir, é provável que ocorra uma corrida aos outros bancos, o que, se não for acompanhado de uma circulação de grande quantidade de ouro, provocará um dano generalizado.

Henry Thornton
Economista britânico (1760-1815)

Cada pessoa começa com certa quantidade do bem. Segunda-feira, as pessoas podem fazer duas coisas com seu bem: guardá-lo, caso em que recebem a mesma quantidade na terça para consumir; ou podem investi-lo. Se escolherem isto, o que só pode ser feito na segunda, elas receberão muito mais na quarta. Todavia, se sacarem o investimento

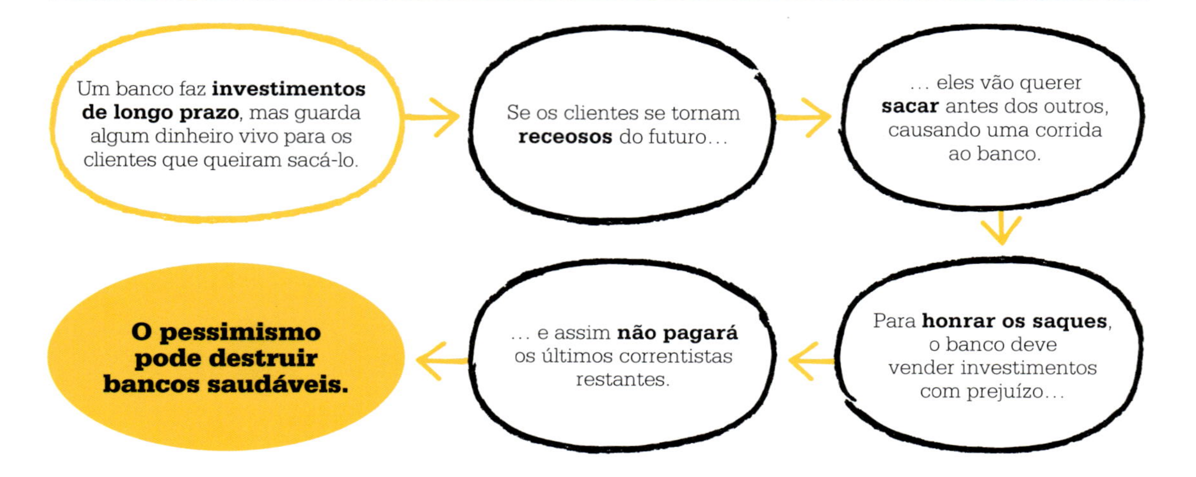

Veja também: Serviços financeiros 26-29 ▪ Instituições na economia 206-07 ▪ Informação e incentivos de mercado 208-09 ▪ Especulação e desvalorização da moeda 288-93 ▪ Crises financeiras 296-301

Os bancos só mantêm em caixa uma porcentagem relativamente pequena de seus depósitos. Se todos os depositantes do banco aparecerem para retirar seu dinheiro no mesmo dia, só os que estiverem na frente da fila o receberão.

antes, na terça-feira, elas receberão menos do que investiram. Esses investimentos, feitos por período fixo, são os chamados investimentos "sem liquidez" – que não se transformam facilmente em dinheiro vivo, como os ativos líquidos.

Paciente e impaciente

Diamond e Dybvig presumem que existam dois tipos de pessoas: as pacientes, que esperam até a quarta-feira, quando consomem mais, e as impacientes, que querem consumir na terça. Mas elas não sabem que tipo de pessoa elas são até a terça-feira. A decisão que as pessoas enfrentam na segunda é quanto guardar e quanto investir. A única incerteza nesse modelo é as pessoas serem pacientes ou impacientes. Os bancos devem ter uma boa noção das probabilidades: em geral, 30% das pessoas podem se mostrar impacientes e 70%, pacientes. Então é possível que as pessoas guardem e invistam quantias proporcionais a isso. Mas, o que quer que escolham, isto nunca será, afinal, um resultado eficiente, pois os impacientes talvez nunca invistam e os pacientes talvez nunca guardem nada. Um banco soluciona esse problema. Nesse modelo, achamos que o banco é o lugar em que as pessoas concordam em juntar seus bens e dividir os riscos. O banco dá às pessoas um contrato de depósito e depois investe e guarda os bens em grande quantidade.

O contrato de depósito dá um retorno mais alto do que a custódia e um rendimento mais baixo que um investimento e permite às pessoas retirar seus bens do banco ou na terça ou na quarta-feira, sem penalidade. Ao juntar os bens pessoais, o banco, sabendo da proporção de pessoas pacientes e impacientes, reserva bens suficientes para cobrir a necessidade dos impacientes e investe o bastante para atender aos pacientes. No modelo Diamond-Dybvig, essa é uma solução mais eficiente do que a que as pessoas encontrariam sozinhas, porque, dada a quantidade, o banco pode fazer isso de um modo que o indivíduo não pode.

Na terça, o banco tem ativos sem liquidez – o investimento das pessoas pacientes que colherão um rendimento na quarta-feira. Ao mesmo tempo, ele tem de pagar aos impacientes seus depósitos na hora. Sua capacidade de fazer isso é a razão de sua existência.

Diamond e Dybvig provaram que essa característica também torna o banco vulnerável a uma corrida bancária. »

Em nosso modelo, uma corrida aos bancos é causada por uma mudança nas expectativas, que podem depender de praticamente qualquer coisa.

Douglas Diamond e Philip Dybvig

Multidão em pânico é contida pela polícia diante de um banco alemão em 1914. A declaração de guerra causou pessimismo entre os poupadores, provocando corridas aos bancos.

A corrida ocorre quando as pessoas pacientes ficam pessimistas com o que receberão do banco na quarta e retiram seu depósito na terça-feira. Sua atitude implica o banco vender seus investimentos com prejuízo; ele não terá recursos para pagar todos os clientes pacientes e impacientes, e os que estiverem no fim da fila não receberão nada. Sabendo disso, os clientes ficam ansiosos por estar no começo da fila.

O pessimismo pode advir de preocupação com os investimentos, saques de outras pessoas ou a sobrevivência do banco. Isso cria a possibilidade de uma corrida ao banco autorrealizável, mesmo que o banco esteja sólido. Suponha, por exemplo, que na terça eu ache que outras pessoas vão sacar seu depósito e então decido fazer o mesmo, por temer que o banco vá à falência. Agora suponha que muitas outras pessoas achem o mesmo. Só isso já causa uma corrida ao banco, mesmo que o banco seja capaz de cumprir suas obrigações hoje e amanhã. Esse é um exemplo do que se chama em economia "equilíbrios múltiplos" – mais de um resultado. Aqui existem dois resultados: um "bom", em que o banco sobrevive, e um "ruim", em que ele afunda por causa da corrida. Onde isso acaba depende mais das crenças e das expectativas das pessoas que da verdadeira saúde do banco.

Prevenindo corrida aos bancos

Diamond e Dybvig mostraram como os governos podem reduzir o problema da corrida aos bancos. Em parte, o modelo deles defendia o sistema de garantia federal de depósitos dos EUA, pelo qual o Estado assegura o valor de todos os depósitos bancários até certa quantia. Instituído em 1933, esse sistema reduziu as falências de bancos. Em março de 1933, o presidente Franklin D. Roosevelt declarou feriado bancário nacional para evitar que o povo retirasse suas economias. Por opção, o banco central pode atuar como "emprestador de

Uma corrida aos bancos atual

Em setembro de 2007, ocorreu a primeira corrida grave a um banco britânico desde 1866. O Northern Rock, oitavo maior banco da Grã-Bretanha, era um influente financiador bancário. Para ampliar os negócios, ele passou a depender mais de financiamento "no atacado" – cedido por outras instituições – em vez de depósitos pessoais. Quando os mercados interfinanceiros congelaram em 9 de agosto de 2007, começou uma corrida desenfreada, gradual e inédita, e considerou-se planos de resgate. Às 20h30 de quinta-feira, 13 de setembro, o noticiário de TV da BBC relatou que o banco central britânico, o Banco da Inglaterra, anunciaria no dia seguinte um plano emergencial de apoio de liquidez. Soube-se depois que o diretor-geral do Banco da Inglaterra, Mervyn King, recusara o resgate proposto pelo Lloyds, outro banco britânico. Para King, o apoio do banco central acalmaria os correntistas. Porém, isso não aconteceu, e naquela noite se iniciou pela internet uma corrida aos depósitos. Segundo o sistema garantidor bancário britânico, os depósitos acima de £2.000 não tinham garantia total, e no dia seguinte longas filas se formaram nas agências do Northern Rock. A corrida terminou na noite de segunda-feira, depois de o governo anunciar a garantia a todos os depósitos.

Na tarde de 3 de março,
quase nenhum banco
do país estava aberto
para fazer negócios.
Franklin D. Roosevelt

última instância" dos bancos. Mas sempre existe incerteza quanto ao que o banco central fará. A garantia de depósito é ideal, por assegurar que as pessoas pacientes não façam parte de uma corrida bancária.

Opiniões alternativas

Existem outras explicações para a existência dos bancos, como o seu papel de investimento. O banco pode reunir e manter informação privada sobre investimentos, separando os bons dos ruins e expressando com eficiência essa informação privada nos rendimentos proporcionados aos poupadores. Ele pode oferecer aos depositantes um rendimento que só é possível se ele próprio realizar seu papel de monitoramento.

Em 1991, os economistas americanos Charles Calomiris e Charles Kahn publicaram um artigo discordando da opinião de Diamond e Dybvig. Disseram que as corridas são benéficas para os bancos. Não existindo a garantia de depósito, os clientes têm estímulo para ficar de olho no desempenho do banco. A ameaça de uma corrida também incentiva o banco a investir com segurança. Esse é um lado do chamado "risco moral" (pp. 208-09). O outro é que a direção do banco

Em 1933, o presidente americano Roosevelt assinou decreto garantindo os depósitos bancários. A corrida aos bancos diminuiu, mas alguns acham que tais garantias aumentam os riscos.

tomará decisões mais arriscadas do que não havendo garantia de depósitos. O problema de risco moral tornou-se claro na crise de poupança e empréstimo dos anos 1980 nos EUA, quando os financiadores imobiliários tiveram permissão para fazer empréstimos mais arriscados e a garantia de depósito foi ampliada. Cresceram as falências de bancos americanos.

Crises recentes

É difícil provar qual dessas visões sobre a corrida aos bancos está correta, pois na prática não existe explicação isolada. Há várias formas de risco moral num banco. O acionista do banco talvez encoraje um apetite de risco maior, porque ele só perde o seu investimento. Um funcionário do banco que ganhe bônus talvez assuma riscos, porque é só um emprego que está em jogo. Uma solução do risco moral que costuma ser proposta é implantar uma regulamentação mais rígida.

As recentes crise bancárias em geral começaram com perdas nos investimentos. Os bancos são forçados a vender ativos para reduzir os empréstimos que tomam. Isso acarreta mais queda nos preços dos ativos e mais perdas. Segue-se uma corrida aos depósitos, que pode se espalhar para outros bancos e virar pânico. Se todo o sistema bancário é afetado, chama-se crise bancária sistêmica. Na crise de 2007-08, as corridas ocorreram, apesar de existir a garantia de depósitos. Grande parte da crise recente aconteceu em instituições que não são tão regulamentadas como os bancos, por exemplo, os fundos de hedge, que faziam quase a mesma coisa que um banco: tomar emprestado no curto prazo e emprestar no longo prazo.

Muitos países fortaleceram sua garantia de depósitos durante a crise financeira que começou em 2007-08. É compreensível, pois as falências bancárias podem ter um efeito devastador na economia real, rompendo a ligação entre pessoas com poupança e pessoas que precisam de dinheiro para investir. O argumento do risco moral é como prevenção de incêndio, na medida em que se preocupa com a proteção da economia contra crises futuras. Todavia, o meio de uma crise talvez não seja o momento para tomar medidas preventivas. ■

Na história do capitalismo
moderno, as crises são a
norma, não a exceção.
Nouriel Roubini
e Stephen Mihm

A POUPANÇA FARTA NO EXTERIOR ALIMENTA A ESPECULAÇÃO NO PAÍS

DESEQUILÍBRIOS NA POUPANÇA MUNDIAL

EM CONTEXTO

FOCO
Economia mundial

PRINCIPAL PENSADOR
Ben Bernanke (1953-)

ANTES
2000 Os economistas americanos Maurice Obstfeld e Kenneth Rogoff preocupam-se com alto déficit comercial dos EUA.

2008 O historiador britânico Niall Ferguson descreve crise mundial decorrente de uso excessivo de crédito.

DEPOIS
2009 O economista americano John B. Taylor argumenta contra a existência de uma fartura de poupança.

2011 Os economistas Claudio Borio, da Itália, e Piti Disyatat, da Tailândia, dizem ser errado pensar que desequilíbrios mundiais na poupança provoquem crise financeira.

Em fevereiro de 2012, 111 milhões de americanos viam o Superbowl pela televisão. No intervalo passou um anúncio de carros Chrysler que também se tornaria tema de conversa. "É intervalo nos Estados Unidos também", dizia a publicidade. "As pessoas estão sem emprego e sofrendo... Detroit nos mostra que dá para sair desta. Este país não pode ser derrubado com um soco."

A insinuação patriótica petulante do anúncio – comprar da Chrysler para salvar o emprego dos americanos – casou com o sentimento de muitos americanos de que os EUA haviam deixado o poder econômico escapar para os

Veja também: Serviços financeiros 26-29 ▪ Bolhas econômicas 98-99 ▪ Integração de mercados 226-31 ▪ Engenharia financeira 262-65 ▪ Crises financeiras 296-301 ▪ Habitação e ciclo econômico 330-31

Desde o fechamento de fábricas como esta da Chrysler em Detroit, os EUA têm tido déficits comerciais – ou seja, importam mais do que exportam.

Se um país **importa mais** do que exporta (déficit comercial), outro país pode estar exportando mais que importando (superávit).

O país deficitário deve financiar esse desequilíbrio, enquanto o superavitário pode formar uma **fartura de poupança**.

A poupança do país superavitário é **emprestada ao país deficitário**, o que pode estimular a especulação financeira.

A poupança farta no exterior alimenta a especulação no país.

estrangeiros, sobretudo os chineses. Foi esse tipo de sentimento que tornou tão sedutoras as explicações da crise financeira de 2008 dadas por Ben Bernanke, presidente do Federal Reserve, banco central dos EUA. Ele elaborou tal raciocínio a partir de 2005, antes de a crise se instalar de verdade, e sua tese centrava-se nos desequilíbrios mundiais na poupança e nos gastos.

É crucial na ideia de Bernanke o balanço de pagamentos (BP) dos EUA. O BP de um país é a conta das transações monetárias entre ele e o resto do mundo. Se importa mais do que exporta, sua balança comercial é deficitária, mas a contabilidade precisa se equilibrar. O déficit é compensado de outro modo, por exemplo, por fundos de investimento estrangeiros ou usando as reservas do banco central.

Bernanke assinalou que o déficit dos EUA subiu bruscamente no fim dos anos 1990, atingindo US$640 bilhões, ou 5,5% do PIB, em 2004. O investimento foi constante na época, mas a poupança interna caiu de 16,5% do PIB para 14% de 1996 a 2004. Se a poupança doméstica caiu, embora o investimento estivesse estável, o déficit só pode ter sido financiado por dinheiro estrangeiro.

A fartura da poupança

Bernanke disse que o déficit era pago pela "fartura da poupança mundial" – um acúmulo de poupança em países que não os EUA. Por exemplo, os chineses, que têm enorme superávit comercial com os EUA, nem estavam investindo todos os seus ganhos no país nem comprando coisas, mas enfurnando-os na poupança e em reservas de moeda. Bernanke destaca vários motivos para a fartura de poupança mundial além da frugalidade chinesa, entre eles o aumento do preço do petróleo e a formação de "fundos de guerra" para se resguardar de choques financeiros futuros.

À primeira vista, é prudente poupar, uma salvaguarda para o » futuro. Contudo, a poupança no mundo capitalista internacional é uma moeda de duas faces. Qualquer dinheiro que vá para a poupança é dinheiro perdido no investimento direto ou no gasto de consumo, mas ela não some simplesmente. O argumento de Bernanke é que o dinheiro da fartura de poupança em outros países acabava inundando os mercados de capital nos EUA.

Abundância de dinheiro

Essa dinheirama reduziu as taxas de juro e o incentivo dos americanos e europeus para poupar. Com os mercados credores aparentemente inundados com dinheiro fácil, os emprestadores fizeram o impossível para fechar negócios. Para atender à demanda de escoadouros para o dinheiro estrangeiro, a engenharia financeira dos EUA saiu-se com produtos como as obrigações de dívida garantida (CDOs), que aliavam hipotecas de alto risco a dívidas de baixo risco, para obter obrigações de classificação de crédito AAA, ou seja, um conceito de risco muito baixo.

Ao mesmo tempo, os preços de imóveis dispararam em duas dúzias de países, pois mesmo quem tinha renda baixa conseguia pôr um pé na varanda da casa própria. Algumas das hipotecas que financiariam essa alta – chamadas *subprime* (de alto risco) nos EUA – foram concedidas a pessoas que não poderiam pagá-las.

Em prazo mais longo, os países industrializados em grupo deverão ter superávit na balança corrente e estar emprestando [...] ao mundo em desenvolvimento, e não contrário.

Ben Bernanke

Nos anos 1990, foi inventado um novo instrumento financeiro, a obrigação de dívida garantida (CDO). Hipotecas de alto risco foram juntadas a títulos de baixo risco para criar a ilusão de dívida de baixo risco. Essas obrigações de dívida foram cruciais na falência do sistema de crédito em 2007-08.

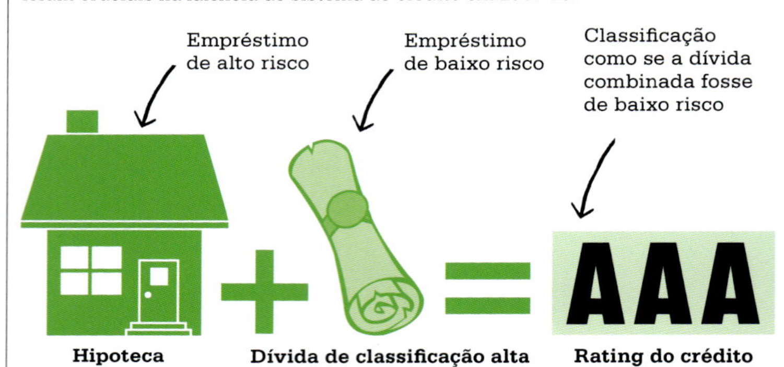

A crise

Em 2008, uma série de insolvências de hipotecas de alto risco denunciou o fato de que várias instituições financeiras haviam investido muitas vezes mais que o valor de seu capital. O banco de investimentos Lehman Brothers faliu em 2008, e diversas outras instituições financeiras pareciam correr tamanho perigo de entrar em colapso que tiveram de ser socorridas por pacotes do governo na maioria dos países ricos.

Pareceu que a ideia simples da mensagem de Bernanke era de que a crise financeira se devia totalmente à poupança chinesa e aos gastos excessivos dos americanos. Essa também foi a mensagem da *Ascensão do dinheiro* (2008), de Niall Ferguson, que analisa a crise de crédito e se centra na malfadada "Chimérica" – a ligação simbiótica (ou, para alguns, parasítica) entre China e EUA. A ideia atraiu muita gente dos círculos financeiros americanos, pois parecia insinuar que os moderados chineses eram culpados da crise.

Bernanke foi categórico: o dinheiro chinês avivou o incêndio americano, embora alegue que só uma pequena parte foi para ativos de alto risco. Em 2011, disse ele, "os superávits de conta corrente da China foram usados quase todos para adquirir ativos nos EUA, mais de 80% deles em títulos do tesouro e de agências muito seguros".

A fartura efêmera

Muitos economistas contestaram a hipótese de Bernanke. No blog financeiro *Naked Capitalism* (Capitalismo Nu), Yves Smith disse que a fartura da poupança mundial é mito, observando que a poupança internacional permaneceu bastante estável desde meados dos anos 1980. O economista americano John B. Taylor declara que, embora houvesse um aumento na poupança fora dos EUA, sua queda no país indicava que não havia hiato entre poupança e investimento, e portanto era falsa a ideia de uma inundação mundial de dinheiro barato.

Não acho que a propriedade chinesa de ativos americanos seja tão grande a ponto de pôr em risco a economia do nosso país.
Ben Bernanke

Outros economistas assinalam que os déficits em conta corrente dos EUA e de outros países somavam bem menos de 2% do fluxo de dinheiro e só poderiam ter um efeito ínfimo. Também ficou difícil sustentar a hipótese da fartura da poupança ao aplicá-la à Europa. A Alemanha, por exemplo, nos anos anteriores à crise de 2008, era rica em poupança. A teoria da fartura da poupança levava a concluir que os poupadores alemães teriam feito acordos financeiros especulativos na Irlanda e na Espanha, e não posto o dinheiro em instituições da Alemanha, o que pareceu muito improvável.

Uma "fartura bancária"?

Hyun Song Shin, professor de economia da Universidade de Princeton, disse que as inundações de capital especulativo em busca de títulos hipotecários vieram não de uma fartura de poupança, mas de um sistema bancário "sombra" – a complexa variedade de entidades financeiras que ficam fora do sistema bancário normal, inclusive fundos de hedge, money market e veículos estruturados de investimento. Os bancos sombras europeus e americanos estavam ávidos por encontrar esses títulos e os acharam na Irlanda e na Espanha, bem como nos EUA.

Os mercados de que participam esses bancos paralelos são dominados por derivativos, que são "instrumentos financeiros" – aposta em cima de aposta sobre qual direção os mercados tomarão, embasadas por fórmulas matemáticas sofisticadas. A acusação aqui é que os negócios com derivativos podem estimular o risco excessivo. Cria ainda um mercado em que as instituições financeiras têm lucros vultosos apostando em insolvências, como a dos títulos garantidos por hipotecas.

As reservas extras de uma fartura de poupança talvez sejam irrelevantes nesse cassino virtual. Aliás, aparentemente o problema foi que os bancos negociavam sem reserva de dinheiro suficiente. Bernanke salienta que, enquanto compradores chineses e do Oriente Médio investiam em títulos americanos com fundos de superávits comerciais e exportação de petróleo, os bancos europeus tiveram de pedir dinheiro emprestado para investir, ficando expostos quando a crise chegou.

Os economistas divergem sobre os desequilíbrios comerciais por trás da fartura de poupança. Alguns dizem que o déficit comercial dos EUA é sustentável e que sempre seria facilmente financiado pela poupança estrangeira. Outros preocupam-se com o pouso forçado da economia americana caso os fluxos de capital parem. Boa parte disso virou uma discussão política entre os EUA e a China, já que políticos americanos têm acusado os chineses de manter sua moeda deslealmente baixa, a fim de bancar seu superávit comercial. ■

Ben Bernanke

Ben Shalom Bernanke nasceu e foi criado na Carolina do Sul, EUA. No início dos anos 1970, entrou na Universidade Harvard e depois no Instituto de Tecnologia de Massachusetts, onde se doutorou em economia sob a coordenação de Stanley Fischer, futuro presidente do Banco de Israel.

Bernanke entrou para o Federal Reserve em 2002. Em 2004, propôs a ideia da "grande moderação", para a qual as políticas monetárias modernas praticamente haviam eliminado a volatilidade do ciclo econômico. Em 2006, Bernanke tornou-se presidente do Federal Reserve. Sua gestão não foi tranquila, e ele tem sido criticado por não prever a crise financeira e por socorrer as entidades financeiras de Wall Street.

Obras-chave

2002 *Deflation: making sure it doesn't happen here*
2005 *The global saving glut and the US current*
2007 *Global imbalances*

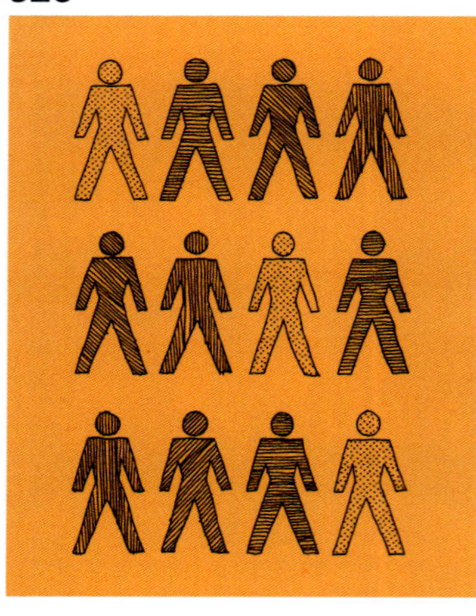

SOCIEDADES MAIS IGUALITÁRIAS CRESCEM MAIS RÁPIDO

DESIGUALDADE E CRESCIMENTO

EM CONTEXTO

FOCO
Crescimento e desenvolvimento

PRINCIPAIS PENSADORES
Alberto Alesina (1957-)
Dani Rodrik (1957-)

ANTES
1955 O economista americano Simon Kuznets publica *Economic growth and income inequality*, que conclui que a desigualdade é efeito colateral do crescimento.

1989 Os economistas americanos Kevin Murphy, Andrei Shleifer e Robert Vishny declaram que distribuição de renda afeta a procura.

DEPOIS
1996 O italiano Roberto Perrotti afirma que não há relação entre impostos mais baixos e maior crescimento.

2007 O economista espanhol Xavier Sala-i-Martin diz que economias em crescimento reduziram desigualdade.

A riqueza é dividida **desigualmente** na sociedade.

Quem não tem capital acumulado se torna **insatisfeito**...

... e exige do governo **políticas mais distributivas**.

Mas a redistribuição de renda é paga com **impostos mais altos** sobre o capital acumulado...

... e impostos mais altos **reduzem o crescimento econômico**.

Sociedades mais igualitárias crescem mais rápido.

Na maior parte do século XX, os economistas se perguntaram como o crescimento econômico afeta a renda das pessoas. O crescimento aumenta ou diminui a desigualdade de renda? Em 1994, o economista italiano Alberto Alesina e o economista turco Dani Rodrik viraram a pergunta do avesso: como a distribuição de renda afeta o crescimento econômico?

Alesina e Rodrik examinaram dois fatores em seu modelo: mão de obra e capital (riqueza acumulada). Para eles, o crescimento econômico é movido pelo crescimento do total de capital, mas os serviços do governo são financiados por imposto sobre o capital. Isso significa que, quanto mais altos os impostos sobre o capital acumulado, menor incentivo haverá para acumular capital, e menor será o índice de crescimento da economia.

Aqueles cuja renda provém sobretudo de capital acumulado preferem uma alíquota de imposto mais baixa. Por outro lado, a pessoa que não acumulou riqueza e cuja renda vem toda de seu trabalho tende a preferir uma alíquota de imposto maior, que lhe propiciará serviços públicos e melhor

Veja também: A carga tributária 64-65 ▪ O surgimento das economias modernas 178-79 ▪ Teoria da escolha social 214-15 ▪ Teorias do crescimento econômico 224-25 ▪ Tributação e incentivos econômicos 270-71

Quanto maior a desigualdade da riqueza e da renda, maior a taxa de tributação e menor o crescimento.
Alberto Alesina e Dani Rodrik

distribuição da riqueza acumulada. As alíquotas são fixadas pelos governos, em reação a preocupações do povo. Mesmo uma ditadura não pode ignorar o desejo do povo, por temer ser derrubada. Por isso se fixa a alíquota com o objetivo de agradar ao máximo possível de pessoas – ou seja, a alíquota preferida pelo eleitor médio (aquele bem no meio do espectro de opiniões dos eleitores). Segundo a lógica de Alesina e Rodrik, se a distribuição de capital e da riqueza acumulada é feita por igual na sociedade, o eleitor médio será relativamente rico de capital e portanto exigirá uma alíquota modesta, que não impedirá o crescimento. Se, porém, existem desigualdades de riqueza maiores, com muito do capital acumulado concentrado numa pequena elite, a maioria é pobre e exigirá uma alíquota mais alta, que sufocaria o crescimento. Alesina e Rodrik afirmam que, quanto maior a igualdade econômica em qualquer sociedade, maior a taxa de crescimento da economia.

Crescimento e igualdade

A explicação de Alesina e Rodrik não é tudo. Algumas pessoas acham que os dois economistas não identificaram direito causa e efeito. O economista espanhol Xavier Sala-i-Martin (1962-), por exemplo, diz que o crescimento econômico alimentou uma taxa reduzida de desigualdade de renda no mundo. O Banco Mundial declarara que a redução da pobreza no planeta – que pode ajudar a reduzir a desigualdade – deve-se mais ao crescimento econômico. Por outro lado, os países que se desenvolvem mais devagar, como muitos da África, sofreram décadas com pequeno ou nenhum avanço. Isso prejudicou os padrões de vida e impediu a redução da pobreza. Os mais pobres ficam para trás, e a desigualdade persiste. ■

Países nórdicos, como a Suécia, parecem contradizer Alesina e Rodrik. Eles misturam imposto alto com padrão de vida alto e o menor hiato de desigualdade do mundo.

Alberto Alesina

Alberto Alesina nasceu em 1957 na cidade de Broni, norte da Itália. Estudou economia e sociedade na Universidade Boccini, de Milão, e graduou-se com distinção em 1981. Fez mestrado e doutorado no departamento de economia de Harvard, EUA. Terminados os estudos em 1986, ele se tornou professor titular de Harvard em 1993 e foi diretor do departamento de economia de 2003 a 2006.

Alesina publicou cinco livros. Sua obra abarca política e economia e se concentra em especial nos sistemas econômicos e políticos dos EUA e da Europa. Conquistou enorme reconhecimento por ter despertado a atenção para a influência da política nas questões econômicas.

Obras-chave

1994 *Distributive politics and economic growth* (com Dani Rodrik)
2003 *The size of nations* (com Enrico Spolaore)
2004 *Fighting poverty in the US an Europe* (com Edward Glaeser)

ATÉ REFORMAS ECONÔMICAS BENÉFICAS FALHAM

RESISTÊNCIA A MUDANÇAS

EM CONTEXTO

FOCO
Política econômica

PRINCIPAIS PENSADORES
Dani Rodrik (1957-)
Daron Acemoğlu (1967-)

ANTES
1989 O economista britânico John Williamson usa o termo "consenso de Washington" pela primeira vez (veja o quadro na página seguinte).

2000 O economista sul-africano Nicolas van de Walle documenta o fracasso do "ajuste estrutural" fomentado pelo FMI na África.

DEPOIS
2009 Os economistas americanos Douglass North, John Wallis e Barry Weingast propõem novo enfoque de reforma com base nas reações das sociedades ao problema da violência.

2011 Pacotes de reforma na Europa em seguida à crise financeira de 2008 sofrem contestação.

Uma reforma serve para dar impulso à economia e beneficiar toda a população pela transformação das instituições. Pode-se achar que as reformas benéficas para a economia são bem recebidas e executadas. Porém, às vezes existe uma boa resistência à reforma, mesmo daqueles que se beneficiariam dela no final. A fim de "consertar" uma economia e fazê-la voltar a crescer, é necessário remover as ineficiências dentro do sistema econômico, o que pode ser difícil se o país é dirigido em benefício próprio por uma classe política irresponsável, como ocorre no mundo em desenvolvimento.

Reforma e influência

Os economistas turcos Dani Rodrik e Daron Acemoğlu destacaram que, quando grupos poderosos

São propostas reformas que poderão **beneficiar a economia**.

Elites poderosas podem resistir a essas mudanças...

... porque desejam manter seu **controle dos recursos**.

Elas **distorcem as reformas**, que não dão certo ou chegam ao oposto das metas visadas.

Até reformas econômicas benéficas falham.

Veja também: Economia de livre mercado 54-61 ▪ Instituições na economia 206-07 ▪ A teoria segundo ótimo 220-21 ▪ Teorias do crescimento econômico 224-25 ▪ Bancos centrais independentes 276-77 ▪ Os Tigres Asiáticos 282-87

As políticas que funcionam se tornam populares, mas o espaço de tempo pode ser grande demais para que a relação não seja explorável pelos [...] reformadores.
Dani Rodrik

entendem que seus privilégios desaparecerão por causa de uma reforma econômica, eles podem usar sua influência para adotar políticas econômicas que redistribuam renda ou poder para si mesmos. Podem também distorcer as políticas, de modo que as medidas não sejam implantadas com eficiência. Acemoğlu disse que isso quase sempre ocorre quando as elites políticas são muito irresponsáveis, de modo que suas ações são pouco verificadas e avaliadas. As reformas costumam ter esses traços, porque tendem a não tratar dessas restrições políticas. Todavia, em países com dirigentes muito responsáveis, os benefícios das reformas já devem ter sido colhidos. Por esses motivos, as reformas são mais eficazes em "países intermediários", onde é provável que tenham resultados positivos significativos, e, ao mesmo tempo, a elite política não tenha poder suficiente para desbaratá-las.

Ganhadores e perdedores

Contudo, também existem problemas ao implantar uma reforma nas sociedades intermediárias. Quando se propõe a reforma econômica, quase sempre está claro quem serão os seus ganhadores e os perdedores. Isso desestimula as pessoas a aceitar as medidas, mesmo que no fim haja mais ganhadores que perdedores. Pode existir a tendência de manter o *statu quo*; as pessoas gostam de proteger o que já têm e de reduzir o risco de perdê-lo.

Sani Abacha tomou o poder na Nigéria em 1994. Sua ditadura corrupta estava acima dos tribunais, o que permitiu que sua família se apropriasse de US$5 bilhões de dinheiro público.

Se uma reforma econômica benéfica é proposta, mas engavetada por falta de apoio popular, os políticos e os economistas podem voltar a propô-la no futuro, acreditando que ela fará bem à economia e à sociedade. No entanto, sem informação nova de apoio, a sociedade pode voltar a rejeitá-la. Por outro lado, se uma reforma benéfica é implantada sem apoio popular e gera mais ganhadores que perdedores, acaba conquistando a simpatia do povo e não é rejeitada.

A maioria das tentativas de reforma centra-se em medidas concebidas para mudar instituições "formais", como tribunais e sistemas eleitorais. Seu sucesso depende de as instituições "informais" subjacentes e a política circundante a apoiarem. Sem isso, reformas de leis e constituições não costumam mudar muita coisa. ■

O consenso de Washington

O termo consenso de Washington foi cunhado em 1989 pelo economista britânico John Williamson, em referência ao pacote de reformas de livre mercado prescrito aos países em desenvolvimento na crise dos anos 1980.

Essas diretrizes pretendiam levar as economias estatais da América Latina e da Europa Oriental pós-socialista ao livre mercado privado. Elas se centraram na privatização de empresas estatais, liberalização do comércio nacional e internacional, adoção de taxas de câmbio competitivas e políticas fiscais equilibradas.

O consenso de Washington caiu em descrédito nos anos 1990. As reformas foram acusadas de terem sido implantadas com pouca percepção das diferentes restrições políticas evidentes num grupo tão diverso de países. Na África, em particular, mercados dinâmicos tiraram os mais pobres da pobreza.

O MERCADO DE IMÓVEIS REFLETE A ALTA E A BAIXA

HABITAÇÃO E CICLO ECONÔMICO

EM CONTEXTO

FOCO
Macroeconomia

PRINCIPAL PENSADOR
Charles Goodheart (1936-)

ANTES
1965 O economista americano Sherman Maisel é o primeiro a investigar os efeitos do investimento habitacional na economia.

2003 Os economistas americanos Morris Davis e Jonathan Heathcote concluem que preços de imóveis estão relacionados com estado geral da economia.

DEPOIS
2007 O economista americano Edward Leamer diz que tendência para construção de moradias é aviso de recessão.

2010 As financeiras Fannie Mae e Freddie Mac são tiradas da Bolsa de Valores de Nova York depois de baixarem os padrões de emissões durante a crise das subprimes.

Os movimentos do mercado imobiliário são um espelho dos ciclos de alta e baixa da economia como um todo – períodos em que a produção real da economia atinge o nível mais alto e mais baixo do ciclo econômico, que se desloca por períodos de contração e expansão, em geral a intervalos de três a sete anos.

Há várias razões para o investimento habitacional ser alto nos períodos de crescimento econômico. Existem mais empregos, e uma economia em alta leva muita gente a pensar em ter uma casa própria. Ao mesmo tempo, os credores começam a relaxar as exigências para o empréstimo, facilitando a compra, e mais moradias são vendidas. Quando isso acontece, a procura em alta faz subir os preços das moradias. Os que vendem são capazes de liquidar grandes hipotecas. Os construtores continuam investindo em maiores estoques de moradias para lucrar com os altos preços.

Os preços de imóveis em geral são resistentes, ou seja, não mudam rápido em razão de fatores que poderiam influenciá-los. Esse é um dos motivos por que os imóveis são tidos como investimento tão bom, e, em vez de os preços se ajustarem para baixo, eles ficam estáveis, mesmo que o volume de vendas caia.

Novo empreendimento espalha-se em 2004 por terras agrícolas no estado de Washington, EUA, na alta no início da década. A construção foi estimulada pela facilitação do crédito imobiliário.

Indício de recessão

Embora os preços de imóveis sejam geralmente resistentes, eles podem estagnar; a redução no investimento residencial é quase sempre o primeiro indício de que uma recessão está a caminho. Em países mais desenvolvidos, o mercado imobiliário começou a cair antes de cada grande recessão nos últimos cinquenta anos. O mercado habitacional só se recupera quando

Veja também: Crescimento e retração 78-79 ▪ Bolhas econômicas 98-99 ▪ Oferta e procura 108-13 ▪ Teste das teorias econômicas 170 ▪ Crises financeiras 296-301

Quando a economia cresce, mais pessoas se sentem **confiantes a ponto de comprar** uma moradia.

↓

Essa procura ampliada leva a um **aumento no preço dos imóveis**. Os construtores investem em mais construções.

↓

Os preços atingem um **nível insustentável**, e a procura estanca.

↓

O investimento habitacional é suspenso, e são cortados empregos nos setores correlatos. Os **preços dos imóveis estagnam**, e a economia cai.

↓

O mercado de imóveis reflete a alta e a baixa.

os consumidores confiam que o valor de sua casa vai aumentar. Essa confiança aumenta com a melhora da economia. Quando a venda de moradias retorna ao nível normal, o investimento habitacional cresce, abrindo vagas de emprego e ajudando a economia a crescer.

Os economistas analisam a relação entre o mercado imobiliário e a economia em geral e acreditam que, ao estudar os investimentos em moradias, podem prever com precisão recessões e recuperações. Em seu livro de 2006 *Housing prices and the macroeconomy*, os economistas britânicos Charles Goodheart e Boris Hofmann mostraram que existe uma correlação entre o desempenho econômico e aqueles preços. Dizem que, seguindo as políticas adequadas, seria possível reduzir bastante ou até evitar os piores efeitos de uma recessão.

Infelizmente isso não ocorreu na "bolha" imobiliária que estourou nos EUA em 2008. Aí, as rápidas inovações financeiras criaram instabilidade no financiamento de hipotecas, criando uma confiança excessiva no consumidor e uma alta insustentável. O mercado imobiliário foi a causa do estouro. ▪

Crédito irresponsável no mercado de imóveis

A crise econômica de 2008 deveu-se muito à liberalização do mercado hipotecário e aos empréstimos irresponsáveis dos bancos. De início, os credores impunham normas rígidas aos mutuários, dando o empréstimo só a quem pudesse pagar os juros e as prestações, tendo por base a quantia emprestada. No entanto, com a alta econômica, foram concedidas hipotecas a quem podia pagar apenas os juros. Essas pessoas confiavam que sua renda ou o preço do imóvel subisse para pagar o restante do empréstimo.

Então os credores concederam hipotecas a pessoas que não tinham renda suficiente para pagar nem os juros – os empréstimos só seriam honrados se houvesse forte alta na renda e no preço dos imóveis. Quando a economia falhou e os mutuários começaram a não pagar os empréstimos, a economia inteira desabou.

Na onda de execuções bancárias após a crise financeira de 2008, imóveis desocupados, como este em Nova Jersey, EUA, passaram a fazer parte do panorama.

GUIA DE ECONOM

STAS

GUIA DE ECONOMISTAS

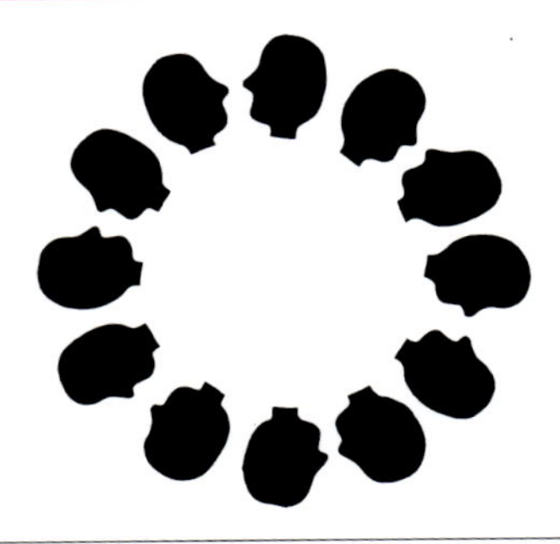

Este livro examina algumas das mais importantes ideias do pensamento econômico, dos primórdios à evolução da economia política e ao tema amplo que hoje conhecemos. Assim, aborda inevitavelmente as ideias e as conquistas de grandes economistas, como Adam Smith, John Maynard Keynes e Friedrich Hayek. Todavia, sem dúvida existem muitos outros economistas que deram contribuições importantes, em geral em mais de uma área de estudo, os quais merecem mais que uma menção passageira. Todos os pensadores enfocados nas páginas a seguir participaram da ascensão da economia a tema vital na sociedade industrial moderna, dando sentido à complexidade e ampliando nossa compreensão da atividade econômica no mundo atual.

JEAN-BAPTISTE COLBERT
1619-1683

Embora nascido em família de comerciantes de Rheims, França, Jean-Baptiste Colbert preferiu a carreira política ao comércio. Ascendeu e tornou-se ministro das Finanças de Luís XIV em 1665 e adotou medidas para dar um fim à corrupção política. Reformou o sistema fiscal, instituiu políticas para estimular a indústria francesa, incentivou o comércio exterior e melhorou a infraestrutura francesa.
Veja também: A carga tributária 64-65

PIERRE DE BOISGUILBERT
1646-1714

Aristocrata francês, Pierre Le Pesant, Sieur de Boisguilbert, seguiu a carreira de direito. Foi magistrado e juiz e em 1690 tornou-se *bailie* – representante do rei a cargo da administração e da justiça na cidade de Rouen, posto que deteve até morrer, em 1714. Ao ver o efeito do imposto na economia local, opôs-se ao sistema tributário instituído por Colbert. Acredita que a produção e o comércio geravam riqueza e propôs uma reforma fiscal para fomentar um comércio livre.
Veja também: A carga tributária 64-65

YAMAGATA BANTO
1748-1821

Um dos mais respeitados eruditos de Osaka, Japão, Yamagata Banto era também um cambista. Ao lado de outros da Escola Kaitokudo de Osaka, ele adotou ideias ocidentais de racionalismo nas instituições japonesas, ajudando a terminar a sociedade feudal do país, que até então se baseara em ideias de Confúcio. *Yume no shiro* ("Em vez de sonhos"), livro de vários volumes de Banto, criticou o velho sistema, que para ele era dominado pela "era dos deuses", e propôs um enfoque racional e científico da estrutura social, política e econômica do Japão moderno, fundado na indústria e no comércio.
Veja também: Vantagem comparativa 80-85

HENRI DE SAINT-SIMON
1760-1825

Claude Henri de Rouvroy nasceu em família nobre em Paris, França, mas rejeitou o título de conde por defender uma forma de socialismo. Suas ideias tiveram influência da nova sociedade criada nos EUA após a Revolução Americana. Ele dizia que a pobreza podia ser erradicada com a cooperação e a inovação tecnológica e que o ensino acabaria com a ganância que fazia as pessoas buscar privilégios sociais e explorar as outras. Sua obra influenciou pensadores socialistas do século XIX, especialmente Karl Marx (p. 105).
Veja também: Economia Marxista 100-05

FRIEDRICH LIST
1789-1846

Friedrich List começou a carreira como servidor público em sua cidade natal de Reutlingen, Alemanha, e logo ascendeu a cargos altos. Contudo, em 1822 foi preso

por sua opinião sobre as reformas e fugiu para a França e a Inglaterra. Emigrou para os EUA e tornou-se cônsul desse país em Hamburgo e depois em Leipzig. Em 1843, fundou um jornal para divulgar sua visão de um "Sistema Nacional", cuja aliança aduaneira uniria toda a Alemanha. Saúde fraca e problemas financeiros atormentaram seus últimos anos, e ele se suicidou em 1846.
Veja também: Vantagem comparativa 80-85

JOSEPH BERTRAND
1822-1900

Filho de escritor de ciência popular francês, Joseph Bertrand mostrou aptidão pela matemática desde cedo. Em 1856, tornou-se professor na Escola Politécnica de Paris. Fez nome nos campos da teoria dos números e da probabilidade e se opôs à teoria dos oligopólios, de seu compatriota Antoine Augustin Cournot (p. 91), propondo em seu lugar um modelo alternativo de concorrência de preços.
Veja também: Efeitos da concorrência limitada 90-91

CARL MENGER
1840-1921

Um dos fundadores da Escola Austríaca de economistas, Carl Menger nasceu na Galícia, hoje na Polônia. Em *Princípios de economia política* (1871), ele delineou sua teoria da marginalidade (o valor dos produtos vem do valor de cada unidade adicional), que se tornou crucial para o pensamento da Escola Austríaca. Enquanto professor de economia da Universidade de Viena, ele escreveu *Método das ciências sociais*, que marcou a cisão final da Escola Histórica Alemã, baseada nos ideais românticos do século XIX.
Veja também: Liberalismo econômico 172-77

LUJO BRENTANO
1844-1931

Nascido na Baviera, Alemanha, Lujo Brentano doutorou-se em direito e economia. Em 1868, fez uma viagem à Grã-Bretanha com o estatístico Ernst Engel (p. 125) para estudar o sindicalismo, e suas ideias foram influenciadas por essa experiência. Membro da Escola Histórica Alemã, Brentano ainda assim contestou muitas de suas teorias, defendendo reforma social, direitos humanos e responsabilidade do Estado pelo bem-estar público. Sua influência é mais evidente na formação das economias de mercado social.
Veja também: Economia social de mercado 222-23

EUGEN VON BÖHM-BAWERK
1851-1914

Membro fundador da Escola Austríaca de economistas, Eugen von Böhm-Bawerk nasceu em Brünn, Áustria (hoje na República Tcheca). Estudou direito na Universidade de Viena e teve carreira acadêmica e política de sucesso, sendo duas vezes ministro das Finanças nos anos 1890, quando pôs em prática suas ideias de orçamento frugal equilibrado. Suas críticas à economia marxista e às teorias de juros e capital tiveram grande influência, especialmente em seus alunos Joseph Schumpeter (p. 149) e Ludwig von Mises (p. 147).
Veja também: Planejamento central 142-47

FRIEDRICH VON WIESER
1851-1926

Friedrich von Wieser nasceu em Viena. Como seu cunhado Eugen von Böhm-Bawerk, ele estudou direito, mas o trocou por economia depois de ler a obra de Carl Menger. Trabalhou alguns anos como servidor público e em 1903 sucedeu a Menger como professor em Viena. Sua primeira grande contribuição foi na teoria do valor, influenciado por Léon Walras (p. 120) e Vilfredo Pareto (p. 131). Atribui-se a ele o termo "utilidade marginal" (satisfação obtida com cada unidade adicional). Depois, voltou-se para a aplicação da teoria econômica à sociologia, criando a importante teoria da economia social e a ideia de custo de oportunidade.
Veja também: Custo de oportunidade 133

THORSTEIN VEBLEN
1857-1929

Famoso como dissidente entre os economistas americanos, Thorstein Veblen era filho de imigrantes noruegueses que viviam num sítio em Minnesota. Seu ambiente incomum deu-lhe a visão de um estrangeiro da sociedade dos EUA, o que o fez rejeitar a sabedoria convencional de seus professores. Ele criou um enfoque institucional que aliou a sociologia e a economia. Em 1899, publicou *A teoria da classe ociosa*, que lançou a ideia do "consumo conspícuo" e criticou a ineficiência e a corrupção do sistema capitalista e sua classe empresarial "parasita".
Veja também: Consumo conspícuo 136

ARTHUR PIGOU
1877-1959

Nascido em Ryde, ilha de Wight, Arthur Pigou estudou história na Universidade de Cambridge, Reino Unido, onde se interessou por economia e conheceu Alfred Marshall (p. 110). Graduado, Pigou lecionou em Cambridge até o início da Primeira Guerra Mundial, na cadeira de economia política de Marshall desde 1908. É mais famoso pelo "imposto pigouviano", criado para compensar externalidades (custos ou benefícios involuntários).
Veja também: Custos externos 137

NIKOLAI DMITRIYEVICH KONDRATIEV
1892-1938

Criado perto de Kostroma, Rússia, e de família camponesa, Nikolai Kondratiev estudou economia na Universidade de São Petersburgo e trabalhou para o governo. Quando o czar Nicolau II foi deposto em 1917, Kondratiev era do Partido Socialista Revolucionário e tornou-se ministro de Abastecimento. Um mês depois, o governo provisório foi derrubado e Kondratiev voltou à vida acadêmica. Criou a teoria dos ciclos de 50 a 60 anos nas economias capitalistas, as ditas "ondas de Kondratiev". Em 1930, suas ideias caíram em descrédito. Ele foi preso e executado oito anos depois.
Veja também: Crescimento e retração 78-79

RAGNAR FRISCH
1895-1973

Nascido em Christiana, Noruega, Ragnar Frisch foi pioneiro no uso da matemática e da estatística na economia. Cunhou os termos econometria, microeconomia e macroeconomia. De início foi ourives, pois pretendia participar da empresa da família, mas estudou economia e matemática na França e na Inglaterra. Em 1932, fundou o Instituto de Economia de Oslo e em 1969 tornou-se o primeiro ganhador do Nobel de Ciências Econômicas com seu colega Jan Tinbergen.
Veja também: Testando teorias econômicas 170

PAUL ROSENSTEIN-RODAN
1902-1985

De família polonesa judaica na Cracóvia governada pela Áustria, Rosenstein-Rodan começou como membro da Escola Austríaca de economistas. Em 1930, fugiu do antissemitismo em sua pátria para Londres, onde lecionou na London School of Economics. Nos anos 1940, interessou-se por economia desenvolvimentista e propôs o que se chamaria de teoria do "grande impulso". Após a Segunda Guerra Mundial, mudou-se para os EUA, trabalhou para o Banco Mundial e foi conselheiro dos governos da Índia, da Itália, do Chile e da Venezuela.
Veja também: Economia desenvolvimentista 188-93

JAN TINBERGEN
1903-1994

Coganhador do primeiro Nobel de Ciências Econômicas com Ragnar Frisch em 1969, o teórico holandês Jan Tinbergen primeiro estudou matemática e física e então passou a aplicar princípios científicos à teoria econômica. Assim, lançou as fundações do novo campo da econometria. Foi professor universitário e consultor da Liga das Nações e do Departamento Central de Estatísticas holandês, onde, em 1936, elaborou um novo modelo macroeconômico nacional, adotado por outros governos.
Veja também: Testando teorias econômicas 170

RICHARD KAHN
1905-1989

Richard Ferdinand Kahn nasceu de pais alemães em Londres e graduou-se em física na Universidade de Cambridge, Reino Unido, antes de adotar a economia, obtendo diploma de primeira classe em um ano sob a coordenação de John Maynard Keynes (p. 161). Aos 25 anos fez nome com um artigo explicando o multiplicador, peça básica da economia keynesiana. Economista prático, aconselhou o governo britânico na Segunda Guerra Mundial até voltar para a Universidade de Cambridge, onde lecionou até se aposentar, em 1972.
Veja também: O multiplicador keynesiano 164-65

RAGNAR NURKSE
1907-1959

Nascido em Käru, Estônia (então no Império Russo), Ragnar Nurkse estudou direito e economia na Universidade de Tartu. Continuou os estudos na Escócia e em Viena. Em 1934, Nurkse passou a trabalhar como analista financeiro da Liga das Nações, o que influenciou seu interesse pela economia mundial e desenvolvimentista. Após a Segunda Guerra Mundial, mudou-se para os EUA e lecionou nas universidades de

Columbia e Princeton. Criou com Paul Rosenstein-Rodan (p. 336) o campo da economia desenvolvimentista e defendeu a teoria do "grande impulso".
Veja também: Economia desenvolvimentista 188-93

JOHN KENNETH GALBRAITH
1908-2006

Nascido em Ontário, Canadá, John Kenneth Galbraith estudou economia em seu país e nos EUA. Lecionou na Universidade de Cambridge, Reino Unido, onde recebeu grande influência de John Maynard Keynes (p. 161). Na Segunda Guerra Mundial, foi subchefe da Agência de Supervisão de Preços do governo dos EUA, mas sua defesa do controle permanente de preços o fez demitir-se em 1943. Trabalhou como jornalista, acadêmico e consultor econômico do presidente John F. Kennedy e tornou-se autor popular em 1958 com o livro *A sociedade afluente.*
Veja também: Consumo conspícuo 136

GEORGE STIGLER
1911-1991

Bastante influenciado por Frank Knight (p. 163), seu coordenador de doutorado na Universidade de Chicago, EUA, George Stigler seria um membro destacado da Escola de Chicago de economistas, trabalhando com seu amigo e contemporâneo Milton Friedman (p. 199). Conhecido por sua pesquisa da história do pensamento econômico, também trabalhou com a teoria da escolha pública (análise do comportamento do governo) e foi um dos primeiros a investigar o campo da economia da informação. Ganhou o Prêmio Nobel em 1982.
Veja também: Busca e ajuste 304-05

JAMES TOBIN
1918-2002

James Tobin nasceu em Illinois, EUA, e hoje tem fama pelo chamado "imposto Tobin", que ele criou para desencorajar a especulação em transações cambiais. Tobin é mais conhecido dos economistas como defensor da economia keynesiana e por sua obra acadêmica sobre investimento e política fiscal. Cursou a Universidade Harvard, EUA, em 1935, onde conheceu John Maynard Keynes. Em 1950, passou a lecionar em Yale, onde ficou pelo resto da vida. Como consultor do governo Kennedy, ajudou a dar forma à política econômica americana nos anos 1960. Em 1981, ganhou o Prêmio Nobel.
Veja também: Depressões e desemprego 154-61 ▪ O multiplicador keynesiano 164-65

ALFRED CHANDLER
1918-2007

Nascido em Guyencourt, EUA, Alfred Chandler formou-se na Universidade Harvard, EUA, em 1940. Depois de servir na Marinha na Segunda Guerra Mundial, escreveu sua tese de doutorado sobre estruturas de gestão, baseado em documentos deixados para ele por seu avô, o analista financeiro Henry Varnum Poor. A partir dos anos 1960, centrou-se em estratégia gerencial e organização de grandes empresas. Escreveu vários livros, e o de 1977, *The visible hand*, ganhou o Prêmio Pulitzer. O livro considera a ascensão de empresas de grande escala como "segunda revolução industrial".
Veja também: Economias de escala 132

ROBERT LUCAS
1937-

Um dos mais influentes economistas da Escola de Chicago, Robert Lucas é também um dos fundadores da macroeconomia neoclássica. Estudou na Universidade de Chicago, EUA, onde leciona desde 1974. Ele derrubou as ideias keynesianas e sua pesquisa sobre expectativas racionais (a ideia de que, se as pessoas tomam decisões racionais e abalizadas, seus atos podem alterar o curso pretendido de uma política do governo) influiu na política monetária dos anos 1980.
Veja também: Expectativas racionais 244-47

EUGENE FAMA
1939-

Ítalo-americano de terceira geração, Eugene Fama foi o primeiro de sua família a ir para a universidade. De início estudou francês, mas se fascinou por economia. Ganhou uma bolsa para estudar para o doutorado na Universidade de Chicago, onde leciona desde então. É mais famoso por criar a hipótese da eficiência do mercado, que diz que em qualquer mercado com muitos comerciantes bem informados o preço reflete toda a informação disponível. É também conhecido por demonstrar a correlação entre eficiência e equilíbrio de mercado.
Veja também: Mercados eficientes 272

KENNETH BINMORE
1940-

Acadêmico britânico, Kenneth Binmore é matemático, economista e teórico de jogos. Sua obra é pioneira por aliar a economia tradicional a técnicas matemáticas e ao uso de experimentos. Ele elaborou teorias de comportamento de pechincha e no campo da teoria evolutiva dos jogos.
Veja também: Concorrência e cooperação 273

PETER DIAMOND
1940-

O economista americano Peter Diamond formou-se em matemática na Universidade Yale, EUA, e depois estudou economia no Instituto de Tecnologia de Massachusetts (MIT), onde lecionou na maior parte de sua carreira. Mais famoso pela pesquisa de seguro social, foi consultor em seguridade social do governo. Seu trabalho posterior sobre a teoria da busca e do ajuste no mercado de trabalho o fez dividir o Prêmio Nobel de 2010 com Mortensen e Christopher Pissarides (p. 339).
Veja também: Busca e ajuste 304-05

MICHAEL TODARO
1942-

O economista americano Michael Todaro formou-se na Faculdade Haverford, Pensilvânia, EUA, e passou um ano na África com seu mentor, professor Philip Bell, o que lhe deu uma paixão pela economia desenvolvimentista. Sua tese de doutorado de 1967 foi a base da teoria da migração nos países em desenvolvimento e lançou o que seria conhecido por paradoxo de Todaro. Ele trabalhou para a Fundação Rockefeller na África e o Population Council de Nova York antes de assumir uma cátedra na Universidade de Nova York.
Veja também: Economia desenvolvimentista 188-93

ROBERT AXELROD
1943-

Economista americano e cientista político, Robert Axelrod lecionou na maior parte de sua carreira na Universidade de Michigan, onde entrou em 1974. É mais conhecido por sua contribuição para as teorias de cooperação e complexidade. A investigação do "dilema do prisioneiro" em seu livro *A evolução da cooperação* (1984) mostrou que uma estratégia "olho por olho" pode gerar comportamento cooperativo em situações hostis e amistosas. Axelrod foi consultor da ONU, do Banco Mundial e do Departamento da Defesa dos EUA na promoção da cooperação entre os países.
Veja também: Concorrência e cooperação 273

MICHAEL SPENCE
1943-

Nascido em Nova Jersey, Michael Spence, cujo pai trabalhava em Ottawa na Segunda Guerra Mundial, foi criado no Canadá. Estudou filosofia na Universidade de Princeton, EUA, mas a trocou por economia em seu doutorado na Universidade Harvard. Lecionou na maior parte da carreira em Harvard e Stanford. Sua obra centra-se sobretudo na economia da informação (como a informação influi na economia) e na ideia de "sinalizar" informação de maneira indireta (por exemplo, uma pessoa "sinalizar" sua capacidade para certo emprego com suas qualificações acadêmicas). Em 2001, ganhou o Prêmio Nobel com George Akerlof (p. 275) e Joseph Stiglitz por sua obra sobre informação assimétrica (desigual) nos mercados.
Veja também: Incerteza no mercado 274-75

JOSEPH STIGLITZ
1943-

Um dos mais influentes (e quase sempre polêmicos) economistas de sua geração, Joseph Stiglitz nasceu em Indiana, EUA, em família que, segundo ele, "gostava de debater questões políticas". Foi professor de diversas universidades prestigiosas dos EUA e do Reino Unido, consultor dos presidentes americanos Clinton e Obama e economista-chefe do Banco Mundial. Fez nome nos anos 1970 por seu trabalho com economia da informação (como a informação influi na economia), pelo qual dividiu o Nobel de 2001. Nos anos 1990, criticou o consenso de Washington (p. 329), aplicado sobretudo a países em desenvolvimento.
Veja também: Incentivos e salários 302

ALICE AMSDEN
1943-2012

Tida como economista "destemida", Alice Amsden concentrou-se em desenvolvimento e industrialização de economias emergentes. Formada na Universidade Cornell, EUA, estudou para seu doutorado na London School of Economics e depois trabalhou no Banco Mundial

e na Organização de Cooperação e Desenvolvimento Econômico (OCDE), detendo também altos postos acadêmicos. Em 2009, foi designada para uma gestão de três anos na ONU. É lembrada sobretudo por sua contestação das ideias tradicionais da globalização, em livros como *A ascensão do "resto"* (2001).
Veja também: Os Tigres Asiáticos 282-87

ROBERT BARRO
1944-

O economista americano Robert Barro estudou física de início, mas a trocou por economia no doutorado. Estudou em muitas universidades dos EUA e é diretor honorário da Academia de Economia da China na Universidade Central de Pequim. Barro foi figura destacada na formação da macroeconomia neoclássica e passou a ser notado em 1974, com suas teorias sobre os efeitos do empréstimo atual e da tributação futura. Seu último trabalho enfocou a influência da cultura na economia política.
Veja também: Empréstimo e dívida 76-77

CHRISTOPHER PISSARIDES
1948-

Nascido na vila greco-cipriota de Agros, Christopher Pissarides formou-se em economia na Universidade de Essex, Reino Unido. Doutorou-se pela London School of Economics em 1973, da qual faz parte desde 1976. Sua contribuição mais significativa foi nos campos da teoria da busca e do ajuste no mercado de trabalho e do desemprego. Nos anos 1990, elaborou um modelo de criação e liquidação de empregos com Dale Mortensen. Ambos, ao lado de Peter Diamond, ganharam o Nobel de 2010 por sua análise de mercados.
Veja também: Busca e ajuste 304-05

PAUL KRUGMAN
1953-

Ganhador do Prêmio Nobel em 2008 por sua análise de modelos de comércio, o economista americano Paul Krugman é conhecido por sua obra pioneira de comércio e finanças internacionais e pela análise de crises cambiais e de políticas fiscais. Lecionou em muitas universidades e trabalhou como consultor econômico do governo Reagan nos anos 1980, mas é considerado de tendência esquerdista. Nos anos 1990, desenvolveu um enfoque da análise do comércio internacional que é hoje tida como nova teoria comercial.
Veja também: Comércio e geografia 312

DANI RODRIK
1957-

Nascido em Istambul, Turquia, Dani Rodrik mudou-se para os EUA para se graduar. Hoje professor de economia política internacional na Universidade Harvard, centra-se nas áreas da economia internacional e desenvolvimentista. Foi consultor de organizações internacionais, entre elas o Centro de Pesquisas de Política Econômica, o Centro de Desenvolvimento Mundial e o Instituto de Economia Internacional.
Veja também: Integração de mercados 226-31 ▪ Resistência a mudanças 328-29

HA-JOON CHANG
1963-

Nascido na Coreia do Sul, Ha-Joon Chang é destacado crítico da linha econômica dominante. Graduou-se pela Universidade Nacional de Seul e se mudou para o Reino Unido para se doutorar pela Universidade de Cambridge, onde prossegue sua pesquisa. Chang atuou como consultor de diversas agências da ONU, do Banco Mundial, do Banco de Desenvolvimento da Ásia e de agências nacionais e ONGs. Critica as políticas de desenvolvimento tradicionais do Banco Mundial e em seu livro *23 things they don't tell you about capitalism* (2010) ajudou a popularizar aspectos da economia alternativa.
Veja também: Os Tigres Asiáticos 282-87

RENAUD GAUCHER
1976-

Formado em psicologia, história, geografia, economia e também finanças, o pensador francês Renaud Gaucher procura integrar elementos das ciências sociais ao pensamento econômico para obter um enfoque mais holístico. Ele investiga a psicologia do dinheiro e a economia comportamental do ponto de vista da psicologia positiva (aquela que se concentra nos aspectos positivos do ser humano), com ênfase na "economia da felicidade", seguindo os passos da pesquisa de economistas como o americano Richard Easterlin e levando em conta seu lugar nas políticas de desenvolvimento e mudança climática.
Veja também: A economia da felicidade 216-19

GLOSSÁRIO

Ações Unidades de propriedade de uma empresa.

Balança comercial Diferença no valor de importações e exportações de um país em certo período.

Banco central Instituição que administra a moeda de um país, altera a oferta de moeda e determina as taxas de juros. Também pode servir de emprestador para bancos em última instância.

Bem Algo que satisfaz o desejo ou exigência do consumidor. Termo em geral referente a um produto ou matéria-prima.

Bem público Produtos ou serviços, como iluminação pública, não fornecidos por empresas privadas.

Capital Dinheiro e ativos físicos (como máquinas e infraestrutura) usados para gerar renda. Ingrediente essencial da atividade econômica, assim como terra, mão de obra e empresa.

Capitalismo Sistema econômico em que os meios de produção são propriedade privada, as empresas concorrem para vender produtos com lucro e os trabalhadores trocam seu trabalho por um salário.

Cartel Grupo de empresas que concordam em cooperar de tal modo que a produção de determinado bem seja limitada, e os preços, elevados.

Ciclo econômico Flutuação no crescimento de toda a economia caracterizado por períodos de expansão (alta) e retração (baixa).

Commodity (mercadoria) Termo genérico usado com relação a qualquer produto ou serviço que possa ser comercializado. É em geral empregado em referência a matérias-primas que sempre têm aproximadamente a mesma qualidade e podem ser compradas em quantidade.

Comunismo Sistema econômico marxista em que imóveis e meios de produção são propriedade coletiva.

Concorrência Há concorrência quando dois ou mais produtores tentam conquistar um comprador oferecendo as melhores condições.

Concorrência perfeita Situação idealizada em que compradores e vendedores detêm informação plena e existem tantas empresas produzindo o mesmo bem que um vendedor sozinho não consegue influir no preço.

Conluio Acordo de não concorrência entre duas ou mais empresas, a fim de determinar os preços.

Consumo Valor de bens ou serviços comprados. As compras individuais são somadas pelo governo para calcular o total do consumo nacional.

Crise de crédito Redução súbita na disponibilidade de crédito no sistema bancário. A crise de crédito costuma ocorrer após um período de grande oferta de crédito.

Curva da oferta Gráfico que mostra a quantidade de um produto ou serviço que os vendedores produzem por preços diferentes.

Curva da procura ou demanda Curva em gráfico que mostra a quantidade de um produto ou serviço comprada por preços diferentes.

Curva de Phillips Gráfico que ilustra a suposta relação inversa entre a inflação e o desemprego.

Custo marginal Aumento nos custos totais causado pela produção de uma unidade a mais.

Déficit Um desequilíbrio. Déficit comercial é excesso de importações ante as exportações; déficit público é excesso de gastos em relação à receita tributária.

Deflação Queda no preço dos produtos e serviços num período. A deflação está associada a períodos de estagnação econômica.

Depreciação Redução do valor de um ativo num período, causada por uso, desgaste ou obsolescência.

Depressão Declínio grave e duradouro da atividade econômica em que cai a produção, cresce o desemprego e o crédito é escasso.

Dívida Promessa feita por uma parte (devedor) a outra (credor) de que pagará o empréstimo.

Duopólio Controle do mercado por duas empresas.

Economia Sistema total da atividade econômica em certo

país ou área, abarcando toda a produção, a mão de obra, o comércio e o consumo que ali ocorrem.

Economia clássica Enfoque inicial da economia concebido por Adam Smith e David Ricardo, centrado no crescimento das nações e no livre mercado.

Economia comportamental Ramo da economia que estuda os efeitos de fatores psicológicos e sociais nas decisões.

Economia de livre mercado Economia em que as decisões sobre a produção são tomadas por pessoas e empresas privadas com base na oferta e na procura, e os preços são determinados pelo mercado.

Economia mista Economia em que parte dos meios de produção pertence ao Estado, e parte à iniciativa privada, misturando aspectos da economia planejada e da economia de mercado. Em sentido estrito, praticamente todas as economias são mistas, mas o resultado varia bastante.

Economia neoclássica Enfoque dominante na economia atual. Baseia-se na oferta e na procura e em indivíduos racionais, e é em geral expressa matematicamente.

Economia planejada Veja *Economia planificada.*

Economia planificada. Economia em que todas as atividades são controladas por uma autoridade central, como o Estado. Também chamada economia planejada.

Economia social de mercado Modelo econômico elaborado na Alemanha Ocidental após a Segunda Guerra Mundial, caracterizado por economia mista, em que o setor privado é estimulado, mas o governo intervém na economia para garantir justiça social.

Elasticidade Sensibilidade de determinada variável econômica (como a procura) em relação a outra (como o preço). Os preços dos bens podem ser elásticos ou inelásticos.

Empreendedor Pessoa que assume risco comercial na esperança de ter lucro.

Equilíbrio Estado de igualdade num sistema. Em economia, os mercados estão em equilíbrio quando a oferta se iguala à procura.

Escola Austríaca Escola de economia fundada por Carl Menger no final do século XIX. Atribui as atividades econômicas às ações e à livre escolha das pessoas e se opõe a qualquer intervenção do governo na economia.

Escola de Chicago Grupo de economistas ligado à Universidade de Chicago, EUA, que defende com avidez o livre mercado e cujos ideais de desregulamentação e liberalização do mercado predominaram nos anos 1980.

Estagflação Período de inflação e desemprego altos e crescimento baixo.

Eurozona Região de países da União Europeia que optaram pela unidade monetária. Todos usam a mesma moeda, o euro, e a política monetária é ditada pelo Banco Central Europeu.

Externalidades Custo ou benefício de uma atividade econômica que é sentido por alguém não ligado diretamente a tal atividade e não se reflete no preço.

Falência Declaração legal de que um indivíduo ou empresa não consegue pagar suas dívidas.

Falha de mercado Situação na qual o mercado não tem resultados ideais do ponto de vista social. A falha de mercado pode se dever a falta de concorrência (como um monopólio), informação incompleta, custos e benefícios não computados (externalidades) ou falta de potencial para o lucro (como os bens públicos).

Fatores de produção Insumos usados para fazer bens ou serviços: terra, mão de obra, capital e empresa.

Flexiblização quantitativa Injeção de dinheiro novo na economia pelo banco central.

Fundo Monetário Internacional (FMI) Organização internacional fundada em 1944 para supervisionar o sistema de câmbio após a guerra e mais adiante fornecedora de dinheiro para países pobres.

Globalização Livre trânsito de dinheiro, produtos e pessoas pelas fronteiras internacionais. Maior interdependência econômica entre os países por meio da integração de produtos, mão de obra e mercados de capitais.

Grande Depressão Período de recessão econômica internacional de 1929 a meados dos anos 1930. Começou nos EUA com a quebra da Bolsa de Valores de Nova York.

Hiperinflação Índice de inflação muito alto.

Imposto Cobrança feita pelo governo a empresas e indivíduos. Seu pagamento é obrigatório por lei.

Inadimplência ou insolvência Incapacidade de pagar um empréstimo nos termos acordados.

Inflação Situação em que os preços de bens e serviços numa economia mantêm tendência de alta.

Informação assimétrica Desigualdade de informação. Por exemplo, compradores e vendedores têm mais ou menos informação sobre um produto do que outros.

Investimento Injeção de capital a fim de aumentar a produção futura, como uma nova máquina ou treinamento da força de trabalho.

Keynesianismo Escola de pensamento econômico baseada nas ideias de John Maynard Keynes, em defesa dos gastos públicos para tirar a economia da recessão.

Laissez-faire Termo francês que significa "deixe fazer", usado em referência a um mercado sem intervenção governamental.

Liberalismo econômico Ideologia segundo a qual o bem é maior quando as pessoas recebem liberdade individual máxima para fazer escolhas de consumo. O liberalismo econômico defende a economia de livre mercado.

Liquidez Facilidade com que um ativo pode ser usado para comprar algo, sem que isso cause redução em seu valor. Dinheiro é o ativo mais líquido, pois pode ser usado de imediato para comprar produtosou serviços, sem prejuízo de seu valor.

Livre comércio Importação e exportação de bens e serviços sem imposição de tarifas ou cotas.

Macroeconomia Estudo da economia como um todo, com a análise de fatores que a atingem, como taxas de juro, inflação, crescimento e desemprego.

Macroeconomia neoclássica Escola de pensamento dentro da macroeconomia que usa modelos de análise baseados inteiramente no contexto neoclássico.

Mão invisível Ideia de Adam Smith de que os indivíduos buscam seus interesses no mercado, beneficiando inevitavelmente toda a sociedade, como se houvesse uma "mão invisível" a guiá-los.

Mercado altista Período em que o valor de ações e outros títulos sobe.

Mercado baixista Período de declínio no valor de ações ou outros títulos.

Mercantilismo Doutrina que predominou na Europa Ocidental do século XVI ao XVIII. Ressaltava a importância do controle do governo sobre o comércio exterior para manter positiva a balança comercial.

Microeconomia Estudo do comportamento econômico de indivíduos e empresas.

Moeda fiduciária Forma de moeda que não tem lastro de produto físico como o ouro, mas tem valor derivado da confiança das pessoas nela. As principais moedas do mundo são fiduciárias.

Monetarismo Escola de pensamento econômico que crê que o papel fundamental do governo é controlar a oferta de moeda. É associado ao economista americano Milton Friedman e a governos conservadores dos anos 1970 e 80.

Monopólio Mercado em que existe apenas uma empresa. Em geral um monopolista tem produção baixa, que ele então vende por preço alto.

Multiplicador keynesiano Teoria de que o aumento nos gastos do governo na economia produz um aumento ainda maior na renda.

Obrigação Forma de empréstimo a juro para levantar capital. Obrigações são certificados de um emissor (governo ou empresa) em troca de quantia em dinheiro. O emissor concorda em pagar a quantia com juros em data futura determinada.

Oferta Quantidade de um produto disponível para compra.

Oligopólio Setor com pequeno número de empresas. No oligopólio existe o risco de as empresas formarem cartel para fixar os preços.

Orçamento Plano financeiro que lista despesas e receitas previstas.

Ótimo de Pareto Condição em que não se pode alterar a alocação de bens para melhorar a situação de alguém sem piorar a de outra pessoa. Leva o nome de Vilfredo Pareto.

Padrão-ouro Sistema monetário em que uma moeda tem lastro em reserva de ouro e em tese pode ser trocada a pedido por certa quantidade de ouro. Nenhum país usa o padrão-ouro atualmente.

Permuta Sistema em que produtos ou serviços são trocados diretamente, sem usar um intermediário, como o dinheiro.

PIB Veja *produto interno bruto.*

Planejamento central Sistema de controle centralizado de uma economia pelo governo, no qual as decisões referentes à produção e distribuição de bens são tomadas por comissões governamentais.

PNB Veja *produto nacional bruto.*

Política fiscal Diretrizes do governo sobre impostos e gastos.

Política monetária Diretrizes do governo que visam mudar a oferta de moeda ou as taxas de juro, a fim de estimular ou refrear a economia.

Preço Quanto se paga em dinheiro ou bens a um vendedor em troca de bens ou serviços.

Procura ou demanda Quantidade de bens e serviços que uma pessoa ou um grupo de pessoas deseja e pode comprar.

Produto interno bruto (PIB) Medida da renda nacional em um ano. O PIB é calculado pela soma da produção total anual do país e costuma ser usado para medir sua atividade econômica e sua riqueza.

Produto nacional bruto (PNB) Valor total dos bens e serviços produzidos em um ano por empresas nacionais, operem elas no país ou no exterior.

Protecionismo Política econômica que visa limitar o comércio internacional, pela qual um país impõe tarifas ou cotas às importações.

Recessão Período em que cai a produção total da economia.

Relação inversa Situação em que uma variável diminui, enquanto a outra aumenta.

Rendimentos marginais decrescentes Situação em que cada unidade adicional de algo propicia cada vez menos benefício.

Restrição orçamentária Limite de produtos e serviços que uma pessoa ou entidade consegue pagar.

Salários rígidos Salários que demoram a se alterar em relação às condições do mercado.

Sistema de Bretton Woods Sistema de taxas de câmbio criado pelos países mais industrializados em 1945. Atrelava o valor do dólar dos EUA ao ouro e o de outras moedas ao dólar.

Superávit Um desequilíbrio. superávit comercial é uma exportação excessiva diante da importação; superávit orçamentário é um excesso de receita de impostos perante os gastos públicos.

Tarifa Imposto sobre importação, em geral para proteger produtores do país da concorrência estrangeira.

Taxa de câmbio Relação de troca de uma moeda por outra. A taxa de câmbio é o preço de uma moeda em relação ao das outras.

Taxa de juro Preço do empréstimo de dinheiro. A taxa de juro de um empréstimo costuma ser um percentual da quantia anual que deve ser devolvida somada ao montante emprestado.

Teoria da dependência A ideia de que recursos e riquezas passam dos países pobres para os ricos de tal modo que os pobres são incapazes de se desenvolver.

Teoria do caos Ramo da matemática que mostra que ínfimas mudanças nas condições iniciais podem causar efeitos significativos.

Teoria dos jogos Estudo das decisões estratégicas de indivíduos ou empresas em interação.

Total agregado Quantidade total. Por exemplo, a demanda agregada é a demanda total de bens e serviços na economia.

Utilidade Unidade usada para medir a satisfação ou felicidade obtidas com o consumo de produto ou serviço.

Utilidade marginal Mudança na utilidade (ou satisfação) total, que resulta do consumo de uma unidade a mais de um produto ou serviço.

Utilitarismo Filosofia segundo a qual as escolhas são feitas para aumentar a felicidade do maior número de pessoas.

Valor nominal Valor monetário de algo, expresso na moeda do dia. Os preços ou salários nominais mudam conforme a inflação e, portanto, não podem ser comparados em períodos diferentes (um salário de $ 50 não compraria o mesmo em 1980 e 2000).

Valor real Valor de algo medido segundo a quantidade de bens ou serviços que se podem comprar.

Vantagem absoluta Capacidade de um país de produzir com mais eficiência que outro.

Vantagem comparativa A capacidade de um país de fazer um produto com eficiência relativa maior que a de outro país, mesmo que este seja mais eficiente no todo.

ÍNDICE

Os números em **negrito** referem-se à entrada principal da pessoa.

B

F

G

J

K

L

M

N

PQ

R

S

T

WY

AGRADECIMENTOS

A Dorling Kindersley agradece a colaboração gráfica a Niyati Gosain, Shipra Jain, Payal Rosalind Malik, Mahua Mandal, Anjana Nair, Pooja Pawwar, Anuj Sharma, Vidit Vashisht e Shreya Anand Virmani; e a colaboração editorial a Lili Bryant.

CRÉDITOS DAS IMAGENS

A editora agradece às pessoas a seguir a amável autorização para reproduzir suas fotografias:

(Legenda: a-alto; b-abaixo/embaixo; c-centro; f-fora; e-esquerda; d-direita; t-topo)

20 Getty Images: Barcroft Media (bc). **23 Alamy Images:** The Art Gallery Collection (te). **Getty Images:** The Bridgeman Art Library (td). **24 Getty Images:** AFP (cd). **25 Getty Images:** Nativestock / Marilyn Angel Wynn (bd). **27 Corbis:** Bettmann (td). **28 Dorling Kindersley:** Judith Miller / The Blue Pump (td). **Getty Images:** John Moore (be). **29 Getty Images:** Jason Hawkes (bd). **31 Library of Congress, Washington, D.C.:** (td). **33 Getty Images:** Universal Images Group / Leemage (te). **35 Getty Images:** AFP / Fred Dufour (td). **37 Alamy Images:** The Art Archive (be). **Getty Images:** Hulton Archive (td). **38 Corbis:** Heritage Images (bd). **42 Corbis:** The Gallery Collection (tc). **43** *Tableau Économique*, 1759, François Quesnay (be). **44 Alamy Images:** The Art Gallery Collection (be). **45 Getty Images:** Hulton Archive (td). **47 Corbis:** Bettmann (td); Hemis / Camille Moirenc (te). **53 Corbis:** Godong / Philippe Lissac (td); John Henley (be). **56 The Art Archive:** London Museum / Sally Chappell (be). **Corbis:** Johnér Images / Jonn (td). **58 Getty Images:** The Bridgeman Art Library (b). **60 Corbis:** Robert Harding World Imagery / Neil Emmerson (be). **61 Corbis:** Justin Guariglia (te). **Library of Congress, Washington, D.C.:** (td). **63 Corbis:** Sebastian Rich (bd). **65 Corbis:** The Art Archive / Alfredo Dagli Orti (td). **Dreamstime.com:** Georgios Kollidas (be). **67 Corbis:** Tim Pannell (te). **Getty Images:** AFP (bd). **68 Getty Images:** Paula Bronstein (bc). **69 Corbis:** Bettmann (td). **71 Getty Images:** Bloomberg (td). **73 Getty Images:** Bloomberg (be). **Library of Congress, Washington, D.C.:** (bd). **75 Corbis:** National Geographic Society (bc). **Library of Congress, Washington, D.C.:** (td). **77 Corbis:** EPA / Simela Pantzartzi (cd). **79 Getty Images:** Archive Photos / Lewis H. Hine (te). **83 Corbis:** Bettmann (bd). **84 Corbis:** Imaginechina (te). **Getty Images:** Hulton Archive (be). **85 Corbis:** Cameron Davidson (bc). **95 Getty Images:** Hulton Archive / London Stereoscopic Company (td); **Science & Society Picture Library** (be). **97 Corbis:** Bettmann (te). **Getty Images:** Per-Anders Pettersson (bd). **98** *Flora's Mallewagen*, c.1640, Hendrik Gerritsz. Pot (bc). **102 akg-images:** German Historical Museum, Berlin (td). **103 Getty Images:** Science & Society Picture Library (be). **104 Corbis:** Michael Nicholson (te). **105 Corbis:** Bettmann (td). **Getty Images:** CBS Photo Archive (be). **110 Alamy Images:** Interfoto (be). **112 Getty Images:** Yawar Nazir (be). **113 Getty Images:** AFP (te). **115** *Popular Science Monthly*, volume 11, 1877 (td). **117 Corbis:** EPA / Abdullah Abir (td); Imaginechina (te). **120 Alamy Images:** Interfoto (be). **Dreamstime.com:** Ayindurdu (td). **122 Getty Images:** Jeff J. Mitchell (td). **124 Corbis:** Cultura / Frank and Helena (cd). **125 Alamy Images:** Interfoto (td). **129 Getty Images:** Bloomberg (td); Taxi / Ron Chapple (be). **131 Library of Congress, Washington, D.C.:** (td). **132 Getty Images:** Photographer's Choice / Hans-Peter Merten (bc). **135 Getty Images:** Bloomberg (td); Hulton Archive (be). **136 Library of Congress, Washington, D.C.:** (bc). **139 Getty Images:** Hulton Archive (be); SuperStock (te). **141 Corbis:** Viviane Moos (bd). **Getty Images:** Hulton Archive (te). **145 Getty Images:** De Agostini Picture Library (td). **147 Corbis:** Bettmann (be). **Cortesia do Instituto Ludwig von Mises, Auburn, Alabama, EUA. 149 Corbis:** Bettmann (td); Rolf Bruderer (be). **156 Getty Images:** Hulton Archive (cd). **157 Getty Images:** Gamma--Keystone (td). **159 Corbis:** Bettmann (td). **160 Getty Images:** Ethan Miller (be). **161 Corbis:** Bettmann (td); Ocean (te). **163 Corbis:** Paulo Fridman (cd). **165 Corbis:** Xinhua Press / Xiao Yijiu (tc). **167 Corbis:** Macduff Everton (bc). **Library of Congress, Washington, D.C.:** (td). **168 Dreamstime.com:** Gina Sanders (bc). **169 Corbis:** Dennis Degnan (bd). **171 Corbis:** Darrell Gulin (bd). **175 Corbis:** Reuters / Korea News Service (bd). **177 Corbis:** Hulton-Deutsch Collection (td). **Getty Images:** Bloomberg (te). **179 Corbis:** Heritage Images (td). **Getty Images:** AFP (be). **181 Getty Images:** The Agency Collection (be); Hulton Archive / Express Newspapers (td). **186 Corbis:** Hulton--Deutsch Collection (bc). **187 Corbis:** Reuters (bd). **192 Corbis:** Gideon Mendel (te). **193 Corbis:** Reuters / Carlos Hugo Vaca (bd). **Getty Images:** Photographer's Choice / Wayne Eastep (be). **195 Getty Images:** AFP / Gabriel Duval (be). **198 Library of Congress, Washington, D.C.: U.S.** Farm Security Administration / Office of War Information / Dorothea Lange (t). **199 Corbis:** Bettmann (td); Hulton-Deutsch Collection (tc). **201 Corbis:** Reuters (te). **Getty Images:** Brad Markel (bd). **203 Getty Images:** Dorothea Lange (cd). **205 Getty Images:** The Agency Collection / John Giustina (be); Archive Photos / Bachrach (td). **207 Getty Images:** Andreas Rentz (tc).

University of Nebraska-Lincoln: (td). **209 Corbis:** Bettmann (be); Stuart Westmorland (te). **211 Corbis:** Imaginechina (bc). Getty Images: AFP (td). **213 Getty Images:** Chris Hondros (bc). **215 Getty Images:** The Bridgeman Art Library (td).
217 Corbis: Blend Images / Sam Diephuis / John Lund (td). **218 Corbis:** Christophe Boisvieux (bd). **219 Corbis:** Nik Wheeler (td). **223 Corbis:** SIPA / Robert Wallis (td). **225 Corbis:** Sygma / Ira Wyman (be). **Getty Images:** AFP / Frederic J. Brown (td). **228 Corbis:** The Gallery Collection (cd). **229 Getty Images:** Science & Society Picture Library (bd). **230 Corbis:** EPA / Udo Weitz (bd); Imaginechina (te). **233 Corbis:** Peter Turnley (td). Cortesia do Professor János Kornai. **236 Dreamstime.com:** Artemisphoto (td). **239 Corbis:** Reuters (td). **Digital Vision:** (be). **240 Corbis:** Lawrence Manning (be). **241 Corbis:** Tim Graham (td). **243 Corbis:** EPA / George Esiri (te). **245 Corbis:** Cultura / Colin Hawkins (td). **246 Getty Images:** Photolibrary / Peter Walton Photography (te). **247 Corbis:** EPA / Justin Lane (be).
249 Dreamstime.com: Ivonne Wierink (t/Urn); Zoommer (t/Balls). **253 Corbis:** George Hammerstein (td). **254 Corbis:** Sygma / Regis Bossu (td). **Getty Images:** Bloomberg (be). **257 Getty Images:** AFP / Tony Karumba (td); Jeff Christensen (be). **263 Corbis:** Robert Essel NYC (bd). **264 Getty Images:** Glow Images, Inc. (te).
265 Dreamstime.com: Zagor (bd).
267 Dreamstime.com: Digitalpress (bd). **269 Getty Images:** Paula Bronstein (td). **271 Corbis:** John Harper (td). **273 Getty Images:** Konstantin Zavrazhin (bd). **275 Corbis:** Big Cheese Photo (td). **Getty Images:** Dan Krauss (be). **277 Corbis:** Reuters / Wolfgang Rattay (be). **Getty Images:** Lisa Maree Williams (te). **278 Corbis:** Frans Lanting (bc). **279 Corbis:** Louis K. Meisel Gallery, Inc. (bd). **281 Corbis:** Ocean (cd). **285 Alamy Stock Photo:** Keith Levit / Destinations / Design Pics Inc (br). **Corbis**: Bettmann (tl). **286 Corbis:** Justin Guariglia (te). **287 Corbis:** Topic Photo Agency (bd); Xinhua Press / Xu Yu (be). **291 Corbis:** Reuters / Philimon Bulawayo (td). **293 Corbis:** Xinhua Press / Guo Lei (bd). **295 Corbis:** Hemis / René Mattes (bd). **298 Corbis:** Bettmann (td). **300 Getty Images:** The Image Bank / Stewart Cohen (bc).
301 Corbis: Reuters / Shannon Stapleton (td). **302 Corbis:** Bettmann (bc). **304 Corbis:** Images.com (cd).
305 Corbis: EPA / Mondelo (bd). **307 Getty Images:** UpperCut Images / Ferguson & Katzman Photography (te). **309 Corbis:** Eye Ubiquitous / David Cumming (bd). **Getty Images:** Helifilms Australia (te). **311 Getty Images:** Stone / Bruce Ayres (te). **313 Corbis:** Roger Ressmeyer (bc). **315 Corbis:** EPA / Kim Ludbrook (cd). **Getty Images:** WireImage / Steven A. Henry (be). **320 Library of Congress, Washington, D.C.:** George Grantham Bain Collection (te). **321 Corbis:** Bettmann (tc). **323 Getty Images:** Archive Photos / Arthur Siegel (tc). **325 Getty Images:** Mark Wilson (td). **327 Corbis:** Robert Harding World Imagery / Duncan Maxwell (cd). **Getty Images:** Bloomberg (be). **329 Getty Images:** AFP / Issouf Sanogo (td). **330 Getty Images:** Stone / Ryan McVay (cd). **331 Corbis:** Star Ledger / Mark Dye (bd)

Todas as outras imagens © Dorling Kindersley.

Veja mais informações em **www.dkimages.co.uk**